LE DESTIN D'UNE FEMME

Britannique de naissance, de nationalité canadienne, vivant aux Etats-Unis, Arthur Hailey est l'auteur international par excellence. Ses livres, citons entre autres Airport, Detroit, Black out, *ont été traduits dans le monde entier. Né en avril 1920 à Luton, en Angleterre, pilote dans la Royal Air Force pendant la seconde guerre mondiale, il émigre au Canada en 1947 : d'abord dans les affaires, il commence à écrire en 1956 des dramatiques pour la télévision, avant de se consacrer entièrement au roman, à partir de 1959.*
Il vit actuellement avec sa femme Sheila aux Bahamas.

Elle n'a jamais accepté de se laisser guider aveuglément par les choses de la vie; elle a toujours choisi d'aimer les êtres qu'elle aimait. A ses risques et périls, elle a choisi, une fois pour toutes, d'être l'unique responsable de son destin plutôt que d'avoir à dire merci à quiconque.
Son bonheur, sa réussite, elle ne les devra à personne; son destin, elle le construira jour après jour.

Son pari est une gageure car on ne gagne pas sur tous les tableaux : dans un milieu où les hommes font la loi — l'industrie pharmaceutique —, vouloir mener de front une vie de femme accomplie, épanouie, et une carrière professionnelle jusqu'au sommet, cela est impossible.
A moins de s'appeler Celia Jordan...

D1374305

Paru dans Le Livre de Poche :

AIRPORT.
DETROIT.
BLACK OUT.

ARTHUR HAILEY

Le Destin d'une femme

TRADUIT DE L'AMÉRICAIN
PAR MARIANNE VÉRON

PIERRE BELFOND

Ce livre a été publié sous le titre original

STRONG MEDICINE
par Doubleday & Co, New York

Note de l'auteur

En 1979, quand parut *Overload*, j'annonçai que je me retirais. J'étais las de cette vie trépidante. Je voulais profiter de mes dernières années pour passer plus de temps avec les miens, voyager, aller à la pêche, lire, écouter de la musique...

J'ignorais que la maladie allait tout remettre en question. Au terme d'une lutte où je sentis la mort très proche, je trouvai un regain de santé et une énergie décuplée – à tel point que ma femme Sheila me dit un jour : « Je crois que tu devrais écrire un nouveau livre. »

J'ai suivi son conseil. *Le Destin d'une femme* en est le résultat.

5 avril 1984,

A.H.

Dans la section de première classe du Boeing 747 qui avait quitté Londres une demi-heure plus tôt, le docteur Jordan prit la main de sa femme.

« Cesse de t'inquiéter, lui dit-il. Il ne se passera peut-être rien.

— Il se passera sûrement quelque chose, corrigea-t-elle. Tu peux compter sur Donahue pour cela. »

Andrew grimaça à l'évocation de ce sénateur démagogue de l'Etat de Nouvelle-Angleterre.

« Je me régalais à la perspective du déjeuner. Fallait-il vraiment que tu me coupes l'appétit ?

— Sois un peu sérieux, Andrew. Souviens-toi qu'il y a eu des morts. A cause de certains médicaments.

— Tu n'avais rien à voir là-dedans.

— S'il y a des inculpations, je serai mise en cause. Et je pourrais fort bien me retrouver en prison. »

Il tenta de détendre l'atmosphère.

« Nous n'en sommes pas là. Mais si cela devait arriver, je te promets d'aller te voir tous les jours et de t'apporter des gâteaux avec plein de petites scies à l'intérieur !

— Oh ! Andrew ! » Son sourire était empreint d'amour et de tristesse.

Après vingt-huit ans de mariage, songea-t-il, quel

bonheur d'admirer encore sa femme pour sa beauté, son intelligence, sa force.

« Comme c'est charmant! » s'exclama une voix de femme, tout près d'eux.

Andrew leva les yeux et vit une jeune hôtesse qui contemplait d'un air ravi leurs mains entrelacées.

Il déclara, pince-sans-rire :

« L'amour existe aussi chez les vieillards.

— Vraiment? rétorqua l'hôtesse sur le même ton. Je ne l'aurais jamais cru. Encore un peu de champagne?

— Oui, merci. »

La jeune femme continuait à le dévisager, et il en conclut, sans la moindre vanité, qu'il avait gardé son charme, même aux yeux d'une femme qui aurait pu être sa fille. Comment ce chroniqueur londonien l'avait-il donc décrit, la semaine passée? « Ce beau médecin distingué, avec sa crinière blanche... » Andrew n'avait fait aucun commentaire, mais cela lui avait assez plu.

Son verre à la main, il se carra dans son fauteuil. Il appréciait les raffinements qui accompagnent les voyages en première même si, aujourd'hui, il en profitait moins que d'habitude. C'était évidemment l'argent de sa femme qui leur procurait tous ces plaisirs supplémentaires. Car, bien que ses propres revenus de médecin hospitalier fussent tout à fait confortables, il ne se serait sans doute jamais accordé la folie d'un vol Londres-New York en première classe, et n'aurait jamais pu se permettre l'avion privé dans lequel sa femme et lui-même parfois parcouraient le continent nord-américain. Ou plutôt *avaient parcouru*. Car des changements s'annonçaient.

L'argent n'avait cependant jamais été un problème dans leur ménage. Jamais cela n'avait causé la moindre discussion entre eux. Dès le début, sa femme avait décrété que tous leurs biens seraient mis en commun. Ils avaient toujours eu des comptes joints et, bien que la contribution d'Andrew fût désormais très inférieure, ni l'un ni l'autre ne se préoccupait d'arithmétique comparative.

Ses pensées partirent à la dérive, tandis qu'ils poursuivaient leur voyage vers l'ouest, très haut au-dessus de l'Atlantique, main dans la main.

« Andrew, reprit soudain sa femme. Quel réconfort de t'avoir là. Toujours si proche. Et toujours si fort.

— C'est drôle, répondit-il. Je pensais justement à ta propre force.

— Il en existe de différentes sortes. Et la tienne m'est indispensable. »

L'habituelle animation précédant les repas commençait.

Au bout d'un moment, la femme d'Andrew déclara :

« Quoi qu'il arrive, je compte me battre.

— N'est-ce pas ce que tu as toujours fait ? »

Elle réfléchissait avec soin, comme d'habitude.

« Dans les prochains jours, je vais choisir un avocat. Il me faut quelqu'un de solide, mais pas trop brillant. Ce serait une erreur. Inutile de se faire remarquer. »

Il lui pressa la main.

« Je te reconnais bien là. »

Elle lui sourit.

« Viendras-tu avec moi au tribunal ?

— Tous les jours. Les patients n'auront qu'à se débrouiller en attendant que ce soit fini.

— Tu ne feras jamais ça ! Mais j'aimerais t'avoir auprès de moi.

— Les médecins ne manquent pas. Un remplaçant sera vite trouvé.

9

– Peut-être, dit sa femme, peut-être avec un bon avocat nous pourrons susciter un miracle. »

Andrew attaqua le caviar qu'on venait de lui servir. Quelle que fût la gravité de leurs soucis, il n'y avait aucune raison de renoncer aux plaisirs de la chère.

« Et pourquoi pas? répondit-il en garnissant un toast. Nous avons bien commencé par un miracle, toi et moi. Et il y en a eu d'autres depuis. Pourquoi pas un de plus? Pour toi toute seule, cette fois-ci.

– Ce serait *vraiment* un miracle.

– C'en sera un », corrigea-t-il doucement.

Andrew ferma les yeux. Le champagne et l'altitude lui donnaient sommeil. Mais, tout en somnolant, il se souvint du premier miracle.

Il y avait de cela bien longtemps.

PREMIÈRE PARTIE

1957-1963

CHAPITRE 1

Le docteur Jordan annonça d'une voix calme :
« Votre femme va mourir, John. Elle n'en a plus que
pour quelques heures. » Voyant le visage défait et
anxieux du jeune homme mince qui lui faisait face,
encore revêtu de son bleu de travail, il ajouta :
« J'aurais aimé vous dire autre chose. Mais j'ai
pensé que vous voudriez savoir la vérité. »

Cela se passait au St. Bede's Hospital, à Morristown, dans le New Jersey. Du dehors leur parvenaient les rumeurs de la petite ville, en cette
fin d'après-midi, mais elles troublaient à peine le
silence.

Dans la lumière tamisée de la chambre d'hôpital,
Andrew vit la pomme d'Adam de John tressauter
par deux fois, avant qu'il parvienne à articuler :

« Je n'arrive pas à y croire. Nous commençons
tout juste notre vie commune. Nous venons d'avoir
un bébé.

— Oui, je sais.

— C'est tellement...

— Injuste ? »

Le jeune homme acquiesça. Un garçon bon et
droit, apparemment dur au travail, John Rowe. Il
avait vingt-cinq ans, seulement quatre de moins que
le docteur Jordan, et il supportait mal le choc – rien

d'étonnant à cela. Andrew aurait souhaité pouvoir le réconforter. Malgré son contact fréquent avec la mort, et son aptitude à en déceler les signes précurseurs, il ne savait pas encore très bien comment communiquer avec la famille ou les amis proches d'un mourant. Un médecin devait-il être franc, direct, ou bien existait-il des moyens plus subtils? Cela ne s'enseignait pas à la faculté de médecine, ni nulle part ailleurs.

« *Les virus sont imprévisibles*, reprit-il, mais ils ne se comportent généralement pas ainsi. D'habitude, ils réagissent au traitement.

— N'y a-t-il vraiment *rien* à faire? Un médicament qui pourrait...? »

Andrew secoua la tête. Il aurait pu préciser : *Pas encore. Jusqu'à présent, aucun produit ne vient à bout du coma profond que cause parfois une hépatite virale*. Il aurait pu expliquer que, plus tôt dans la journée, il avait consulté son aîné, le docteur Noah Townsend, qui était également chef de service à l'hôpital. Mais à quoi bon entrer dans les détails?

Une heure plus tôt, Townsend avait dit à Andrew : « Vous avez fait tout ce que vous pouviez. Je n'aurais rien fait de plus. » C'est alors qu'Andrew avait envoyé un message à l'usine, dans la ville toute proche de Boonton, où John Rowe travaillait.

Mon dieu! Andrew jeta un coup d'œil vers le lit métallique où gisait la forme immobile. C'était le seul lit de la chambre – la pancarte ISOLEMENT avait été placée bien en vue dans le couloir. On voyait derrière le lit le traditionnel flacon de perfusion dont le contenu – dextrose et complexe vitaminique B dans du sérum physiologique – pénétrait au goutte à goutte dans une veine de l'avant-bras de Mary Rowe. Dehors, il faisait déjà sombre; on percevait de temps à autre des roulements de tonnerre,

14

et il pleuvait à verse. Une soirée affreuse. La dernière pour cette jeune épouse et mère, qui avait mené une existence active et saine jusqu'à la semaine passée. Bon dieu! C'était *vraiment* injuste.

C'était aujourd'hui vendredi. Le lundi, cette charmante petite femme était entrée dans le cabinet d'Andrew, visiblement souffrante. Elle se plaignait de nausées, de faiblesse et de manque d'appétit. Sa température s'élevait à 38 degrés.

Quatre jours auparavant, lui expliqua Mme Rowe, elle avait éprouvé les mêmes symptômes, accompagnés de vomissements, mais, se sentant mieux dès le lendemain, elle avait conclu à une indisposition passagère. Et voilà que cela recommençait, et elle se sentait mal, beaucoup plus mal, cette fois.

Andrew lui examina le blanc de l'œil; il décela des traces jaunes. La jaunisse lui marquait déjà la peau par endroits. Il lui palpa le foie, et le trouva enflé, mou. Quelques questions lui révélèrent que la malade avait passé plusieurs jours de vacances au Mexique, au cours du mois précédent. Oui, ils avaient séjourné dans un petit hôtel tranquille et bon marché. Oui, elle avait mangé la nourriture locale et bu de l'eau.

« Je vous hospitalise immédiatement, lui annonça Andrew. Nous allons faire une analyse de sang pour confirmer le diagnostic, mais je suis certain qu'il s'agit d'une hépatite virale. »

Puis, comme Mary Rowe paraissait alarmée, il lui expliqua qu'elle avait dû consommer au Mexique de l'eau ou des aliments contaminés par une personne porteuse de virus. Cela se produisait fréquemment dans des pays où certaines règles élémentaires d'hygiène n'étaient pas respectées.

Quant au traitement, il allait consister essentiellement à stimuler les défenses de l'organisme par des injections intraveineuses. Dans quatre-vingt-quinze pour cent des cas, ajouta Andrew, on parvenait au rétablissement complet en trois ou quatre mois, mais Mary allait pouvoir rentrer chez elle d'ici quelques jours.

Avec un sourire las, elle avait demandé :

« Et les cinq autres pour cent? »

Andrew répondit en riant :

« N'y pensez pas! Il s'agit de statistiques qui ne vous concernent pas. »

Il s'était trompé.

Au lieu de s'améliorer, l'état de Mary Rowe empira. Son taux de bilirubine ne cessait de monter, indiquant une aggravation du mal que confirmait d'ailleurs la coloration inquiétante de sa peau. Plus alarmants encore, les examens effectués le mercredi révélaient dans le sang un taux dangereux d'ammoniaque produit par l'intestin que le foie malade ne parvenait plus à maîtriser.

Puis, hier, son état mental s'était détérioré. Hagarde, désorientée, elle ne savait plus où elle se trouvait ni pourquoi, et ne reconnaissait plus Andrew ni son mari. C'est alors qu'Andrew avait averti John Rowe que sa femme était très gravement malade.

Un terrible sentiment d'impuissance rongea Andrew toute la journée du jeudi et, entre ses consultations privées, il ne pouvait s'empêcher de réfléchir encore au problème, mais en vain. L'accumulation d'ammoniaque constituait un obstacle à la guérison. Comment y remédier? Il savait qu'en l'état actuel de la médecine aucun moyen efficace n'existait.

Finalement, il avait compensé sa frustration, en prenant injustement à partie la visiteuse médicale qui était entrée en fin d'après-midi dans son cabinet. Il ne se rappelait même plus son nom ni l'allure qu'elle avait, sinon qu'elle portait des lunettes et qu'elle était jeune, presque encore une gamine, et sans doute inexpérimentée.

Elle représentait les laboratoires Felding-Roth. Par la suite, Andrew se demanda pourquoi il avait accepté de la recevoir. Sans doute était-ce dans l'espoir d'apprendre quelque chose ? Mais, tandis qu'elle lui parlait du dernier antibiotique que son labo venait de lancer, il avait laissé vagabonder son esprit jusqu'au moment où elle lui avait dit :

« Vous ne m'écoutez même pas, docteur. »

Cela l'avait mis en fureur.

« Sans doute parce que j'ai des sujets de réflexion plus graves et que vous me faites perdre mon temps. »

C'était vraiment grossier, et d'habitude, il ne se comportait pas ainsi. Mais son inquiétude au sujet de Mary Rowe se doublait d'une vieille animosité à l'égard des laboratoires et de leurs méthodes de vente. Bien sûr, il leur arrivait de fabriquer de bons produits mais ce démarchage au porte-à-porte, cette politique de flagornerie à l'égard des médecins étaient intolérables. Andrew s'en était rendu compte pendant ses études, en voyant ses futurs confrères – des futurs prescripteurs, aux yeux des laboratoires pharmaceutiques – choyés par les représentants qui, entre autres choses, distribuaient des stéthoscopes et des sacoches. Et certains étudiants acceptaient avec joie. Mais Andrew n'était pas de ceux-là. Bien qu'il ne fût pas riche, il préférait garder son indépendance, et acheter lui-même son matériel.

« Peut-être me direz-vous ce qui est d'une telle gravité, docteur, avait demandé la visiteuse médicale. »

C'est alors qu'il avait explosé, lui parlant de Mary

Rowe et de son intoxication par hyperammoniémie, et ajoutant d'une voix caustique qu'au lieu de sortir un énième antibiotique du même acabit, et sans doute ni meilleur ni pire que tant d'autres déjà disponibles sur le marché, les laboratoires comme Felding-Roth feraient mieux de travailler sur un produit susceptible de remédier à un dérèglement de la production d'ammoniaque...

Il s'était interrompu, honteux de s'être laissé aller et il se serait sans doute excusé si la visiteuse médicale n'avait alors remballé ses échantillons et ses papiers en disant simplement : « Au revoir, docteur. »

Voilà pour hier. Et aujourd'hui Andrew ne savait toujours pas comment sauver sa malade.

Ce matin, il avait reçu un appel de Mme Ludlow, la surveillante d'étage.

« Docteur Jordan, Mme Rowe m'inquiète. Elle ne réagit plus. »

Andrew se précipita à l'hôpital. Un interne se tenait près de la malade qui, à présent, était en coma profond. Bien qu'il se sentît obligé d'accourir, Andrew savait avant même d'arriver qu'il n'y avait aucune mesure à prendre. Tout ce qu'ils pouvaient faire, c'était poursuivre la perfusion. Et puis espérer.

Maintenant que la nuit approchait, il était clair qu'on avait espéré en vain. L'état de Mary Rowe paraissait irréversible.

John Rowe luttait contre les larmes.

« Reprendra-t-elle conscience, docteur? Saura-t-elle que je suis auprès d'elle?

— Je regrette, répondit Andrew, mais c'est peu probable.

— Je resterai quand même à son chevet.

— Bien sûr. Les infirmières seront à proximité, et je laisserai des instructions à l'interne.

– Merci, docteur. »

Merci pour quoi? se demanda Andrew en quittant la chambre. Il avait besoin d'un café.

La salle de garde des médecins était une pièce très dépouillée, quelques sièges, une batterie de boîtes aux lettres, un téléviseur, un petit bureau, et des casiers. Mais l'on était sûr d'y trouver le calme et du café bien chaud à toute heure.

Il s'en versa une tasse et s'affala dans un vieux fauteuil usé. Il n'avait plus aucune raison de rester à l'hôpital, mais il retardait le moment de regagner son appartement de célibataire – déniché par Hilda, la femme de Noah Townsend – accueillant, mais parfois bien solitaire.

Le café était brûlant. Pendant qu'il refroidissait, Andrew jeta un coup d'œil sur le journal, le *Newark Star-Ledger*. A la une s'étalait un article sur un engin nommé « Spoutnik », un satellite de la Terre – Dieu sait ce que cela pouvait être –, que les Russes avaient récemment lancé dans l'espace à grand renfort de publicité, en annonçant « l'aube d'une ère spatiale nouvelle ». Tandis que le président Eisenhower s'apprêtait vraisemblablement selon l'auteur de l'article à réclamer l'accélération du programme spatial des Etats-Unis, les chercheurs américains étaient « effarés et humiliés » par l'avance technologique des Russes. Andrew espérait que ce bouleversement aurait des retombées positives dans le domaine médical. On avait sérieusement progressé au cours de ces douze dernières années, depuis la fin de la seconde guerre mondiale, mais il restait encore trop de lacunes et de questions sans réponses.

Abandonnant le journal, il prit un exemplaire de *Medical Economics*, une revue qui le fascinait ou l'amusait toujours. On prétendait que c'était la publication la plus lue par le corps médical, plus encore que le *New England Journal of Medicine.*

Medical Economics avait une fonction fondamentale – enseigner aux médecins les moyens de gagner le maximum d'argent et, dès qu'ils y parvenaient, de l'investir ou de le dépenser. Andrew se plongea dans la lecture d'un article intitulé : « Huit méthodes pour Réduire Vos Impôts en Clientèle Privée. » Il était temps pour lui de s'initier à ce genre de choses. Au terme de ses années de formation, un médecin finissait par gagner un peu d'argent. Mais comment le gérer ? Encore une chose qu'on ne leur enseignait pas à la faculté. Depuis un an et demi qu'il s'était associé avec le docteur Townsend, Andrew n'en revenait pas de voir les sommes qui s'accumulaient chaque mois sur son compte en banque. Il s'agissait là d'une expérience nouvelle, plutôt agréable... Il n'avait certes pas l'intention de se laisser dominer par l'argent, mais tout de même !

« Excusez-moi, docteur. »

Une voix de femme. Andrew tourna la tête.

« Je suis passée à votre cabinet, docteur Jordan, et, comme vous n'y étiez pas, j'ai décidé d'essayer l'hôpital. »

Bon sang ! C'était encore cette visiteuse ! Elle portait un imperméable trempé. Ses cheveux châtains pendaient, ruisselants, et ses verres de lunettes étaient embués. Quel culot ! Venir le pourchasser jusqu'ici !

« Vous paraissez ignorer que vous vous trouvez dans une salle strictement privée. Et d'ailleurs je ne reçois pas les visiteurs médicaux. »

Elle l'interrompit.

« A l'hôpital. Oui, je le sais. Mais je pensais qu'il s'agissait d'une affaire suffisamment importante. »

Avec des gestes rapides et précis, elle posa son attaché-case, ôta ses lunettes pour les essuyer, puis retira son imperméable.

« Il fait un temps épouvantable. J'ai été trempée rien qu'en traversant le parking.

– Qu'*est-ce* qui est important ? »

La visiteuse – elle était décidément très jeune, pas plus de vingt-quatre ans – jeta son imperméable sur un siège. Elle lui expliqua ensuite, d'une voix lente et appliquée.

« L'ammoniaque, docteur. Vous m'avez dit hier que vous aviez une malade en train de mourir d'une intoxication par hyperammoniémie. Vous regrettiez que les labo...

– Je me souviens parfaitement de ce que j'ai dit. »

La visiteuse le regarda bien en face, de ses yeux gris-vert. Andrew eut conscience d'une forte personnalité. Elle n'était pas vraiment ce qu'on appelle jolie, mais elle avait un visage avenant, avec des pommettes un peu saillantes : une fois séchée et coiffée, elle aurait sûrement de l'allure. Sans son imperméable, elle montrait une silhouette agréable.

« Je ne doute pas, docteur, que votre mémoire vaille mieux que vos manières. (Comme il allait répondre, elle l'arrêta d'un geste impatient :) Ce que je ne vous ai pas dit, ce que je n'ai *pas pu* vous dire hier, c'est que Felding-Roth travaille depuis quatre ans sur un produit visant à réduire la production d'ammoniaque des bactéries intestinales, et à restaurer le fonctionnement des cellules hépatiques. On pourrait y recourir dans les cas graves comme celui de votre patiente. J'étais au courant de ce projet, mais j'ignorais à quel stade en étaient les recherches.

– Je suis heureux d'apprendre que quelqu'un s'en

préoccupe, répondit Andrew, mais je ne vois toujours pas...

– Ecoutez-moi donc. (La jeune femme rejeta en arrière quelques mèches mouillées qui pendaient sur son front.) La substance mise au point – cela s'appelle la Lotromycine – réussit très bien chez les animaux. Le moment est venu de l'expérimenter sur des humains. J'ai pu me procurer un peu de Lotromycine. Je l'ai apportée. »

Andrew se leva de son fauteuil.

« Si je vous comprends bien, mademoiselle... » Il ne se souvenait plus de son nom et, pour la première fois, se sentit mal à l'aise.

« Je ne comptais pas que vous auriez retenu mon nom. Celia de Grey.

– Vous me suggérez donc, mademoiselle de Grey, de soumettre ma patiente à un produit expérimental, inconnu, qui n'a encore été testé que sur des animaux ?

– Quel que soit le produit, il faut toujours un premier cobaye pour l'expérimenter.

– Si vous n'y voyez pas d'inconvénient, je préfère ne pas être le premier à tenter l'aventure. »

La jeune femme haussa un sourcil sceptique ; sa voix se durcit.

« Même si votre patiente est à l'article de la mort, et qu'il ne reste plus aucune possibilité ? Comment va-t-elle, docteur ? La jeune femme dont vous m'avez parlé.

– Plus mal qu'hier. (Il hésita.) Elle est dans le coma.

– En train de mourir, donc ?

– Ecoutez. Je sais que vous voulez bien faire, mademoiselle de Grey, et je regrette vivement de vous avoir parlé comme je l'ai fait tout à l'heure. Mais il est trop tard, malheureusement. Trop tard pour employer des produits expérimentaux et,

22

même si je le voulais, avez-vous la moindre idée de toutes les formalités et de tous les papiers que nous devrions remplir?

– Oui », répondit la visiteuse médicale.

A présent, ses yeux, rivés sur Andrew, étincelaient, et il s'aperçut qu'il commençait à trouver sympathique cette fille ardente et directe. Elle poursuivit :

« Oui, je connais exactement les formalités. En fait, depuis que je vous ai quitté hier, je n'ai pas fait grand-chose d'autre que les étudier – et forcer la main de notre directeur de recherches pour qu'il m'autorise à sortir de la Lotromycine – dont il n'existe encore que de faibles quantités. Mais j'en ai obtenu – il y a trois heures, dans notre labo de Camden, et je suis revenue de là-bas en roulant à tombeau ouvert, par ce temps de chien.

– Je vous en suis reconnaissant... commença Andrew, mais elle secoua la tête avec impatience.

– Qui plus est, docteur Jordan, toutes les paperasses nécessaires sont faites. Il vous suffit à présent d'obtenir l'autorisation de la direction de l'hôpital, et celle de la famille. C'est tout. »

Il la dévisageait, stupéfait.

« Nous perdons du temps, reprit Celia de Grey. (Elle tira des papiers de son attaché-case.) Veuillez d'abord lire ceci. Voici la description de la Lotromycine, préparée à votre intention par le service de recherches de Felding-Roth. Et voici une note de notre directeur médical – ses instructions pour l'emploi de ce médicament. »

Andrew prit les deux feuillets, et s'absorba dans la lecture.

Près de deux heures s'étaient écoulées.

« Avec une malade à l'article de la mort, Andrew, qu'avons-nous à perdre? »

C'était la voix de Noah Townsend, au téléphone. Andrew avait réussi à joindre son chef de service invité à un dîner en ville, et lui avait expliqué la situation.

« Vous dites que le mari a déjà donné son accord? poursuivit Townsend.

— Oui, par écrit. J'ai appelé l'administrateur. Il est revenu à l'hôpital, et il a fait taper l'accord à la machine; c'est signé et contresigné. »

Andrew s'était entretenu avec John Rowe dans le couloir, et le jeune homme avait réagi avec enthousiasme. Un enthousiasme tel qu'Andrew avait dû le ramener à la raison. La signature au bas du formulaire était un peu tremblée, mais elle était là, tout se passait légalement.

« L'administrateur considère que tous les papiers fournis par Felding-Roth sont conformes, précisa Andrew. Apparemment, le fait que ce produit n'ait pas à circuler d'un Etat à un autre facilite grandement les démarches.

— Vous ne manquerez pas d'inscrire tous ces détails dans le dossier de la malade.

— C'est déjà fait.

— En somme, il ne vous manque plus que ma permission?

— Pour l'hôpital. Oui.

— Je vous la donne, déclara le docteur Townsend. Ce n'est pas que j'aie grand espoir, Andrew. Je pense que l'état de la patiente est trop avancé, mais tentons quand même l'expérience et à Dieu vat. Maintenant, me permettez-vous de retourner à mon délicieux faisan rôti? »

En raccrochant, dans la salle de garde des infirmières, Andrew demanda :

« Tout est prêt? »

L'infirmière en chef du service de nuit – une femme d'âge mûr, très compétente, et qui travaillait à mi-temps – acquiesça. Elle avait préparé un plateau avec une seringue hypodermique. Elle ouvrit un réfrigérateur et en sortit une ampoule pleine d'un liquide transparent, qu'avait apportée la déléguée de Felding-Roth.

« Alors, allons-y. »

L'interne qui était déjà au chevet de Mary Rowe ce matin, le docteur Overton, était là quand arrivèrent Andrew et l'infirmière. John Rowe se tenait en retrait.

Andrew expliqua le principe de la Lotromycine à l'interne, un Texan gigantesque et exubérant.

« Et vous croyez que ça va faire un miracle ? s'étonna-t-il.

– Non, répliqua Andrew d'un ton coupant. (Il se tourna vers le mari de la patiente.) Je tiens à vous redire, John, qu'il s'agit d'une tentative, ni plus ni moins. Une simple tentative – dans la situation...

– Je comprends. » John parlait d'une voix sourde, chargée d'émotion.

L'infirmière fit à la malade inconsciente une piqûre intramusculaire dans la fesse. Andrew donnait des explications à l'interne.

« Le labo nous a dit de lui injecter la même dose toutes les quatre heures. J'ai laissé des instructions écrites, mais j'aimerais que vous...

– Je serai là, patron. C'est d'accord – toutes les quatre heures. (L'interne baissa le ton.) Dites, vous voulez parier ? Je vous parie ce que... »

Andrew le fit taire d'un regard foudroyant. Le Texan venait de faire sa première année d'internat dans le service, et il avait donné les preuves de sa compétence médicale. Mais son manque total de sensibilité était déjà légendaire.

L'infirmière vérifia le pouls et la tension de la malade.

« Aucune réaction, docteur. »

Andrew hocha la tête, soulagé. Il n'avait escompté aucun effet immédiat, mais une réaction négative était toujours possible, surtout avec un produit expérimental. Il persistait à penser, cependant, que Mary Rowe ne passerait pas la nuit.

« Appelez-moi à mon domicile si son état s'aggrave », ordonna-t-il. Puis, à voix basse, il souhaita bonne nuit au mari et sortit.

C'est seulement en arrivant chez lui qu'Andrew se souvint qu'il n'avait pas informé la déléguée de Felding-Roth de la suite des événements, depuis qu'il l'avait quittée dans la salle de garde. Cette fois, il se rappelait son nom – de Grey. Cindy? Non, Celia. Il faillit lui téléphoner, mais se ravisa. Elle devait avoir pris ses propres renseignements. Il lui parlerait demain.

CHAPITRE 2

HABITUELLEMENT, Andrew recevait le samedi matin à son cabinet, de dix heures à midi, puis il passait à l'hôpital. Ce jour-là, il bouleversa son emploi du temps et arriva dès neuf heures à St. Bede's.

La pluie et l'orage de la veille au soir avaient fait place à une matinée claire et limpide, froide, mais ensoleillée.

Andrew gravissait le perron quand la grande porte s'ouvrit brutalement devant lui pour laisser passage à l'interne littéralement transformé en tornade. Overton semblait très excité. Ses cheveux en bataille donnaient l'impression qu'il avait été arraché au sommeil, et il avait le souffle court. Il empoigna Andrew par le bras.

« J'ai essayé de vous joindre, vous étiez déjà parti. Votre concierge m'a dit que vous arriviez. Il fallait absolument que je sois le premier à vous voir. »

Andrew se dégagea.

« Que se passe-t-il? »

L'interne déglutit à grand-peine.

« Vous verrez bien. Venez vite. »

Overton précéda Andrew au pas de charge, dans un couloir puis un ascenseur. Il se refusa à dire un seul mot, ou même à croiser son regard, pendant qu'ils montaient au troisième étage. Puis il quitta l'ascenseur précipitamment, toujours suivi d'Andrew.

Ils s'arrêtèrent devant la porte de la chambre où, la veille, Andrew avait laissé Mary Rowe, inconsciente, en compagnie de son mari, de l'infirmière et de l'interne.

« Entrez! ordonna Overton, impatient. Allez! »

Andrew entra. Il s'immobilisa. Stupéfait.

Resté derrière lui, l'interne déclara :

« Vous auriez dû accepter le pari, docteur Jordan. Si je ne l'avais pas vu moi-même, je ne le croirais pas. »

Andrew articula à mi-voix :

« Je ne suis pas sûr d'y croire non plus. »

Mary Rowe était assise dans son lit, vêtue d'une chemise de nuit en dentelle bleue, et lui souriait. Le sourire était encore faible, et la malade aussi, mais son état avait tellement évolué depuis le coma profond de la veille que cela tenait du miracle. Elle avait bu un peu d'eau, et ses doigts serraient le gobelet en plastique. La coloration jaune de sa peau, qui avait tellement foncé hier, s'était atténuée. A l'entrée d'Andrew, le mari se leva en tendant les mains. Un sourire éclatant lui illuminait le visage.

« Merci, docteur. Oh! merci! » La pomme d'Adam de John Rowe tressauta deux fois quand Andrew lui serra la main.

De son lit, Mary Rowe ajouta avec une fervente douceur :

« Que Dieu vous bénisse, docteur! »

Ce fut au tour de l'interne. Overton secoua la main d'Andrew.

« Félicitations... monsieur! » dit-il de manière tout à fait surprenante.

Andrew s'étonna de voir des larmes briller dans les yeux du colosse texan. L'infirmière en chef de l'étage, Mme Ludlow, accourut. Elle, qui paraissait toujours pressée et préoccupée, rayonnait.

« On ne parle que de vous dans tout l'hôpital, docteur Jordan. Tout le monde est au courant.

– Ecoutez, commença Andrew. Il existe un produit expérimental, la Lotromycine. On me l'a apporté. Je n'ai...

– Ici, interrompit l'infirmière, vous êtes un héros. Si j'étais vous, je n'essaierais pas de discuter.

– J'ai demandé des analyses de sang, une batterie complète, reprit l'interne. Le taux d'ammoniaque est descendu au-dessous du niveau toxique. Et comme la bilirubine ne monte pas, on va pouvoir faire le traitement habituel. Incroyable! » conclut-il pour lui-même.

Andrew se tourna vers sa patiente :

« Je suis bien heureux pour vous, Mary. (Une pensée lui vint.) A-t-on vu la fille de chez Felding-Roth? Mlle de Grey?

– Je l'ai vue ici tout à l'heure, répliqua l'infirmière. Elle est peut-être au poste des infirmières.

– Excusez-moi », dit Andrew, et il sortit.

Celia de Grey attendait dans le couloir. Elle avait changé de tenue. Un sourire éclairait son visage. Comme ils se dévisageaient, Andrew eut conscience d'une gêne entre eux.

« Vous êtes beaucoup mieux avec les cheveux secs, dit-il.

– Et vous ne semblez plus aussi arrogant qu'hier. »

Il y eut un silence, puis Andrew reprit :

« On vous a dit?

– Oui.

– Là-bas... (Andrew désigna la porte de Mary Rowe.) Là-bas, ils m'ont remercié. Mais c'est à vous que nous devons tous des remerciements. »

Elle répondit avec un sourire.

« C'est vous le médecin. »

Puis soudain, toute gêne évanouie, ils se mirent à rire et à pleurer ensemble. Un instant plus tard, se surprenant lui-même, il la prit dans ses bras et l'embrassa.

Devant deux tasses de café et un croissant qu'ils partageaient, à la cafétéria de l'hôpital, Celia de Grey ôta ses lunettes et annonça :

« J'ai téléphoné au directeur médical du labo pour lui raconter ce qui s'est passé. Il a transmis la nouvelle à notre équipe de recherche. Ils nagent tous dans le bonheur.

— Ils le méritent bien, dit Andrew. Ils ont inventé un produit formidable.

— Je suis également chargée de vous demander ceci : Accepteriez-vous de publier dans une revue médicale le compte rendu de l'affaire, en parlant de la Lotromycine?

— Avec joie.

— Naturellement, ce sera une remarquable promotion pour l'image de Felding-Roth. (La jeune femme s'exprimait à présent sur un ton très professionnel.) Car nous comptons faire de la Lotromycine un produit important dont nous espérons de grosses ventes. Mais cela ne vous nuira pas non plus.

— Sans aucun doute », reconnut-il avec un sourire.

Il garda l'air songeur en buvant son café. Par le plus pur des hasards, grâce à une coïncidence et à cette jeune femme assise en face de lui (qu'il trouvait à présent remarquable et exquise), il avait aidé l'histoire médicale à franchir un nouveau pas. Peu de médecins avaient cette chance.

« Ecoutez, commença-t-il, je veux vous dire une chose. Hier, vous avez déploré mes mauvaises manières, et vous aviez raison. Je me suis comporté grossièrement à votre égard. Je vous prie d'accepter mes excuses.

– Inutile. J'ai apprécié votre façon d'être. Vous vous inquiétiez pour votre malade, et rien d'autre ne comptait plus. Votre préoccupation se voyait. Mais vous êtes toujours comme cela. »

Cette remarque le surprit.

« Qu'en savez-vous?

– On me l'a dit. »

Encore ce sourire rapide, chaleureux. Elle avait de nouveau ses lunettes : elle ne cessait de les mettre et de les enlever. Celia poursuivit :

« Je sais beaucoup de choses sur vous, docteur Jordan. En partie parce que mon travail m'impose de connaître les médecins, et en partie... bon, je vous en parlerai plus tard. »

Cette fille étonnante paraissait avoir de multiples facettes.

« Que savez-vous donc? demanda-t-il.

– Eh bien, d'abord que vous étiez le plus brillant de votre promotion, à la faculté de Johns Hopkins. Et puis, que vous avez fait votre internat au Massachusetts General Hospital où seuls les meilleurs sont acceptés. Ensuite, le docteur Townsend vous a sélectionné parmi cinquante candidats pour faire de vous son associé en clientèle privée, parce qu'il connaissait vos qualités. Dois-je continuer? »

Il se mit à rire.

« Y a-t-il encore autre chose?

– Seulement que vous êtes un homme remarquable, docteur Jordan. Tout le monde le dit. Bien entendu, vous avez également vos défauts comme j'ai pu le constater.

– Vous me choquez terriblement, dit-il. Voulez-vous suggérer que je ne suis pas parfait ?

– Vous avez des préjugés, répondit Celia. Par exemple, à l'encontre des laboratoires pharmaceutiques. Vous nous êtes extrêmement hostile. Oh ! j'admets volontiers que sur certains points...

– Halte-là ! (Andrew leva la main.) Je reconnais que j'ai des préjugés. Mais je vous dirai aussi que, ce matin, je suis d'humeur à changer d'avis.

– C'est bien, mais ne changez pas trop. (Celia avait repris son intonation de femme d'affaires.) Notre industrie présente beaucoup d'aspects positifs et vous venez d'en voir un. Mais il y en a aussi de moins bons, et même certains que je n'aime pas du tout, et que j'espère parvenir à modifier.

– Que *vous* espérez parvenir à modifier, personnellement ?

– Je sais ce que vous pensez – que je suis une femme.

– Puisque vous en parlez, oui, j'avoue que je l'avais remarqué ! »

Celia continua d'une voix sérieuse :

« Le moment approche – en fait, il est même déjà arrivé – où les femmes feront beaucoup de choses qu'elles n'avaient encore jamais faites.

– En cet instant précis, je suis prêt à le croire aussi, surtout en ce qui vous concerne. (Puis il ajouta :) Vous m'aviez dit que vous aviez autre chose à me révéler, et que vous y viendriez plus tard. »

Pour la première fois, Celia de Grey hésita.

« Oui, c'est juste. (Son regard gris-vert fixait le docteur Jordan.) J'allais attendre une prochaine rencontre, mais je puis aussi bien vous le dire maintenant. J'ai décidé de vous épouser. »

Quelle fille extraordinaire ! Tellement pleine de vie

et de personnalité – sans parler de surprises. Il n'avait jamais rencontré personne comme elle. Andrew se mit à rire puis, brusquement, s'arrêta.

Un mois plus tard, en présence de quelques amis et de parents proches, le docteur Andrew Jordan et Celia de Grey se marièrent dans l'intimité.

CHAPITRE 3

LE second jour de leur voyage de noces, Celia annonça à Andrew :

« Nous allons former un couple formidable. Nous y travaillerons.

– Si tu veux connaître mon avis... (Andrew se retourna sur la grande serviette de bain qu'ils partageaient sur la plage, et s'arrangea pour pouvoir, du même mouvement, embrasser sa femme sur la nuque.) Si tu veux mon avis, nous formons déjà un couple formidable. »

Ils séjournaient dans l'île d'Eleuthera, aux Bahamas. Un soleil déjà chaud resplendissait en ce milieu de matinée, et, çà et là, quelques petits nuages flottaient dans le ciel bleu. La plage de sable blanc, déserte, semblait s'étendre à l'infini. Une brise, venant de la mer, agitait doucement les palmiers et, juste devant eux, ridait très légèrement la surface de l'eau transparente.

« Si c'est de notre vie sexuelle que tu veux parler, suggéra Celia, elle se passe en effet assez bien, non? »

Andrew se souleva sur un coude.

« Assez bien? Tu es un véritable volcan! Où as-tu donc appris? (Il s'interrompit.) Non, ne me le dis pas.

– Je pourrais te poser la même question », répondit-elle pour le taquiner.

Elle lui caressa la cuisse, tout en suivant du bout de la langue le contour de ses lèvres.

Il se tendit vers elle et chuchota :

« Viens! Rentrons au bungalow.

– Pourquoi pas ici? Ou bien dans les hautes herbes, là?

– Au risque de scandaliser les autochtones? »

Elle se laissa entraîner en riant, et ils coururent sur le sable.

« Que tu es prude! Qui l'aurait cru? »

Andrew entra avec elle dans le bungalow coiffé de chaume où ils s'étaient installés la veille, pour une dizaine de jours.

« Je n'ai aucune envie de te partager avec les fourmis et les crabes des cocotiers. Si c'est cela que tu appelles prude, eh bien, va pour prude. »

Tout en parlant, il ôtait son maillot. Mais Celia l'avait devancé. Elle s'était déjà débarrassée de son bikini, et gisait nue sur le lit, riant encore.

Une heure plus tard, de retour sur la plage, Celia reprit :

« Comme je te le disais, à propos de nous...

– Nous formerons un couple formidable! Je suis bien d'accord.

– Il faut donc que nous ayons des enfants.

– Si je peux t'aider, n'hésite pas à me le...

– Andrew! Je t'en prie, sois sérieux.

– Impossible. Je suis trop heureux.

– Alors, je serai sérieuse pour deux.

– Combien d'enfants? demanda-t-il. Et quand?

– J'y ai réfléchi, répondit Célia, et je pense que nous devrions en avoir deux – le premier dès que possible, et l'autre deux ans après. De cette façon, j'en aurai fini avec les grossesses avant d'avoir trente ans.

– C'est très bien, approuva-t-il. Et très au point. Pour mon information personnelle, j'aimerais savoir si tu as des projets particuliers pour ta vieillesse – je veux dire *après* trente ans...

– Je compte me lancer dans une vraie carrière. Ne t'en ai-je donc pas parlé?

– Pour autant que je m'en souvienne, non. Mais rappelle-toi, mon amour, que nous nous sommes mariés sans prendre le temps de discuter philosophie.

– Bon, dit Celia. J'ai parlé de mon projet d'enfants à Sam Hawthorne. Il a trouvé que j'avais raison.

– Bravo pour Sam! Qui est-ce? (Andrew fronça les sourcils.) Attends. Ce n'est pas le type de chez Felding-Roth qui est venu à notre mariage?

– Si. Sam Hawthorne est mon patron, le directeur régional. Sa femme Lilian l'accompagnait.

– Je vois. Tout me revient. »

Andrew se souvenait maintenant de Sam Hawthorne – un grand type sympathique, la trentaine bien avancée et une calvitie précoce, avec des traits forts, accusés, qui avaient rappelé à Andrew les visages de pierre de Mount Rushmore. Quant à la femme de Hawthorne, Lilian, c'était une petite brune au visage typé.

Repensant à ces événements déjà vieux de trois jours, Andrew déclara :

« Il faudra que tu me pardonnes d'avoir été un peu étourdi sur le moment. »

Il y avait une raison à cela : Celia lui était apparue, tout en blanc, avec un voile court, dans le grand salon de l'hôtel où devait se dérouler la cérémonie. Le juge qui les avait mariés était un ami – il faisait également partie du conseil d'administration de l'hôpital St. Bede's – et le docteur Townsend avait accompagné la mariée.

Noah Townsend s'était montré à la hauteur des circonstances, l'incarnation idéale du médecin de famille. Digne et grisonnant, il ressemblait beaucoup au Premier ministre britannique, Harold Macmillan, qui apparaissait si souvent dans la presse, en ce temps-là, occupé comme il l'était à polir les relations anglo-américaines, après la mésentente de l'année précédente au sujet du canal de Suez.

La mère de Celia, une petite veuve effacée qui vivait à Philadelphie, assista au mariage. Le père de Celia avait péri durant la seconde guerre mondiale, d'où le rôle imparti à Townsend.

Sous le soleil des Bahamas, Andrew ferma les yeux non seulement pour échapper à l'aveuglante lumière, mais surtout pour recréer cet instant où Celia était entrée au bras de Townsend.

Pendant le mois qui s'était écoulé depuis la mémorable matinée où, dans la cafétéria de l'hôpital, Celia lui avait annoncé son intention de l'épouser, Andrew avait succombé chaque jour davantage à ce qu'il appelait la magie de Celia. Sans doute était-ce d'amour qu'il s'agissait, mais cela lui paraissait plus fort, et très différent – l'abandon d'une *indépendance* qu'il avait toujours recherchée, et l'union totale de deux existences, de deux personnalités, d'une manière qui le stupéfiait et le ravissait à la fois. Celia était vraiment unique. Jamais rien avec elle n'était terne. A son contact la vie se transformait en une inépuisable source de surprises, de projets, d'idées. Andrew avait vite éprouvé un sentiment de chance extrême, comme si, par les mystérieux mécanismes du hasard, il avait remporté le gros lot convoité par tous. Et il voyait bien, en présentant Celia à ses confrères, qu'ils la dévoraient des yeux.

Andrew avait connu d'autres femmes, mais ses liaisons n'avaient jamais duré longtemps, et il n'avait envisagé le mariage avec aucune d'elles. Ce qui rendait d'autant plus remarquable le fait que, après qu'il eut accepté la « demande en mariage » de Celia, il n'avait pas conçu le moindre doute ni le moindre regret.

Et pourtant... Ce ne fut qu'à l'instant où Celia était apparue en robe de mariée – radieuse, exquise, jeune, désirable, tout ce dont un homme pouvait rêver – ce fut seulement à ce moment-là, comme ébranlé par un coup de tonnerre, qu'Andrew était devenu vraiment amoureux, et qu'il avait su, avec cette certitude absolue qui apparaît si rarement dans une existence, qu'il bénéficiait d'une chance extraordinaire, que ce bonheur-là durerait toujours et que, malgré le cynisme des temps, jamais il n'y aurait pour Celia et lui de séparation ou de divorce.

C'était le mot « divorce » – Andrew y réfléchit par la suite – qui l'avait retenu de se lier à une époque où tant de ses contemporains se mariaient peu après leur vingtième anniversaire. Bien entendu, ses parents lui en avaient fourni la raison; et sa mère, qui symbolisait à ses yeux la divorcée *non grata*, avait assisté au mariage. Accourant en avion de Los Angeles, tel un papillon en fin de carrière, elle avait annoncé à qui voulait l'entendre qu'elle avait suspendu le procès intenté contre son quatrième mari pour assister au « premier mariage » de son fils. Le père d'Andrew avait été son second mari et, aux questions d'Andrew elle n'avait rien su répondre que : « Oh! mon pauvre chéri, je me souviens à peine de lui! Je ne l'ai pas revu depuis au moins vingt ans! Aux dernières nouvelles, il vivait à Paris, avec une petite grue de dix-sept ans. »

Au fil des ans, Andrew avait tenté de comprendre sa mère, et de trouver une justification à son comportement. Mais il parvenait toujours à la même conclusion : elle n'était qu'une beauté égoïste et superficielle, sans réflexion, condamnée à séduire des hommes qui ne valaient pas mieux qu'elle. Quitte à le regretter ensuite, il l'avait invitée au mariage par sens du devoir, et mû par la conviction qu'il fallait marquer un peu d'attachement à ses parents naturels. Il avait également envoyé une lettre à la dernière adresse connue de son père, mais n'avait reçu aucune réponse; et il n'était pas certain d'en recevoir une un jour. Tous les trois ou quatre ans, il arrivait à échanger une carte de vœux avec lui. Et c'était tout.

Andrew avait été le seul enfant du couple éphémère, et la seule parente qu'il aurait voulu présenter à Celia était morte depuis deux ans. C'était une tante célibataire avec qui Andrew avait vécu l'essentiel de sa jeunesse et qui, malgré son humble situation matérielle, était parvenue à économiser tant bien que mal – sans aucune aide des vrais parents – l'argent nécessaire aux études d'Andrew. Après sa mort, lorsque ses objets personnels, l'équivalent de quelques centaines de dollars, s'étaient trouvés exposés dans le bureau d'un notaire, Andrew avait compris l'ampleur du sacrifice.

Au mariage, cependant, Celia s'était admirablement comportée à l'égard de la mère d'Andrew. Devinant la situation, elle s'était montrée cordiale, et même chaleureuse, sans pour autant se lancer dans des effusions déplacées. Plus tard, quand Andrew avait exprimé ses regrets pour l'attitude incongrue de sa mère, Celia avait répondu : « C'est toi que j'épouse, pas ta famille. » Puis elle avait ajouté : « Désormais, c'est *moi* ta famille. Et tu recevras de moi plus d'amour que tu n'en as jamais reçu. »

Aujourd'hui, sur la plage, Andrew se rendait déjà compte qu'elle n'avait pas menti.

« Ce que j'aimerais faire, si tu es d'accord, c'est continuer à travailler pendant ma première grossesse, puis prendre un an de congé pour m'occuper de notre enfant. Après quoi je retravaillerai jusqu'à la naissance du second.

– Je suis entièrement d'accord! Et, pour ma part, entre l'amour que tu me prodigueras et la tâche de te faire des enfants, j'envisage d'exercer un peu la médecine.

– Tu vas exercer la médecine *énormément*, et tu resteras un médecin merveilleux.

– Je l'espère. »

Andrew émit un soupir heureux et, quelques instants plus tard, s'endormit.

Ils passèrent les journées suivantes à apprendre l'un sur l'autre des choses qu'ils n'avaient pas eu le temps de découvrir avant.

Un matin, en prenant le petit déjeuner qu'apportait chaque jour dans leur bungalow une femme noire très chaleureuse et maternelle du nom de Remona, Celia observa :

« J'adore cet endroit – l'île, avec ses habitants, et la sérénité qui y règne. Je suis heureuse que tu l'aies choisie, Andrew, et je ne l'oublierai jamais.

– J'en suis très heureux, aussi. »

Andrew avait d'abord eu l'idée de passer leur lune de miel à Hawaii mais, percevant une réticence de la part de Celia, il avait opté pour ce qui avait d'abord été son second choix.

Celia reprit :

« Je ne te l'avais pas dit, mais l'idée d'aller à Hawaii m'aurait fait de la peine. »

Comme il lui en demandait la raison, une nouvelle pièce du puzzle se mit en place.

Le 7 décembre 1941, – Celia avait dix ans et vivait avec sa mère à Philadelphie –, son père, le premier maître Willis de Grey, sous-officier dans la Marine, se trouvait à bord du cuirassé *Arizona* amarré dans le port de Pearl Harbor. Lors de l'attaque japonaise, l'*Arizona* avait sombré avec ses 1102 hommes. La plupart avaient péri dans les entrailles du navire et l'on n'avait jamais retrouvé leurs corps. L'un d'eux était Willis de Grey.

« Oh! oui, je me souviens bien de lui, dit Celia, répondant à la question d'Andrew. Evidemment, il était souvent absent, parti en mer. Mais, quand il revenait, la maison résonnait toujours de gaieté et de rires. Et quand le jour de son retour approchait, la fébrilité nous gagnait. Même ma petite sœur Janet s'en rendait compte, et pourtant elle ne se le rappelle pas aussi bien que moi. »

Andrew demanda :

« Comment était-il? »

Celia réfléchit.

« Grand, avec une voix de stentor et il faisait rire les gens. Il adorait les enfants. Et puis il était fort, pas seulement physiquement, mais aussi d'un point de vue psychologique. Ma mère ne l'est pas du tout, tu as dû t'en apercevoir; elle comptait totalement sur mon père. Même quand il était au loin, il lui dictait dans ses lettres ce qu'elle devait faire.

– Et maintenant, elle compte sur toi?

– Il semble que oui. Et ce depuis la mort de mon père, en vérité. (Celia sourit.) Bien entendu, j'étais très précoce. Et je le suis sans doute encore.

– Un peu, acquiesça Andrew. Mais j'ai décidé que je pouvais très bien le supporter. »

Après un silence, il reprit doucement :

« Je comprends que, pour notre lune de miel, tu n'aies pas eu envie de choisir Hawaii. Mais y es-tu déjà allée, à Pearl Harbor? »

Celia secoua la tête.

« Ma mère n'a jamais voulu y aller et – je ne saurais pas dire pourquoi – je ne me sens pas encore mûre. (Elle se tut un moment, puis ajouta :) Il paraît qu'on peut approcher de l'endroit où l'*Arizona* a sombré, et l'apercevoir au fond de l'eau. Pourtant, on n'a jamais pu le ramener à la surface. Tu vas trouver cela curieux, Andrew, mais un jour j'aimerais aller là où mon père a péri. Pas toute seule, cependant. Je voudrais y emmener mes enfants. »

Ils gardèrent le silence un moment, puis Andrew déclara :

« Non, je ne trouve pas cela curieux. Et je vais te promettre une chose. Un jour, quand nous aurons des enfants et qu'ils seront en mesure de comprendre, nous irons tous ensemble. »

Une autre fois, tandis qu'Andrew se débattait maladroitement avec les rames d'un canot qui prenait l'eau, ils parlèrent du travail de Celia.

« J'avais toujours pensé, observa-t-il, que les délégués des sociétés pharmaceutiques étaient des hommes.

— Ne t'écarte pas trop du rivage. J'ai l'impression que nous allons faire naufrage, répliqua Celia. Oui, tu as raison — ce sont surtout des hommes, bien qu'il y ait aussi quelques femmes; souvent, elles ont débuté comme infirmières dans l'armée. Mais, chez Felding-Roth, je suis la première. Et jusqu'à présent la seule.

— Quelle réussite! Comment as-tu fait?

— J'ai emprunté des chemins détournés. »

En 1952, elle avait quitté le Collège de l'Etat de Pennsylvanie avec son diplôme de chimie en poche. Ses études avaient été financées en partie par une bourse, et en partie par son travail de garde dans une pharmacie, la nuit ou le week-end.

« Ce stage en officine m'a beaucoup appris. Je

vendais aussi bien des médicaments que des bigoudis ou des déodorants. Il m'est également arrivé de vendre *sous le comptoir.* »

Elle expliqua.

Des hommes, jeunes pour la plupart, entraient dans le magasin et dansaient d'un pied sur l'autre en s'efforçant d'attirer l'attention du pharmacien. Celia repérait vite leur manège.

« Que désirez-vous? » leur demandait-elle. Et ils répondaient invariablement.

« J'attends qu'il ne soit plus occupé.

– Si vous désirez des préservatifs, déclarait gentiment Celia, nous en avons un grand choix. »

Elle sortait alors divers modèles de sous le comptoir, et les étalait bien en vue. Ecarlates, les hommes se hâtaient de payer et de sortir.

Il arrivait qu'un client propose à Celia d'essayer l'article avec lui; elle leur répondait toujours de la même façon : « Volontiers, quand vous voudrez. Je crois que ma syphilis n'est plus contagieuse. » Certains comprenaient sans doute qu'il s'agissait d'une plaisanterie, mais il était clair qu'aucun ne souhaitait prendre de risque, car elle ne revoyait jamais ces insolents.

Andrew éclata de rire, et renonça à ramer, laissant le bateau dériver doucement.

Après avoir obtenu son diplôme, Celia se présenta chez Felding-Roth pour solliciter un poste de chimiste débutant. Elle fut engagée, et travailla deux ans dans leurs laboratoires.

« J'y ai appris plusieurs choses – d'abord, qu'à moins d'être un fanatique le travail de labo est monotone. La promotion et le marketing, voilà ce qui m'intéressait! Et ce qui m'intéresse toujours. C'est là que se prennent les grandes décisions. »

Mais le passage du laboratoire à la promotion se

révéla difficile. Celia tenta la procédure classique de la candidature, et fut éconduite.

« On m'a expliqué que la politique de la maison, dans les services commerciaux, confinait strictement les femmes dans le rôle de secrétaires. »

Refusant de se plier à de telles décisions, elle organisa une campagne.

« J'appris que la personne susceptible de recommander un éventuel changement de politique était Sam Hawthorne. Tu l'as rencontré à notre mariage.

— Ton patron, acquiesça Andrew. Le maestro des ventes régionales. L'homme qui nous a donné le feu vert pour avoir deux enfants.

— Oui – pour que je puisse continuer à travailler. Je décidai donc que la seule manière d'influencer Hawthorne consistait à passer par sa femme. C'était risqué. Et cela a bien failli ne pas marcher. »

Celia découvrit que Lilian Hawthorne militait dans plusieurs groupes de femmes, et en déduisit que, selon toute vraisemblance, elle sympathiserait sûrement avec les ambitions professionnelles d'une autre femme. Et, un jour que Sam Hawthorne était à son bureau chez Felding-Roth, Celia alla voir son épouse.

« Je ne l'avais jamais rencontrée. Je n'avais pas de rendez-vous. J'ai sonné à la porte, et je suis entrée. »

L'accueil fut hostile. Mme Hawthorne, de sept ans l'aînée de Celia, était une femme imposante avec de longs cheveux noirs qu'elle repoussait impatiemment de la main tandis que Celia lui exposait le but de sa visite. A la fin, Lilian Hawthorne décréta :

« C'est ridicule. Je ne me mêle jamais du travail de mon mari. Et par ailleurs il sera furieux en apprenant que vous êtes venue ici.

– Je le sais, répondit Celia. Cela me coûtera sans doute mon emploi.

– Vous auriez mieux fait d'y réfléchir avant.

– Oh! J'y ai réfléchi. Mais j'ai confiance en votre compréhension, en l'égalité des femmes. Ne croyez-vous pas qu'il est injuste de les pénaliser simplement parce qu'elles sont des femmes? »

Pendant un moment, il sembla que Lilian Hawthorne allait exploser. Elle lança à Celia :

« Quel toupet vous avez!

– En effet, rétorqua Celia. Et c'est pour cela que je serai une déléguée formidable. »

L'autre la dévisagea puis éclata de rire.

« Seigneur! s'exclama-t-elle. Je crois vraiment que vous le méritez. »

Et un instant plus tard :

« J'allais faire du café, mademoiselle de Grey. Entrez dans la cuisine, nous pourrons discuter. »

Ainsi commença une amitié qui ne devait pas se démentir pendant toutes ces années.

« Et même là, poursuivit Celia, Sam ne se laissa pas facilement convaincre. Il m'accorda pourtant un entretien et je suppose que quelque chose en moi lui plut. Et puis Lilian le harcelait. Ensuite, il lui fallut obtenir l'aval de *ses* patrons. »

Elle baissa les yeux vers le fond du canot, et vit que l'eau lui arrivait déjà aux chevilles.

« Mais j'avais raison, Andrew, ce machin fait naufrage! »

Ils se jetèrent dans l'eau en riant, et regagnèrent la rive à la nage en tirant l'embarcation derrière eux.

« Quand j'ai commencé ma carrière de visiteuse médicale, reprit Celia pendant le dîner, je me suis vite rendu compte qu'il ne me faudrait pas travailler *aussi bien* qu'un homme – mais beaucoup mieux.

– Je me souviens d'une occasion récente, intervint Andrew, où tu étais non seulement bien meilleure qu'un homme, mais bien meilleure qu'un certain médecin ici présent. »

Rayonnante, elle ôta ses lunettes et tendit le bras pour lui caresser la main.

« Là, j'ai eu de la chance. Et pas seulement avec la Lotromycine.

– Tu retires très souvent tes lunettes, observa Andrew. Pourquoi?

– Comme je suis myope, j'en ai besoin, mais je sais que je suis mieux sans lunettes – voilà pourquoi.

– Tu es très belle avec *et* sans lunettes. Mais si elles te gênent, il vaudrait mieux porter des lentilles de contact. Beaucoup de gens s'y mettent.

– J'étudierai la question au retour, dit Celia. D'autres suggestions, pendant que nous y sommes? Des changements?

– Je t'aime telle que tu es. »

Pour rejoindre le restaurant, ils avaient parcouru main dans la main près de deux kilomètres sur une petite route sinueuse et grossièrement pavée où ne passait aucune voiture. On n'entendait, dans l'air chaud de la nuit, que le bruissement des insectes et le heurt des vagues contre un îlot rocheux. Et maintenant, dans ce bistrot sobrement décoré, ils mangeaient la spécialité locale – mérou grillé, riz et petits pois.

Le Repos du Voyageur n'aurait sans doute pas été signalé dans le guide Michelin, mais il offrait aux affamés une nourriture savoureuse, le poisson fraîchement pêché cuisait au feu de bois dans une antique marmite, sous la surveillance du patron Cleophas Moss, un natif de l'île, noueux et buriné. Il

46

avait installé Andrew et Celia à une table donnant sur la mer, et planté une bougie dans une bouteille.

Ils voyaient, droit devant eux, la lune presque pleine ainsi que quelques nuages dispersés.

« Dans le New Jersey, dit Celia, il fait sûrement froid et humide.

– Nous y retournerons bien assez tôt. Parle-moi encore de toi, et de la promotion des produits pharmaceutiques! »

En sa nouvelle qualité de visiteuse médicale, on l'avait d'abord envoyée au Nebraska où, jusqu'alors, Felding-Roth n'avait jamais eu de représentation commerciale.

« D'une certaine façon, ce fut pour moi une expérience très enrichissante. Je savais exactement où j'en étais, puisque je partais de zéro. Il n'y avait là-bas aucune organisation, aucun dossier, et personne pour me dire qui voir et où aller.

« Ton ami Sam t'a-t-il envoyée là-bas de propos délibéré – pour te mettre à l'épreuve?

– C'est possible. Je ne le lui ai jamais demandé. »

Au lieu de poser des questions, Celia se mit au travail. A Omaha, elle trouva un petit appartement. Ce fut son port d'attache à partir duquel elle parcourut tout l'Etat, ville après ville. Partout où elle arrivait, elle déchirait la rubrique « Médecins et chirurgiens » des pages jaunes de l'annuaire, préparait des fiches, et téléphonait à chacun d'entre eux. Son secteur comprenait mille cinq cents médecins; elle décida d'aller voir en priorité les deux cents qui lui semblaient prescrire le plus de médicaments.

« Tu étais loin de chez toi, remarqua Andrew. Ne souffrais-tu pas de la solitude?

– Je n'avais pas le temps. J'étais trop occupée. »

Elle ne tarda pas à découvrir qu'il était très difficile de rencontrer les médecins.

« Je passais *des heures* dans leurs salles d'attente et quand ils me recevaient enfin, ils ne m'accordaient que cinq minutes. Finalement, un praticien de North Platte m'a mise à la porte – mais ce faisant, il m'a rendu un grand service. »

Celia goûta le mérou et déclara :

« Bourré de matières grasses! Je ne devrais pas en manger, mais c'est trop bon pour que je renonce. (Cependant, elle posa sa fourchette et s'appuya à son dossier pour mieux se laisser aller à ses souvenirs.) Il était médecin des hôpitaux, comme toi, Andrew. Environ la quarantaine, et je pense que sa journée avait été dure. En tout cas, je venais de commencer mon laïus quand il m'interrompit. " Mademoiselle, me dit-il, puisque vous essayez de me parler médecine, laissez-moi vous dire quelque chose. J'ai passé quatre ans à la Faculté, cinq comme interne des hôpitaux, et j'ai dix ans de clientèle derrière moi. Bien que je ne sache pas tout, j'en sais tellement plus que vous que ce n'est même pas drôle. Ce que vous essayez de me dire, je pourrais le lire en vingt secondes dans une page publicitaire de n'importe quelle revue médicale. Alors, allez-vous-en. " »

Andrew grimaça.

« Cruel.

– Mais précieux pour moi, même si je suis sortie de là avec l'impression d'être une pauvre idiote. Car il avait raison.

– Ta société – Felding-Roth – ne t'avait donc donné aucune formation?

– Si. Une très petite, courte et superficielle. Il s'agissait essentiellement de baratins promotionnels : on nous faisait apprendre par cœur les argumentaires. Ma formation de chimiste m'aidait, mais très peu. Je n'étais tout simplement pas à la hauteur, pour discuter avec des médecins compétents et débordés.

— C'est l'une des raisons pour lesquelles certains médecins ne reçoivent pas certains délégués. Sans même parler de leurs topos stéréotypés, on s'expose à prendre au pied de la lettre des informations erronées qui peuvent être dangereuses. Certains représentants n'hésitent pas à dire n'importe quoi, et même à vous tromper, pour vous pousser à prescrire leur produit.

— Andrew chéri, je voudrais que tu fasses quelque chose pour moi, à ce sujet. Je t'en parlerai plus tard.

— Volontiers, si je peux. Alors, que s'est-il passé après North Platte?

— J'ai compris deux choses. D'abord, qu'il fallait cesser de penser en voyageuse de commerce, et ne pas chercher à pousser les ventes. Et ensuite, même si les médecins en savaient plus que moi, je devais découvrir certains traits spécifiques de nos produits qui pourraient leur rendre service et qu'ils ignoraient. De cette manière, je me rendrais utile. Incidemment, je découvris autre chose. Les médecins apprennent beaucoup sur les maladies, mais ils sont très mal informés sur les médicaments.

— Très juste, reconnut Andrew. Ce qu'on apprend à la Faculté sur les produits pharmaceutiques ne vaut rien du tout, et lorsqu'on exerce on a bien assez à faire à se tenir au courant des progrès médicaux, sans avoir à se soucier des médicaments. De sorte que dans le domaine de la prescription l'erreur et le tâtonnement sont monnaie courante.

— Et puis, j'ai compris autre chose encore, reprit Celia. Qu'il fallait toujours dire aux médecins l'exacte vérité, sans jamais rien exagérer ni rien leur cacher. Et que, si l'on m'interrogeait sur le produit d'un concurrent qui était réellement meilleur, mon devoir était de le dire.

– Et comment as-tu fait, pour accomplir cette métamorphose ?

– Pendant un certain temps, je n'ai dormi que quatre heures par nuit. »

Celia lui raconta comment, après ses journées de travail, elle avait passé ses soirées et ses week-ends à lire tous les ouvrages possibles traitant de chimie pharmaceutique. Elle les étudiait en détail, prenait des notes, apprenait par cœur. Lorsque les questions restaient sans réponse, elle faisait des recherches dans les bibliothèques. Elle se rendit au siège de Felding-Roth, dans le New Jersey, et harcela ses anciens collègues du département scientifique pour qu'ils lui en disent plus long que les manuels, et qu'ils lui parlent des recherches en cours, des projets en passe d'aboutir. En peu de temps, ses présentations aux médecins s'en trouvèrent grandement améliorées ; il arrivait qu'on lui demande de s'informer sur certains points spécifiques, et elle le faisait. Et les résultats ne se firent pas attendre : les commandes commencèrent à affluer.

Andrew observa d'un ton admiratif :

« Celia, tu es vraiment unique. »

Elle se mit à rire.

« Tu es de parti pris, mais j'en suis ravie. Pour conclure, en un an le volume des affaires de Felding-Roth au Nebraska avait triplé.

– C'est à ce moment-là qu'ils t'ont fait revenir d'exil ?

– Ils ont donné le secteur du Nebraska à quelqu'un d'autre, un nouveau, et à moi un secteur plus peuplé dans le New Jersey.

– Te rends-tu compte, dit Andrew, que s'ils t'avaient envoyée ailleurs, dans l'Illinois ou en Californie, nous ne nous serions jamais connus ?

– Pas du tout, répliqua-t-elle avec assurance. Nous nous serions rencontrés quand même. De toute manière, nous étions destinés l'un à l'autre. " Le mariage relève du destin. " »

Il compléta la citation.

« – La pendaison aussi. »

Ils rirent.

« Que c'est drôle! s'exclama Celia, ravie. Un médecin si savant et toujours plongé dans ses bouquins, qui vous récite du John Heywood.

– Le même Heywood qui au XVIᵉ siècle chantait et jouait de la musique pour le plaisir de Henry VIII », dit Andrew avec fierté, et tout aussi ravi.

Ils se levèrent de table, et le patron qui continuait à surveiller le feu les interpella.

« Le poisson était bon? C'est votre lune de miel? Tout va bien?

– Tout va *très* bien, lui répondit Celia. Le poisson et la lune de miel. »

Amusé, Andrew souligna :

« Aucun secret n'est possible sur une petite île. »

Il paya le repas avec un billet de dix shillings des Bahamas – une somme très modeste – et fit signe au patron de garder la monnaie.

Dehors, où il faisait plus frais, une petite brise marine s'était levée. Ils s'enlacèrent pour regagner leur bungalow à pied, sur la route sinueuse.

C'était leur dernier jour.

Le temps s'était assombri sur les Bahamas, comme pour s'associer à la tristesse du départ. D'épais nuages avaient envahi le ciel et quelques averses se déclenchèrent dans la matinée, ponctuées par un fort vent de nord-ouest qui hérissait la mer de crêtes blanches et poussait sur la plage de grosses vagues qui s'écrasaient avec fracas. Andrew et Celia devaient quitter l'aéroport de Rock Sound à midi par un vol des Bahamas Airways. Une correspondance Pan Am à Nassau leur permettrait d'arriver le soir même à New York et ils rentreraient le jour suivant à Morristown où, en attendant de trouver une maison à leur goût, ils s'installeraient dans l'appartement d'Andrew à South Street. Celia, qui avait jusqu'alors vécu dans un meublé à Bontoon, avait déjà déménagé et entreposé ses affaires dans un garde-meuble.

Dans le bungalow qu'ils allaient quitter, Celia avait étalé ses vêtements sur le grand lit et préparait ses bagages. Elle cria à Andrew, qui se rasait dans la salle de bain :

« Nous avons passé des moments merveilleux, ici. Et ce n'est que le début. »

Par la porte ouverte, il répondit :

« Un début spectaculaire! Mais je me sens quand même prêt à reprendre le travail.

— Tu sais ce que je pense, Andrew? Que toi et moi nous adorons travailler. Nous avons cela en commun, et nous sommes tous deux ambitieux. Nous le resterons toujours.

— Possible. (Il sortit de la salle de bain, nu, en s'essuyant le visage avec une serviette.) Mais il faut savoir interrompre son travail de temps en temps. Pourvu qu'on ait une bonne raison. »

Celia voulut demander : « Avons-nous le temps? » Mais Andrew l'embrassait déjà.

Quelques instants plus tard, il murmura :

« Voudrais-tu avoir l'obligeance de débarrasser le lit? »

Elle tendit la main derrière elle, et sans regarder, étreignant toujours Andrew de son autre bras, elle jeta les vêtements par terre.

« Voilà qui est mieux, approuva-t-il tandis qu'ils s'allongeaient. C'est à *cela* que doivent servir les lits. »

Elle eut un petit rire.

« Nous risquons de rater l'avion.

— Quelle importance? »

Un peu plus tard, elle murmura :

« Tu as bien raison. Quelle importance? (Et un peu plus tard encore, tendre et heureuse :) Pour moi c'est important... (Puis :) Oh! Andrew, comme je t'aime! »

CHAPITRE 4

A BORD du vol Pan Am 206 à destination de New York, on leur remit des exemplaires du *New York Times* du jour même. En parcourant les pages du journal, Celia observa :

« Il n'y a pas grand-chose de changé depuis que nous sommes partis. »

Une dépêche de Moscou citait Nikita Khrouchtchev défiant les Etats-Unis de faire « un concours de missiles ». A l'avenir, proclamait le numéro un soviétique, une guerre mondiale ne pourrait se dérouler qu'en territoire américain, et il annonçait « la mort du capitalisme, et le triomphe universel du communisme ».

Quant au président Eisenhower, il assurait aux Américains que les dépenses consacrées à la défense resteraient à la mesure des défis soviétiques.

Et l'enquête sur l'assassinat du chef de la Mafia, Albert Anastasia, abattu chez le coiffeur de l'hôtel Park-Sheraton de New York, se poursuivait sans résultat.

Andrew parcourut également le journal, puis le laissa de côté.

Le vol du DC-7B à hélices allait durer quatre

heures, et le dîner fut servi peu après le décollage. Andrew rappela à sa femme :

« Tu m'as dit que tu voulais me faire faire quelque chose. Au sujet des délégués des laboratoires.

– Oui, c'est juste. (Celia Jordan se carra confortablement dans son fauteuil, puis elle prit la main d'Andrew.) Cela remonte à notre entretien, le lendemain de l'expérimentation de la Lotromycine, quand ta malade s'est rétablie. Tu m'as dit que tu changeais d'avis sur l'industrie pharmaceutique et je t'ai répondu de ne pas changer trop radicalement, parce qu'il existe des aspects négatifs, que j'espère modifier. Tu t'en souviens?

– Comment aurais-je pu l'oublier? (Il se mit à rire.) Chaque détail de cette journée est gravé dans mon âme.

– Parfait! Alors laisse-moi te brosser le tableau. »

Posant sur sa femme un regard oblique, Andrew s'émerveilla une nouvelle fois de l'ardeur et de l'intelligence contenues dans un être aussi délicat. Dans les années à venir, songea-t-il, il lui faudrait rester attentif et s'informer, pour se maintenir au niveau de Celia. Pour l'instant, il se concentra sur ce qu'elle lui disait.

« En 1957, expliqua-t-elle, l'industrie pharmaceutique était encore, par certains côtés, trop proche de ses racines et de ses origines. Nous avons commencé, il n'y a pas si longtemps, par vendre sur tous les marchés des drogues à base de venin de serpent, des potions favorisant la fécondité, des pilules qui guérissaient tout, depuis la migraine jusqu'au cancer. Les charlatans qui proposaient ces produits se moquaient bien de ce qu'ils affirmaient ou promettaient. Tout ce qu'ils voulaient, c'était vendre. Et pour y parvenir, ils étaient prêts à garantir n'importe quoi. Souvent, poursuivit Celia, ces potions et ces remèdes de bonnes femmes furent mis sur le marché par des familles qui ouvrirent ensuite les premiers drugstores. Leurs descendants fondèrent des firmes pharmaceutiques qui, au fil des ans, devinrent des entreprises importantes, respectables, employant des méthodes scientifiques. En même temps, les techniques de vente évoluèrent, devenant elles aussi plus honnêtes. Mais parfois pas assez. En grande partie parce que le contrôle familial persistait, et que la vieille tradition de vente forcée de drogues à base de venin de serpent se maintenait.

— Mais, objecta Andrew, il ne doit pas rester beaucoup de familles à la tête des grandes sociétés pharmaceutiques.

— Pas beaucoup, non, bien que certaines d'entre elles détiennent encore des participations majoritaires. Mais ce qui demeure, même avec des cadres salariés à la direction, c'est le système de vente à tout prix, sans grande éthique. Cela se passe surtout au cours des visites que les délégués font aux médecins pour leur présenter les nouveaux produits. Comme tu le sais, certains visiteurs médicaux – pas tous, mais encore trop – racontent n'importe quoi, vont jusqu'à mentir pour amener les médecins à prescrire le médicament qu'ils vendent. Et même si les sociétés pharmaceutiques proclament officiellement qu'elles interdisent ces pratiques, elles savent fort bien qu'elles n'ont pas disparu pour autant. »

Une hôtesse les interrompit pour leur annoncer que l'atterrissage à New York aurait lieu dans quarante minutes, que le bar allait bientôt fermer – souhaitaient-ils boire quelque chose maintenant ? Celia commanda un daiquiri, sa boisson préférée, et Andrew un whisky-soda.

Une fois servis, ils reprirent leur conversation.

« Bien sûr, dit Andrew, j'ai vu des exemples de ce que tu me racontes. Des confrères m'ont parlé de patients dont l'état s'est subitement aggravé, ou qui sont même décédés après qu'ils eurent absorbé certains médicaments sur lesquels des délégués avaient donné des informations fausses à des médecins crédules. (Il but une gorgée de scotch et continua :) Et puis il y a la publicité des laboratoires. Les médecins croulent sous une avalanche de dépliants qui ne leur révèlent rien de ce qu'ils devraient en savoir — en particulier sur les effets indésirables des produits, même s'ils sont dangereux. Le problème, quand on est très occupé, quand on a de nombreux patients à voir, et toutes sortes de questions en tête, c'est que l'on conçoit difficilement que le représentant d'un laboratoire pharmaceutique, ou la société même, vous mente délibérément.

— Mais cela arrive, souligna Celia, et ensuite on balaie tout ça sous le tapis. Personne n'en parle plus. Je le sais, parce que j'ai essayé d'en parler chez Felding-Roth.

— Alors qu'envisages-tu?

— De constituer un dossier. Un dossier que personne ne puisse contester. Et, le moment venu, je m'en servirai. »

Elle développa son idée.

« Je n'irai évidemment plus démarcher à ton cabinet, Andrew; il s'agit là d'une politique de base du laboratoire; ce sera quelqu'un d'autre, chez Felding-Roth, qui s'occupera de ton cabinet et de celui du docteur Townsend. Mais, chaque fois que tu recevras la visite d'un — ou d'une — délégué médical, que ce soit de notre société ou d'une autre, et que tu t'apercevras qu'on t'a fourni de fausses indications, qu'on ne t'a pas averti des effets secondaires d'un produit ou d'autre chose que tu aurais dû savoir, je veux que tu établisses un rapport, et que tu me le confies. J'ai d'autres médecins qui le font déjà, des médecins qui ont confiance en moi, au Nebraska comme dans le New Jersey, et mon dossier s'épaissit sérieusement. »

Andrew émit un sifflement étouffé.

« Tu t'attaques à quelque chose de considérable. Cela n'est pas sans présenter quelques risques.

— Il faut que quelqu'un prenne des risques, pour améliorer une mauvaise situation. Et je n'ai pas peur.

— Non, admit-il, je ne crois pas que tu puisses être sujette à la peur.

— Je vais te dire une chose, Andrew. Si les grosses sociétés pharmaceutiques ne font pas le ménage, je suis convaincue que le gouvernement s'en chargera, et cela très bientôt. L'orage gronde au Congrès. Si l'industrie pharmaceutique attend les conclusions de la commission parlementaire, puis le vote de nouvelles lois restrictives, elle regrettera amèrement de n'avoir pas pris les devants. »

Andrew garda le silence, songeant à tout ce qu'il venait d'entendre, et retournant d'autres pensées. Puis, au bout d'un long moment, il déclara :

« Je ne te l'ai pas encore demandé, Celia, mais le moment est peut-être venu de m'expliquer quelque chose à ton sujet. »

Les yeux de sa femme étaient posés sur lui, avec une expression grave. Andrew choisit ses mots avec soin.

« Tu m'as parlé d'exercer un métier, ce que je trouve parfait, et je suis persuadé que tu ne pourrais pas être heureuse si tu y renonçais. Mais j'ai l'impression que tu souhaites bien autre chose que ta situation actuelle de visiteuse médicale. »

Celia sourit paisiblement.

« Oui. Je vise le sommet.

– Le sommet? (Andrew était surpris.) Tu veux dire la direction d'une grande société pharmaceutique?

– Si je le peux. Et même si je ne parviens pas vraiment au sommet, je compte m'en approcher suffisamment pour exercer une influence et un pouvoir réels.

– Et c'est cela que tu veux? Le pouvoir? demanda-t-il d'un ton incertain.

– Je sais ce que tu penses, Andrew – que le pouvoir peut devenir une obsession et une corruption. Je n'ai pas l'intention de me laisser dévorer. Je veux simplement une vie remplie, avec un mari et des enfants, mais aussi quelque chose en plus, une réussite concrète.

– Ce jour-là, dans la cafétéria... (Andrew s'interrompit pour se corriger.) Ce *fameux* jour, tu m'as dit qu'il était temps que les femmes fassent les choses qu'elles n'avaient encore jamais faites. J'en suis tout aussi convaincu que toi, cela se produit déjà dans de nombreux domaines, y compris la médecine. Mais dans *ton* industrie – la pharmacie? C'est un fief très conservateur et réservé aux hommes – tu me l'as dit toi-même. »

Celia sourit.

« Il l'est même terriblement.

– Alors est-il prêt – pour quelqu'un comme toi? Si je te le demande, Celia, c'est parce que je ne veux pas te voir souffrir, et tout sacrifier à des efforts qui risqueraient d'échouer.

– Je ne souffrirai pas. Je te le promets. (Elle pressa le bras d'Andrew.) Je n'ai jamais été habituée à voir quelqu'un se soucier ainsi de moi, mon amour, et j'y puise une grande joie. Et pour ce qui est de ta question – non, l'industrie pharmaceutique n'est pas encore prête pour des femmes comme moi, pleines d'ambition. Mais j'ai un plan.

– J'aurais dû me douter que tu avais tout prévu.

– D'abord, dit Celia, je compte devenir tellement forte dans mon domaine que Felding-Roth ne pourra pas s'offrir le luxe de ne pas me faire monter en grade.

– Je suis prêt à le parier, en effet. Mais tu as dit, *d'abord*. Cela ne suffit pas? »

Celia secoua la tête.

« J'ai étudié le cas d'autres compagnies, leur histoire, les gens qui les dirigent, et j'ai découvert une chose. La plupart de ceux qui arrivent au sommet y parviennent en se faisant traîner par quelqu'un d'autre. Oh! ne te méprends pas – il leur faut travailler énormément, et être les meilleurs. Mais de très bonne heure ils jettent leur dévolu sur un individu – placé un peu au-dessus d'eux, et généralement plus âgé – qu'ils jugent en route vers le sommet. Alors, ils se rendent utiles à cet individu, se dévouant pour lui, et le suivent de près. Le fond de la question s'explique ainsi : quand un cadre supérieur monte en grade, il aime bien sentir derrière lui quelqu'un de familier, compétent, et digne de sa confiance.

– Et à l'heure qu'il est, s'enquit Andrew, as-tu déjà trouvé ton cadre à suivre?

– Depuis longtemps. C'est Sam Hawthorne.

– Eh bien, eh bien. (Andrew haussa les sourcils.) Il semblerait que ce Sam doive occuper une vaste place dans notre existence.

– Uniquement d'un point de vue professionnel. Tu n'as donc aucun besoin d'être jaloux.

– D'accord. Mais Sam est-il au courant de cette décision – de t'accrocher à son étoile?

– Bien sûr que non. Mais Lilian le sait. Nous en avons parlé confidentiellement, et elle m'approuve tout à fait.

« – J'ai l'impression, dit Andrew qu'il se manigance bien des complots entre femmes.

– Et pourquoi pas? Un jour, cela sera superflu. Mais à l'heure actuelle le monde de l'industrie ressemble à un club privé masculin. Les femmes doivent donc employer tous les moyens pour s'y introduire et pour aller de l'avant. »

Andrew réfléchit un moment :

« Je n'y avais jamais vraiment songé et beaucoup d'hommes doivent être dans mon cas. Mais ce que tu dis est logique. Eh bien, c'est d'accord, Celia, pendant que tu te fraieras un chemin jusqu'au sommet – et je crois très sincèrement que cela pourrait réussir – je serai derrière toi, loyalement. »

Sa femme se pencha vers lui et l'embrassa.

« Je l'ai toujours su. C'est une des raisons pour lesquelles je t'ai épousé. »

Ils sentirent les moteurs de l'appareil changer de régime, et le signal « Attachez vos ceintures » s'alluma. Par les hublots de gauche, on voyait les lumières de Manhattan scintiller faiblement dans le crépuscule. « Dans quelques minutes, annonça l'hôtesse, nous allons atterrir à l'aéroport international de Idlewild. »

Celia prit la main d'Andrew.

« Et *nous* allons commencer notre vie ensemble, dit-elle. Comment pourrions-nous échouer? »

CHAPITRE 5

En retournant à leurs occupations respectives, Andrew et Celia s'aperçurent que, chacun à sa manière, ils étaient devenus célèbres.

Comme pour nombre de progrès médicaux importants, la nouvelle de l'exploit d'Andrew avec la Lotromycine avait mis quelque temps à se répandre, mais maintenant, six semaines après la guérison spectaculaire de Mary Rowe, la presse nationale s'en était emparée.

Le modeste *Daily Record* de Morristown avait été le premier à titrer :

DOCTEUR MIRACLE À MORRISTOWN
LA PATIENTE CONDAMNÉE EST SAUVÉE

Le *Newark Star-Ledger* répercuta à son tour l'information, qui, cette fois, attira l'attention des journalistes scientifiques du *New York Times* et de *Time Magazine*. A son retour, Andrew trouva des messages téléphoniques urgents de ces deux publications le priant de bien vouloir rappeler la rédaction. Ce qu'il fit. Il en résulta plus de tapage encore lorsque *Time Magazine* plus enclin au romantisme, incorpora à l'article la nouvelle du mariage d'Andrew et de Celia.

Le *New England Journal of Medicine* informa Andrew que, sous réserve de certaines corrections, son article sur la Lotromycine serait publié. Les révisions suggérées portant sur des points de détail, Andrew y souscrivit volontiers.

« Je reconnais de bon cœur que je me consume de jalousie », déclara le docteur Noah Townsend quand Andrew lui parla du *New England Journal*. Puis l'associé d'Andrew ajouta : « Mais je me console avec la gloire qui rejaillit sur notre cabinet. »

Par la suite, Hilda, la séduisante épouse de Townsend qui portait admirablement la cinquantaine, confia à Andrew : « Jamais Noah ne vous le dira, mais il est si fier de vous qu'à présent il vous considère comme un fils – le fils que nous aurions tant souhaité avoir et que nous n'avons jamais eu. »

Quant à Celia, bien qu'elle reçût moins d'attention personnelle, elle observa que son statut chez Felding-Roth évoluait subtilement.

Jusqu'alors, elle avait constitué une exception et, pour certains, une source de curiosité et d'amusement – l'unique femme du réseau commercial qui, en dépit d'une réussite inattendue à son premier poste dans le Nebraska devait encore faire ses preuves sur le long terme. Cette époque était révolue. La manière dont elle avait placé la Lotromycine et le retentissement durable qui en résultait enchantaient Felding-Roth : d'un seul coup, le produit et Celia se trouvaient lancés sur la route du succès.

Au sein de la compagnie, tous les cadres connaissaient désormais son nom jusqu'au directeur général, Eli Camperdown, qui convoqua Celia le lendemain de son retour.

M. Camperdown était un vétéran de l'industrie qui avait largement dépassé la soixantaine, et dont le visage blafard surmontait une longue silhouette maigre. Il s'habillait toujours avec élégance, et n'apparaissait jamais sans une rose rouge à la boutonnière. Il reçut Celia dans son luxueux bureau situé au onzième étage – le royaume de la direction – de l'immeuble de Felding-Roth à Boonton. Il commença par les politesses d'usage.

« Toutes mes félicitations pour votre mariage, madame Jordan. Je vous souhaite d'être très heureuse. (Il ajouta avec un sourire :) Je ne doute pas que votre époux, désormais, ne prescrira plus que des produits Felding-Roth. »

Celia le remercia et, décidant que cette remarque au sujet d'Andrew était purement facétieuse, la laissa passer sans souligner l'indépendance totale de son mari en ce qui concernait la médecine et les médicaments.

« Vous êtes devenue une véritable légende, madame, reprit le président de la compagnie. La vivante preuve que, parfois, une femme exceptionnelle peut valoir un homme.

– J'espère, monsieur, répondit Celia d'une voix douce, qu'un jour vous n'éprouverez plus le besoin de dire « parfois ». Je suis convaincue que vous verrez beaucoup plus de femmes dans cette industrie, et que certaines vaudront peut-être même mieux que les hommes. »

Pendant un moment, M. Camperdown parut déconcerté et mécontent. Puis il déclara :

« Je suppose qu'il s'est déjà trouvé des choses plus étranges. Nous verrons, nous verrons. »

Ils conversèrent encore un peu; Camperdown interrogeant Celia sur son expérience des techniques de vente. Les réponses directes de la jeune femme semblaient l'intéresser. Puis il tira une montre de son gousset, y jeta un coup d'œil et annonça :

« J'ai maintenant une réunion ici même, madame

Jordan. Il s'agit d'un nouveau produit que nous allons lancer aussitôt après la Lotromycine. Peut-être aimeriez-vous y assister ? »

Elle accepta volontiers, et Camperdown fit entrer une demi-douzaine de messieurs qui avaient attendu dans le bureau d'une secrétaire. Après les présentations, ils passèrent tous dans une salle de conférences attenant au bureau, et prirent place autour de la table sous la présidence de Camperdown.

Les nouveaux arrivants comprenaient le docteur Vincent Lord, un homme assez jeune qui venait d'être engagé comme directeur de recherches; le directeur commercial qui devait bientôt prendre sa retraite; et quatre autres parmi lesquels Sam Hawthorne. A l'exception de Sam – le seul qu'eût déjà rencontré Celia –, tous la dévisageaient avec curiosité.

Le nouveau produit dont il était question, expliqua Camperdown à l'intention de Celia, ne provenait pas des laboratoires Felding-Roth, mais d'un accord sous licence avec une société allemande. Chemie-Grünenthal.

« Il s'agit d'un sédatif, déclara le directeur général, et l'un des plus sûrs jamais élaborés. Il provoque un sommeil normal et reposant, sans causer aucune hébétude déplaisante au réveil. » Ce produit n'avait guère d'effets secondaires, poursuivit-il, et on pouvait le prescrire aux petits enfants. Il était déjà en vente dans la plupart des grands pays à l'exception des Etats-Unis, et remportait un vif succès. Désormais Felding-Roth avait la chance de détenir la licence pour l'Amérique.

Ce médicament, ajouta M. Camperdown, s'appelait la Thalidomide.

En dépit des preuves de l'innocuité de la Thalidomide, la loi américaine imposait que l'on procède à des essais sur des êtres humains, avant que la F.D.A. – Food and Drug Administration – autorise la vente. « En l'occurrence, grommela Camperdown, avec toutes les garanties que nous donne l'expérimentation de ce produit à l'étranger, il s'agit d'une pure formalité administrative, mais nous devons nous y soumettre. »

Une discussion s'engagea sur le lieu et la manière dont serait effectuée l'expérimentation de la Thalidomide en territoire américain. Le docteur Lord, directeur de recherches, se prononçait en faveur d'une sélection de cinquante médecins en clientèle privée, qui prescriraient ce médicament à leurs patients, et Felding-Roth rendrait ensuite compte des résultats à la F.D.A.

« Il faudrait aussi bien des généralistes, des psychiatres, que des obstétriciens », précisa-t-il.

Le directeur commercial demanda :

« Combien de temps prendra cette absurdité?

– Environ trois mois.

– Pourriez-vous réduire à deux? Il nous faut mettre ce produit sur le marché aussitôt que possible.

– Ce doit être faisable. »

Mais quelqu'un d'autre parut regretter que l'expérimentation soit si dispersée. Ne serait-il pas plus simple, et plus concluant, de procéder aux tests dans un seul endroit bien délimité tel qu'un hôpital?

Après plusieurs minutes de discussion, Camperdown suggéra en souriant :

« Peut-être notre jeune collaboratrice a-t-elle quelques idées sur la question?

– Oui, en effet », répondit Celia.

Elle s'exprima avec précaution, consciente du fait que sa présence ici était inhabituelle, et qu'elle bénéficiait d'un privilège; il aurait été stupide de gâcher l'occasion en paraissant trop assurée, ou trop agressive.

« Il pourrait être tout à fait regrettable, dit-elle, de suggérer aux obstétriciens de prescrire ce produit. Cela signifierait que des femmes enceintes l'utiliseraient, et l'on recommande habituellement d'éviter toute expérimentation sur des femmes enceintes. »

Le docteur Lord l'interrompit d'un air irrité.

« Cela ne concerne pas le cas qui nous intéresse ici. La Thalidomide s'est beaucoup vendue ailleurs et il y a eu des femmes enceintes parmi les consommateurs.

– Néanmoins, observa calmement Sam Hawthorne, Mme Jordan n'a pas tort. »

Celia poursuivit :

« Nous pourrions nous poser la question suivante : quels sont les gens qui ont le plus de mal à trouver le sommeil et qui ont donc besoin de comprimés pour dormir ? Ce sont les personnes âgées, et plus particulièrement les patients des services de gériatrie. »

L'attention du groupe lui était acquise. Plusieurs hommes hochèrent la tête d'un air approbateur. Seul, le docteur Lord gardait une expression de raideur mécontente.

« Je suggérerais donc, reprit Celia, que notre expérimentation de la Thalidomide se fasse dans une ou deux maisons de retraite. Si cela peut servir, j'en connais deux – l'une à Lincoln, dans le Nebraska, et l'autre à proximité de Plainfield, ici dans le New Jersey. Ce sont deux établissements fort bien tenus, où les dossiers seraient remplis intelligemment. Je connais les médecins de ces deux institutions, et je prendrai très volontiers contact avec eux. »

Lorsque Celia eut terminé, un silence embarrassé

s'instaura, rompu finalement par Camperdown. Le directeur général de Felding-Roth semblait surpris.

« Je ne sais pas ce que vous en pensez, messieurs, lança-t-il à la ronde, mais la suggestion de Mme Jordan me paraît d'un extrême bon sens. »

Ainsi placés sur la bonne voie, les autres acquiescèrent mais le docteur Lord gardait le silence. Celia sentit aussitôt que le directeur de recherches lui était hostile, et elle comprit que rien ne pourrait le faire changer d'attitude.

Il fut rapidement décidé que Celia téléphonerait dès le lendemain aux deux chefs d'établissements et que, s'ils semblaient coopératifs, le département de recherches commencerait par là.

Comme la réunion prenait fin, Celia s'éclipsa la première, au milieu des sourires et des poignées de main.

Une semaine plus tard, ayant agi comme convenu, Celia apprit par Sam Hawthorne que l'expérimentation de la Thalidomide dans les deux centres de gériatrie allait bientôt débuter.

A l'époque, cela ne parut être que la fin d'un incident mineur.

Bien que très pris par leur travail, Andrew et Celia trouvèrent le temps de visiter des maisons à vendre. Celia en dénicha une qui lui plaisait à Convent Station, une banlieue résidentielle de Morristown où les pavillons bien espacés laissaient régner la verdure et les arbres. Comme elle le fit observer à Andrew, quand elle l'appela pour lui en parler, la maison ne se trouvait qu'à trois kilomètres de son cabinet, et plus près encore de l'hôpital St. Bede's.

« C'est important, déclara Celia, car je ne voudrais pas que tu aies de longs trajets à accomplir, surtout quand tu as des urgences de nuit et que tu es fatigué. »

Celia, elle, devrait parcourir treize kilomètres pour se rendre au siège de Felding-Roth à Boonton, mais, comme la majorité de ses visites professionnelles l'amenaient à traverser le New Jersey de part en part, l'éloignement de son domicile lui importait peu.

En découvrant cette grande maison blanche de style colonial, vide et abandonnée, Andrew protesta :

« Voyons, Celia, cette grange délabrée n'est pas pour nous! Même en la restaurant, ce serait de la folie, que ferions-nous de cinq chambres?

– Eh bien, il y en aura une pour nous, expliqua Celia patiemment, puis une pour chacun des enfants. Après leur naissance, il nous faudra engager une employée de maison qui occupera encore une chambre. Quant à la cinquième, ajouta-t-elle, elle serait destinée aux invités. Ma mère viendra quelquefois nous voir, et peut-être aussi la tienne. »

Celia envisageait également d'aménager « un salon-bureau au rez-de-chaussée que nous partagerons, pour pouvoir être ensemble lorsque nous rapporterons du travail à la maison. »

Bien qu'il n'eût absolument pas l'intention de donner son accord pour une idée aussi peu pratique, Andrew ne put s'empêcher de rire.

« Au moins, tu vois loin!

– Ce que nous ne voulons ni l'un ni l'autre, riposta Celia, c'est la perte de temps et d'énergie que nous imposeraient des déménagements trop fréquents pour la seule raison que nous manquerions d'espace et ne l'aurions pas prévu. »

Elle parcourut du regard le rez-de-chaussée qu'ils venaient de visiter, en ce dimanche après-midi de janvier, évaluant les toiles d'araignée et la crasse accumulée, dans la lumière frileuse du soleil qui filtrait à travers les vitres sales.

« Cette maison a besoin de nettoyage, de peinture, d'organisation, mais elle pourra devenir superbe – le genre de maison que nous ne voudrons plus jamais quitter, sauf contraints et forcés.

– Pour ma part, je la quitte tout de suite, déclara Andrew, parce qu'elle a surtout besoin d'un bulldozer. (Et il ajouta, avec une impatience qu'elle lui voyait rarement :) Tu as eu raison pour beaucoup de choses, mais pas cette fois-ci. »

Celia ne parut pas s'émouvoir. Elle enlaça son mari et se dressa sur la pointe des pieds pour l'embrasser.

« Je persiste à croire que j'ai raison. Rentrons. Nous en parlerons plus tranquillement chez nous. »

Andrew céda dans la soirée et, dès le lendemain, Celia négocia l'achat à un prix avantageux, et obtint un prêt. Le premier versement s'effectua sans problème, car Andrew et elle-même avaient chacun mis de l'argent de côté au cours des années précédentes, et leurs revenus additionnés représentaient un montant respectable.

Ils emménagèrent à la fin du mois d'avril, et presque aussitôt Andrew reconnut ses torts.

« Elle me plaît déjà, déclara-t-il le premier jour; et je vais peut-être finir par l'aimer. »

La rénovation avait coûté moins cher qu'il ne le craignait, et le résultat était spectaculaire.

Ce fut pour eux deux une période de bonheur, et le fait que Celia fût alors enceinte de cinq mois n'y comptait pas pour peu.

CHAPITRE 6

Le premier enfant de Celia et d'Andrew naquit – comme put l'annoncer Andrew à ses confrères de l'hôpital – « suivant le programme précis qu'avait établi Celia ».

Cette naissance eut lieu en août 1958, neuf mois et une semaine après leur mariage, et ce fut une fille, robuste, pesant sept livres et demie. Ils la nommèrent Lisa. Elle était d'une heureuse nature, et ne pleurait jamais.

Pendant sa grossesse, Celia s'était montrée intraitable sur la question de l'accouchement, ce qui avait très vite provoqué un affrontement avec son obstétricien, le docteur Paul Keating, un confrère d'Andrew à St. Bede's Hospital. Pointilleux par tempérament et déjà parvenu à l'âge mûr, Keating était volontiers pompeux, et il se plaignait à Andrew que sa femme était tout à fait impossible.

« Je sais ce que vous voulez dire, compatit Andrew, mais je vous assure que cela rend la vie bien intéressante. Le plus drôle, c'est que certaines choses impossibles pour la plupart des gens deviennent réalisables avec Celia. »

Quelques jours auparavant, Celia avait annoncé au docteur Keating :

« J'ai étudié les méthodes de naissance naturelle,

71

et j'ai déjà commencé à m'exercer. (Comme le médecin souriait avec indulgence, elle ajouta :) Je veux participer activement au travail, et être parfaitement consciente lors de la naissance. Donc, pas d'anesthésie. Et puis je ne veux pas non plus d'épisiotomie. »

Le sourire de Keating se mua en grimace.

« Ma chère madame Jordan, ces deux décisions-là seront du ressort de votre accoucheur, le moment venu.

– Je ne suis pas d'accord, répliqua-t-elle calmement. Si j'accepte, je risque fort de me laisser déborder à un moment où je ne serai pas au mieux de mes moyens.

– Et en cas d'urgence?

– C'est différent. En cas d'urgence, ce serait bien sûr à vous de prendre toutes les décisions. Mais ensuite il faudrait me convaincre, et aussi Andrew, qu'il y a *vraiment* eu urgence. »

Le docteur Keating émit un grognement qui ne disait ni oui ni non.

« En ce qui concerne l'épisiotomie, reprit-il, peut-être n'avez-vous pas pris conscience du fait que l'incision du périnée par un instrument chirurgical juste avant l'expulsion évite une déchirure au passage de la tête – une déchirure douloureuse, qui cicatrise moins bien qu'une entaille chirurgicale.

– Oh! je m'en rends bien compte, répondit Celia. Et je suis certaine aussi que vous voyez autour de vous de plus en plus de médecins et de sages-femmes en désaccord avec cette notion. »

Ignorant superbement la réprobation croissante de l'obstétricien, Celia ajouta :

« Il existe une quantité de cas répertoriés, où les déchirures naturelles ont bien cicatrisé, contrairement à des épisiotomies qui ont parfois provoqué des infections ou des douleurs du post-partum durant plusieurs mois – ou même les deux à la fois. »

Le docteur Keating posa sur elle un regard glacial.

« Vous semblez avoir réponse à tout.

– Non, hélas! rétorqua Celia. Simplement, il s'agit de mon corps et de mon bébé.

– Puisque nous parlons de votre corps, dit le médecin, je vous ferai remarquer, bien que ce ne soit pas le but d'une épisiotomie, que le fait de recoudre ensuite maintient l'élasticité du vagin.

– Oui, acquiesça Celia, je comprends bien que l'élasticité vaginale garantit le plaisir de mon futur partenaire. Et comme je ne veux pas mécontenter mon mari sur ce point, j'ai décidé de commencer mes exercices de remusculation pelvienne aussitôt après la naissance. »

Peu de temps après, et par consentement mutuel, Celia changea d'obstétricien et devint la patiente du docteur Eunice Nashman, qui était plus âgée que le docteur Keating, mais suffisamment jeune d'esprit pour partager la plupart des idées de Celia.

Après la naissance de Lisa, Eunice Nashman confia à Andrew :

« Votre épouse est une femme remarquable. Elle a beaucoup souffert à certains moments et je lui ai demandé si elle ne voulait pas changer d'avis au sujet de l'anesthésie. »

Andrew, qui avait souhaité assister à l'accouchement mais avait dû se rendre d'urgence au chevet d'un de ses patients, demanda ce que sa femme avait répondu.

« Elle a simplement dit non : « Non, mais je voudrais que quelqu'un me soutienne. » L'une des infirmières a donc entouré votre femme de son bras pour la réconforter, et c'était tout ce qu'elle souhaitait. Puis, quand votre fille est née, au lieu de l'emporter comme nous le faisons d'habitude, nous l'avons simplement laissée auprès de Celia, et il régnait entre elles une telle sérénité que c'était merveilleux à voir. »

Comme elle l'avait annoncé, Celia prit un an de congé sans solde pour prodiguer son attention et son amour à Lisa. Elle en profita également pour rendre plus agréable encore leur maison de Convent Station, qui se révélait être tout ce qu'elle avait prévu et promis. « J'adore notre maison », déclara un jour Andrew, rayonnant.

Cependant, Celia restait en contact avec Felding-Roth. Sam Hawthorne avait été nommé directeur commercial adjoint et il avait promis à Celia qu'un emploi l'attendrait le jour où elle serait prête à revenir.

L'année fut bonne pour Felding-Roth. Quelques mois après l'événement spectaculaire de l'expérimentation de la Lotromycine par le docteur Andrew Jordan, la Food and Drug Administration autorisa la commercialisation de ce produit. La Lotromycine devint rapidement un médicament très utilisé et apprécié à travers le monde, et l'un des produits les plus rentables du laboratoire. La contribution de Celia au succès du lancement de la Lotromycine amena bon nombre de cadres de la société à appuyer Sam Hawthorne dans son intention de la faire revenir.

L'histoire ne conservera pas de 1959 le souvenir d'une année spectaculaire. L'Alaska entra dans l'Union en janvier, et Hawaii en juillet. Au nord, l'aménagement de la voie maritime du Saint-Laurent fut achevé en avril. En mai, le premier ministre israélien Ben Gourion promit au monde que son pays rechercherait la paix avec ses voisins arabes. Un peu plus tard au cours du même mois, deux singes effectuèrent un vol spatial à bord d'une fusée américaine, à cinq cents kilomètres de la Terre et survécurent. On espérait qu'un jour les humains en feraient autant.

Un événement, cependant, éveilla l'attention de Celia : il s'agissait d'une enquête, commencée en décembre, qu'effectuait une sous-commission sénatoriale placée sous la présidence du sénateur Estes Kefauver. Lors d'enquêtes antérieures consacrées à la criminalité, ce sénateur démocrate du Tennessee, qui rêvait de se présenter aux élections présidentielles, avait obtenu une audience considérable, et il n'aspirait qu'à l'élargir davantage encore. Cette fois, la sous-commission avait pris pour cible l'industrie pharmaceutique.

Dans leur ensemble, les dirigeants de cette industrie considéraient Kefauver comme un simple empêcheur de tourner en rond. A Washington, le lobby pharmarceutique était influent; on ne redoutait aucun effet à long terme. Mais Celia, qui prenait bien garde de ne s'en ouvrir qu'à Andrew, ne partageait pas cette vision des choses.

A la fin de l'année, Celia reprit ses fonctions de visiteuse médicale sur son territoire du New Jersey. Grâce à des contacts noués à St. Bede's, elle avait trouvé une infirmière retraitée qui venait chaque jour s'occuper de Lisa. Selon son habitude, Celia s'assura que cette femme était digne de confiance, en s'absentant quelques jours seule avec Andrew. Tout se passa bien.

La mère de Celia, Mildred, quittait parfois Philadelphie pour venir remplacer la nurse, et elle prenait grand plaisir à s'occuper de sa petite-fille.

Mildred et Andrew s'entendaient très bien, et Celia devenait peu à peu plus proche de sa mère, plus intime qu'elle ne l'avait jamais été. Cela s'expliquait sans doute en partie par le fait que la jeune sœur de Celia, Janet, vivait à l'autre bout du monde

– dans le golfe Persique – depuis qu'elle avait épousé un géologue spécialisé dans les questions pétrolières.

C'est ainsi que Celia et Andrew se retrouvèrent libres de s'adonner passionnément à leurs métiers respectifs.

Andrew n'avait qu'un seul souci, et encore n'était-il pas sûr qu'il fallût lui accorder beaucoup d'importance. Il s'agissait de Noah Townsend.

En plusieurs circonstances, l'associé d'Andrew avait donné des signes d'instabilité émotionnelle. Peut-être aurait-on même dû parler de bizarrerie du comportement, songeait Andrew. Ce qui l'intriguait, c'était que ces deux particularités ne correspondaient nullement à la nature de son ami et aîné, telle qu'il avait pu l'observer quotidiennement.

Andrew avait été témoin de trois incidents.

Le premier s'était produit un jour où Noah s'entretenait avec Andrew dans son bureau, et où la sonnerie du téléphone l'avait interrompu. Il avait décroché et répondu brutalement, puis avait arraché la prise murale et jeté l'appareil à l'autre bout de la pièce, où il avait heurté un classeur contre lequel il s'était brisé. Puis Noah avait repris le fil de l'entretien comme si de rien n'était.

Le lendemain, un nouvel appareil téléphonique reposait sur le bureau de Noah; et jamais le sort de l'ancien ne fut évoqué.

Quelque six semaines plus tard, Andrew se trouvait dans la voiture de Noah, qui conduisait. Soudain, au grand effroi d'Andrew, il écrasa l'accélérateur et se mit à parcourir les rues de Morristown à un train d'enfer, prenant les virages avec des dérapages stridents, et brûlant même un feu rouge. Andrew cria une mise en garde, mais Noah ne parut pas l'entendre. Par chance, aucun accident ne se produisit, et ils s'engagèrent à vive allure dans le parking de St. Bede's, où ils s'arrêtèrent dans un crissement de pneus. Comme Andrew protestait, Noah se contenta de hausser les épaules – et lorsque, plus tard, Andrew eut l'occasion de voir Noah conduire, celui-ci roulait à une vitesse raisonnable, et était tout à fait vigilant.

Un troisième incident, survenu longtemps après les autres, mais plus troublant encore, concernait leur secrétaire-réceptionniste, Mme Parsons, qui travaillait depuis de nombreuses années pour Noah, bien avant l'arrivée d'Andrew. Il était vrai que Violette Parsons, ayant largement dépassé la soixantaine, ralentissait le rythme et commettait parfois des étourderies. Mais il s'agissait rarement de choses importantes, et elle était aimable avec les patients, qui eux-mêmes la trouvaient sympathique. Elle s'entendait bien avec Andrew, et son admiration – proche de l'adoration – à l'égard de Noah constituait un inépuisable sujet de plaisanterie.

Jusqu'à un certain incident, au sujet d'un chèque.

Violette avait fait une erreur dans le libellé d'un chèque pour régler des fournitures de bureau. La facture s'élevant à quarante-cinq dollars, elle avait inversé les chiffres et écrit cinquante-quatre dollars. Puis elle l'avait déposé sur le bureau de Noah, pour qu'il le signe. D'un point de vue pratique, cela n'avait aucune importance, car la différence entre les deux montants serait apparue en crédit sur la facture du mois suivant.

Mais Noah se précipita dans le salon d'accueil, tenant le chèque à la main, et hurla à Violette Parsons :

« Espèce de vieille imbécile! Vous cherchez donc

à me ruiner, pour distribuer mon argent à tort et à travers? »

Andrew pénétrait à l'instant même dans le bureau, et il n'en crut pas ses oreilles. Violette se leva et, très digne, répliqua :

« Docteur Townsend, jamais de ma vie on ne m'a parlé sur ce ton, et je n'ai pas l'intention de le tolérer. Je m'en vais. »

Comme Andrew tentait d'intervenir, Noah lui lança :

« Cela ne vous regarde pas! »

Et Violette déclara :

« Je vous remercie, docteur Jordan, mais je ne travaille plus ici. »

Le lendemain, Andrew essaya d'aborder le sujet avec Noah, mais le vieux médecin se contenta de grommeler :

« Elle ne faisait plus son travail. J'ai engagé quelqu'un d'autre – elle commencera demain. »

Si ces incidents avaient été moins espacés, sans doute Andrew s'en serait-il davantage inquiété. Mais, se disait-il, en vieillissant, on devait moins bien supporter les contrariétés qu'on rencontrait dans son travail et dans sa vie quotidienne, et devenir plus irascible. C'était humain, après tout. Andrew ressentait lui aussi parfois très vivement ces contrariétés et cela le mettait d'une humeur sombre qu'il se forçait à dominer. Apparemment, Noah n'y parvenait plus toujours.

Cependant, ces incidents troublaient Andrew.

Celia, de son côté, voyait son avenir professionnel se préciser.

En février 1960, un jour où elle avait momentanément délaissé son secteur pour effectuer certaines tâches au siège de Felding-Roth, Sam Hawthorne l'appela dans son bureau. Il paraissait détendu, et l'accueillit cordialement. Ses nouvelles responsabilités à la direction du service commercial ne semblaient pas l'épuiser, et c'était un bon signe. Un très bon signe, même, en ce qui concernait les ambitions de Celia. Il commençait à perdre ses cheveux, mais cela lui allait assez bien.

« Je voulais vous voir au sujet de la prochaine réunion », lui annonça-t-il.

Celia savait déjà que le prochain congrès biennal des délégués aurait lieu en avril, au Waldorf-Astoria de New York. Il s'agissait d'une réunion nationale à laquelle assistaient tout le personnel des services commerciaux, tous les visiteurs médicaux dispersés sur le territoire, ainsi que les responsables des succursales étrangères de Felding-Roth. Le président et les directeurs de la société seraient également présents pendant les trois jours que devait durer la réunion.

« Je compte bien y assister, déclara Celia. J'espère que vous n'allez pas m'annoncer que seuls les hommes y sont admis?

— Non seulement les hommes n'y sont pas seuls admis, mais la direction veut que vous figuriez parmi les intervenants.

— Volontiers, répondit Celia.

— Je me doutais bien que vous accepteriez. Maintenant, parlons plutôt du sujet. J'en ai discuté avec Eli Camperdown, et ce qu'il voudrait — il n'est d'ailleurs pas le seul — c'est que vous décriviez quelques-unes de vos expériences professionnelles — d'un point de vue féminin. Un titre a même été suggéré : « Regard d'une femme sur le métier de visiteur médical. »

— Je l'imagine mal à l'affiche des cinémas, observa Celia, mais cela m'ira.

— Il faudrait que vous gardiez un ton léger, avec

un peu d'humour si possible. Rien de trop sérieux ni de pesant. Rien qui prête à la controverse. Et dix ou quinze minutes devraient suffire.

— Je vois, dit Celia, songeuse.

— Si vous le désirez, vous pourrez me soumettre votre projet. Je le lirai, et vous ferai quelques suggestions.

— Je n'oublierai pas votre offre, répliqua Celia, qui bouillonnait déjà d'idées et comptait bien se garder de soumettre quoi que ce soit.

— Les ventes ont été excellentes dans votre fief, reprit Sam pour la complimenter. Continuez!

— J'en ai bien l'intention, dit-elle, mais il nous faudrait de nouveaux produits, à mon avis. A propos, qu'est devenu celui dont parlait M. Camperdown l'année dernière – la Thalidomide?

— Nous avons renoncé. Nous l'avons rendu à Chemie-Grünenthal en leur signifiant notre refus.

— Pourquoi?

— D'après notre service de recherches, ce n'était pas un bon produit. On l'a expérimenté dans les maisons de retraite, ainsi que vous l'aviez suggéré. Mais comme somnifère, cela ne semblait pas très efficace.

— Et c'est tout?

— En ce qui concerne Felding-Roth, oui. Mais je viens d'apprendre que les laboratoires Merrell ont repris la licence. Ils ont changé le nom de Thalidomide en Kevadon et prévoient un grand lancement, ici et au Canada. Avec le succès que connaît la Thalidomide en Europe, ce n'est pas très étonnant.

— Vous semblez malheureux, observa Celia. Pensez-vous que notre compagnie ait commis une erreur?

— Peut-être. Mais nous ne pouvons vendre que des produits approuvés par notre service de recherches, et ce n'était pas le cas de celui-là. (Il hésita un

80

instant, puis poursuivit :) Autant vous dire, Celia, qu'un certain nombre de personnes vous tiennent rigueur d'avoir fait limiter l'expérimentation de la Thalidomide aux vieillards, au lieu d'opérer une sélection plus vaste – comme l'avait souhaité Vincent Lord à l'origine.

– Etes-vous de ceux qui m'en tiennent rigueur?

– Non. A l'époque, si vous vous en souvenez, je vous avais exprimé mon assentiment.

– Je m'en souviens fort bien. (Celia réfléchit, puis demanda :) L'autre critique est-elle grave?

– Pour vous? (Sam secoua la tête.) Je ne le pense pas. »

Celia consacra les soirées et les week-ends qui suivirent à la préparation de son intervention.

Dans le bureau paisible et confortable qu'elle partageait avec Andrew, et où ils aimaient tant se retrouver ensemble, elle s'entourait de papiers et de notes.

Un dimanche, Andrew suggéra :

« Toi, tu mijotes quelque chose.

– Oui, c'est vrai.

– Comptes-tu m'en parler?

– Je t'en parlerai plus tard, dit Celia, sinon, tu vas essayer de m'en dissuader. »

Andrew sourit, et eut la sagesse de ne pas insister.

CHAPITRE 7

« JE sais que, pour la plupart, vous êtes mariés, commença Celia, affrontant du regard l'océan de visages masculins qui lui faisaient face, alors vous savez comment sont les femmes. Bien souvent nous restons dans le vague, nous confondons tout, et il nous arrive même d'oublier simplement les choses.

– Mais pas toi, ma grande », dit à mi-voix quelqu'un placé dans les premiers rangs.

Celia ébaucha un sourire, et poursuivit :

« L'une des choses que j'ai oubliées, c'est combien de temps je suis censée parler aujourd'hui. Il me reste le vague souvenir d'avoir entendu quelqu'un parler de dix ou quinze minutes, mais je dois sûrement me tromper... Quelle femme pourrait se présenter en si peu de temps à cinq cents hommes ? »

Des rires fusèrent et, du fond de l'auditorium, une forte voix du Middle West s'éleva : « Je te donne tout le temps que tu veux, ma belle ! » Les rires ne firent que croître, accompagnés de sifflets, et de cris : « Moi aussi ! », « Te gêne pas pour nous ! »

Se rapprochant du micro placé devant elle, Celia répondit : « Merci ! J'espérais que quelqu'un me dirait cela. »

Elle évita de regarder Sam Hawthorne qui, assis à quelques mètres d'elle, ne la quittait pas des yeux.

C'était Sam qui, un peu plus tôt ce jour-là, avait averti Celia. « A l'ouverture d'un congrès de délégués tout le monde est de bonne humeur. C'est pourquoi la première journée sert surtout de mise en route. Nous nous efforçons de gonfler le moral des troupes – de dire à ceux qui travaillent sur le terrain qu'ils sont formidables, que Felding-Roth est une boîte fantastique, et que nous sommes ravis de les avoir dans notre équipe. Ensuite, pendant les deux journées suivantes, nous passons aux choses sérieuses.

– Je fais partie de la mise en route? demanda Celia, qui avait bien vu qu'on l'avait inscrite au programme du premier après-midi.

– Bien sûr, pourquoi pas? Vous êtes la seule femme de la maison qui fassiez vraiment de la promotion, et ils ont entendu parler de vous, et ils veulent vous voir, pour entendre un discours différent.

– Je ferai de mon mieux pour ne pas les décevoir », dit Celia.

Cet échange avait eu lieu sur Park Avenue, où elle se trouvait avec Sam après un petit déjeuner en comité restreint au Waldorf-Astoria. La réunion allait commencer dans une heure. En attendant, ils profitaient de la douceur ensoleillée d'un matin d'avril. Une brise fraîche parcourait Manhattan, et le printemps s'annonçait par des massifs de tulipes et de jonquilles disposés sur les terre-pleins centraux de l'avenue. De part et d'autre, comme toujours, s'écoulait sur plusieurs voies une circulation dense et bruyante. Sur les trottoirs, la marée d'employés qui se hâtaient vers leurs bureaux semblait

tourbillonner autour de Sam et de Celia qui flânaient.

Celia était arrivée du New Jersey le matin même
en voiture, et devait passer les deux nuits suivantes
au Waldorf-Astoria. Elle inaugurait pour l'occasion
un tailleur bleu marine coupé à ses mesures, avec
un chemisier blanc à jabot. Elle savait qu'elle avait
grande allure, dans cette harmonie de rigueur et de
féminité. Elle éprouvait également un vif plaisir à
s'être débarrassée de ses lunettes, qu'elle avait
toujours détestées; les lentilles que lui avait sugé-
rées Andrew pendant leur voyage de noces faisaient
désormais partie de sa vie.

Sam déclara brusquement :

« Vous avez donc décidé de ne pas me montrer le
texte de votre allocution.

– Oh! mon dieu! s'exclama-t-elle, j'ai dû oublier! »

Sam haussa la voix pour se faire entendre par-
dessus le vacarme de la rue.

« D'autres pourraient s'y laisser prendre, mais
pas moi. Car je sais que vous n'oubliez jamais rien.
(Comme elle allait répliquer, il la fit taire d'un
geste.) Vous n'avez pas à répondre. Je sais que vous
n'êtes pas comme les autres, et que vous n'en faites
qu'à votre tête. Et jusqu'à présent, d'ailleurs, vous
avez presque toujours bien fait. Mais je me permet-
trai juste un mot d'avertissement, Celia : N'allez pas
trop loin, ne vous écartez pas trop de la prudence.
Ne gâchez pas un dossier exceptionnel en essayant
d'en faire trop, ou d'avancer trop vite. C'est
tout. »

Celia avait gardé un silence songeur tandis qu'ils
faisaient demi-tour, traversaient Park Avenue, et
reprenaient la direction du Waldorf. Elle se demandait si ses projets pour l'après-midi n'étaient pas,
finalement, un peu audacieux.

Maintenant que le congrès avait commencé, et qu'elle faisait face à toutes les équipes de vente rassemblées dans la Salle Astor du Waldorf, elle se rendit compte qu'elle n'allait pas tarder à le savoir.

Son public se composait essentiellement de délégués, d'inspecteurs, de directeurs régionaux, qui travaillaient tous pour Felding-Roth dans des régions aussi lointaines et différentes que l'Alaska, la Floride, Hawaii, la Californie, le Dakota, le Texas, le Nouveau-Mexique, le Maine, etc. Pour bon nombre d'entre eux, c'était là l'unique contact direct, tous les deux ans, avec la hiérarchie. C'était un moment de camaraderie, de relance de l'enthousiasme, de confrontation des idées, de découverte des nouveaux produits et même – pour certains – de remise en question. Il y avait aussi des élans d'exubérance à l'endroit des femmes et – comme dans toutes les réunions de ce type à travers le monde – quelques boissons alcoolisées...

« Lorsqu'on m'a proposé de prendre la parole ici, devant vous, déclara Celia, on m'a suggéré de raconter quelques-unes de mes expériences en tant que visiteuse médicale, et je compte le faire. On m'a également avertie de ne rien dire de sérieux, ou donnant prise à la controverse. Eh bien, cela me paraît impossible. Nous savons tous qu'il s'agit d'une industrie sérieuse. Nous faisons partie d'une grande société, qui vend des produits importants, susceptibles de sauver des vies. Nous sommes donc *obligés* d'être sérieux, et j'ai l'intention de l'être. Une chose encore à laquelle je crois, c'est que nous, qui nous battons sur le terrain, qui avançons en première ligne, nous devrions pouvoir être francs, honnêtes et, quand il le faut, critiques envers nous-mêmes. »

Tout en parlant, Celia voyait non seulement la

salle emplie de délégués, mais aussi un plus petit groupe, qui occupait les deux premiers rangs : la direction de Felding-Roth – le président-directeur général, le directeur général, le directeur financier, le directeur commercial, et une dizaine d'autres cadres du siège parmi lesquels elle reconnaissait Sam Hawthorne.

Eli Camperdown, le directeur général, occupait le siège du milieu, au premier rang. A côté de lui se tenait le président du conseil d'administration, Floyd VanHouten, un vieillard frêle, mais qui, dix ans auparavant, avait dirigé la compagnie et lui avait donné son visage actuel. La tâche de VanHouten se réduisait désormais à la présidence des conseils d'administration, mais son influence demeurait forte.

« J'ai employé le mot " critique ", poursuivit Celia au micro, et, même si cela ne plaît pas à tout le monde, je ne compte pas le retirer. La raison en est simple. Je désire contribuer de manière positive à cette réunion, et ne pas faire simplement de la figuration. D'ailleurs, tout ce que je vais dire restera dans les limites du programme : " Regard d'une femme sur le métier de visiteur médical ". »

Elle tenait son auditoire, à présent, et elle le savait. La salle l'écoutait en silence.

C'était cela qui l'avait inquiétée – parviendrait-elle à capter l'attention de son public ? En quittant Park Avenue, le matin, pour entrer dans le hall bruyant et enfumé où se rassemblaient les délégués, Celia avait éprouvé de l'anxiété, pour la première fois depuis qu'elle avait accepté de prendre la parole. Elle s'avoua même que la réunion des visiteurs de Felding-Roth était, tout au moins à l'heure actuelle, une affaire essentiellement masculine, avec sa part de joviales tapes dans le dos, de blagues triviales, de rires gras, sur un fond de conversations dénuées de toute originalité. Celia renonça à compter le nombre de fois, aujourd'hui, où elle avait entendu quelqu'un dire : « Salut, vieille branche! » en croyant employer une expression originale.

« Je suis comme vous, poursuivit-elle, je porte un grand intérêt à la société pour laquelle nous travaillons, et à l'industrie pharmaceutique, dont nous faisons partie. L'une et l'autre ont accompli de grandes choses dans le passé, et en accompliront de nouvelles. Mais il y a aussi des choses qui vont mal, très mal, et en particulier dans le domaine de la promotion. J'aimerais vous dire quels sont, à mon avis, les problèmes, et aussi comment nous pourrions tenter de les résoudre. »

Jetant un coup d'œil aux deux premiers rangs, Celia lut un certain embarras sur plusieurs visages; une ou deux personnes s'agitaient. Visiblement, elle n'avait pas dit ce que l'on attendait d'elle. Elle détourna les yeux et concentra son attention sur d'autres parties de la salle.

« Avant d'entrer ici ce matin, et de nouveau cet après-midi, nous avons tous vu les banderoles et le stand qui présentent la Lotromycine. C'est un produit remarquable, qui constitue l'un des grands tournants de la médecine, et je suis pour ma part très fière de le promouvoir. »

Des applaudissements crépitèrent, accompagnés d'acclamations, et Celia marqua un temps d'arrêt. En vérité, les laboratoires Felding-Roth présentaient dans le hall une douzaine de leurs produits les plus importants, mais elle préférait parler de la Lotromycine qui la touchait plus directement.

« Si vous prenez un prospectus au stand, comme certains d'entre vous ont déjà dû le faire, vous pourrez y lire comment mon mari a utilisé la Lotromycine. Il est hospitalier. Il a obtenu d'excellents résultats avec ce produit, et avec bien d'autres. Il a également eu des problèmes. Avec certains médicaments, et aussi avec des visiteurs, qui l'ont dupé en lui faisant des descriptions fausses des produits qu'ils présentaient. Il n'est pas le seul. D'autres médecins – beaucoup trop, je le sais par les rapports qui m'ont été communiqués – en ont fait l'expérience. C'est là un aspect du métier qui peut et qui *doit* changer. »

Consciente de se heurter à un mur d'hostilité, Celia fixa son regard droit sur l'assistance, et continua en choisissant soigneusement ses mots.

« Compte tenu de ces diverses expériences, mon mari me dit qu'il a divisé les visiteurs médicaux en trois catégories – d'abord, ceux qui lui fournissent des informations honnêtes sur les produits de leurs laboratoires, sans omettre les éventuels effets indésirables; ensuite, ceux qui, mal informés eux-mêmes, sont incapables de le renseigner utilement; enfin, ceux qui lui racontent n'importe quoi, et qui mentent au besoin, pour l'amener à prescrire leurs produits.

J'aurais aimé dire que le premier de ces trois groupes – les délégués informés et honnêtes – est le principal, et les deux autres, mineurs. Malheureusement, il n'en est rien. La deuxième et la troisième catégories sont de loin les plus importantes. Cela signifie que la qualité de la promotion, en termes d'information juste et complète, est mauvaise. Cela s'applique à toutes les firmes pharmaceutiques, y compris la nôtre. »

Celia percevait à présent des signes de consternation non seulement dans les rangs de la direction, mais aussi dans le reste de la salle. Quelques grognements s'élevèrent et quelqu'un lança :

« Hé! qu'est-ce que ça veut dire? »

Elle avait prévu cette réaction, et poursuivit d'une voix claire et forte :

« Je suis certaine que vous vous posez deux questions. L'une : " Comment sait-elle tout cela, et peut-elle le prouver ? " Et l'autre : " Pourquoi soulever cette question maintenant, alors que nous sommes tous heureux et tranquilles, et que nous n'avons aucune envie d'entendre des choses déplaisantes ? " »

Une voix s'éleva parmi l'assistance :

« Ah ! oui, je voudrais bien le savoir !

– Il serait temps ! riposta Celia. Et vous avez droit à des réponses – je vais vous les fournir.

– Vaudrait mieux qu'elles soient bonnes ! »

Celia avait parié qu'on la laisserait terminer, quelles que soient les réactions. Apparemment, elle avait vu juste. Malgré les mines renfrognées de l'équipe directoriale, personne ne se levait pour la faire taire.

« L'une des raisons pour lesquelles je sais de quoi je parle, déclara Celia, c'est que j'ai d'abord appartenu au deuxième groupe – celui des mal informés. Et cela, parce que je n'avais pas reçu de formation adéquate quand j'ai commencé à faire la tournée des médecins pour leur présenter nos produits. En vérité, je n'avais pour ainsi dire aucune formation. A ce sujet, permettez-moi de vous raconter une histoire. »

Elle décrivit sa rencontre – déjà relatée à Andrew pendant leur voyage de noces – avec le médecin de North Platte qui l'avait accusée d'avoir « des connaissances insuffisantes » et l'avait mise à la porte de son cabinet. Celia racontait bien l'histoire, et le silence se rétablit dans la salle. Ici et là elle perçut des acquiescements et des murmures d'approbation. Celia devinait aussi que bon nombre d'entre eux avaient dû connaître des expériences similaires.

« Ce médecin avait raison, continua-t-elle. Je n'avais aucune compétence pour discuter de nos produits avec des médecins hautement qualifiés, même s'il est vrai qu'on aurait dû me faire acquérir cette compétence avant de me lancer sur le terrain. »

Elle se tourna vers une table en retrait, et y prit un dossier.

« Je vous ai parlé de rapports fournis par des médecins, au sujet d'informations fausses communiquées par des visiteurs médicaux. Depuis près de quatre ans que je présente des produits Felding-Roth, j'ai constitué un dossier avec tous ces rapports – et le voici. Laissez-moi vous citer quelques exemples. » (Celia tira un feuillet du dossier.) « Comme vous le savez, nous avons un médicament qui s'appelle le Pernaltone, et qui donne d'excellents résultats dans le traitement de l'hypertension. Il figure parmi les meilleures ventes de Felding-Roth. *Mais* on ne doit jamais le prescrire à des patients atteints de rhumatismes ou de diabète. Ce serait dangereux; et la notice intérieure le précise. Pourtant... quatre médecins dans le New Jersey et deux dans le Nebraska, ont entendu des délégués de notre compagnie soutenir que le Pernaltone ne présentait aucune contre-indication, pas même dans le cas des deux maladies mentionnées. Je tiens à votre disposition les noms des praticiens en question. Bien entendu, il ne s'agit ici que de médecins que je connais. Mais il doit en exister d'autres dans la même situation, peut-être beaucoup.

« Deux des médecins que je cite ont vérifié l'information qu'on leur donnait, et ont constaté qu'elle était fausse. Deux autres l'ont acceptée de bonne foi et ont prescrit le Pernaltone à des patients hyper-tendus qui étaient aussi diabétiques. Plusieurs de ces patients ont vu leur état empirer, et l'un d'eux à même failli mourir – mais s'est heureusement réta-bli. (Celia tira un autre feuillet de son dossier.) L'un de nos concurrents fabrique un antibiotique, le Chloramphenicol, qui est également un produit de grande qualité, mais qu'on doit réserver aux cas d'infection grave, car il peut entraîner des modifica-tions de la formule sanguine, parfois mortelles. Pourtant – et là encore, je détiens les dates, les noms, et les endroits, – les délégués de cet autre laboratoire ont affirmé aux médecins que ce pro-duit ne présentait aucun danger... »

Après l'exemple du Chloramphenicol, Celia revint à Felding-Roth. A mesure qu'elle parlait, les preuves accablantes s'amoncelaient.

« Je pourrais continuer longtemps, déclara-t-elle finalement, mais je n'en ferai rien, car mon dossier est à la disposition de tous ceux, au sein de cette société, qui voudront le consulter. Et maintenant, je vais répondre à la seconde question : Pourquoi soulever ce problème aujourd'hui ?

« Je l'ai fait parce que je ne disposais d'aucun autre moyen pour me faire entendre. Depuis l'an dernier j'essaie d'attirer l'attention de la direction, et de lui montrer mon dossier. Personne ne veut rien savoir. J'ai l'impression fâcheuse que les mau-vaises nouvelles qu'il contient embarrassent tout le monde. (Cette fois, Celia fixa son regard sur les deux premiers rangs.) On pourra, si l'on veut, dire que j'ai agi aujourd'hui par entêtement, ou même par sottise. C'est peut-être vrai. Mais j'aimerais quand même dire que je l'ai fait par conviction, mue par l'intérêt profond que je porte à cette compa-gnie, à l'industrie pharmaceutique, et à leur réputa-tion.

« Cette réputation se ternit, et nous ne faisons cependant pas grand-chose pour la rétablir. Comme nous le savons tous, une commission du Congrès enquête en ce moment même sur l'industrie pharmaceutique. Les premières conclusions de cette commission nous sont défavorables, mais il apparaît que personne, dans cette industrie, n'y attache la moindre importance. Nous aurions tort de prendre tout cela à la légère. La presse ouvre déjà ses colonnes aux critiques; bientôt l'opinion publique exigera des réformes. Je pense que, si nous n'entreprenons rien pour améliorer nos techniques de vente et notre réputation, le gouvernement s'en chargera pour nous – d'une manière qui ne plaira à personne, et qui nous portera tort à tous.

« Enfin, pour toutes ces raisons, j'invite notre société à prendre les devants – d'abord en établissant un code de bonne conduite de la promotion et de la vente, et ensuite en créant un programme de formation et de recyclage à l'intention des visiteurs médicaux. J'ai rassemblé mes idées personnelles pour un projet de programme. (Celia s'interrompit, et sourit.) Si jamais quelqu'un s'y intéresse, elles figurent aussi dans mon dossier. »

Puis elle conclut : « Merci de votre attention, et bonne fin d'après-midi. »

Tandis que Celia ramassait ses papiers et s'apprêtait à quitter la tribune, il y eut quelques faibles applaudissements, mais qui cessèrent presque aussitôt. Rares étaient ceux qui semblaient prêts à suivre Celia. Visiblement, la majorité attendait de se régler sur les directeurs, dont aucun n'applaudissait, et dont les visages exprimaient tous la plus vive réprobation. Le président-directeur général paraissait en colère – il parlait à voix basse, mais avec véhémence, à Eli Camperdown, qui l'écoutait en hochant la tête.

Le directeur commercial, un New-Yorkais du nom d'Irving Gregson, qui venait d'être promu très récemment, s'approcha d'elle, Gregson était un homme sympathique, taillé en athlète, qui entretenait habituellement de bonnes relations avec tout le monde. Mais cette fois il bouillait de rage, le visage enflammé.

« Sachez, madame, que vous venez de vous comporter avec une malveillance arrogante et déplacée; sachez également que vos prétendus faits sont tous faux. Vous le regretterez. Votre situation se réglera plus tard, mais pour l'instant je vous ordonne de quitter cette salle et de ne plus y remettre les pieds.

— Monsieur, répondit Celia, ne voulez-vous pas jeter au moins un coup d'œil sur...

— Je ne regarderai rien du tout! (La voix de Gregson s'entendait de la salle entière.) Sortez d'ici!

— Au revoir, monsieur Gregson », dit Celia.

Elle fit demi-tour et s'éloigna en direction d'une sortie. Elle marchait d'un pas décidé, la tête haute. Elle songeait que plus tard viendraient les regrets, peut-être même une profonde dépression mais pour le moment elle n'avait nulle intention de quitter cette assemblée masculine en faible femme, en vaincue. Car malgré tout, s'avouait-elle, elle était bel et bien vaincue; et elle s'était bien doutée que cela risquait de finir ainsi, même si elle avait espéré le contraire. A ses yeux, les faits qu'elle avait décrits étaient si voyants, et les réformes si nécessaires, qu'elle ne comprenait pas comment les autres pouvaient refuser le l'admettre.

Mais ils le refusaient quand même. Et il était quasiment certain que son séjour chez Felding-Roth avait pris fin, ou allait prendre fin dans très peu de temps. Dommage. Sam Hawthorne lui dirait sans doute qu'elle avait fait exactement ce qu'il lui avait recommandé de ne pas faire – aller trop loin, en voulant en faire trop. Andrew aussi l'avait avertie en revenant de leur voyage de noces, quand elle avait parlé du fameux dossier. Elle se souvint des propres termes d'Andrew : « *Tu t'attaques à quelque chose de considérable. Cela n'est pas sans présenter quelques risques.* » Comme il avait eu raison! Cependant, il s'agissait d'un principe, et de sa propre intégrité; et Celia avait depuis longtemps décidé que jamais elle ne transigerait là-dessus. Quel était ce vers de *Hamlet* qu'elle avait appris en classe? « Ceci par-dessus tout : envers toi-même reste honnête... » Mais il fallait payer le prix. Parfois très cher.

En traversant la salle, elle sentit que quelques regards compréhensifs la suivaient. C'était inattendu, après toutes les critiques qu'elle avait énoncées. Mais cela lui était égal, à présent.

« Un instant, s'il vous plaît! »

Elle sursauta quand soudain, jaillissant de nulle part, une voix forte retentit dans les haut-parleurs.

« Madame Jordan, voulez-vous attendre un instant? »

Celia hésita, puis s'arrêta quand la voix répéta :

« Attendez, madame Jordan! »

Elle se retourna, et fut étonnée de reconnaître Sam Hawthorne. Il avait quitté son siège pour monter à la tribune, et se penchait au-dessus du micro. D'autres personnes laissèrent paraître leur stupéfaction. Irving Gregson s'exclama :

« Sam... Qu'est-ce que tu fais? »

Sam passa une main sur son crâne, qui luisait sous les projecteurs, comme il le faisait inconsciemment lorsqu'il avait une idée en tête. Son visage anguleux était empreint de gravité.

« Si tu me le permets, Irving, je voudrais dire

quelque chose, et je souhaite que tout le monde l'entende, avant que Mme Jordan ne sorte. »

Celia se demandait ce qu'il allait dire. Sam n'allait certainement pas approuver son expulsion en racontant à tout le monde leur conversation du matin, et l'avertissement qu'il lui avait donné. Cela n'était pas dans son caractère. Pourtant, l'ambition agissait parfois curieusement sur les gens.

Sam pouvait-il croire qu'un mot en sa faveur améliorerait son image aux yeux de la direction assemblée?

Levant les yeux vers la tribune, le directeur commercial demanda :

« Qu'y a-t-il?

— Eh bien, commença Sam, assez près du micro pour que toute la salle, soudain muette, puisse l'entendre, je monte à cette tribune pour qu'on sache que je partage l'avis de Mme Jordan.

— Vous partagez l'avis de Mme Jordan?... »

Sam Hawthorne soutint le regard du directeur de Felding-Roth, tout en se rapprochant encore du micro.

« Oui. Et je tiens à ajouter – même si personne ne veut l'entendre – que tout ce qu'elle a dit est vrai. Et nous le savons tous, même si nous prétendons le contraire. »

Le silence était devenu effrayant. On ne percevait que les bruits de la circulation de l'avenue et des bruits de verre dans les cuisines; des voix assourdies dans un couloir. Tout le monde semblait figé, enraciné, bien décidé à ne pas bouger pour ne pas rater une seule syllabe. Sam poursuivit :

« Je tiens également à faire savoir que je regrette de n'avoir pas eu l'intelligence et le courage de dire moi-même ce qu'a dit Mme Jordan. Et il y a encore une chose. »

Irving Gregson l'interrompit.

« Tu ne crois pas que tu en as assez dit?

– Laissez-le terminer, ordonna Eli Camperdown. Finissons-en. »

Le directeur commercial s'inclina.

« Je pense comme elle que, si notre industrie n'améliore pas ses façons d'agir, des lois nous obligeront à le faire. Et ces lois seront certainement beaucoup plus contraignantes que si nous acceptions les bons conseils qui viennent de nous être donnés, et que nous fassions notre ménage nous-mêmes.

« Pour finir, je voudrais vous parler de Mme Jordan. A plusieurs reprises déjà, elle a montré à notre société ses qualités et sa grande valeur. Elle vient de nous les prouver une nouvelle fois, et j'estime que si nous la laissons partir ainsi c'est que nous sommes tous des sots et des aveugles. »

Celia n'en croyait pas ses oreilles. Elle éprouva un instant de honte, pour avoir douté des motivations de Sam. Par solidarité, il venait de placer son propre emploi, ses ambitions et son avenir chez Felding-Roth sur la même ligne qu'elle.

L'étrange silence persistait. L'assistance entière avait conscience de vivre un moment épique, dont nul ne semblait savoir comment il allait tourner.

Ce fut Eli Camperdown qui bougea le premier. Il retourna s'asseoir auprès du président-directeur général, et ils se lancèrent ensemble dans une discussion à voix basse, mais enflammée. Cette fois c'était Camperdown qui parlait – s'efforçant apparemment de convaincre son interlocuteur – tandis que le vieux VanHouten l'écoutait, d'abord en secouant obstinément la tête, puis en semblant céder, et finalement en haussant les épaules. Camperdown fit signe à Irving Gregson d'approcher.

Comme il était clair que des décisions allaient être prises au niveau le plus haut, les autres attendaient; mais un brouhaha de conversations emplissait à présent la salle.

Le brouhaha s'atténua lorsque le directeur commercial quitta les deux patrons pour monter à la tribune. Il prit le micro des mains de Sam Hawthorne, qui redescendit s'asseoir à sa place. Gregson parcourut l'assemblée du regard, attendant que le silence revienne, puis il se permit un grand sourire.

« Vous direz ce que vous voudrez de nos congrès, déclara-t-il, mais nous vous avons toujours promis qu'on ne s'y ennuierait pas. »

C'était exactement ce qu'il fallait dire, et un immense rire secoua l'assistance entière, même le lugubre VanHouten.

« Notre président et notre directeur viennent de me dire – et je tiens à préciser que je partage entièrement leurs sentiments – que nous avons peut-être, il y a quelques instants, réagi hâtivement. Et même imprudemment. (Nouveau sourire.)

« Il y a très longtemps, quand j'étais un petit garçon et que je faisais des bêtises – comme tous les petits garçons – ma mère m'a appris une chose. " Irving, me disait-elle, quand tu as commis une faute et qu'il faut t'excuser, sois un homme : Redresse-toi et fais-le de bon cœur. " Ma bien chère mère, Dieu ait son âme, n'est plus de ce monde; mais j'entends quand même sa voix me dire : " Irving, mon garçon, le moment est venu. " »

En le regardant et en l'écoutant, Celia songea que Gregson avait du style. Ce n'était pas par hasard qu'il avait été promu à la direction du service commercial.

Elle s'aperçut qu'il la désignait du geste.

« Madame Jordan, s'il vous plaît, voulez-vous approcher? Et toi aussi, Sam. »

Quand ils furent tous les trois rassemblés à la

tribune – Celia était stupéfaite – Gregson déclara :

« J'ai dit que je vous présenterais mes excuses, madame Jordan, et je le fais bien sincèrement. Nous allons considérer attentivement vos suggestions. Et, si vous me le permettez, je vais vous emprunter le dossier que vous avez préparé. »

Gregson se tourna vers la salle, et annonça : « Je crois que vous venez d'être témoins d'une de ces scènes qui font que notre compagnie est formidable, et... »

La fin de sa phrase fut noyée par un tonnerre d'applaudissements et d'acclamations et, quelques instants plus tard, les directeurs et les autres assaillirent Celia pour la féliciter et lui serrer la main.

« Pourquoi avez-vous pris ce risque? demanda Sam Hawthorne.

– Et vous? » riposta gaiement Celia.

Cela se passait une semaine plus tard. Celia et Andrew dînaient chez les Hawthorne et, pendant le repas – une pure merveille, attestant les talents culinaires de Lilian – ils avaient évité de parler du congrès. Quelques jours auparavant, les Russes avaient annoncé qu'ils avaient abattu un U-2 et capturé le pilote, Gary Powers. Moscou l'accusait d'espionnage. Les Etats-Unis avaient commencé par nier l'évidence mais, peu de temps après, le président Eisenhower avait dû avouer, le rouge au front, que c'était vrai. Les Hawthorne et les Jordan convenaient que la plupart des Américains en éprouvaient, eux aussi, de l'embarras.

En Angleterre, la princesse Margaret avait mis fin aux commérages et aux airs pincés en épousant un photographe, Antony Armstrong-Jones. D'après les comptes rendus de presse, le mariage s'était déroulé dans une « atmosphère de carnaval ». Les gens se demandaient si ce mariage allait affaiblir le prestige du trône, et Andrew estimait qu'il n'en serait rien.

Après le dîner, ils écoutèrent un nouvel enregistrement d'Elvis Presley – *Fame and Fortune*, sorte de ballade pop. Presley avait repris sa carrière, après un an de service militaire, et l'on constatait que son absence n'avait en rien diminué sa popularité. *Fame and Fortune* plaisait au femmes, et pas aux hommes.

Ils buvaient du cognac dans le vaste salon décoré avec raffinement, lorsque Sam aborda enfin la question qu'ils avaient tous en tête et qui était bien plus proche de leurs préoccupations réelles.

Il répondit à Celia :

« En vous suivant à cette tribune, peut-être n'ai-je simplement pas pu résister à l'envie de participer à une scène aussi spectaculaire.

– Vous savez fort bien que c'est autre chose, protesta Celia.

– Nous le savons tous, intervint Andrew. (Confortablement installé dans un fauteuil, il savourait son cognac; il avait eu une journée chargée à son cabinet – ses clients étaient chaque jour plus nombreux – et il était fatigué.) Vous avez tout risqué, Sam – bien plus que Celia.

– Bien sûr, et je vous en suis reconnaissante, commença Celia, mais Sam l'interrompit.

– Vous n'avez pas à l'être. Si vous voulez savoir la vérité, eh bien, je me suis senti mis à l'épreuve. (Il se tourna vers Andrew.) Votre femme a déjà prouvé qu'elle avait plus de bravoure, et plus de respect pour la vérité, que n'importe qui d'autre dans la société. Je ne voulais pas avoir un idéal plus bas que le sien. (Il sourit à Celia.) Surtout si vous comptez me suivre jusqu'au sommet de l'échelle.

– Comment cela?

– Je le lui ai dit, expliqua Lilian. Pardonnez-moi d'avoir trompé votre confiance, Celia, mais Sam et moi n'avons pas de secrets l'un pour l'autre.

– Mais j'ai un secret, annonça Sam. Il s'agit de Celia. (Comme les autres le dévisageaient avec curiosité, il poursuivit :) Elle ne sera plus désormais visiteuse médicale. »

Andrew eut un petit rire.

« Vous la mettez à la porte, finalement ?

– Non, bien au contraire. Notre compagnie va créer un Département de Formation à la Promotion et à la Vente, suivant la suggestion de Celia. Et elle participera à la constitution de ce département – elle sera directrice adjointe.

– Hourra! s'exclama Lilian en brandissant son verre. Les hommes ont fini par avoir un peu de bon sens, je leur porte un toast!

– Pour que ce soit juste, ajouta Sam, Celia aurait dû être nommée directrice. Mais il y a des gens dans la compagnie qui ne sont pas prêts à accepter cela. Pas encore. A propos, ce sera officiel demain. »

Andrew se leva, traversa le salon, et embrassa Celia.

« Je suis heureux pour toi, ma chérie.

– Eh bien, déclara Celia, je ne suis pas précisément consternée. Je vous remercie, Sam, et je me contenterai d'être adjointe. Pour le moment », ajouta-t-elle avec un sourire.

Ils furent interrompus par l'arrivée tourbillonnante de deux petites bonnes femmes en pyjama, qui riaient et couraient tout à la fois. En tête venait Lisa, maintenant âgée de vingt mois, toujours débordante d'activité et de curiosité; Celia et Andrew l'avaient amenée avec eux, et la croyaient couchée et endormie. Derrière elle accourait Juliette, l'unique enfant des Hawthorne, qui avait quatre ans. Lilian avait récemment confié à Celia que les médecins l'avaient avertie qu'elle n'aurait plus d'autre enfant, de sorte que Sam et elle-même prodiguaient un immense amour à Juliette, qui était fort vive et intelligente, et ne paraissait pas trop gâtée. Les deux petites filles étaient visiblement très excitées de se trouver ensemble.

Rieuse, Lisa s'élança dans les bras de son père en criant :

« Juliette veut m'attraper! »

Lilian se leva.

« Et moi, je vais vous attraper toutes les deux. Allez vite vous coucher. »

Toutes trois disparurent dans les rires et les cris en direction de la chambre d'enfant.

Au retour de Lilian, Celia annonça :

« Tout cela me rappelle quelque chose. J'aurai sans doute besoin de quitter un peu ce nouveau travail, Sam, dans quelque temps. J'attends un bébé.

– C'est la soirée des révélations, s'exclama Lilian. Heureusement qu'il reste encore un peu de cognac pour célébrer l'heureuse nouvelle! »

Celia crut déceler une trace d'envie dans la voix de son amie.

CHAPITRE 8

Pendant le reste de l'année 1960 et le début de 1961, Celia se consacra à l'enseignement des techniques de vente aux visiteurs médicaux de Felding-Roth.

Son nouveau patron, le directeur de la promotion, était l'ancien directeur régional de Kansas City, Teddy Upshaw. Quand on les présenta, Celia le reconnut aussitôt. C'était l'un des visages compréhensifs qu'elle avait remarqués lors de son éviction du congrès au Waldorf-Astoria.

Upshaw était court, trapu, dynamique, volubile; il avait toujours vendu des produits pharmaceutiques et approchait de la cinquantaine. Il était débordant d'énergie, sans cesse à courir d'un endroit à l'autre, et il hochait souvent sa petite tête ronde pour ponctuer la conversation. Avant d'être nommé à la direction, Upshaw avait été le meilleur délégué du laboratoire et il avoua à Celia qu'il regrettait toujours son « existence de voyageur de commerce », comme il disait, la décrivant comme « une saine respiration »; et il ajouta : « Dans ce métier, on n'a pas besoin de tricher pour vendre, car la plupart des toubibs ne savent à peu près rien sur les médicaments; quand on est honnête avec eux, et qu'ils apprennent à avoir confiance en vous, on peut leur vendre tout ce qu'on veut. La seule autre chose à se rappeler, c'est qu'il faut se comporter avec eux comme s'ils étaient des dieux. Ils y tiennent beaucoup. »

Le soir, alors qu'ils étaient couchés, Celia raconta cette histoire à Andrew. Il éclata de rire :

« Tu as vraiment un patron formidable. Et n'oublie plus désormais de traiter ton toubib domestique comme un dieu. »

Elle lui jeta un oreiller, et ils se chamaillèrent ainsi pendant quelques minutes. Puis le jeu évolua, et finalement ils firent l'amour. Ensuite, Andrew caressa le ventre de Celia, qui commençait à s'arrondir, et lui recommanda :

« Prends bien soin de ce petit bonhomme, et rappelle-toi que tant qu'il est là – pas question de prendre un seul médicament! »

Il avait souvent formulé cette mise en garde à l'époque où Celia attendait Lisa, et Celia remarqua :

« Tu y tiens beaucoup.

– Oh! oui! dit-il. Et maintenant, laisse un peu dormir ton dieu toubib! »

Une autre fois, en parlant avec Celia, Teddy Upshaw décrivit la « promotion malhonnête » comme une « parfaite stupidité, qui plus est inutile ». Néanmoins, admit-il, elle se pratiquait beaucoup dans le monde de la pharmacie.

« Ne t'imagine pas que nous allons empêcher les visiteurs médicaux de raconter des mensonges, même chez Felding-Roth! Nous n'y pourrons rien. Ce que nous allons faire, c'est leur montrer que l'autre méthode est plus payante. »

Upshaw reconnaissait avec Celia qu'il existait un réel besoin de formation. Lui-même n'en avait reçu aucune, et il avait glané des connaissances scientifiques – en quantité surprenante, découvrit-elle – par pur effort personnel, au fil des ans.

Ils s'entendaient bien, et eurent tôt fait de se répartir les tâches. Celia rédigeait les programmes, ce qu'Upshaw détestait faire, et c'était lui qui les mettait en œuvre, ce qu'il adorait.

L'une des innovations de Celia consistait à simuler un entretien entre un délégué et un médecin, où le premier présentait un produit de Felding-Roth au second, qui posait des questions difficiles et parfois même agressives. C'était habituellement Teddy, Celia, ou un autre membre de l'équipe, qui jouait le médecin; il arrivait aussi, grâce au concours d'Andrew, qu'un vrai médecin accepte de participer à ces séances auxquelles il ajoutait une touche de réalisme – et qui remportèrent un grand succès, tant auprès des participants que des spectateurs.

Tous les nouveaux visiteurs engagés par la Felding-Roth faisaient un stage de formation de cinq semaines, et ceux qui exerçaient déjà venaient au siège par petits groupes suivre des cours de recyclage répartis sur dix jours. A la surprise de tous, les plus anciens se montrèrent non seulement coopératifs, mais désireux d'apprendre. Celia, qui assurait aussi plusieurs cours théoriques, était appréciée. Elle découvrit que, depuis le fameux congrès au Waldorf, les délégués la surnommaient « Jeanne d'Arc », car elle avait « bien failli être brûlée vive pour hérésie ».

Avec le recul, elle se rendait compte de la chance qu'elle avait eue, et comprenait qu'elle avait risqué de briser sa carrière. Parfois elle se demandait : Si Sam Hawthorne n'avait pas pris la parole pour me défendre, si j'avais vraiment été expulsée de la salle, puis licenciée, aurais-je regretté d'avoir agi comme je l'ai fait? Elle espérait que non. Elle espérait également conserver sa force de caractère, dans toutes les circonstances à venir. Pour le moment, toutefois, les résultats lui donnaient entière satisfaction.

Dans ses nouvelles fonctions, elle voyait souvent Sam Hawthorne, car, même si elle dépendait officiellement de Teddy, Sam s'intéressait de près à ces programmes de formation et mesurait le travail accompli par Celia.

Cependant, les relations de Celia avec le directeur de recherches, le docteur Vincent Lord, avaient pris une tournure moins idyllique. Comme tout programme de véritable formation ou de recyclage supposait une aide scientifique, le département de recherches était fréquemment consulté, et le docteur Lord ne faisait pas mystère de la perte de temps que cela représentait pour lui. Il refusait toutefois de déléguer cette responsabilité à quelqu'un d'autre. Lors d'un entretien particulièrement déplaisant, il déclara à Celia :

« Vous avez su convaincre M. Camperdown et d'autres de vous laisser construire votre petit empire, mais avec moi cela ne prend pas. »

En s'efforçant de garder son calme, Celia répliqua :

« Ce n'est pas " mon empire ", je suis l'adjointe et non le directeur. Et puis, préféreriez-vous que les médecins reçoivent des indications fallacieuses, comme cela se produisait encore récemment ?

– De toute façon, riposta le docteur Lord, je doute fort que vous puissiez voir la différence. »

Lorsqu'elle rapporta cette conversation à Upshaw, il répondit avec un haussement d'épaules :

« Vince Lord est le roi des raseurs. Mais c'est un raseur qui connaît son métier. Veux-tu que j'en parle à Sam, pour qu'il le rappelle à l'ordre ?

– Non. Je vais m'y prendre à ma façon. »

« Sa façon » consistait à supporter les sarcasmes pour continuer à s'instruire et, finalement, à apprécier la compétence de Vincent Lord. Il n'avait que sept ans de plus qu'elle – il était donc âgé de trente-six ans – mais il était titulaire d'un doctorat en médecine décerné avec les félicitations du jury par l'université du Wisconsin, d'un doctorat de chimie de l'université de l'Illinois, et il était membre de plusieurs sociétés savantes. Lorsqu'il enseignait à l'université de l'Illinois en qualité d'assistant, Vincent Lord avait publié divers articles où il exposait ses propres découvertes – l'une en particulier, sur la contraception orale, avait permis de rendre la pilule plus efficace. Celia apprit que tout le monde s'attendait à voir le docteur Lord faire un jour une brillante percée en mettant à profit un nouveau produit important.

Mais Vincent Lord n'avait jamais appris à se rendre sympathique. Peut-être cela expliquait-il, songeait Celia, qu'il fût resté célibataire malgré son charme indéniable, dans un registre austère et ascétique.

Un jour, pour tenter d'améliorer leurs relations, elle suggéra qu'ils auraient pu s'appeler mutuellement par leurs prénoms, comme cela se pratiquait beaucoup au sein de la compagnie. Il répondit sèchement : « Je pense qu'il vaudrait mieux pour nous deux, madame Jordan, que nous gardions à l'esprit notre différence de situation. »

Celia sentait bien que l'antagonisme apparu lors de leur première rencontre, un an et demi auparavant, resterait toujours présent dans leurs rapports. Mais, malgré cela, et grâce à la ténacité de Celia, la contribution du département de recherches à la formation des délégués était considérable.

Certes, le principe d'élever le niveau des délégués n'était pas accepté par tous. Loin de là. Celia avait voulu établir un système de comptes rendus, pour contrôler le comportement des visiteurs médicaux par le biais de questionnaires confidentiels adressés aux médecins visités par les délégués. Cette suggestion fut présentée à la direction qui la repoussa.

Celia demanda alors que les lettres de médecins se plaignant des visiteurs médicaux soient communiquées au service de formation. Elle savait que ces lettres existaient, mais jamais personne au laboratoire n'admettait les avoir vues, et elles devaient être enterrées quelque part dans les archives, tandis que toute amélioration – s'il y en avait – demeurait secrète. Cette requête-là fut également refusée.

Comme le lui expliqua patiemment Teddy Upshaw :

« Il existe des choses que les autorités en place ne veulent pas savoir. Tu as obtenu certains changements et c'est bien. Lorsque tu as dit ce que tu avais sur le cœur à notre congrès, le scandale a éclaté au grand jour et les dirigeants de la société ont été contraints de prendre des mesures. Sam t'a sauvé la mise, cette fois, mais ne les pousse pas trop fort. »

Cela ressemblait tout à fait au conseil de Sam Hawthorne, avant la réunion du Waldorf-Astoria, et Celia répondit :

« Un jour, le gouvernement va intervenir et nous imposer une réglementation.

– Tu l'as déjà dit, reconnut Upshaw, et tu as peut-être raison. D'ailleurs, c'est sans doute le seul moyen. »

Ils en étaient restés là.

La question des médicaments et de l'industrie pharmaceutiques occupait, ailleurs, bien d'autres esprits.

En 1960, la presse évoquait presque quotidiennement – et de manière généralement défavorable –

l'univers de la pharmacie. La commission d'enquête présidée par le sénateur Kefauver se révélait une véritable mine d'or pour les journalistes, et la cause de bien des soucis pour des compagnies telles que Felding-Roth, en grande partie grâce à l'adroite mise en scène élaborée par le sénateur et son équipe.

Comme dans toute commission d'enquête, on mettait l'accent sur l'aspect politique du dossier étudié, non sans parti pris. Ainsi, Douglas Cater, un journaliste de Washington, put écrire : « Ils partent d'une idée préconçue pour aboutir à une conclusion préétablie. » Par ailleurs, Estes Kefauver et ses collaborateurs recherchaient constamment les gros titres, ce qui faussait leurs déclarations. Le sénateur manifestait un réel génie pour lancer de graves accusations au moment même où les journalistes devaient quitter la salle d'audiences pour porter leur article au marbre – onze heures et demie du matin pour les journaux du soir, et seize heures trente pour ceux du matin. De la sorte, les journalistes étaient tous absents à l'instant des réfutations et des démentis.

En dépit de ces procédés, certaines vérités déplaisantes furent portées à la connaissance du public. On apprit ainsi avec quelles marges excessives étaient calculés les prix de vente des médicaments, comment les laboratoires s'entendaient illégalement pour fixer leurs prix; comment les appels d'offres pour la fourniture de produits pharmaceutiques à l'Etat étaient déjà soumissionnés avant d'être publiés; comment les médecins étaient victimes de publicités mensongères, et restaient bien souvent dans l'ignorance des effets secondaires dangereux; comment les compagnies pharmaceutiques étaient parvenues à prendre le contrôle de la Food and Drug Administration, et comment l'un des plus hauts fonctionnaires de cet organisme avait accepté des « honoraires » d'une société pharmaceutique et reçu quelque 287 000 dollars.

Même s'ils étaient parfois trop partisans, les gros titres insistaient sur certains abus :

LES SÉNATEURS DÉCOUVRENT
QUE LA HAUSSE DES PRIX
DES PRODUITS PHARMACEUTIQUES
ATTEINT 1 118 %
Washington Evening Star

LA COMMISSION SÉNATORIALE
DÉNONCE LA HAUSSE DES PRIX
DES PRODUITS PHARMACEUTIQUES
JUSQU'A 7 079 %
New York Times

LE GRAND PÉRIL PHARMACEUTIQUE
Miami Herald

LES TRANQUILLISANTS SONT UNE MINE D'OR

LA CHLORPROMAZINE EST 6 FOIS PLUS CHÈRE
AUX ETATS-UNIS QU'À PARIS
New York Times

Des témoignages révélèrent que certains produits découverts et mis au point à l'étranger coûtaient beaucoup moins cher dans leur pays d'origine qu'aux Etats-Unis, alors même que les compagnies américaines chargées de la diffusion sous licence n'avaient eu aucun frais de recherche ni d'expérimentation.

Dans les pharmacies françaises, par exemple, cinquante comprimés de chlorpromazine coûtaient l'équivalent de cinquante et un *cents*, contre trois dollars et trois *cents* aux Etats-Unis. De même, le prix américain de la réserpine était trois fois plus élevé qu'en Europe, où ce médicament avait été découvert.

Une autre disparité apparaissait avec le cas de la pénicilline qui, fabriquée aux Etats-Unis, se vendait au Mexique aux deux tiers de son prix américain. On en déduisait que c'était l'entente illicite entre fabricants qui faisait ainsi monter les prix.

LES ALIMENTS POUR ANIMAUX
SONT MIEUX CONTRÔLÉS QUE LES MÉDICAMENTS
Los Angeles Times

UNE DÉCLARATION DE LA F.D.A.
CENSURÉE PAR UN PUBLICITAIRE
LA RÉCLAME D'UN LABORATOIRE INTRODUITE
DANS UN DISCOURS OFFICIEL
New York Times

Des témoignages révélèrent qu'un haut fonctionnaire de la F.D.A. avait soumis le texte de sa communication à l'approbation du laboratoire Ritzer avant de le rendre public, à l'occasion d'un symposium international sur les antibiotiques. Et un rédacteur publicitaire avait modifié le texte, pour y inclure une référence à un produit Ritzer, la kolamamycine. Par la suite, le laboratoire avait diffusé deux cent soixante mille exemplaires de cette communication, laissant aussi entendre qu'il avait obtenu l'aval de la F.D.A.

Ces gros titres déplaisants s'étalaient, parfois pendant plusieurs jours d'affilée, dans les journaux des petites villes aussi bien que dans ceux des grandes cités de la Côte Est et de la Côte Ouest, tandis que les chaînes de télévision et de radio ajoutaient leurs propres commentaires.

En bref, comme Celia le dit en décembre à Andrew : « Ce n'était pas précisément une très bonne année pour me vanter de la société qui m'emploie. »

Celia se trouvait alors en congé de maternité, car leur second enfant était né à la fin octobre, exactement comme elle en avait décidé. Et, comme Andrew l'avait espéré, c'était un garçon. Ils l'avaient nommé Bruce.

Tous deux avaient été soulagés d'un grand poids, quelques mois auparavant, lorsqu'une jeune Anglaise, Winnie August, était venue habiter chez eux pour s'occuper à plein temps des enfants. Andrew l'avait recrutée par l'intermédiaire d'une agence, qui passait des annonces dans la presse médicale. Agée de dix-neuf ans, elle avait été vendeuse à Londres et, comme elle le disait, voulait « s'offrir des vacances de travail pour voir comment c'est l'Amérique, et puis ensuite aller passer un ou deux ans, tout là-bas, en Australie ». Elle était gaie, vive, et, à la grande joie d'Andrew, préparait chaque matin le petit déjeuner à la vitesse de l'éclair. « C'est parce que j'ai l'habitude, lui expliqua-t-elle comme il l'en complimentait. Je le faisais chez moi pour ma mère. » De plus, Winnie aimait les enfants; et Lisa l'adorait. Andrew et Celia espéraient bien voir le projet australien s'enliser dans l'oubli.

Un autre événement attira l'attention de Celia, vers la fin de 1960. La Thalidomide, ce médicament allemand qui devait être distribué sous le nom de Kevadon sur le continent nord-américain, fut soumis à l'approbation de la F.D.A. D'après les revues professionnelles de l'industrie pharmaceutique, les laboratoires Merrell avaient acheté la licence pour tout le continent nord-américain et nourrissaient d'ambitieux projets pour le Kevadon, persuadés qu'il se vendrait aussi bien en Amérique qu'en

Europe. Et la firme pressait donc la F.D.A d'accélérer les formalités. En attendant, le médicament faisait l'objet de généreuses distributions – officiellement « pour usage expérimental » – auprès d'un millier de médecins, de la part des délégués enthousiastes des laboratoires Merrell.

Cette nouvelle rappela à Celia son entretien avec Sam Hawthorne, huit mois auparavant, lorsqu'il lui avait appris la rancœur de certains cadres de Felding-Roth parce que, à la suggestion de Celia, la Thalidomide n'avait été expérimentée que sur des vieillards, avant d'être refusée. Elle se demanda si cette rancœur persistait puis, estimant qu'il ne présentait aucun intérêt, écarta ce sujet de ses pensées.

Elle avait bien d'autres préoccupations professionnelles.

Après la naissance de Bruce, Celia reprit son travail dès la mi-décembre, plus vite qu'elle ne l'avait fait pour Lisa, car c'était une période très chargée pour la formation à la promotion et à la vente. La compagnie s'agrandissait et avait engagé cent nouveaux visiteurs médicaux, parmi lesquels des femmes, à la requête de Celia – mais seulement une demi-douzaine. Sa décision de retourner plus tôt à son travail avait également été motivée par un sentiment alors très répandu d'exaltation patriotique. John F. Kennedy venait d'être élu président en novembre, et il semblait – tout au moins d'après la rhétorique officielle – qu'une nouvelle ère débutait, stimulante et créatrice.

« Je veux en être, confia Celia à Andrew. On parle d'un " recommencement " et de " l'histoire en marche ", on dit que c'est une merveilleuse époque pour être jeune et responsable. Reprendre mon travail, c'est faire partie de cette classe-là.

– Oui, bien sûr, avait répondu Andrew d'un air

112

presque indifférent qui ne lui était pas habituel. (Puis, comme il s'en rendait soudain compte, il ajouta :) Quant à moi je n'y vois aucune objection. »

Mais il ne prêtait pas vraiment attention à ce que lui disait Celia; un autre problème l'inquiétait, qui concernait le docteur Noah Townsend, son associé et chef de service fort respecté à St. Bede's Hospital. Andrew avait découvert quelque chose d'affreux à son sujet, et qui remettait en question l'aptitude de Noah à exercer la médecine.

Le docteur Townsend se droguait.

CHAPITRE 9

NoAH Townsend avait cinquante-huit ans et, depuis
des années, il était l'image même du bon médecin.

Scrupuleux, il traitait avec le même soin tous
ceux qui venaient à lui, riches ou pauvres. Ses
manières étaient empreintes de courtoisie, de distinction et de dignité, ce qui lui avait valu une
nombreuse et fidèle clientèle. La sûreté de son
diagnostic était réputée. Sa femme Hilda raconta un
jour à Andrew : « Je me trouvais avec Noah à une
réception, et il m'a désigné un inconnu à l'autre
bout de la salle en disant : " Cet homme est très
malade, et il n'en sait rien. " Ou une autre fois :
" Cette femme, là-bas, j'ignore son nom, mais elle va
mourir d'ici six mois. " Et jamais il ne s'est trompé.
Jamais. »

Les patients de Townsend avaient le même sentiment à son endroit. Il leur arrivait, en échangeant
des anecdotes sur ses diagnostics, de l'appeler « le
magicien ». L'un d'eux lui avait même rapporté
d'Afrique un masque de sorcier, qu'il avait fière-
ment accroché au mur de son bureau.

Andrew respectait tout autant la compétence de
son associé et une affection profonde et véritable
s'était développée entre eux, en partie parce que

114

Townsend avait toujours traité fort généreusement son jeune confrère.

Le fait que Noah Townsend, contrairement à tant de médecins, se fût toujours tenu au courant du progrès médical en lisant tout ce qui paraissait, comptait pour une bonne part dans le respect d'Andrew à son égard. Cependant, Andrew avait parfois remarqué, au cours des derniers mois, que son attention se perdait et que son élocution était plus lente. Et puis il y avait eu ces incidents, au début de l'année, dus à l'étrange comportement de Noah. L'accumulation de ces détails mettait Andrew mal à l'aise, mais il persistait néanmoins à en attribuer la cause à la fatigue et à l'énervement, car ils travaillaient beaucoup tous les deux.

C'est un jour de novembre – un mois auparavant – que le malaise et la suspicion vague s'étaient mués en certitude – et depuis lors, Andrew devait affronter un douloureux cas de conscience.

Andrew avait souhaité discuter avec le docteur Townsend de leurs dates de congé, car ils faisaient en sorte de rester de garde à tour de rôle. Après avoir vérifié qu'il n'y avait pas de patient dans le bureau de son confrère, Andrew frappa doucement à la porte et entra. L'un et l'autre agissaient très souvent ainsi.

Townsend avait le dos tourné et, surpris, fit volte-face sans prendre le temps de dissimuler ce qu'il tenait à la main – une importante quantité de comprimés et de gélules. Andrew aurait pu ne rien en penser, si le comportement de son associé ne l'avait intrigué. Townsend s'empourpra, l'air gêné, puis d'un geste de défi porta la main à sa bouche, et avala les comprimés d'un trait avec une gorgée d'eau.

Townsend ne pouvait évidemment pas ignorer la

signification de ce qu'avait vu Andrew, aussi tenta-t-il de le prendre avec désinvolture.

« Me voilà donc pris la main dans le sac!... Eh bien, j'avoue que cela m'arrive de temps à autre – pas mal de contrariétés en ce moment, comme vous le savez... Mais je ne perds pas le contrôle... je suis comme un vieux soldat, mon garçon – j'en sais trop pour lâcher les pédales... J'en ai trop vu. (Townsend eut un rire forcé.) Allons, ne vous inquiétez donc pas, Andrew. Je sais où et quand m'arrêter. »

L'explication ne convainquit pas Andrew. Et l'intonation empâtée moins encore – car son élocution embarrassée prouvait bien qu'il n'en était pas à sa première dose ce jour-là. Andrew demanda, avec une raideur qu'il regretta aussitôt :

« Que preniez-vous là? »

Nouveau rire forcé.

« Oh! Quelques cachets de Dexédrine, un peu de Percodan, un soupçon de Darvon pour donner du goût... Dites-moi, qu'est-ce que ça peut vous faire? (Puis, avec une hostilité contenue :) Je vous dis que je garde le contrôle. Alors? de quoi vouliez-vous me parler? »

Vivement ému, Andrew évoqua la question des jours de congé – qui paraissait à présent dérisoire –, régla rapidement les problèmes de détail et quitta le bureau de Noah Townsend aussi vite qu'il le put. Il avait besoin d'être seul. Pour réfléchir.

Ce mélange de médicaments qu'il avait vu son associé engloutir horrifiait Andrew – il devait y avoir là au moins douze ou quinze comprimés et gélules. De l'aveu de Noah, c'était un mélange d'excitants et de sédatifs – des produits aux effets contradictoires et qu'aucun médecin n'aurait prescrits simultanément. Sans être un expert des problèmes de drogue, Andrew en savait assez pour comprendre que cette quantité et cette insouciance trahissaient un stade déjà très avancé d'accoutumance. Et des médicaments pris avec une telle désinvolture pouvaient se révéler aussi dangereux que des drogues illicites vendues sous le manteau.

Mais que faire? Le plus urgent, décida Andrew, était d'en apprendre davantage.

Pendant les deux semaines qui suivirent, il employa tous ses moments libres à faire des recherches dans les bibliothèques médicales. Celle de St. Bede's était fort modeste; il en existait une autre à Newark. On y trouvait des rapports de médecins devenus drogués et, à la lecture de ces études, il lui apparut très vite qu'il s'agissait d'un problème classique et assez répandu. L'Association des Médecins Américains estimait qu'environ cinq pour cent des praticiens étaient « affaiblis » par l'usage de drogues ou par l'alcoolisme. Si l'A.M.A. avouait ce pourcentage stupéfiant, songea Andrew, le chiffre exact devait être en réalité bien plus élevé. Il n'était apparemment pas seul à le penser. L'estimation la plus fréquente oscillait autour de dix pour cent, et certains avançaient même le taux de quinze pour cent. Les observateurs s'accordaient pour dire que les médecins étaient souvent victimes de leur trop grande confiance en eux. Ils étaient convaincus de pouvoir employer ces produits sans en devenir dépendants, mais ils se trompaient presque toujours. Les propres paroles de Noah Townsend (« ... *Je ne perds pas le contrôle... J'en sais trop pour lâcher les pédales... Je sais où et quand m'arrêter...* ») semblaient l'écho pathétique de ce que lisait Andrew.

Les médecins, tels des « drogués réussis », passaient inaperçus pendant des années, à cause de leur facilité à se fournir : Andrew le savait bien! Il avait discuté avec Celia de la possibilité qu'avaient les médecins de s'approvisionner librement en médicaments de toutes sortes, en quantités pratiquement illimitées, tout simplement en les demandant aux délégués qui venaient les visiter.

Honteux mais conscient d'être utile à son ami, Andrew se débrouilla pour inspecter l'armoire à pharmacie du bureau de Noah Townsend, pendant que celui-ci faisait sa tournée à l'hôpital.

L'armoire aurait dû être fermée à clef, mais ne l'était pas. Elle contenait une incroyable provision de médicaments, y compris des narcotiques, le tout conservé dans les emballages d'origine des fabricants. Andrew reconnut certains des produits qu'avait cités Townsend.

Andrew gardait, lui aussi, certains médicaments dans son bureau, des échantillons de ceux qu'il prescrivait régulièrement, et il les distribuait à ses patients, quand il les savait dans la gêne. Mais, en comparaison de ce qu'il avait sous les yeux, ses réserves étaient dérisoires. Quant aux narcotiques, Andrew n'en conservait aucun, par prudence. Comment Noah pouvait-il se montrer aussi négligent? Comment avait-il réussi à garder si longtemps le secret? Comment parvenait-il à prendre autant de produits tout en gardant la maîtrise de lui-même?

Quelque chose d'autre frappa Andrew. Il découvrit qu'il n'existait aucun programme d'aide aux médecins pris dans l'engrenage de la drogue. La profession médicale fermait les yeux et, quand c'était impossible, elle imposait le secret et resserrait les rangs. Apparemment, aucun médecin ne signalait qu'un de ses confrères se droguait. Quant à l'idée qu'un médecin drogué pût perdre le droit d'exercer, il n'en trouva mention nulle part.

Et pourtant la question le hantait. Qu'allait-il advenir des patients de Noah Townsend qui, d'une certaine manière, étaient aussi les siens, du fait de l'association qui les amenait parfois à se remplacer

118

mutuellement? Ces patients se trouvaient-ils désormais menacés? Townsend avait jusqu'à présent paru normal et n'avait encore, à la connaissance d'Andrew, commis aucune erreur médicale; mais cela allait-il durer? Noah n'allait-il pas un jour, à cause de la drogue, commettre une erreur de diagnostic ou négliger un symptôme important qu'il aurait dû remarquer? Et que penser de ses responsabilités, plus lourdes encore, de chef de service à St. Bede's?

Plus Andrew y réfléchissait, plus les questions se multipliaient, moins il trouvait les réponses.

Il décida de se confier à Celia.

En fin d'après-midi, quelques jours avant Noël, Celia et Andrew se trouvaient chez eux et, avec l'aide de Lisa surexcitée, finissaient de décorer leur sapin. C'était la première fois que Lisa avait vraiment conscience de l'approche de Noël, et l'expérience les ravissait tous les trois. Finalement, Andrew emporta délicatement sa petite fille, presque endormie à force d'excitation, et la mit au lit. Il passa par la chambre voisine où le tout petit Bruce dormait à poings fermés, et s'y arrêta un moment.

Quand Andrew rejoignit Celia au salon, elle avait préparé un verre de whisky soda.

« Je te l'ai dosé généreusement, déclara-t-elle en lui tendant le verre. J'ai l'impression que tu en as besoin. (Remarquant son air interrogateur, elle ajouta :) Lisa t'a fait du bien, ce soir; je t'ai trouvé plus détendu que tu ne l'as été ces dernières semaines. Mais tu restes préoccupé, non?

— Cela se voit donc?

— Nous sommes mariés depuis quatre ans, mon chéri.

— Les quatre plus belles années de ma vie, répliqua-t-il avec ferveur. (Andrew but son scotch en silence, les yeux fixés sur l'arbre de Noël. Celia attendait. Puis il reprit :) Si cela se voyait tant, pourquoi ne m'as-tu rien demandé?

– Je savais que tu m'en parlerais quand tu serais prêt. (Celia but une gorgée du daiquiri qu'elle s'était préparé.) Désires-tu m'en parler? Maintenant?

– Oui, répondit-il lentement. Oui, je crois. »

« Mon dieu! s'exclama Celia d'une voix étouffée, lorsque Andrew lui eut tout expliqué. Oh! mon dieu!

– Tu vois, dit-il, que, si je n'étais pas très rigolo, j'avais de bonnes raisons. »

Elle s'approcha de lui, l'entoura de ses bras et le serra un moment contre elle en pressant son visage contre le sien.

« Mon pauvre, pauvre amour. Je ne me doutais de rien. Comme je suis triste pour toi.

– Sois plutôt triste pour Noah.

– Oh! Je le suis. Du fond du cœur. Mais tu es mon mari, Andrew, et c'est toi qui comptes le plus pour moi. Je ne peux pas, je *refuse* de te voir continuer ainsi. »

Il lança d'une voix brusque :

« Alors dis-moi ce que je dois faire!

– Je *sais* ce qu'il faut faire. (Celia se dégagea, et lui fit face.) Andrew, il faut que tu partages ce fardeau. Tu dois en parler à *quelqu'un*, et pas seulement à moi.

– A qui, par exemple?

– N'est-ce pas évident? A quelqu'un de l'hôpital – quelqu'un habilité à agir, et capable aussi d'aider Noah.

– Je ne *peux pas*, Celia. Si je le faisais, cela se saurait, le bruit se répandrait... Noah y perdrait sa réputation. Il perdrait son poste de chef de service, Dieu sait ce qui se passerait pour son droit d'exercer la médecine. D'une façon ou de l'autre, il serait *brisé*. Je ne peux pas, je ne peux absolument pas, faire une telle chose.

— Alors, quoi d'autre?

— Si seulement je le savais.

— Je veux t'aider, déclara Celia. Je le veux vraiment, et j'ai une idée.

— J'espère qu'elle sera meilleure que la première.

— Je ne suis pas certaine que la première ait été mauvaise. Mais si tu ne veux pas parler de Noah Townsend personnellement, pourquoi ne pas parler de quelqu'un *abstraitement?* Tâte le terrain. Aborde le sujet sur un plan général. Demande leur avis aux autres médecins de l'hôpital.

— Penses-tu à quelqu'un en particulier?

— Pourquoi pas l'administrateur?

— Len Sweeting? Je ne suis pas sûr. (Andrew parcourut la pièce en réfléchissant, puis s'arrêta devant le sapin.) Oui, c'est une idée. Merci. Je vais y réfléchir. »

« Je suppose que vous avez dû passer un bon Noël en famille, dit Leonard Sweeting.

— Oui, répondit Andrew, excellent. »

Ils se trouvaient à l'hôpital dans le bureau de l'administrateur et ils avaient refermé la porte. Sweeting était assis à son bureau, et Andrew lui faisait face.

L'administrateur était un ancien avocat, mince et de haute stature, qui aurait pu être joueur de basket-ball, mais qui pratiquait un autre sport, plus insolite : le lancer du fer à cheval. Il avait remporté plusieurs championnats et il lui arrivait de dire qu'il était plus facile de gagner des compétitions que d'obtenir l'accord des médecins sur n'importe quel sujet. Il avait quitté le barreau pour la direction de l'hôpital à l'approche de la trentaine, et il y avait de cela vingt ans. Il semblait désormais en savoir autant sur la médecine que bien des praticiens. Andrew avait appris à bien connaître Len Sweeting, depuis qu'ils avaient pris la même responsabilité, quatre ans plus tôt, sur l'emploi expérimental de la Lotromycine, et il le respectait.

L'administrateur avait d'épais sourcils en broussaille, qui montaient et descendaient continuellement pendant qu'il parlait :

« Vous m'avez dit que vous aviez un problème, Andrew, déclara-t-il. Un conseil que vous souhaitiez me demander.

— Eh bien, voilà, il s'agit d'un de mes amis, médecin en Floride, qui a un problème. Il exerce dans un hôpital, là-bas, et il a découvert quelque chose qui le trouble. Alors il m'a demandé de lui dire comment nous réagirions si nous étions confrontés à cette situation.

— Quel genre de situation?

— Il s'agit de drogue. »

Brièvement, Andrew lui exposa une situation analogue à la sienne en prenant garde de ne pas pousser la ressemblance trop loin. Tout en parlant, il se rendit compte de la contrariété qui apparaissait dans le regard de Sweeting. Les épais sourcils de l'administrateur se réunissaient dans un froncement. A la fin, il se leva, agacé.

« J'ai suffisamment de problèmes, ici, Andrew, pour ne pas me charger de ceux d'un autre hôpital. Mais je peux vous conseiller de dire à votre ami de se montrer très, *très* prudent. Il s'avance en terrain miné, surtout en chargeant un confrère. Maintenant, si vous voulez bien m'excuser... »

Il *savait*. Dans un éclair d'intuition, Andrew comprit que Len Sweeting savait exactement de quoi il parlait, et de qui. Il ne s'était pas laissé abuser un seul instant par ce prétendu ami en Floride. *Dieu sait comment*, songea Andrew, *mais il le sait depuis plus longtemps que moi*. Et l'administrateur ne voulait pas être mêlé à cette histoire. Visiblement, tout ce qu'il voulait en ce moment, c'était faire sortir Andrew de son bureau.

Autre chose. Si Sweeting le savait, d'autres gens devaient le savoir aussi, à l'hôpital. A n'en pas douter, des confrères médecins, dont certains placés bien plus haut qu'Andrew, étaient au courant. Et eux non plus, ne faisaient rien.

Andrew se leva pour prendre congé. Il avait le sentiment d'être naïf et sot. Len Sweeting l'accompagna à la porte, redevenu amical, en lui posant la main sur l'épaule.

« Désolé de devoir vous bousculer ainsi, mais j'attends des visites importantes – de généreux donateurs, dont nous espérons recevoir plusieurs millions de dollars. Vous n'ignorez pas que nous avons grand besoin de ce genre de cadeaux. A propos, votre patron va se joindre à nous. Noah n'a pas son pareil pour trouver de l'argent. On dirait qu'il connaît tout le monde, et que tout le monde l'aime. Il y a des moments où je me demande comment fonctionnerait cet hôpital sans notre précieux docteur Townsend. »

C'était donc cela! Le message ne prêtait à aucune équivoque : *Laissez Noah Townsend en paix*. Ses relations et ses amis riches étaient trop précieux pour St. Bede's : on ne pouvait se permettre de déclencher un scandale. *Couvrons-le; faisons comme si le problème n'existait pas et peut-être finira-t-il par disparaître*.

Et, bien entendu, si jamais Andrew répétait ce que venait de lui dire Sweeting, ce dernier se contenterait de nier que l'entretien eût jamais eu lieu, ou bien se récrierait que ses paroles avaient fait l'objet d'une interprétation erronée.

Finalement, plus tard dans la même journée, Andrew décida qu'il était contraint de faire comme les autres – c'est-à-dire rien. Il résolut néanmoins de surveiller attentivement Noah, dans la mesure du possible, pour éviter que sa clientèle n'en souffre.

Quand Andrew relata ces événements à Celia, puis lui confia la décision qu'il avait prise, elle le dévisagea étrangement.

« Il s'agit de ta décision, et je puis comprendre pourquoi tu l'as prise. Cependant, tu risques de la regretter un jour. »

CHAPITRE 10

Le docteur Vincent Lord, directeur de recherches chez Felding-Roth, avait une personnalité contrastée – de mauvaises langues auraient dit « incohérente ». Un de ses collègues avait observé d'un ton aigre-doux : « Vince se conduit comme si son cerveau tournait dans une centrifugeuse : il ne sait pas ce qui en sortira – ni même ce qu'il voudrait qu'il en sorte. »

Le seul fait qu'on pût émettre un tel avis était surprenant. Le docteur Lord n'avait que trente-six ans et sa réussite faisait bien des envieux. Mais lui, considérant qu'il avait atteint un sommet, s'inquiétait et se demandait comment il était arrivé là, et s'il avait encore quelque chose à espérer.

Si sa vie n'avait pas comporté de déceptions, il les aurait inventées. En d'autres termes : ses déceptions étaient souvent plus imaginaires que réelles. Ainsi, il estimait n'avoir pas reçu tout le respect qui lui était dû de la part de la communauté scientifique universitaire, qui méprisait les chercheurs de l'industrie pharmaceutique – les considérant, souvent à tort, comme des ratés de la recherche pure.

Pourtant, c'était par choix que, trois ans plus tôt, Vincent Lord avait quitté son poste de maître-assistant à l'université de l'Illinois pour entrer dans l'industrie, chez Felding-Roth. Cette décision avait toutefois été motivée par sa rage et par sa frustration – toutes deux dirigées contre l'université – et cette rancœur ne s'était pas apaisée, au point de le rendre amer et aigri.

Et il se demandait parfois s'il n'avait pas quitté l'enseignement un peu trop hâtivement, s'il n'aurait pas pu devenir un chercheur de renommée mondiale en restant là où il se trouvait, ou plutôt, en changeant d'université.

L'affaire avait commencé six ans auparavant, en 1954.

Vincent Lord, étudiant de troisième cycle à l'université de l'Illinois, venait d'obtenir son diplôme de docteur en chimie organique. Et c'était un bon doctorat – la Faculté de chimie de cette université *figurait parmi les meilleures* du monde, et Lord y avait fait des études brillantes.

Il avait le physique même de l'érudit – un visage étroit, sensible, délicat et, d'une certaine manière, plaisant. Mais il souriait rarement et arborait le plus souvent une expression contrariée. Il avait une mauvaise vue, peut-être fatiguée par des années de travail acharné, et il portait des lunettes au travers desquelles ses yeux vert sombre – ce qu'il y avait de plus remarquable dans son visage – semblaient toujours surveiller le monde avec suspicion. Il était grand et maigre – la bonne chère ne l'intéressait pas. Il considérait les repas comme une perte de temps, et s'alimentait uniquement pour ne pas dépérir. Les femmes, qui voient les hommes avec leur sensibilité, le trouvaient séduisant. Quant aux hommes, les uns le jugeaient sympathique, les autres le détestaient.

Les stéroïdes étaient son domaine, et en particulier les hormones mâles et femelles – testostérone, œstrogène, progestérone – qui affectent la fertilité, la vitalité sexuelle et la contraception. Or, dans les années 50, la pilule commençait seulement à être employée, et les stéroïdes éveillaient un immense intérêt.

Ses recherches sur la synthèse des stéroïdes progressaient à grands pas et il parut logique qu'il poursuive un cycle d'études post-doctorales.

L'université de l'Illinois se montra coopérative, une bourse d'études fut aussitôt allouée par un organisme d'Etat, et les deux années s'écoulèrent sans incidents et avec succès sur le plan scientifique. Les seuls tracas de Lord provenaient de l'habitude quasi obsessionnelle qu'il avait de regarder par-dessus son épaule, comme pour se demander : *Ai-je fait ce qu'il fallait?*

Il s'interrogeait sombrement : Avait-il commis une erreur en restant là? Aurait-il dû tout quitter pour aller en Europe? L'Europe lui aurait-elle donné une formation plus complète? Les questions – pour la plupart inutiles – se multipliaient sans répit. Elles le rendaient irascible, taciturne, et cela lui coûta bien des amitiés.

Et cependant – autre facette de ce prisme qu'était Vincent Lord – il avait une haute opinion de sa valeur et de son travail, une opinion justifiée. Il ne s'étonna donc pas quand, à la fin de ces deux années de recherches, l'université de l'Illinois lui offrit un poste d'assistant. Il accepta. Une nouvelle fois, il restait. Il recommença à s'interroger sur cette décision, renouvelant la torture de ses questions sans réponse.

Un ange penché sur l'âme de Vincent Lord se serait demandé : *Pourquoi?*

Pendant ces années où il fut enseignant, la réputation de Lord prit de l'ampleur, non seulement au sein de l'université de l'Illinois, mais bien au-delà.

127

En un peu plus de quatre ans, il publia quinze articles scientifiques, dont certains dans des revues prestigieuses, comme le *Journal of the American Chemical Society* et le *Journal of Biological Chemistry*. C'était là une réussite remarquable, compte tenu de la modicité de son statut à l'université.

Et *cela*, précisément, faisait enrager le docteur Lord chaque jour un peu plus.

Dans le monde de la recherche scientifique, l'avancement est rarement rapide, et presque toujours d'une lenteur désespérante. L'étape suivante, pour Vincent Lord, consistait à devenir maître-assistant – un emploi dont la stabilité même équivalait, selon le point de vue adopté, à une couronne de lauriers ou à une rente viagère. Le titre de maître-assistant était également un symbole. *Tu as réussi. Tu appartiens à l'élite universitaire. Tu possèdes un bien qui ne peut plus t'être retiré, tu es libre de travailler comme tu l'entends, aucun chef ne viendra te dire ce que tu dois faire. Te voilà arrivé.*

Vincent Lord désirait ardemment cette promotion. Et il souhaitait l'obtenir *maintenant*. Il ne voulait pas attendre les deux années qui étaient habituellement nécessaires, en suivant le rythme de l'institution universitaire.

Il décida, en se demandant pourquoi il n'y avait pas songé plus tôt, de solliciter une promotion accélérée. Avec un dossier comme le sien, ce ne serait qu'une formalité. Plein de confiance, il prépara une bibliographie, téléphona pour demander un rendez-vous au doyen dès la semaine suivante et se fit précéder de sa bibliographie.

Le doyen Robert Harris était un homme de petite taille au visage ridé, respecté pour sa sagesse qui n'allait pas sans quelques doutes sur sa propre aptitude à prendre les décisions socratiques qu'on attendait de lui. De formation scientifique, il continuait à travailler dans un modeste laboratoire, et assistait à plusieurs congrès scientifiques chaque année. Cependant, l'essentiel de son activité consistait en tâches administratives.

Un beau matin de mars 1957, le doyen Harris feuilletait la bibliographie de Vincent Lord en se demandant pourquoi il la lui avait envoyée. Lord était imprévisible et son geste pouvait avoir dix explications différentes. Il n'allait pas tarder à savoir : l'auteur de cette bibliographie devait arriver dans un quart d'heure.

Le doyen referma l'épais dossier qu'il avait lu avec attention – il était consciencieux par nature – et se carra dans son fauteuil en songeant à certains faits, et à l'impression qu'il avait retirée de ses divers contacts avec Vincent Lord.

Cet homme avait du génie en lui. Cela ne faisait aucun doute. Si le doyen ne l'avait pas déjà su, il l'aurait appris en lisant ces articles publiés par Lord, ainsi que par les louanges qui les accompagnaient. Dans le domaine qu'il avait choisi, Vincent Lord pouvait – et il y arriverait sûrement – atteindre les sommets de la gloire. Avec un peu de chance – et les chercheurs en ont tout autant besoin que les autres hommes – peut-être l'avenir lui offrirait-il l'occasion de faire quelque découverte sensationnelle, et l'université de l'Illinois bénéficierait de la publicité qui s'ensuivrait. Tout paraissait donc jouer en sa faveur. Et pourtant...

Le doyen Harris ressentait parfois une impression de malaise face au docteur Vincent Lord.

Non pas à cause du caractère emporté de celui-ci, ce caractère et le brio qui l'accompagnait parfois formaient un tandem acceptable. Toute université – le doyen soupira en y réfléchissant – était un creuset de haine et de jalousie, qui se manifestaient le plus souvent dans des circonstances anodines, où les disputes se développaient avec une mesquinerie surprenante.

Non, c'était autre chose – une question déjà soulevée naguère, et posée de nouveau très récemment : l'ombre de la malhonnêteté intellectuelle, et donc de la fraude scientifique, planait-elle au-dessus de Vincent Lord ?

Près de quatre ans auparavant, au cours de sa première année d'assistanat, Lord avait préparé une communication sur une série d'expériences qui, d'après sa description, avaient abouti à des résultats tout à fait exceptionnels. Juste avant la publication, un collègue plus chevronné de l'université de l'Illinois, spécialiste de chimie organique, fit savoir qu'en tentant de refaire les expériences décrites par le docteur Lord, il n'était pas parvenu aux mêmes résultats.

Une enquête révéla que Vincent Lord avait commis, de bonne foi, quelques erreurs d'interprétation, et son article fut publié, après correction. Il ne créa cependant pas l'émoi scientifique qu'auraient provoqué les résultats précédents – s'ils avaient été justes.

En soi, l'incident n'avait pas de signification particulière. Ce qui était arrivé au docteur Lord arrivait parfois aux meilleurs chercheurs. Tous faisaient des erreurs. Mais, lorsque l'un d'entre eux découvrait qu'il s'était trompé, on jugeait normal et honnête qu'il l'annonce, et corrige l'œuvre éventuellement publiée.

La différence, dans le cas de Lord, résidait dans le soupçon que conçurent ses collègues en observant sa réaction quand ils l'interrogèrent : ils eurent l'intuition qu'il avait déjà eu connaissance de ses erreurs après avoir écrit son article, mais n'en avait rien dit dans l'espoir que personne ne s'en apercevrait.

Pendant quelque temps, on parla beaucoup d'éthique et de sens moral sur le campus. Puis, comme Vincent Lord faisait de nouvelles découvertes, indiscutables et vivement louées, ces rumeurs se turent et l'incident parut oublié.

Le doyen Harris l'avait lui aussi presque oublié. Jusqu'à une certaine conversation, deux semaines auparavant, à l'occasion d'un congrès qui se déroulait à San Francisco.

Un professeur de l'université de Stanford, vieil ami avec qui il prenait un verre ce soir-là, lui avait recommandé la prudence : « Si j'étais toi, je surveillerais ce fameux docteur Lord. Nous sommes plusieurs à estimer que ses deux dernières publications font état de résultats erronés. Ses conclusions sont justes, mais nous ne retrouvons pas les rendements qu'il annonce. »

Devant l'étonnement de Harris, son ami ajouta : « Je ne dis pas que Lord soit malhonnête, et nous savons tous qu'il est brillant. Mais il nous donne l'impression d'être un jeune homme pressé, peut-être trop pressé. Toi et moi savons bien ce que cela peut entraîner : on emprunte quelques raccourcis, on interprète les données en faisant en sorte qu'elles coïncident avec ce que l'on a prévu... Cela conduit à l'arrogance scientifique et au danger. Voilà donc ce que j'ai à te dire : pour le bien de l'université de l'Illinois et pour ton propre bien, fais attention! »

Inquiet et songeur, le doyen Harris l'avait remercié.

Dès son retour sur le campus, il avait convoqué le directeur de la section dont dépendait le docteur Lord pour lui rapporter la conversation de San Francisco. Puis le doyen Harris avait demandé ce qu'il en était de ces deux articles litigieux publiés par Vincent Lord.

Le lendemain, le directeur reparut avec une réponse. Le docteur Lord reconnaissait que les derniers résulats qu'il avait publiés donnaient lieu à des contestations; il avait l'intention de refaire ces expériences et, le cas échéant, de publier un correctif.

Tout paraissait rentrer dans l'ordre. Pourtant, une nouvelle question se présentait : *Qu'aurait fait Lord si personne n'avait signalé l'affaire?*

Et maintenant, deux semaines plus tard, le doyen Harris réfléchissait à cette même question lorsque sa secrétaire lui annonça : « Le docteur Lord est arrivé pour son rendez-vous. »

« Et voilà, conclut Vincent Lord dix minutes plus tard. (Il était assis en face du doyen, de l'autre côté du bureau.) Vous avez lu ma bibliographie. Il est clair que j'ai fait plus de découvertes qu'aucun autre assistant de cette Faculté. Par ailleurs, je vous ai déjà dit quels étaient mes projets d'avenir. Eh bien, tout cela m'amène à cette conclusion : j'estime justifié, dans mon cas, un avancement anticipé, et je vous demande donc de m'accorder ma promotion dès maintenant. »

Le doyen joignit les mains, observa le docteur Lord et déclara avec une nuance amusée dans la voix :

« Vous ne paraissez pas souffrir du manque de confiance dans votre propre valeur.

– Pourquoi devrais-je en souffrir? (La réponse arriva, cinglante, sans la moindre trace d'humour. Les yeux de Lord étaient fixés sur le doyen.) Je connais mon dossier mieux que personne. Je connais aussi certains chercheurs qui en font bien moins que moi.

« Si vous le voulez bien, protesta le doyen Harris d'un ton coupant, nous laisserons les autres en dehors de ce problème, qui ne les concerne en rien. Le problème, c'est vous. »

Le visage de Lord s'empourpra.

« Je ne vois pas où est le problème. Toute l'affaire me paraît très claire. Je croyais vous l'avoir expliqué.

– Oui, vous me l'avez expliqué. Et fort éloquemment. »

Le doyen Harris faisait preuve d'une grande patience. Après tout, se disait-il, Lord avait raison en ce qui concernait son dossier. Pourquoi aurait-il dû feindre la modestie? Même son agressivité avait des excuses. Bien souvent les chercheurs – et, chercheur lui-même, il comprenait cela – n'avaient tout simplement pas le temps de se former à la diplomatie.

Devait-il pour autant satisfaire la demande de Lord? Non. Le doyen Harris savait déjà qu'il n'en ferait rien.

« Vous n'ignorez pas, docteur Lord, que je ne suis pas seul à décider des promotions. En tant que doyen, je dois m'en remettre à l'avis d'une commission.

– C'est un... » s'exclama Lord, puis il s'interrompit.

Dommage, songea le doyen. *Si seulement il avait dit un « mensonge » ou quelque chose de ce genre, j'aurais eu un prétexte pour le mettre à la porte de mon bureau. Mais il s'agit d'un entretien solennel, comme il vient de s'en souvenir in extremis, et nous allons rester dans le ton.*

« Les demandes d'avancement que vous appuyez sont toujours acceptées », dit Lord.

Il lui répugnait d'avoir à ramper devant cet

homme qu'il considérait comme un chercheur scientifique médiocre et dépassé, transformé en bureaucrate, un bureaucrate qui avait malheureusement derrière lui toute l'autorité de l'université.

Le doyen Harris ne répondit rien. Ce que Lord venait de dire au sujet des demandes d'avancement était vrai, mais cela s'expliquait précisément par le fait qu'il n'appuyait jamais aucune candidature sans être vraiment sûr du bien-fondé de la promotion. Bien que le doyen fût un de ses membres influents, la Faculté avait plus de pouvoir qu'un doyen. Et il savait que jamais il n'obtiendrait la promotion de Lord en l'état actuel des choses.

En ce moment même, tout le campus devait parler des deux dernières communications de Lord, de la notion d'éthique, ainsi que de l'incident survenu quatre ans plus tôt, presque oublié maintenant, mais qui n'allait pas manquer d'être rappelé.

Le doyen estima qu'il n'avait aucune raison de retarder l'annonce de sa décision.

« Docteur Lord, déclara-t-il calmement, je n'ai pas l'intention d'appuyer votre demande pour l'instant.

– Puis-je savoir pourquoi?

– Je ne trouve pas vos arguments suffisamment convaincants.

– Expliquez-moi ce " convaincants "! »

Les mots avaient jailli comme un ordre, et le doyen décida que la patience avait des limites. Il répliqua sèchement :

« Je pense qu'il vaudrait mieux mettre un terme à cet entretien. Vous pouvez disposer! »

Lord ne bougea pas, mais resta face au doyen, le visage tendu.

« Je vous prie de reconsidérer votre décision. Sinon, vous risqueriez de le regretter.

– En quel sens?

– Je pourrais choisir de partir.

– Je serais navré que vous le fassiez, docteur Lord, répondit le doyen Harris tout à fait sincère, et votre départ serait une perte. Vous avez contribué à la réputation de cette université, et je suis certain que vous continuerez à le faire. Par ailleurs (le doyen se permit un léger sourire), je suis également certain que, même après votre départ, l'université survivra. »

Lord se leva, furieux. Sans un mot, il quitta la pièce et claqua la porte.

Le doyen se souvint une fois de plus que son rôle consistait, entre autres choses, à traiter avec pondération les gens pleins de talent et d'impatience qui se comportaient souvent de manière déraisonnable, et il retourna à d'autres tâches.

De son côté, le docteur Lord ne chassa pas l'affaire de son esprit. Comme si l'entretien s'était gravé dans son cerveau, il se le répéta d'innombrables fois, laissant sa rage et son amertume s'accroître jusqu'au point de haïr non seulement Harris, mais l'université tout entière.

Il supposa – bien que le sujet n'eût pas été abordé au cours de l'entretien – que les menus changements qu'il devait apporter à ses deux derniers articles n'étaient pas étrangers au refus qu'il avait essuyé. Ce soupçon aviva sa fureur car, à ses yeux, il s'agissait d'une affaire dérisoire au regard de l'ensemble de son travail. Il savait bien comment ces erreurs s'étaient produites. Il avait effectivement péché par impatience, par excès d'enthousiasme. *Pendant un très bref instant*, sa hâte d'obtenir des résultats avait dominé sa prudence scientifique. Mais il s'était ensuite fait le serment de ne plus jamais recommencer. Et puis l'incident était déjà vieux, il allait bientôt publier des corrections, alors pourquoi fallait-il que cela entre en ligne de compte? C'était mesquin!

Pas un instant il ne lui vint à l'esprit que ce n'étaient pas ces incidents ou celui qui avait eu lieu quatre ans auparavant qui inquiétaient ses détracteurs, mais plutôt certains symptômes, certains signes révélateurs de son caractère. Et il se laissa gagner par l'amertume.

Lorsque, trois mois plus tard, à l'occasion d'un colloque à San Antonio, un représentant de Felding-Roth lui proposa de « venir à bord » – métaphore utilisée pour lui offrir une situation –, sa réaction, sans être aussitôt positive, fut cependant de se dire « Pourquoi pas? »

L'événement n'avait en soi rien d'exceptionnel. Les grands laboratoires pharmaceutiques étaient toujours en quête de nouveaux talents et dépouillaient avec le plus grand soin tous les articles publiés par des membres de l'université. Quand paraissait quelque chose d'intéressant, l'auteur pouvait recevoir une lettre de félicitations. Ensuite, les colloques où les délégués des compagnies rencontraient des chercheurs universitaires en terrain neutre constituaient de précieux points de contact. Le nom de Vincent Lord avait retenu l'attention.

Des pourparlers furent engagés. Ce que voulait Felding-Roth, c'était un chercheur du plus haut niveau à qui confier la direction d'un nouveau service consacré à l'étude des stéroïdes. Dès le début, les envoyés du laboratoire traitèrent le docteur Lord avec déférence, une attitude qui le flatta, et qui tranchait avec le comportement de l'université à son égard, qu'il jugeait injurieux.

D'un point de vue scientifique, l'offre était intéressante, de même que le salaire proposé – quatorze mille dollars par an, presque le double de ce qu'il gagnait à l'université. Il faut reconnaître que l'argent l'intéressait presque aussi peu que la nourriture. Il n'avait pas de grands besoins et n'avait jamais de fins de mois difficiles. Mais le salaire offert par le laboratoire représentait un hommage supplémentaire – une reconnaissance de sa valeur.

Après deux semaines de réflexion, le docteur Lord accepta et quitta brusquement l'université, avec le minimum d'adieux. Il commença de travailler chez Felding-Roth en septembre 1957.

Presque aussitôt survint un événement important : au début de novembre, le directeur de recherches du laboratoire s'effondra sur un microscope, et mourut d'une hémorragie cérébrale. Vincent Lord était dans la place, il avait les qualifications requises. Il fut nommé au poste vacant.

Maintenant, trois ans plus tard, le docteur Lord était solidement installé chez Felding-Roth. Il continuait à être respecté. Jamais sa compétence n'était mise en question. Il dirigeait son service avec efficacité, disposait d'une très grande liberté d'initiative et, en dépit de sa personnalité, entretenait de bons rapports avec son équipe. Tout aussi important, son propre travail scientifique avançait bien.

Dans ces circonstances, la plupart des gens auraient été heureux. Mais Vincent Lord souffrait en permanence du syndrome du regard en arrière, plus que jamais tourmenté par des doutes et par des interrogations sur ses décisions passées, par la colère et l'amertume au souvenir du refus qu'il avait essuyé à l'université de l'Illinois. A ses yeux, le présent n'était pas non plus exempt de problèmes. En dehors de son service, il redoutait d'autres cadres de la société. Cherchait-on à lui porter ombrage? Il y avait plusieurs personnes qu'il détestait, et dont il se méfiait – entre autres, cette poseuse, Celia Jordan pour qui l'on avait beaucoup trop d'égards. Il avait très mal accueilli l'annonce de sa récente promotion. Il voyait en elle une concurrente sur la route du prestige et de la puissance.

Il espérait bien qu'un jour cette trouble-fête de Jordan voudrait en faire trop, qu'elle chuterait et qu'elle disparaîtrait, et il pensait que le plus tôt serait le mieux.

Bien entendu, rien de tout cela ne compterait plus, pas même l'outrage subi à l'université, et personne ne serait plus respecté et plus puissant que Vincent Lord, si se produisait un certain événement qui, dès à présent, paraissait probable.

Comme la plupart des chercheurs, Vincent était prêt à relever le défi de l'inconnu. Depuis longtemps, il rêvait de faire une grande découverte, de repousser les frontières de la connaissance, et d'inscrire son nom au tableau d'honneur de l'histoire.

Ce rêve paraissait désormais accessible.

Après trois années de travail acharné chez Felding-Roth – un travail qu'il savait avoir admirablement organisé et dirigé –, il avait enfin l'espoir d'avoir mis au point un nouveau médicament révolutionnaire. Il restait encore beaucoup à faire – il faudrait procéder à des expériences animales pendant au moins deux ans – mais les travaux préliminaires avaient été couronnés de succès, les signes annonciateurs de la victoire se dessinaient. Avec l'étendue de ses connaissances, de son expérience, et de son intuition scientifique, Vincent Lord les distinguait clairement.

Bien entendu, ce nouveau produit – une fois lancé sur le marché – rapporterait à Felding-Roth des bénéfices considérables. Mais ce n'était pas le plus important. Ce qui comptait, c'était la réputation internationale qui en résulterait pour le docteur Vincent Lord.

Ce n'était plus qu'une question de temps.

Et puis ils allaient voir. *Bon sang, ils allaient voir!*

CHAPITRE 11

L'AFFAIRE de la Thalidomide éclata!

Beaucoup plus tard, Celia devait reconnaître : « Personne ne le savait encore, mais l'industrie pharmaceutique ne serait plus jamais la même, après la découverte des effets de la Thalidomide. »

Les premiers incidents passèrent inaperçus. Seuls s'inquiétèrent au début les personnes concernées et encore n'établissaient-elles aucun lien avec le médicament.

En avril 1961, des médecins allemands constatèrent avec étonnement une véritable épidémie de phocomélie – phénomène rarissime entraînant de terribles malformations chez les nouveau-nés qui viennent au monde avec de petits ailerons inutiles à la place des bras ou des jambes. L'année précédente, on en avait signalé deux cas – et c'était déjà un chiffre inhabituel : des chercheurs expliquèrent que « jusque-là, les enfants à deux têtes étaient moins rares ». Et soudain, il naissait des dizaines d'enfants phocomèles.

Quand on leur montrait les enfants qu'elles avaient mis au monde, les mères poussaient des cris d'horreur et de désespoir, ou bien sanglotaient en pensant, comme le dit l'une d'entre elles que « jamais leur fils ne pourrait s'alimenter sans aide, se laver, ouvrir une porte, tenir une femme dans ses bras, ou même écrire son nom ». Plusieurs mères se suicidèrent, et un grand nombre d'entre elles durent avoir recours à une aide psychiatrique. Un père qui avait été un croyant fervent renia sa foi : « Je crache sur Dieu et je le maudis! » Puis il se corrigea. « Non, Dieu n'existe pas. Comment pourrait-il exister? »

Cependant, la cause de cette épidémie demeurait inconnue. (On apprit que le terme de phocomélie provenait du grec – *phocos*, le phoque, et *melos*, le membre.) On suggéra qu'elle était peut-être due aux retombées radioactives des bombes atomiques. Ou bien à un virus.

Beaucoup de ces bébés présentaient d'autres anomalies, en plus de l'absence de bras ou de jambes. Il leur manquait des oreilles, ou bien elles étaient malformées; le cœur, l'intestin, ou d'autres organes étaient incomplets, ou ne fonctionnaient pas comme ils l'auraient dû. Quelques bébés moururent – « ceux qui avaient de la chance », écrivit un journaliste.

Puis, en novembre 1961, deux médecins – un pédiatre allemand et un obstétricien australien – établirent chacun de son côté une relation entre la phocomélie et ce médicament, la Thalidomide. Peu de temps après, on sut sans aucun doute possible que la Thalidomide était la cause de ces naissances de bébés anormaux.

Réagissant aussitôt, les autorités australiennes interdirent la vente de la Thalidomide. L'Allemagne et l'Angleterre en firent autant dès le mois suivant, en décembre. Mais aux Etats-Unis, deux mois de plus s'écoulèrent avant que la F.D.A. bannisse le produit Thalidomide-Kevadon, en février 1962. Quant au Canada, inexplicablement, le médicament y demeura en vente jusqu'en mars – quatre mois après le retrait australien, quatre mois pendant lesquels beaucoup d'autres gens, y compris les femmes enceintes, l'absorbèrent.

Celia et Andrew, qui suivaient l'horrible affaire dans la presse médicale et dans les quotidiens, en parlaient souvent.

Un soir au dîner, Celia déclara :

« Oh! Andrew, comme je suis heureuse que tu ne m'aies jamais laissé prendre de médicaments pendant mes grossesses! (Quelques minutes plus tôt, elle avait contemplé leurs deux enfants, sains et normaux, avec des yeux pleins d'amour et de gratitude.) J'aurais pu prendre de la Thalidomide. J'ai entendu dire que des femmes de médecins en avaient pris aussi.

— J'avais moi-même du Kevadon, observa Andrew à voix basse.

— C'est vrai?

— Un visiteur médical m'en a donné des échantillons.

— Mais tu ne t'en es pas servi? s'écria Celia.

— Non. Toutefois, j'aimerais pouvoir dire que je n'avais pas confiance dans ce médicament, mais ce ne serait pas vrai. J'ai tout simplement oublié que j'en avais.

— Où sont ces échantillons, maintenant?

— Je m'en suis souvenu aujourd'hui. Je les ai sortis de mon armoire à pharmacie – il y avait plusieurs centaines de comprimés. J'ai lu quelque part qu'ils en avaient distribué deux millions et demi aux médecins. J'ai jeté les miens dans les toilettes. »

Pendant les mois qui suivirent, on apprit les nouveaux développements de l'affaire. On estimait à plus de vingt mille les bébés qui étaient nés avec des malformations dans une vingtaine de pays. Mais le chiffre exact demeura inconnu.

Aux Etats-Unis, le nombre de naissances phoco-mèles resta faible – probablement dix-huit ou dix-neuf – parce que le médicament n'avait jamais été officiellement autorisé. S'il l'avait été, le nombre de bébés américains nés sans bras et sans jambes aurait sans doute été d'au moins dix mille.

« Je pense que nous devrions être reconnaissants à cette Mme Kelsey », déclara Andrew à Celia, un dimanche de juillet 1962, alors qu'il lisait le journal dans leur salon.

Il s'agissait du docteur Frances Kelsey, de la Food and Drug Administration, qui, malgré les pressions considérables exercées par le laboratoire souhaitant lancer la Thalidomide-Kevadon, avait fait traîner les choses grâce à des subterfuges bureaucratiques. Maintenant, en affirmant qu'elle avait eu des raisons scientifiques de se méfier de ce produit, elle était devenue une héroïne nationale. Le président Kennedy lui avait décerné la Médaille d'Or présidentielle – la plus haute distinction civile du pays.

« En fin de compte, dit Celia, elle a eu raison, et je conviens que nous pouvons lui en être reconnaissants. Mais on peut aussi considérer qu'elle a reçu cette médaille pour n'avoir rien fait, si ce n'est retarder une décision – ce qui est toujours une bonne méthode pour ne prendre aucun risque – et qu'elle se vante à présent d'une perspicacité un peu exagérée. Et l'on peut également craindre que le geste de Kennedy n'amène d'autres fonctionnaires de la F.D.A. à retarder la commercialisation de *bons* produits très utiles, dans l'espoir d'obtenir une médaille.

– Il faut que tu comprennes une chose, répondit Andrew. C'est que tous les politiciens sont des opportunistes, et Kennedy ne fait pas exception. Kefauver non plus. Chacun d'eux essaie de profiter de l'affaire de la Thalidomide. Quoi qu'il en soit, nous avons absolument besoin d'une nouvelle loi, car la Thalidomide aura prouvé que ton industrie ne peut pas se contrôler elle-même, et qu'elle présente des aspects malsains. »

Cette remarque faisait suite aux accusations presque quotidiennes de duplicité, de cupidité, de dissimulation et d'incompétence que portait l'enquête sur les laboratoires pharmaceutiques responsables de la Thalidomide.

« J'aimerais pouvoir te répondre, reconnut tristement Celia. Mais il n'y a malheureusement rien à répondre. »

En dépit de nombreuses manœuvres politiques, une assez bonne loi fut promulguée par le président Kennedy en octobre 1962. Certes, elle instituait une réglementation stricte qui, plus tard, allait priver le public de très bons médicaments dont il avait besoin, mais elle garantissait aussi aux consommateurs une protection qui n'existait pas avant la Thalidomide.

C'est également en octobre que Celia fut informée qu'Eli Camperdown, le directeur général de Felding-Roth, était mourant, rongé par le cancer depuis plusieurs mois.

Quelques jours après avoir appris la nouvelle, Celia fut convoquée dans le bureau de Sam Hawthorne.

« Nous avons reçu un message d'Eli. Il veut vous voir. On l'a ramené de l'hôpital chez lui, et j'ai pris des dispositions pour qu'on vous y conduise demain après-midi. »

La maison était située à dix kilomètres au sud-ouest de Morristown à Mount Kemble Lake. C'était une vieille et vaste demeure dissimulée aux regards par des arbres et d'épais taillis, tout au bout d'une longue allée. En vieillissant, la façade en pierre avait pris une patine verdâtre. L'intérieur de la maison était sombre.

Un domestique voûté par l'âge fit entrer Celia. Il la conduisit dans un salon lourdement meublé et décoré de bibelots anciens, où il la pria d'attendre un moment. Le silence régnait et on ne décelait aucun signe d'activité : Eli Camperdown vivait seul; il était veuf depuis longtemps.

Quelques minutes plus tard apparut une infirmière. Sa jeunesse contrastait avec le décor; elle était jolie et vive.

« Voulez-vous m'accompagner, madame Jordan? M. Camperdown est prêt à vous recevoir. »

Tandis qu'elles gravissaient un large escalier recouvert d'un tapis moelleux, Celia demanda :

« Comment va-t-il?

– Il est très affaibli et souffre beaucoup, mais nous lui donnons des sédatifs. Pas aujourd'hui, toutefois, car il voulait garder toute sa lucidité. (Elle lança à Celia un regard curieux.) Il vous attendait avec impatience. »

En haut de l'escalier, l'infirmière ouvrit une porte et s'effaça pour laisser entrer Celia.

Elle eut du mal à reconnaître la silhouette décharnée et soutenue par des oreillers, dans le vaste lit à baldaquin. Celui qui avait, récemment encore, incarné la force et la puissance était maintenant émacié, blême, frêle – une caricature. Ses yeux enfoncés dans leurs orbites dévisageaient Celia, tandis que son visage se tordait, s'efforçant de sourire. Lorsqu'il parla, ce fut d'une voix grêle et assourdie.

« Je crains que le stade ultime du cancer ne soit pas bien beau à voir, madame Jordan. J'ai hésité à vous infliger un tel spectacle, mais il est des choses que je tenais à vous dire en personne. Je vous remercie d'être venue. »

L'infirmière avait approché un siège, avant de les laisser seuls, et Celia s'y assit, tout près du lit.

« Je suis heureuse d'avoir pu venir, monsieur Camperdown. Mais je suis navrée que vous soyez malade.

– La plupart de mes collaborateurs m'appellent Eli. Vous m'obligeriez en acceptant de faire comme eux.

– Dans ce cas, je serais honorée que vous m'appeliez aussi par mon prénom : Celia.

– Oh! Je le sais. Je sais également que vous avez eu une grande importance pour moi. (Il leva une main et désigna une table, de l'autre côté de la pièce.) Il y a là un exemplaire de *Life Magazine*, ainsi que quelques papiers. Voulez-vous me les donner? »

Elle alla chercher la revue et les papiers, et les lui remit. Eli Camperdown commença de feuilleter *Life*, jusqu'au moment où il trouva ce qu'il cherchait.

« Peut-être avez-vous déjà vu cela?

– L'article sur la Thalidomide, avec les photos des bébés malformés? Oui. »

Il effleura les autres papiers.

« Voici d'autres rapports, et d'autres photographies, qui ne sont pas encore connus du public. J'ai suivi cette affaire de très près. C'est bouleversant, n'est-ce pas? »

Ils gardèrent le silence pendant un moment, puis il reprit :

« Celia, vous savez que je vais mourir?

– Oui, je le sais, répondit-elle très doucement.

– J'ai forcé ces maudits médecins à me le dire. Il me reste une semaine ou deux à vivre, au mieux; peut-être seulement quelques jours. C'est pour cela que j'ai voulu rentrer chez moi. Pour mourir ici. (Comme elle allait parler, il l'interrompit d'un geste.) Non, écoutez-moi jusqu'au bout. (Il se tut pour reprendre des forces.) Je sais que c'est égoïste, Celia. Ces pauvres enfants innocents n'en tireront aucun soulagement. (Ses mains effleurèrent les photos du magazine.) Mais je suis heureux de mourir sans avoir cela sur la conscience, et c'est à vous que je le dois.

— Je crois savoir ce que vous pensez, Eli, protesta Celia, mais quand j'ai suggéré... »

Il continua comme s'il n'avait pas entendu.

« Lorsqu'on nous a proposé ce médicament, nous comptions le lancer à grand renfort de publicité. Nous pensions en faire un produit vedette. Nous allions l'expérimenter à très grande échelle, puis harceler la F.D.A. pour le faire accepter. Et sans doute aurait-il été accepté. Nous aurions présenté notre demande à un autre moment, le rapporteur du dossier n'aurait pas été le même; ces choses-là ne suivent pas toujours la logique. (Il s'interrompit à nouveau, rassemblant ses forces et ses idées.) Vous nous avez persuadés de limiter l'expérimentation aux vieillards; de ce fait, aucune personne âgée de moins de soixante ans n'a pris de ce produit qui s'est révélé inefficace. Nous avons renoncé. Ensuite, je sais que certains vous en ont voulu... Mais si cela s'était fait... comme nous avions eu l'intention de le faire... j'en aurais porté la responsabilité... (Ses doigts se posèrent à nouveau sur les photos.) Je serais mort avec ce poids terrible sur la conscience. En l'occurrence... »

Celia avait le regard voilé par les larmes. Elle lui prit la main et articula :

« Eli, soyez en paix. »

Il hocha la tête en remuant les lèvres. Elle se pencha pour entendre ce qu'il disait.

« Celia, je crois que vous possédez quelque chose : un don, un instinct, pour juger ce qui est bien... De grands changements vont intervenir dans notre industrie, des changements que je ne verrai pas... Dans notre compagnie, il y a des gens qui croient que vous irez loin. C'est bien... Alors je vais vous donner quelques conseils, les derniers... Faites usage de votre don, Celia. Faites confiance à vos bons instincts. Quand vous serez puissante, ayez la force de faire ce que vous croyez devoir faire... Ne vous laissez pas convaincre par des gens de moindre valeur... »

Sa voix s'éteignit. Un spasme de souffrance lui tordit le visage.

Celia se retourna, sentant un mouvement derrière elle. La jeune infirmière était entrée sans bruit. Près du lit, elle posa un plateau avec une seringue. Elle faisait des gestes vifs et précis. Elle demanda en se penchant vers son malade : « Est-ce la douleur qui revient, monsieur Camperdown? » Comme il acquiesçait faiblement, elle retroussa une manche de son pyjama et lui fit une injection intraveineuse dans la saignée du bras. Presque aussitôt le visage d'Eli se décrispa, et ses yeux se fermèrent.

« Il va dormir, maintenant, déclara l'infirmière. Je crois qu'il est inutile que vous restiez, madame Jordan. (De nouveau elle posa un regard curieux sur Celia.) Votre entretien était-il terminé? Cela semblait tellement compter, pour lui. »

Celia referma le magazine, et le remit, avec les papiers, là où elle l'avait pris.

« Oui, répondit-elle enfin. Oui, je crois. »

Bien que Celia eût gardé le secret, la nouvelle de sa visite à Eli Camperdown fut bientôt connue de tous dans la compagnie. Elle s'aperçut alors qu'on la regardait avec un mélange de curiosité, de respect, et parfois d'inquiétude. Personne, pas même Celia, ne se faisait la moindre illusion sur cette « intuition » exceptionnelle qui, cinq ans plus tôt, aurait été à l'origine de ses suggestions concernant la Thalidomide. Mais c'était un fait que la voie choisie par Felding-Roth lui avait sans doute épargné un désastre, et la contribution de Celia à ce choix méritait bien quelque gratitude.

A la direction de la compagnie, une seule personne s'obstinait à ne pas reconnaître l'importance du rôle de Celia. Le directeur de recherches, bien qu'il eût été partisan d'une expérimentation plus étendue de la Thalidomide – insistant même pour en donner aux obstétriciens, ce à quoi Celia s'était particulièrement opposée –, préférait garder le silence sur son opinion véritable. Il se contentait de rappeler aux autres qu'il avait lui-même pris la décision d'abandonner le projet, quand l'expérimentation sur les vieillards avait échoué. Il disait la vérité, bien sûr, mais en en cachant une partie.

On n'eut cependant guère le temps de poursuivre le débat. Eli Camperdown mourut deux semaines après la visite de Celia. Dans les journaux du lendemain, le 8 novembre 1962, les notices nécrologiques retraçant la carrière de Camperdown furent d'une respectable longueur, moins importantes pourtant que celles consacrées à Mme Eleanor Roosevelt, également décédée la veille. « On dirait que deux moments de l'histoire se sont terminés en même temps, confia Celia à Andrew, l'un appartenait à la grande histoire, et l'autre à la petite, mais j'y avais participé. »

La mort du directeur général entraîna des bouleversements au sein de la compagnie : le conseil d'administration nomma un nouveau directeur

général, et plusieurs cadres obtinrent de l'avancement. Parmi eux, Sam Hawthorne : il devint directeur commercial avec le rang de vice-président,
tandis que Teddy Upshaw devenait sous-directeur
commercial, responsable du secteur des produits
publics, Bray & Commonwealth. « Une occasion
formidable de leur faire faire des ventes colossales », dit Teddy à Celia. Et il ajouta, exalté : « J'ai
recommandé qu'on te donne ma place, mais je dois
t'avouer qu'il y a des gens, ici, que l'idée d'avoir une
femme directrice de quelque chose n'enchante pas
vraiment. (Il poursuivit :) Pour être tout à fait
honnête, j'ai partagé leurs préjugés, mais tu m'as
fait changer d'avis. »

Huit semaines passèrent encore, pendant lesquelles Celia remplit les fonctions de directrice du
service de formation sans en avoir le titre. L'injustice de cette situation la révoltait chaque jour un
peu plus. Puis, un matin de janvier, Sam Hawthorne
entra dans son bureau sans se faire annoncer. Son
visage rayonnait.

« Enfin! Nous y sommes arrivés! s'exclama-t-il.
J'ai dû me battre avec quelques mâles coriaces, et le
sang a failli couler, mais la chose est dite. Vous voici
maintenant directrice en titre. Et, plus important
encore, Celia : désormais vous roulez officiellement
sur la voie express de la compagnie. »

DEUXIÈME PARTIE

1963-1975

CHAPITRE 12

« ROULER sur la voie express » signifiait à peu près
la même chose chez Felding-Roth que partout ailleurs. Un employé était sélectionné pour la course à
la direction, et les occasions d'apprendre le métier
et de faire ses preuves allaient se multiplier. Bien
entendu, tous les candidats admis sur la voie
express ne parviendraient pas à la ligne d'arrivée :
ils étaient nombreux, et la compétition ardue. Et
puis un nom pouvait à tout instant disparaître de la
liste.

Celia avait bien conscience de tout cela. Elle
savait également que, en tant que femme, elle avait
dû surmonter un handicap supplémentaire. La
nécessité d'une double réussite avivait son ardeur.

C'est pourquoi elle jugeait fâcheux que les années
soixante n'aient apporté encore que peu d'innovations dans le domaine du médicament.

« Ce n'est pas la première fois, expliqua Sam
Hawthorne à Celia quand elle souleva la question. Ecoutez, nous venons de vivre vingt ans de
découvertes miraculeuses – les antibiotiques, les
nouveaux traitements pour le cœur, la pilule, les
tranquillisants, et tout le reste. A présent, nous
traversons une période calme avant les prochaines
grandes découvertes scientifiques.

— Combien de temps cela peut-il durer? »

Sam se passa songeusement la main sur le crâne.

« Qui sait? Peut-être deux ans, peut-être dix. En attendant, notre Lotromycine se vend bien, et nous produisons des versions améliorées de médicaments existants.

— Voulez-vous dire, répliqua Celia ironiquement, que nous copions les produits-vedettes de nos concurrents? Que nous nous contentons de les modifier juste assez pour ne pas être accusés de contrefaçon?

— Si vous tenez à employer le langage de nos adversaires, oui, peut-être.

— A propos d'adversaires, n'est-il pas vrai qu'on nous accuse de gaspiller tous les crédits alloués à la recherche pour des produits déjà connus, au lieu d'explorer des domaines nouveaux plus utiles?

— Ne serait-il pas temps *aussi* que vous compreniez qu'on critique *toujours* cette industrie à tort et à travers? (La voix de Sam était devenue coupante.) Et que les plus médisants sont ceux qui ignorent, ou veulent ignorer, que ce secteur-là permet précisément à des compagnies comme la nôtre de rester à flot, quand il n'y a pas de découvertes sensationnelles. Il y a toujours eu des passages à vide. Savez-vous qu'on a employé avec succès le vaccin contre la variole pendant cent ans avant que les savants découvrent *pourquoi* il était efficace? »

Cette conversation découragea Celia, mais elle découvrit par la suite que d'autres laboratoires pharmaceutiques connaissaient cette traversée du désert, et qu'il ne se faisait rien de nouveau ou d'enthousiasmant ailleurs. Il s'agissait là d'un phénomène général et qui – mais on l'ignorait encore – allait durer jusqu'aux années soixante-dix, donnant ainsi raison aux prophéties de Sam.

Cependant, Celia poursuivit sans problèmes son

travail de directrice du service de formation pendant presque toute l'année 1963.

Un après-midi de la fin novembre, Sam convoqua Celia dans son bureau.

« Je vous ai priée de venir, lui dit-il, pour vous informer que vous changez de fonction. Et... oh! oui, c'est une promotion, bien sûr. »

Celia attendit. Comme Sam n'en disait pas davantage, elle soupira, et sourit :

« Vous savez parfaitement que je brûle d'impatience, mais vous voulez me forcer à vous interroger – eh bien, je vous interrogerai. Quel est mon nouveau travail, Sam?

– Directrice générale des produits publics. Vous assumerez la responsabilité totale de Bray & Commonwealth. Teddy Upshaw, qui était votre patron, dépendra désormais de vous. (Sam sourit.) J'espère, Celia, que vous en éprouvez la joie et l'émotion qui conviennent.

– Oh! oui! Sam, tout à fait! Merci! »

Il fixa sur elle un regard perçant.

« N'y a-t-il pas un fond de réticence, dans cet enthousiasme?

– Aucune réticence, je vous l'assure. C'est seulement que... Enfin, pour tout vous dire, je ne connais rien aux produits publics.

– Vous n'êtes pas la seule, dit Sam. Je me trouvais dans la même situation, avant de passer deux ans en territoire public. D'une certaine manière, c'est un peu comme un voyage à l'étranger. (Il hésita.) Ou bien traverser la rue pour changer de quartier.

– Vers un quartier moins respectable?

– En quelque sorte. »

Ils savaient tous deux que Felding-Roth, comme tous les laboratoires, dressait une muraille entre le secteur médical de ses activités, réputé prestigieux, et le domaine des produits publics, qui ne l'était pas. De part et d'autre du mur, tout était séparé. Chaque secteur disposait de sa propre administration, de son équipe de recherche, de son service de vente : il n'existait aucune liaison entre les deux.

Cette politique de séparation expliquait pourquoi Felding-Roth maintenait le nom de Bray & Commonwealth – à l'origine, une petite entreprise pharmaceutique indépendante, que Felding-Roth avait rachetée des années auparavant et qui ne s'occupait plus désormais que de produits de médication familiale, parapharmaceutique – les fameux O.T.C.[1] Dans l'esprit du public, Bray & Commonwealth n'avait aucun rapport avec Felding-Roth, et la société mère préférait qu'il en fût ainsi.

« Ce séjour chez Bray & Commonwealth sera une excellente expérience, déclara Sam. Vous apprendrez à vous intéresser aux sirops pour la toux, aux pommades calmantes pour hémorroïdes, et aux shampooings. Ces produits O.T.C. font partie de l'industrie, après tout – et c'en est un secteur important, qui rapporte énormément d'argent. Il faut donc que vous le connaissiez, que vous sachiez comment il fonctionne, et pourquoi. (Il continua.) Un détail, encore : Sans doute devrez-vous suspendre pour quelque temps vos jugements critiques.

– Pourriez-vous m'expliquer cela ?

– Vous verrez. »

Celia n'insista pas.

« Vous devez encore savoir que notre filiale Bray & Commonwealth stagne un peu trop, ces derniers temps ; elle manque de nouvelles idées et d'initiatives. (Il sourit.) Peut-être les idées d'une femme

1. O.T.C. : *Over The Counter* : « Par-dessus le comptoir », c'est-à-dire, sans ordonnance (NdT).

entreprenante, imaginative et parfois redoutable, seront-elles... Oui, qu'y a-t-il? »

Ces derniers mots s'adressaient à sa secrétaire, une séduisante jeune femme noire, qui se tenait dans l'encadrement de la porte.

Comme elle ne répondait pas, Sam reprit :

« Maggie, je vous ai dit que je ne voulais pas être...

– Attendez! s'exclama Celia. (Elle venait de s'apercevoir que la secrétaire pleurait.) Maggie, qu'y a-t-il? »

La jeune femme articula avec effort, prononçant chaque syllabe dans un sanglot.

« C'est le Président... Le président Kennedy est mort... abattu... à Dallas... C'est à la radio. »

Sam Hawthorne alluma aussitôt son poste de radio, posé sur le bord du bureau, avec une expression où se mêlaient l'horreur et l'incrédulité.

Comme presque tous les gens de sa génération, Celia devait se rappeler toute sa vie l'endroit où elle se trouvait et ce qu'elle faisait en ce moment précis. Ce fut une introduction foudroyante aux journées qui suivirent, une période de profonde désolation, la fin de bien des espoirs. Que ce règne de l'euphorie eût été vrai ou illusoire, on avait désormais le sentiment d'une perte irrémédiable; d'un recommencement qui débouchait soudain sur le néant; de l'impermanence de toutes choses; du peu d'importance des préoccupations personnelles, y compris – pour Celia – ses propres ambitions, et la pensée ou l'évocation de son nouveau poste. La blessure, bien sûr, se fit de moins en moins sentir et la vie reprit son cours. Celia, elle, prit ses fonctions au siège de Bray & Commonwealth qui était situé dans un immeuble en brique de quatre étages, à trois kilomètres de la maison mère. Deux semaines plus tard, c'est là, dans son nouveau bureau, modeste mais confortable, qu'elle retrouva Teddy Upshaw, directeur commercial, pour passer en revue tous les produits de la maison.

Celia avait consacré la semaine précédente à l'étude des dossiers – situation financière, état des ventes, rapports sur la recherche, fiches personnelles des employés. Elle ne tarda pas à apprécier la clairvoyance de Sam Hawthorne. La compagnie avait en effet stagné sous une direction peu dynamique. Il lui fallait absolument des initiatives et des idées neuves.

D'entrée, Celia demanda à Upshaw :

« Teddy, une question toute simple, mais franche : Cela t'ennuie-t-il de me voir assise là, et de dépendre de moi? Es-tu contrarié de voir nos rôles inversés? »

L'exubérant directeur commercial parut surpris.

« Contrarié? Mon dieu, Celia, mais je ne pourrais pas être plus heureux! C'est de *toi* qu'avait besoin la compagnie! Quand j'ai appris que tu venais ici, j'ai failli crier de joie. Demande à ma femme! Le soir où j'ai appris la nouvelle, nous avons bu à ta santé. (Teddy hochait la tête pour ponctuer sa déclaration.) Pour ce qui est d'être contrarié, non, car je suis un vendeur – un bon vendeur, mais je ne serai jamais rien d'autre. Toi, en revanche, tu as l'esprit qu'il faut pour me fournir de bons produits qu'il sera plus facile de vendre, des produits meilleurs que ceux dont nous disposons. »

Sa réaction émut Celia.

« Merci, Teddy. Je t'aime beaucoup aussi. Nous allons bien nous compléter.

– Et comment!

– Toi qui connais les deux aspects de la profession, reprit-elle, les vrais médicaments et les O.T.C., dis-moi quelle différence tu établis entre eux.

– Rien de plus simple. Les O.T.C., ce sont surtout des produits poussés par la publicité. (Teddy lança un coup d'œil aux papiers étalés sur le bureau.) Tu as dû t'en rendre compte en étudiant les coûts.

– J'aimerais quand même connaître ton point de vue. »

Il posa sur elle un regard interrogateur.

« Confidentiellement? Sans réserves? (Elle hocha la tête.)

– Eh bien, tu sais comme moi qu'un vrai médicament coûte des millions de dollars en recherche, et qu'il faut souvent attendre cinq ou six ans avant qu'il soit sur le marché. Avec un O.T.C., il suffit de six mois, ou même moins, pour mettre le produit au point, et ça coûte une misère. Ensuite, tout le budget est consacré à l'emballage, à la publicité, à la promotion.

– Teddy, tu as vraiment un don pour aller droit au cœur du problème.

– Je ne me fais pas d'illusions. Ce que nous vendons ici, ce n'est pas garanti par Louis Pasteur!

– Pourtant, dans l'ensemble, les ventes d'O.T.C. sont en constante progression.

– Parce que cela correspond au désir du grand public, Celia. Quand les gens ont un petit bobo qui pourrait se guérir tout seul, ils veulent se soigner eux-mêmes. Ils aiment jouer au docteur, et c'est là que nous entrons en scène. Puisqu'il y a de l'argent à gagner, pourquoi ne pas en profiter? (Il se tut pour réfléchir, et poursuivit :) Le seul problème, en ce moment, c'est que nous n'avons pas la part du marché qui devrait nous revenir. Nous pourrions faire beaucoup mieux.

– Je suis d'accord pour la part du marché, dit

Celia, et je pense que nous pouvons changer tout cela. Mais, pour ce qui est des O.T.C., je suppose qu'ils doivent quand même bien valoir un peu mieux que tu ne le dis. »

Teddy leva la main pour exprimer que la réponse importait peu.

« Ils ne valent guère mieux. Il existe de très bons produits comme l'aspirine. Mais pour le reste, ce sont surtout des placebos destinés à rassurer les gens.

– Est-ce que certains remèdes contre le rhume, par exemple, ne font pas plus que simplement rassurer ? insista Celia.

– Non ! (Teddy secoua énergiquement la tête.) Demande à n'importe quel bon médecin. Demande à Andrew. Si toi ou moi attrapons un rhume, quelle est la meilleure chose à faire ? Je vais te le dire ! Rentrer chez nous, nous coucher, boire beaucoup, et prendre de l'aspirine. C'est tout ce qu'il y a à faire – en attendant que la science découvre un traitement contre le rhume, et nous en sommes encore très loin, me semble-t-il. »

Malgré le sérieux de la situation, Celia ne put s'empêcher de rire.

« Tu ne prends jamais rien contre le rhume ?

– Jamais. Mais heureusement que la plupart des gens le font ! Des hordes d'optimistes, qui dépensent un demi-milliard de dollars chaque année, pour tenter de guérir leurs rhumes. Et nous deux, Celia – nous serons là, prêts à leur vendre tout ce qu'ils voudront, des remèdes inactifs, mais inoffensifs. (Une note circonspecte se glissa dans la voix de Teddy.) Bien entendu, tu comprends que je ne dirais jamais rien de tel à une personne extérieure à la société. Je le fais en ce moment parce que tu me l'as demandé, nous sommes en privé, et nous avons confiance l'un dans l'autre.

160

« – J'apprécie ta franchise, dit Celia. Mais étant donné ce que tu en penses, cela ne te dérange jamais de faire ce métier?

– La réponse est non, pour deux raisons. (Il leva deux doigts.) Premièrement, mon métier n'est pas de juger. Je prends le monde tel qu'il est, et non pas comme certains rêveurs voudraient qu'il soit. Deuxièmement, puisque de toute façon quelqu'un doit vendre ces produits, pourquoi pas Teddy Upshaw? (Il scruta le visage de Celia.) Mais cela te tracasse, non?

– Oui, reconnut-elle. Par moments, oui.

– Les grands patrons ne t'ont pas dit combien de temps tu resterais à Bray & Commonwealth?

– Pas du tout. Il se pourrait que ce soit définitif.

– Non, répondit Teddy. Ils ne vont pas te laisser ici. Tu vas sans doute rester un an dans le secteur, et puis avancer. Alors tiens bon! A long terme, ça en vaut la peine.

– Merci, Teddy, j'accepte ton conseil. Mais j'espère faire bien plus que simplement tenir bon. »

Malgré son activité professionnelle, Celia était bien déterminée à ne jamais négliger sa famille, et surtout à rester proche de Lisa, maintenant âgée de cinq ans, et de Bruce, qui en avait trois. Chaque soir, en rentrant chez elle, Celia consacrait deux heures aux enfants – un programme dont elle ne s'écartait jamais, quelle que pût être l'importance des dossiers qu'elle avait rapportés à la maison pour les étudier.

Le soir du jour où elle avait eu cet entretien avec Teddy Upshaw, Celia continua ce qu'elle avait entrepris depuis quelque temps déjà – la lecture d'*Alice au pays des merveilles* pour Lisa, et pour Bruce

quand il parvenait à rester assis suffisamment longtemps pour écouter.

Bruce était plus calme que d'habitude, ce soir-là –
il paraissait fatigué et son nez commençait à couler,
signe d'un rhume de cerveau –, et Lisa, comme
toujours, écoutait avidement l'histoire d'Alice, qui
se trouvait devant une minuscule porte donnant sur
un jardin magnifique; mais Alice était trop grande
pour y passer, et elle espérait découvrir...

... un livre de recettes pour raccourcir les gens
comme des télescopes : cette fois, elle trouva un
petit flacon (« qui ne se trouvait certainement
pas là avant », dit Alice) et, autour du goulot, un
petit papier sur lequel elle lut les mots « BOIS-
MOI », superbement inscrits en grosses lettres.

Celia posa le livre pour essuyer le nez de Bruce
avec un mouchoir en papier, puis reprit :

C'était bien gentil de dire « bois-moi », mais la
sage petite Alice n'allait pas faire *cela* à la hâte.
« Non, je vais d'abord regarder, dit-elle, s'il y a
écrit " poison " ou non... » Elle n'avait plus
jamais oublié que, si l'on boit beaucoup d'un
liquide contenu dans un flacon portant la mention « poison », il est presque certain qu'à un
moment ou à un autre cela vous causera des
désagréments.
Cependant, ce flacon ne comportait aucune
mention semblable et Alice s'aventura à en goûter : trouvant cela délicieux (c'était, en fait, un
mélange de saveurs évoquant la tarte aux cerises,
la crème anglaise, l'ananas, la dinde rôtie, le

caramel et le pain grillé encore chaud et bien beurré), elle eut tôt fait de tout boire.

« Quelle étrange impression! dit Alice. On dirait que je raccourcis comme un télescope! »

Et c'était bien cela qui se produisait : elle ne mesurait plus que vingt-cinq centimètres de haut...

Lisa interrompit le récit :

« Elle n'aurait pas dû le boire, n'est-ce pas, maman?

— Non, pas dans la vie réelle, admit Celia. Mais il s'agit d'une histoire. »

Lisa insista :

« Je crois quand même qu'elle n'aurait pas dû le boire. »

Celia avait déjà remarqué que sa fille était très sûre d'elle-même.

« Tu as mille fois raison, ma chérie, lança gaiement Andrew, du fond de la pièce; il était entré sans bruit. Ne bois jamais rien dont tu ne sois sûre, sauf si c'est ton médecin qui l'ordonne. »

Ils éclatèrent tous de rire, les enfants coururent vers leur père pour l'embrasser, et il enlaça Celia.

« Pour l'instant, reprit Andrew, je prescris un cocktail de fin de journée. Je t'en sers un? demanda-t-il à Celia.

— Volontiers.

— Papa, interrogea Lisa, Brucie a un rhume. Tu saurais le faire partir?

— Non.

— Pourquoi?

— Parce que je ne suis pas médecin des rhumes. »

Il la souleva dans ses bras et l'embrassa, tandis que Celia s'exclamait :

« Cela me ramène à une conversation que j'ai eue aujourd'hui même! »

Andrew posa Lisa à terre et entreprit de préparer les cocktails.

« Quelle conversation?

– Je te raconterai cela à table. »

Celia posa *Alice* sur une étagère et alla coucher les enfants. Des effluves d'agneau au curry provenaient de la cuisine tandis que, dans la salle à manger, Winnie August dressait la table pour Celia et Andrew. *Qu'ai-je donc fait*, songea Celia, *pour mériter tant de bonheur et de satisfaction?*

« Teddy a parfaitement raison de dire que le seul traitement d'un rhume consiste à se coucher, à boire beaucoup, et à prendre de l'aspirine, déclara Andrew lorsque Celia lui eut fait part de son entretien. »

Ils avaient fini de dîner et prenaient le café au salon. Il poursuivit :

« Je dis souvent à mes patients que, s'ils ont un rhume et le soignent convenablement, cela durera une semaine et que, s'ils ne font rien, ils en auront pour huit jours. »

Celia rit, tandis qu'Andrew ranimait le feu autour d'une bûche qu'il venait de placer dans la cheminée.

« Mais il se trompe, reprit-il, en affirmant que les prétendus médicaments pour le rhume ne font aucun mal. Bon nombre d'entre eux sont nuisibles, et parfois même dangereux.

– Voyons, protesta-t-elle, le mot dangereux est sans doute excessif.

– Pas du tout. En essayant de soigner un rhume, on risque d'éveiller d'autres maux bien plus inquiétants. (Andrew se dirigea vers la bibliothèque et prit

164

plusieurs ouvrages, dont les pages étaient marquées de petits papiers). J'ai lu un certain nombre de choses à ce sujet, récemment. (Il tourna quelques pages d'un livre.) « La plupart des remèdes pour le rhume sont composés d'un véritable pot-pourri d'ingrédients. Par exemple, un produit chimique, la phéniléphrine, se trouve dans les décongestionnants pour le nez. Dans l'ensemble, elle ne sert à rien – on n'en met pas assez pour qu'elle soit efficace – par contre, elle fait monter la tension, ce qui est nuisible pour tous, mais peut être dangereux pour les personnes déjà sujettes à l'hypertension. (Il rechercha une autre page.) La simple aspirine – la plupart des chercheurs s'accordent sur ce point – est encore ce qu'il y a de mieux pour lutter contre un rhume. Mais on commercialise des succédanés de l'aspirine – pour lesquels on fait beaucoup de publicité et qui se vendent donc très bien – qui contiennent de la phénacétine. Ce produit peut causer de grands dommages aux reins, parfois de manière irréversible, si le traitement est trop long ou les doses prescrites trop importantes. De plus, on trouve des antihistaminiques dans les comprimés pour le rhume; or ils favorisent le développement de mucus dans les poumons. Quantité de gouttes pour le nez ont des effets plus nocifs que le soulagement qu'elles sont censées apporter. » (Andrew s'interrompit.) Veux-tu que je continue?

– Non, soupira Celia. Je comprends tout à fait.

– Ce que je veux dire, insista Andrew, c'est que le matraquage publicitaire peut amener les gens à croire n'importe quoi, et à acheter sans précaution.

– Mais les médicaments pour le rhume font *vraiment* du bien, protesta-t-elle, tout le monde le sait.

– Les gens *croient* que cela leur fait du bien, mais

c'est une escroquerie. Peut-être leur rhume s'est-il amélioré de lui-même. Ou peut-être était-ce purement psychologique. »

Pendant qu'Andrew remettait les livres en place, Celia se souvint de ce que lui avait dit un autre médecin, un vieux généraliste, au temps où elle était visiteuse médicale. « *Quand mes patients viennent se plaindre d'un rhume, je leur donne des placebos – des petites pilules sucrées sans le moindre effet. Et quelques jours plus tard, ils viennent me dire : " Ces petites pilules sont merveilleuses; mon rhume est parti "*. » Le vieux médecin avait regardé Celia, et ajouté en riant : « *Il serait parti de toute façon.* »

Ce souvenir, ajouté aux observations d'Andrew, lui dévoilait une vérité et, changeant brusquement d'humeur, Celia se sentit découragée. Ses nouvelles responsabilités lui ouvraient les yeux sur des choses qu'elle aurait préféré ne jamais connaître. A quoi donc allait être confronté son sens des valeurs? se demanda-t-elle. Elle comprenait à présent ce qu'avait voulu dire Sam, en lui annonçant : « Il va falloir suspendre vos jugements critiques pendant quelque temps. » Serait-ce vraiment nécessaire? Et le pouvait-elle? Le devait-elle? Absorbée dans ses réflexions, elle ouvrit l'attaché-case qu'elle avait rapporté du bureau, et étala des papiers tout autour d'elle.

Il y avait également dans sa mallette un objet que Celia avait complètement oublié – un échantillon de Vitatherm, une lotion de Bray & Commonwealth qui se vendait depuis vingt ans, et dont on frottait le torse des enfants enrhumés; la publicité proclamait que cette odeur forte et entêtante « faisait du bien ». Celia l'avait rapportée à la maison pour en faire des applications à Bruce. Elle demanda à

Andrew ce qu'il en pensait. Il prit la boîte, lut la notice et éclata de rire.

« Pourquoi pas, ma chérie? Si tu tiens à utiliser cette vieille cochonnerie graisseuse, cela ne fera aucun mal à Brucie. Aucun bien non plus, mais *toi*, tu te sentiras mieux. Tu seras une mère *qui a fait quelque chose*. (Andrew sortit le tube de son emballage, et l'examina. Toujours amusé, il reprit :) Sans doute est-ce cela l'unique objectif de Vitatherm. Ce n'est pas pour les enfants – c'est pour les mères. »

Celia rit avec lui mais s'arrêta brusquement et regarda bizarrement Andrew. Elle venait d'avoir deux idées. D'une part, elle allait en effet devoir suspendre ses jugements critiques pendant quelque temps; cela ne faisait aucun doute. D'autre part, Andrew venait de suggérer quelque chose de très bien – *non, mieux que cela!* – quelque chose de remarquable.

CHAPITRE 13

« NON, déclara Celia aux publicitaires qui lui faisaient face. Rien de tout cela ne me plaît. »

L'effet fut immédiat, comme lorsqu'on jette de l'eau sur le feu. S'il y avait eu un thermomètre dans la salle de conférences de l'agence, il serait brutalement passé de « chaud » à « glacial ». Elle sentit les quatre hommes réévaluer rapidement la situation, pour improviser une nouvelle tactique.

C'était un mardi, à la mi-janvier. Celia était arrivée le matin même en voiture à New York avec quatre de ses collaborateurs, pour assister à cette réunion à l'agence Quadrille-Brown. Sam Hawthorne s'était joint à eux mais il était à New York depuis la veille.

Dehors, il faisait un temps affreux. L'agence Quadrille-Brown avait ses bureaux dans Burlington House, sur l'avenue des Amériques où les embouteillages et la cohue des piétons devaient affronter un mélange insidieux de neige et de pluie verglaçante.

Cette réunion dans une salle du quarante-quatrième étage avait pour but de passer en revue le programme publicitaire de Bray & Commonwealth – procédure normale après un important changement de direction. Pendant une heure, ce programme avait fait l'objet d'une présentation déférente et cérémonieuse – à tel point que Celia avait eu l'impression de siéger à la tribune d'honneur pour passer la revue d'un régiment.

Il ne s'agissait cependant pas d'un régiment très impressionnant, et cela l'avait poussée à faire ce commentaire, qui provoqua un certain malaise.

A l'extrémité de la longue table en acajou autour de laquelle ils étaient tous assis, le responsable de création de l'agence, Al Fiocca, prit un air peiné; il caressa sa barbe à la Van Dyck et croisa puis décroisa les jambes, peut-être en guise de réponse, laissant le soin de réagir au directeur financier, un homme un peu plus jeune du nom de Kenneth Orr. C'était lui, avec son élégante élocution et son costume bleu à fines rayures si soigné, qui avait pris la tête des opérations dans leur camp. Le troisième, Dexter Wilson, responsable du budget, s'était chargé de la présentation détaillée. Un peu plus âgé que Orr et prématurément blanchi, Wilson avait la ferveur d'un prédicateur baptiste, et il affichait maintenant un air inquiet, sans doute parce que le mécontentement d'un client pouvait lui coûter son poste. Dans la publicité, Celia savait que les cadres gagnaient beaucoup d'argent mais qu'ils n'avaient aucune sécurité d'emploi.

Le quatrième membre du quatuor de l'agence, Bladen – Celia n'avait pas retenu son prénom –, était l'assistant du responsable du budget. (Y avait-il une seule personne, se demanda-t-elle, qui n'eût pas un titre ronflant?) Bladen ressemblait encore à un adolescent, et il s'était beaucoup affairé à déplacer des maquettes et des projets devant le groupe présidé par Celia.

D'autres employés de l'agence – une dizaine – étaient entrés et sortis pendant la réunion. Le dernier groupe avait présenté un nouveau projet de publicité pour Vitatherm, élaboré avant l'entrée de Celia chez Bray & Commonwealth.

Celia était accompagnée de Grant Carvill, directeur du marketing, de Teddy Upshaw, directeur des ventes, et de Bill Ingram, un jeune chef de produit. Depuis longtemps dans la société, Carvill avait dépassé la cinquantaine et fait les preuves de sa compétence, mais il manquait d'imagination; Celia avait décidé de l'écarter en lui confiant bientôt un autre poste. Quant à Ingram, l'air très jeune avec ses cheveux roux et rebelles, il n'avait quitté la Harvard Business School que depuis un an et, bien qu'il fût très dynamique, on ne savait pas encore quelle était sa valeur.

En tant que membre de la direction de Felding-Roth, Sam Hawthorne était leur supérieur à tous et, par égard pour lui, le président de l'agence avait fait une brève apparition pour leur souhaiter la bienvenue.

La veille, en annonçant par téléphone qu'il assisterait à la réunion, Sam avait précisé à Celia à quoi se bornerait son rôle. « Je serai là pour voir comment cela se passe. Comme vous n'êtes pas encore tout à fait habituée à vos nouvelles responsabilités, et que des sommes importantes sont en jeu, la direction se sentira plus rassurée si quelqu'un de la maison mère est ici en observateur et les tient au courant. Mais je n'interviendrai pas. Vous aurez le champ libre. »

Maintenant, Celia lança un coup d'œil à Sam pour voir s'il approuvait ce qu'elle venait de dire. Mais Sam demeurait impassible, ne révélant rien de ses sentiments depuis le début de la réunion.

« Détendez-vous, monsieur Orr, déclara Celia d'une voix décidée, en regardant le directeur financier droit dans les yeux. Cessez de vous demander comment réagir et par où me prendre. Parlons

170

franchement de ces annonces. Je vais vous dire pourquoi elles ne me plaisent pas, et pourquoi je pense que votre agence, dont je connais bien le travail, peut faire beaucoup mieux. »

Elle sentit aussitôt s'éveiller l'intérêt des publicitaires, que ces paroles semblaient avoir soulagés. Tous les regards, y compris ceux de sa propre équipe, étaient rivés sur elle.

« Nous sommes tous ravis de vous écouter, madame Jordan, répondit Kenneth Orr. Dans tout ce que vous venez de voir, il n'y a rien à quoi nous soyons particulièrement attachés. Pour ce qui est des idées neuves, nous serons heureux d'en trouver ou de développer les vôtres.

– Je suis heureuse de constater que vous êtes favorable au dialogue, dit Celia avec un sourire, parce que, à mon avis, ce que nous venons de voir aurait été parfait, il y a dix ans, mais c'est à l'heure actuelle totalement dépassé. Je me demande également – pour être juste – si ce n'est pas dû en partie à des instructions et à des restrictions émanant de notre propre compagnie. »

Les regards de Wilson et d'Orr se firent soudain plus respectueux. Mais ce fut le jeune Bladen qui laissa échapper :

« Ah! c'est exactement cela! Chaque fois que quelqu'un lançait une idée originale ou voulait redorer le blason de vos vieux produits...

– Cela suffit! Nous ne blâmons pas nos clients pour les annonces que nous ratons. Nous avons une conscience professionnelle, nous assumons la responsabilité de tout ce qui sort de chez nous. Par ailleurs, ne parlez plus jamais de « vieux produits » sur ce ton.

– Madame Jordan, je vous présente nos excuses.

– Quelles sottises! (Cette exclamation jaillit du camp de Celia avant qu'elle ait eu le temps de répondre à Orr. C'était le jeune Bill Ingram qui avait réagi ainsi et, sous ses cheveux flamboyants, son visage était empourpré de colère. Il poursuivit :) Ce *sont* de vieux produits, et nous le savons tous, alors quel mal y a-t-il à le dire? Personne n'a suggéré de les abandonner, mais il est certain que leur image de marque aurait besoin d'une bonne toilette. Alors, si nous devons parler franchement, comme l'a proposé Mme Jordan, faisons-le. »

Un silence embarrassé s'établit, que rompit Kenneth Orr.

« Eh bien, eh bien! (Haussant un sourcil, il semblait partagé entre la surprise et l'amusement.) On dirait que la jeunesse vole au secours de la jeunesse. (Il se tourna vers Celia.) Cela ne vous ennuie pas?

– Pas du tout. Cela pourra peut-être même nous aider. »

L'attitude de Celia était dictée par une certitude, qu'elle avait acquise en étudiant les dossiers de Bray & Commonwealth : toutes les annonces publicitaires avaient jusqu'à présent été dénaturées, censurées, par des politiques de statu quo et d'excessive circonspection – toutes choses qu'elle comptait bien faire cesser.

« Pour commencer, je voudrais parler de Vitatherm, dit-elle. Je crois que les nouvelles annonces proposées, de même que les précédentes, choisissent la mauvaise approche. (Rendant mentalement hommage à Andrew, Celia poursuivit :) Toutes nos annonces depuis des années – j'ai vérifié – montrent des enfants souriants, qui se sentent mieux, plus heureux, après des applications de Vitatherm sur leur torse. »

Le responsable du budget, Dexter Wilson, demanda avec courtoisie :

« N'est-ce pas précisément ce qui est censé se

produire? (Mais Kenneth Orr, les yeux fixés sur le visage de Celia, lui fit signe de se taire.)

– Oui, c'est ce qui se produit, répondit Celia. Mais ce ne sont pas les enfants, heureux ou non, qui vont dans les magasins *acheter* du Vitatherm. Ce sont leurs mères. Des mères qui veulent être de *bonnes mères*, qui veulent *faire quelque chose* pour soulager leurs enfants malades. Or, dans nos annonces, la mère n'apparaît guère, ou bien à l'arrière-plan. Ce que je voudrais voir au premier plan, c'est une *mère heureuse*, une mère rassurée, une mère qui, lorsque son enfant était malade, a *fait quelque chose* pour le soulager, et qui est satisfaite. Nous devrions utiliser la même approche pour la presse et la télévision. »

Un murmure d'approbation circula autour de la table. Celia se demanda si elle ne devait pas ajouter le commentaire d'Andrew : *Peut-être est-ce là le seul objectif de Vitatherm. Ce n'est pas pour les enfants; c'est pour leurs mères.* Elle décida que non. Elle écarta également de son esprit la description qu'en avait faite Andrew : « Cette vieille cochonnerie graisseuse », qui, disait-il, ne ferait ni mal ni bien.

Kenneth Orr dit lentement :

« C'est intéressant. Très intéressant.

– C'est plus qu'intéressant, intervint Bill Ingram. C'est rudement bon. Tu ne trouves pas, Howard? »

La question s'adressait à Bladen, de sorte que Celia tenait maintenant le prénom qui lui manquait. Le jeune homme acquiesça avec enthousiasme.

« Et comment! On pourrait avoir un gosse à l'arrière-plan – je pense qu'il serait quand même bon d'en montrer un, n'est-ce pas? Mais la mère devant – il ne faudrait surtout pas qu'elle soit tirée à quatre épingles : légèrement décoiffée, des vêtements dans un désordre étudié, comme si elle venait de s'activer, de s'inquiéter dans la chambre de l'enfant malade.

— Oui, appuya Ingram. La faire *vraie*.

— Mais heureuse, enchaîna Bladen. Elle est soulagée, elle ne s'inquiète plus, elle sait que son enfant va mieux grâce à Vitatherm. C'est essentiel. Mme Jordan a eu une intuition remarquable.

— Nous mettrons les détails au point, observa Orr. (Il sourit à Celia.) Tout le monde semble reconnaître que vous tenez là quelque chose de très prometteur.

— Autre chose, madame Jordan, suggéra Bill Ingram. De notre côté, nous devrions changer un peu le produit, pour pouvoir l'appeler « Nouveau Vitatherm ».

— C'est toujours une bonne chose à faire, acquiesça le responsable du budget, Dexter Wilson.

— Nouveau Vitatherm, prononça Teddy Upshaw comme pour peser la valeur de ce nouveau nom; puis il affirma : Oui! C'est très bon pour nos hommes de terrain! Ça leur permet de varier un peu leur discours de présentation du produit, de l'aborder sous un angle neuf. »

Grant Carvill, le directeur du marketing de Bray & Commonwealth, se pencha en avant. Celia eut l'impression que, voyant que les décisions se prenaient sans lui, il estimait devoir dire quelque chose.

« Changer le produit ne pose aucun problème, dit-il. Les chimistes s'en chargent en remplaçant un ingrédient par un autre. Quelque chose de secondaire, rien d'important, par exemple un changement de parfum.

— Formidable! dit Bladen. Maintenant, ça marche! »

Au fin fond d'elle-même, Celia se demandait si tout cela arrivait vraiment, et ce qu'elle en aurait

174

pensé récemment encore. Après tout, décida-t-elle, elle avait accepté le conseil de Sam, et suspendu ses jugements critiques pour le meilleur et pour le pire. Combien de temps allait-elle devoir agir ainsi? Si Teddy avait vu juste, il n'y en aurait guère que pour un an. Elle remarqua que Sam souriait, et se demanda à quel sujet.

Ses pensées se reportèrent sur la réunion. En observant les deux jeunes gens, Howard Bladen et Bill Ingram, Celia sentit qu'elle allait à l'avenir beaucoup travailler avec eux, chez Bray & Commonwealth comme à l'agence Quadrille-Brown.

Même dans ses moments d'optimisme le plus excessif, jamais Celia n'avait imaginé que son programme publicitaire pour le Nouveau Vitatherm – le projet de la « maman-bonheur », comme on se mit à l'appeler entre initiés – aurait eu un tel succès. Comme le déclara Teddy Upshaw en discutant avec elle dans son bureau : « Celia, c'est de la dynamite! (Et il ajouta :) J'ai toujours su que tu étais formidable, mais là, c'est du pur génie. »

Au cours du premier mois de la campagne lancée par l'agence Quadrille-Brown, les ventes de Vitatherm furent multipliées par six. Et un nouvel afflux de commandes indiqua sans aucun doute possible, à la fin de la quatrième semaine, que ce n'était là qu'un début. Et, en effet, dans le mois qui suivit, les prévisions furent dépassées au-delà de toute espérance, annonçant d'importants bénéfices.

Le succès de Celia et du Nouveau Vitatherm fut dûment noté à la direction générale de Felding-Roth. Et pendant tout le reste de l'année 1964, à chaque soumission de projets d'investissements pour relancer d'autres produits Bray & Commonwealth, l'accord fut automatique. Comme le lui expliqua Sam Hawthorne : « Nous voulons toujours savoir ce qui se passe, Celia – après tout, cela pourrait également nous aider, mais tant que vous poursuivrez l'expansion vous aurez toute liberté d'agir suivant vos méthodes. »

Les méthodes de Celia consistaient à créer de nouvelles images pour des produits vieillis.

L'un d'eux était le shampooing B & C. Celia suggéra que l'ancien nom soit relégué dans un angle de l'étiquette, en lettres minuscules, tandis qu'apparaîtrait le nouveau nom, BAISER. Et juste au-dessous, en caractères presque aussi gros, les mots : *Doux Comme l'Amant de Vos Rêves*. Le slogan accrocheur ne s'imposa pas seulement à l'esprit de ceux qui avaient vu les annonces et acheté le produit, mais il devint une véritable scie nationale, reprise à la télévision dans les émissions de variétés pour faire rire le public. Des pastiches apparurent dans la presse – et en particulier dans un éditorial du *Wall Street Journal* critiquant un projet de loi fiscale de la Maison Blanche, et intitulé :

PERFIDE BAISER
DU PRÉSIDENT DE VOS RÊVES

Il en résulta pour le shampooing Baiser une publicité sans précédent, et les ventes s'envolèrent.

Là encore, ce fut l'agence Quadrille-Brown qui organisa la campagne publicitaire de Baiser, mais cette fois sous la direction de Howard Bladen, passé du poste d'assistant à celui de responsable du budget. Le jeune Bladen avait également joué un rôle dans le lancement du Nouveau Vitatherm, éclipsant définitivement le brave Dexter Wilson, toujours si anxieux. Celia ne sut jamais si ce dernier avait quitté l'agence, ou s'il avait été placé à un poste moins important.

De même, dans le camp de Bray & Commonwealth, Celia avait fait grimper des échelons au jeune Bill Ingram qui fut nommé directeur du marketing, à la place du vétéran Grant Carvill. Quant à Carvill, elle lui trouva un poste de repli où – comme on le disait avec malice – « il comptait les trombones en attendant la retraite ».

Encouragé par Celia, Ingram innova en matière de marketing. Ce fut aussi lui qui informa Celia qu'un petit laboratoire pharmaceutique du Michigan cherchait un acquéreur.

« Ils ont plusieurs produits, mais le seul intéressant est le Système 5, un médicament décongestionnant pour le rhume. Comme vous le savez, c'est une gamme de produits qui fait défaut chez nous. Si nous pouvions racheter cette entreprise du Michigan et nous débarrasser du reste de leur production en gardant Système 5, nous pourrions en faire quelque chose de spectaculaire. »

Se souvenant du point de vue d'Andrew concernant les remèdes pour le rhume, elle demanda :

« Ce Système 5 est-il bon?

– Je l'ai fait analyser au labo – ils disent que ça va. Rien de bouleversant pour le monde de la science, et rien de mieux que ce que nous pourrions produire nous-mêmes en partant de zéro s'il le fallait. (Il passa la main dans ses cheveux roux toujours en bataille.) Mais Système 5 est un produit honnête qui a les effets qu'il annonce et qui se vend assez bien, de sorte que nous ne partirions pas de zéro.

– Oui, c'est important. »

Celia savait bien qu'il serait plus rentable d'adapter un produit déjà un peu connu que de promouvoir quelque chose d'entièrement neuf. Le lancement d'un nouveau produit ne représentait pas seulement un investissement considérable : c'était un risque qui, la plupart du temps, conduisait à l'échec, puis à la ruine, ceux qui l'avaient couru.

« Préparez-moi un rapport détaillé, Bill, lui dit-elle. Je vais étudier la question et, si cela me paraît judicieux, j'en parlerai à Sam. »

Quelques jours plus tard, elle recommanda le rachat du laboratoire du Michigan – avec son Système 5. L'acquisition se fit par l'intermédiaire d'un cabinet d'affaires, afin que les vendeurs ignorent l'identité de leur acquéreur. Cette pratique était courante, car à l'annonce qu'un grand laboratoire s'intéressait à l'affaire, le prix aurait grimpé à des hauteurs vertigineuses.

Peu de temps après, les autres produits furent revendus, le laboratoire du Michigan fermé, et quelques techniciens responsables de la fabrication de Système 5 transférés au siège de Bray & Commonwealth, dans le New Jersey.

Bill Ingram se vit confier la tâche de développer les ventes de Système 5.

Il commença par concevoir un emballage moderne, voyant, où dominaient l'orange et l'or, ainsi qu'un joli flacon en plastique, assorti, pour remplacer celui en verre qui s'était vendu jusqu'alors. Et il rebaptisa le produit Système 500.

« Ces zéros, expliqua-t-il à Celia, laissent croire que nous avons renforcé la concentration du produit en changeant la présentation. En fait, nos chimistes modifient un ou deux détails de formulation pour rendre la fabrication plus économique et plus rapide. »

Celia étudia le matériel présenté.

« Je suggère d'ajouter une ligne sous le nom. »
Elle griffonna sur un papier :

Système 500
La lutte SYSTÉMATIQUE contre le rhume

et le passa à Ingram.

178

Il posa sur elle un regard admiratif.

« Magnifique! Les gens vont avoir le sentiment de pouvoir *s'organiser* contre leurs rhumes. Ils adoreront ça! »

Celia songea : *Pardonne-moi, Andrew!* Elle se rappela une fois de plus que *c'était juste pour un an* – puis s'aperçut que le temps avait passé vite, et qu'elle dirigeait Bray & Commonwealth depuis déjà un an et demi. *Je me suis tellement prise au jeu que j'oublie parfois mon intention de retourner du côté des vrais médicaments. Et puis ce qui se passe ici m'amuse beaucoup.*

Bill Ingram poursuivait, avec son habituel enthousiasme :

« Et dans six mois, quand le nouvel emballage se sera imposé, nous lancerons les comprimés.

– Quels comprimés? »

Il prit un air peiné.

« Vous n'avez pas lu mon rapport? »

Celia montra un tas de papiers sur son bureau.

« Il doit être quelque part là-dedans. Alors, expliquez-moi.

– Les comprimés, c'est simplement une autre façon de vendre Système 500. Les ingrédients et les effets seront les mêmes. Mais nous ferons des annonces séparées, permettant de doubler l'impact. Evidemment, nous diluerons les ingrédients pour la version enfants. Celle-ci s'appellera Système 50, pour bien évoquer...

– Oui, interrompit Celia. Oui, je saisis l'idée – un chiffre plus petit pour les petits clients. » Elle se mit à rire.

« L'hiver prochain, reprit Ingram, impassible, quand des familles entières seront terrassées par le rhume, mon rapport suggère que nous lancions un flacon familial de Système 500. Si cela marche, nous pourrions faire un flacon géant – ce qu'on appelle le format « Oh! Mon dieu! »

– Bill, s'exclama Celia, riant encore, vous exagérez vraiment! Mais je suis pour! Et que diriez-vous d'un aspic de Système 500?

– Pour les wagons-restaurants? » Il riait avec elle, à présent. « Je vais m'y atteler! »

Pendant que Celia faisait fructifier les O.T.C., l'histoire poursuivait sa marche – avec sa part de tragédie, de comédie, de conflit, de noblesse, de tristesse, de rire et d'insouciance humaine – offrant un spectacle tantôt étourdissant et tantôt accablant.

Les Anglais et les Français annonçaient sereinement, comme ils le faisaient épisodiquement depuis cent cinquante ans, que les travaux du tunnel sous la Manche allaient commencer sous peu. Jack Ruby, meurtrier de l'assassin du président Kennedy, fut déclaré coupable et condamné à mort. Là où Kennedy avait échoué, le président Johnson parvenait à faire voter au Congrès une loi forte sur les droits civiques. Sous l'invraisemblable nom de « Beatles », quatre garçons de Liverpool, charmeurs et insolents, subjuguaient le monde avec leur musique.

Au Canada, lors d'une querelle nationale où la colère le disputait à la bêtise, la nation adopta un nouveau drapeau. Winston Churchill, que l'on commençait à croire éternel, mourut à l'âge de quatre-vingt-dix ans. Et la Résolution du golfe du Tonkin, concernant un très lointain pays – le Viêt-nam – fut votée au Congrès américain dans l'indifférence générale, alors qu'elle allait mobiliser une génération entière et déchirer toute l'Amérique.

« Je voudrais regarder les informations télévisées, aujourd'hui, annonça Andrew un soir d'août 1965. Il y a eu des émeutes et des incendies à Watts – c'est un quartier de Los Angeles. »

Ils adoraient tous deux ces soirées tranquilles, passées à la maison, de plus en plus rares, hélas! maintenant que Celia devait voyager pour son travail et qu'elle s'absentait parfois plusieurs jours d'affilée. En compensation, les enfants dînaient avec leurs parents le plus souvent possible.

Celia tenait également à ce qu'ils voient régulièrement leur grand-mère, mais – au regret de tous – les visites de Mildred s'espaçaient à cause de sa santé. Elle avait de l'asthme depuis longtemps et récemment son état avait empiré. Andrew lui avait suggéré de venir vivre chez eux, où il aurait pu la soigner, mais elle avait refusé, préférant son indépendance et le modeste logement de Philadelphie qu'elle n'avait pas quitté depuis l'enfance de Celia.

Quant à la mère d'Andrew, qui s'était établie en Europe, on n'avait guère de nouvelles d'elle et, en dépit des invitations répétées, elle ne leur avait pas rendu visite une seule fois. Elle n'avait jamais vu ses petits-enfants, et ne semblait pas désirer faire leur connaissance. « Quand nous nous rappelons à sa mémoire, nous lui apportons la preuve qu'elle est vieille, observa Andrew. Elle préférerait qu'il n'en soit rien, et je pense qu'il vaut donc mieux la laisser tranquille. »

Derrière ces mots, Celia sentit l'amertume d'Andrew.

Le père d'Andrew, si longtemps absent, était mort; la nouvelle leur parvint, par le plus grand des hasards, plusieurs mois après l'événement.

Quant à la jeune génération, Lisa avait sept ans et faisait sa seconde année d'école primaire. Elle continuait à manifester une forte personnalité, prenait son travail au sérieux, et s'enorgueillissait d'enrichir son vocabulaire – même si parfois elle écorchait un peu la langue. Parlant un jour de sa leçon d'histoire, elle annonça à Celia : « Aujourd'hui, j'ai appris la constipation américaine, maman », et, une autre fois, elle lui expliqua : « L'extérieur du cercle, c'est la circonstance. »

Bruce, qui avait cinq ans, faisait preuve au contraire de douceur et de sensibilité, partiellement dissimulées sous un réel humour. Celia dit un jour à Andrew :

« Brucie semble assez vulnérable. Il aura davantage que Lisa besoin d'être protégé.

– Alors il devra faire comme moi, répliqua Andrew. Epouser une femme forte et généreuse. »

Il prononça ces mots avec une telle tendresse que Celia s'approcha de lui et le prit dans ses bras. Puis elle ajouta :

« Je te retrouve beaucoup en Brucie. »

Certes, ils se chamaillaient parfois, et ils avaient eu une ou deux vraies disputes pendant ces huit ans de mariage, mais rien de plus qu'il n'était normal entre mari et femme, et les blessures superficielles qu'il leur arrivait de s'infliger ne manquaient pas de cicatriser rapidement. Ils tenaient l'un comme l'autre à leur couple, et faisaient de leur mieux pour le protéger.

Ce soir-là, les enfants se trouvaient avec eux lorsqu'ils regardèrent les émeutes de Watts à la télévision.

« Mon dieu! s'exclama Andrew, voyant se succéder les scènes d'horreur – incendies, pillage, destruction, brutalités, blessures, morts, violents affrontements entre les Noirs exaspérés et la police dans les pitoyables taudis du ghetto noir de Charcoal Alley. C'était un cauchemar où la misère et la désolation éclataient au grand jour, dans ces moments où une ville offrait aux chaînes de télévision un spectacle qui allait encore durer cinq jours et cinq nuits. Mon dieu! répéta Andrew. Comment imaginer que cela se passe dans notre propre pays? »

Hypnotisée par ce qu'elle voyait sur l'écran, Celia ne remarqua pas tout de suite que Bruce réprimait ses sanglots en tremblant tandis que ses joues ruisselaient de larmes. Elle s'élança aussitôt et le serra sur son cœur, en priant Andrew d'éteindre.

Mais Bruce aussitôt protesta : « Non, papa! Non! », et ils regardèrent le reportage jusqu'à la fin.

« Ils faisaient mal à des gens, maman! » dit ensuite Bruce, en pleurant.

Le gardant dans ses bras, Celia répondit :

« Oui, mon chéri, ils leur faisaient du mal. C'est très triste, et ce n'est pas bien, mais cela arrive. (Elle hésita, puis ajouta :) Tu t'apercevras plus tard que ce genre de situation se produit souvent. »

Par la suite, quand les enfants furent couchés, Andrew déclara :

« C'était épouvantable, mais tu as dit à Brucie exactement ce qui convenait. Tôt ou tard, il faudra bien qu'il apprenne l'existence d'un monde extérieur.

— Bien sûr. (Celia soupira. Puis, songeuse :) Je voulais justement te parler de cocons. Je crois que moi-même j'ai vécu dans un cocon. »

Un bref sourire apparut sur les lèvres de son mari :

« S'agirait-il par hasard d'un cocon sans ordonnance?

— Peut-être... Je sais que j'ai fait certaines choses que tu n'approuves guère, Andrew — comme Vitatherm ou Système 500. Tu n'as pas dit grand-chose. Cela t'a-t-il contrarié?

— Peut-être un peu. (Il hésita, puis poursuivit :) Je

suis fier de toi et de ce que tu fais, Celia, et c'est pour cela que je serai heureux de te voir retourner du côté des vrais médicaments chez Felding-Roth, car nous savons l'un et l'autre que c'est important. Mais, en attendant, j'ai appris à faire la part des choses. Par exemple, les gens continueront toujours à vouloir acheter des drogues à base de venin de serpent, que ce soit toi ou d'autres qui les leur vendent. Et puis, si les gens renonçaient à l'automédication pour courir chez les médecins, nous serions complètement submergés – nous ne pourrions pas faire face.

– N'es-tu pas plutôt en train de chercher des excuses? interrogea Celia, soupçonneuse. Parce qu'il s'agit de moi?

– Et où serait le mal? Tu es ma femme, et je t'aime. »

Elle se pencha pour l'embrasser.

« Eh bien, tu peux cesser de chercher des excuses, mon chéri, car j'ai décidé que les O.T.C. m'avaient suffisamment accaparée. Demain, je vais demander ma mutation.

– Si tu le désires vraiment, je te souhaite de l'obtenir. »

La réponse d'Andrew était machinale. Il était encore sous le coup de l'émotion ressentie devant les scènes d'émeutes de Watts. Mais un autre problème le préoccupait, un problème qui n'avait rien à voir avec Celia et qui lui avait déjà causé bien du souci, un problème qui ne voulait pas, ne pouvait pas s'estomper.

« Le dilemme, expliqua Sam Hawthorne à Celia le lendemain, c'est que vous avez trop bien réussi – ou, plus exactement, bien mieux qu'on ne pouvait l'imaginer. Vous êtes devenue la poule aux œufs d'or, et c'est pour cela qu'on vous a laissée tranquille chez Bray & Commonwealth. »

L'entretien avait lieu dans le bureau de Sam, au siège de Felding-Roth – un entretien sollicité par Celia, au cours duquel elle avait demandé à changer de fonctions.

« J'ai quelque chose ici qui vous intéressera sans doute, dit Sam. (Il fouilla dans plusieurs dossiers posés sur sa table et en tira un qu'il ouvrit. Celia vit qu'il s'agissait de comptes rendus financiers.) Ces résultats n'ont pas encore été diffusés, mais le comité de direction va bientôt en prendre connaissance. (Sam désigna des chiffres du doigt.) Quand vous êtes entrée chez Bray & Commonwealth, ce secteur-là représentait dix pour cent du chiffre d'affaires de Felding-Roth. Cette année, le taux est passé à quinze pour cent – avec la même croissance pour les bénéfices. (Sam referma le dossier, souriant.) Certes, vous avez bénéficié d'une chute des ventes de médicaments. Mais tout de même, c'est une belle réussite, Celia. Félicitations!

– Merci. »

Celia était ravie. Elle s'était attendue à des chiffres positifs, mais pas aussi éblouissants que ceux dont Sam venait de lui donner lecture. Elle réfléchit un instant, puis déclara :

« Je pense que les O.T.C. sont sur la lancée, et Bill Ingram est devenu très compétent. Puisque la vente des produits pharmaceutiques a chuté, comme vous venez de me le dire, je pourrais peut-être aider à les promouvoir...

– Oh! oui, répondit Sam. Je vous le promets. Et nous pourrions avoir quelque chose d'intéressant à vous offrir. Mais patientez encore quelques mois. »

CHAPITRE 14

Andrew, le visage sombre, faisait face au directeur de l'hôpital. Ils se tenaient dans le bureau de ce dernier, Leonard Sweeting, et une vive tension régnait.

C'était un vendredi, peu avant midi.

« Docteur Jordan, dit le directeur avec solennité, – la voix grave, l'expression soucieuse –, avant que vous ne poursuiviez, permettez-moi de vous engager à ne rien dire dont vous ne soyez absolument certain, et à bien réfléchir aux conséquences éventuelles de vos paroles.

– Bon sang! explosa Andrew, qu'une nuit d'insomnie rendait nerveux. Pensez-vous donc que je n'y ai pas réfléchi?

– Je supposais que vous l'aviez fait. Je voulais en être sûr.

– Bon. J'aborde de nouveau la question, Leonard, et cette fois je le fais officiellement. (Andrew poursuivit en choisissant ses mots avec précaution.) Mon associé, le docteur Noah Townsend, se trouve actuellement à l'étage des chambres, où il examine ses patients. Et je sais avec certitude qu'il est en ce moment même sous l'influence de drogues, dont il est totalement dépendant. J'estime qu'il est inapte à exercer la médecine, et qu'il peut mettre en danger la vie de ses patients. Je sais également que cette semaine, dans cet hôpital, un patient est mort par la faute du docteur Noah Townsend qui, justement sous l'empire de la drogue, a commis une erreur.

— Mon dieu! (En entendant la dernière phrase, le directeur avait blêmi. Maintenant, il plaida.) Andrew, ne pouvez-vous pas, au moins, renoncer à ce dernier élément?

— Je ne le peux ni ne le veux! Et j'exige que vous preniez immédiatement des mesures. (Andrew ajouta avec une violence contenue :) Des mesures que vous auriez dû prendre depuis quatre ans, quand nous savions déjà l'un et l'autre ce qu'il en était. Mais vous-même et bien d'autres avez préféré vous taire et détourner les yeux. »

Leonard Sweeting grogna :

« Je suis *obligé* d'agir. Au regard de la loi, après ce que vous m'avez dit, je n'ai plus le choix. Mais pour ce qui est du passé, je ne sais rien.

— Vous mentez, lança Andrew, et vous le savez aussi bien que moi. Mais je ne vous en tiendrai pas rigueur, car à l'époque je me suis montré aussi lâche que vous. C'est ce qui se passe *maintenant*, qui m'intéresse. »

Le directeur soupira. Il marmonna à mi-voix :

« Il fallait sans doute bien que cela éclate un jour. »

Puis s'approchant de son bureau, il décrocha le téléphone.

Une secrétaire répondit, et Sweeting ordonna :

« Demandez au président du conseil d'administration de passer dans mon bureau. Dites à sa secrétaire que c'est urgent, qu'il doit venir toutes affaires cessantes, même s'il est en réunion. Ensuite, faites-vous aider pour convoquer l'assemblée plénière du conseil médical, qui commencera le plus tôt possible dans la salle de réunions. »

Le directeur eut une expression de lassitude en raccrochant, puis son attitude s'adoucit :

« C'est une journée de deuil, Andrew. Pour nous tous, et pour l'hôpital. Mais je sais que vous avez agi en votre âme et conscience. »

Andrew acquiesça.

« Que va-t-il se passer, maintenant ?

– Le conseil exécutif va se réunir dans quelques minutes. On vous appellera. Vous pourrez attendre ici. »

On entendit au loin sonner midi.

Le temps. L'attente.

Andrew laissa errer ses pensées : il n'avait que trop attendu, jusqu'au jour où un patient – un jeune homme qui aurait dû vivre encore de longues années – était mort.

Quand il avait découvert, quatre ans plus tôt, que Noah Townsend se droguait, Andrew avait essayé de surveiller son associé pour s'assurer qu'il ne commettrait pas d'erreur de diagnostic ou de prescription. Et, bien que sa vigilance eût été nécessairement limitée, il avait eu la satisfaction de constater qu'aucun incident sérieux n'était survenu.

Semblant accepter l'intérêt anxieux que lui portait son confrère, Noah discutait souvent de ses cas difficiles avec lui, et il était évident que, drogué ou non, la clarté de son diagnostic ne s'altérait en rien.

Par ailleurs, le docteur Townsend manifestait une désinvolture croissante dans sa consommation de drogues, sans plus se soucier de dissimuler ses habitudes à Andrew, et laissant de plus en plus paraître les effets de la drogue – regard vitreux, tremblement des mains, bafouillement – tant à son cabinet qu'à St. Bede's. Il laissait traîner dans son bureau des dizaines de flacons sans même se donner la peine de les ranger, et se servait négligemment, tout en conversant, comme s'il s'était agi de bonbons.

Andrew se demandait parfois comment Townsend pouvait se droguer ainsi et continuer à travailler. Puis il réfléchissait : les habitudes et les instincts étaient profondément ancrés dans un homme. Noah exerçait la médecine depuis tant d'années que la majorité de ses actes – y compris les diagnostics qui auraient représenté une difficulté pour d'autres – lui venaient tout naturellement. D'une certaine manière, songeait Andrew, Noah ressemblait à une machine déréglée, continuant à tourner sur sa lancée. Mais une question se posait : combien de temps allait encore durer la lancée ?

Cependant, personne à St. Bede's ne semblait partager les inquiétudes d'Andrew. En 1961, pourtant – un an après sa découverte et son entretien écourté avec Leonard Sweeting –, Noah Townsend cessa d'être chef de service, et quitta le conseil médical de l'hôpital. Andrew ne sut jamais si ces changements avaient été décidés par Townsend, ou discrètement suggérés. Parallèlement, Townsend se mit à mener une vie de moins en moins mondaine, demeurant chez lui plus souvent que naguère. A leur cabinet, il se déchargeait de sa clientèle en orientant la plupart de ses nouveaux patients vers Andrew et leur nouvel associé, le jeune docteur Oscar Aarons.

Andrew s'inquiétait encore pour Noah et ses patients mais, comme il ne semblait y avoir aucun problème majeur, il avait tout simplement laissé évoluer d'elle-même la situation – il s'en rendait bien compte à présent – en attendant qu'il se passe quelque chose, mais tout en nourrissant l'espoir qu'il n'arriverait rien de grave.

Jusqu'à cette semaine.

La découverte fut soudaine et bouleversante.

Tout d'abord, Andrew n'eut que des renseignements partiels, décousus. Mais, peu après, ses soupçons et ses recherches lui permirent de reconstruire le puzzle.

Tout avait commencé le jeudi après-midi.

Un homme de vingt-neuf ans, Kurt Wyrazik, était venu consulter le docteur Townsend à son cabinet parce qu'il ressentait un fort mal de gorge accompagné de nausées, avec des sensations de fièvre et une toux persistante. L'examen révéla une inflammation de la gorge; la température s'élevait à trente-neuf, et la respiration était rapide. Les notes cliniques de Noah Townsend révélèrent qu'il avait entendu, dans son stéthoscope, un rythme respiratoire retenu, des râles pulmonaires, et un frottement pleural. Il diagnostica une pneumonie, et enjoignit à Wyrazik de se rendre à l'hôpital St. Bede's, où il serait immédiatement admis et où Townsend le verrait plus tard dans la journée.

Wyrazik n'était pas un inconnu. Il était venu à plusieurs reprises consulter Townsend à son cabinet. La première fois, trois ans plus tôt, il avait déjà eu un problème d'inflammation de la gorge et Townsend lui avait alors administré une piqûre de pénicilline.

Dans les jours qui suivirent, la gorge de Wyrazik retrouva son état normal, mais une éruption de plaques rouges, accompagnée de démangeaisons, lui envahit le corps. Cette réaction était le signe d'une hypersensibilité à la pénicilline; il n'était désormais plus question de lui en injecter, car les effets risquaient d'être graves la prochaine fois, ou même catastrophiques. Le docteur Townsend nota cela dans le dossier médical du patient, souligné en rouge.

Wyrazik avait jusqu'alors ignoré qu'il fût allergique à la pénicilline.

La seconde fois, Wyrazik se présenta pour une affaire sans grande importance, un jour où Townsend était absent. Andrew l'avait vu et, en lisant le dossier du patient, avait remarqué l'avertissement au sujet de la pénicilline. Cela n'avait guère d'importance en l'occurrence, car Andrew n'avait prescrit aucune médication.

C'était la dernière fois – un an et demi plus tôt – qu'Andrew avait vu Wyrazik vivant.

Quand Noah Townsend envoya Wyrazik à St. Bede's, on l'installa dans une chambre commune, où se trouvaient d'autres patients. Peu après, un interne ouvrit un dossier, et posa à Wyrazik les questions de routine. L'une d'elles était : « Avez-vous des allergies ? » Et Wyrazik répondit : « Oui, à la pénicilline. » Cette question figurait, avec la réponse, sur la fiche hospitalière du patient.

Le docteur Townsend tint sa promesse et alla voir Wyrazik plus tard à l'hôpital, mais il téléphona d'abord à St. Bede's et demanda à l'interne d'administrer de l'érythromycine au malade. Puisque le traitement le plus courant de la pneumonie consistait en injections de pénicilline, cette instruction signifiait que Townsend avait relu le dossier de Wyrazik ou qu'il s'en était souvenu, l'érythromycine ne contenant pas de pénicilline.

Ce même jour, lorsqu'il passa voir Wyrazik à l'hôpital, Townsend aurait normalement dû lire les notes de l'interne, qui lui auraient rappelé le problème de l'allergie. La situation personnelle du patient comptait beaucoup dans ce qui allait – ou n'allait pas – se produire ensuite.

Kurt Wyrazik était un homme affable et timide, célibataire, et n'avait pas d'amis proches. Employé dans une société de transports, il vivait seul et en solitaire. Il ne reçut aucune visite pendant son séjour à l'hôpital. Il était né aux Etats-Unis, de parents polonais immigrés, et sa mère était décédée. Son père vivait dans une petite ville du Kansas, avec la sœur aînée de Kurt, également célibataire. Ils étaient les deux seuls êtres au monde avec qui Kurt Wyrazik eût des liens étroits. Il ne leur apprit cependant pas qu'il était malade et hospitalisé.

Wyrazik était à St. Bede's depuis deux jours lorsque, vers vingt heures, le docteur Townsend passa le voir. A ce moment-là, Andrew se trouva lui aussi indirectement impliqué dans l'affaire.

Depuis quelque temps, Noah Townsend avait pris l'habitude de rendre visite à ses patients hospitalisés à des heures fantasques. Comme Andrew et plusieurs autres médecins le pensèrent plus tard, sans doute agissait-il ainsi pour éviter de rencontrer ses confrères dans la journée, à moins que l'usage de la drogue ne lui eût fait perdre toute notion du temps. Le hasard voulut qu'Andrew fût aussi à St. Bede's ce soir-là, par suite d'un appel urgent. Andrew s'apprêtait à repartir quand Townsend arriva, et ils échangèrent quelques mots.

D'après son attitude et son élocution, Andrew sut aussitôt que Noah Townsend était sous l'emprise de la drogue dont il venait sans doute de prendre une nouvelle dose. Andrew hésita mais, puisqu'il vivait depuis longtemps dans cette situation, il se dit que rien de grave n'arriverait et ne fit donc rien. Par la suite, il allait se reprocher amèrement cette négligence.

Tandis qu'Andrew rentrait chez lui, Townsend prit un ascenseur et gagna l'étage des chambres, où il vit plusieurs de ses patients. Wyrazik fut le dernier de sa tournée.

Ce qui se passa alors dans l'esprit de Townsend, on ne peut que tenter de le deviner. Sans être critique, l'état de Wyrazik avait néanmoins empiré : la courbe de température était en progression et des difficultés respiratoires étaient apparues. Dans l'état second où il se trouvait, Townsend décida probablement que le traitement prescrit ne suffisait pas. Il rédigea de nouvelles instructions et, quittant Wyrazik, les porta lui-même au poste d'infirmières.

Il demandait qu'on injecte au malade six cent mille unités de pénicilline en intramusculaires, toutes les six heures.

En l'absence de l'infirmière-chef, souffrante, la jeune infirmière de nuit qui était nouvelle avait fort à faire. Ne voyant rien d'inhabituel dans les instructions du docteur Townsend, elle les suivit à la lettre. Elle n'avait pas vu les notes préalables du dossier du patient, et n'avait donc pas la moindre idée du danger que courait celui-ci du fait de son allergie.

Quant à Wyrazik, il était fiévreux et somnolent quand l'infirmière vint pour les soins. Il ne demanda pas ce qu'on lui injectait, et l'infirmière ne le lui expliqua pas. Aussitôt après la piqûre, l'infirmière quitta la chambre de Wyrazik.

Ensuite, on ne put reconstituer ce qui arriva que grâce au témoignage d'un voisin de chambre.

En quelques instants, Wyrazik dut ressentir des sensations d'étouffement accompagnées de brusques démangeaisons sur tout le corps, et sa peau devint sans doute écarlate. Très vite, il allait sombrer dans un état de choc anaphylactique, le visage déformé et boursouflé – les paupières, la bouche, la langue et le larynx –, avec des signes de détresse respiratoire – bruits d'étouffement, d'asphyxie. L'enflure du larynx, surtout, devait bloquer les voies respiratoires et empêcher la circulation de l'oxygène, entraînant l'inconscience puis – après la souffrance et l'angoisse – la mort. Tout cela n'aurait pas duré plus de cinq minutes.

Si l'on avait alors pratiqué un traitement d'urgence, il aurait consisté en une injection massive d'adrénaline, et une trachéotomie immédiate pour faire pénétrer l'air dans les poumons. Mais personne ne s'en préoccupa, et, quand les secours arrivèrent, il était trop tard.

Voyant Kurt Wyrazik se débattre et s'asphyxier près de lui, un voisin de chambre sonna l'infirmière de garde. Mais, quand elle arriva, Wyrazik était déjà mort – seul et sans secours.

L'infirmière appela aussitôt un interne, puis le docteur Townsend, en espérant qu'il se trouvait encore à l'hôpital. Il était là, et arriva le premier.

Townsend prit la situation en main et, là encore, on ne peut qu'imaginer ce qui détermina ses actions.

Le plus probable est que, malgré son état, il se rendit compte de ce qui s'était passé et, par un effort de volonté, s'éclaircit les idées pour entreprendre ce qui – sans l'intervention ultérieure d'Andrew – aurait été une excellente opération de couverture. Il dut comprendre immédiatement que l'infirmière ne savait rien de l'allergie du patient à la pénicilline. Il était possible, avec beaucoup de chance, de faire en sorte que les données accablantes – la mention de l'allergie dans le dossier du malade, et l'ordre d'administrer de la pénicilline – ne soient pas liées. S'il pouvait imputer le décès à des circonstances naturelles, peut-être n'en chercherait-on pas les vraies causes. Townsend avait bien dû remarquer que Kurt Wyrazik n'avait pas de proches susceptibles de poser des questions indiscrètes.

« Pauvre type! dit Townsend à l'infirmière. Le

cœur a lâché. C'était ce que je craignais. Il avait le cœur faible, vous savez.

– Oui, docteur. »

(La jeune infirmière fut soulagée de voir qu'on ne lui reprochait rien. Et puis le docteur Noah Townsend était un personnage imposant, dont les affirmations n'étaient jamais mises en doute. L'interne ne se posa pas davantage de questions, et se hâta de retourner à d'autres tâches en voyant qu'il y avait un patron sur place, et qu'on n'avait donc pas besoin de lui.)

Avec un soupir, Townsend s'adressa à l'infirmière :

« Il y a des formalités à remplir, mademoiselle, après un décès. Nous allons nous en occuper. »

L'une de ces formalités consistait à rédiger le certificat de décès, et Noah Townsend y inscrivit que la mort était due à « un arrêt du cœur causé par la pneumonie ».

Andrew apprit la mort de Kurt Wyrazik par hasard, le jeudi matin.

En traversant la salle d'accueil qu'il partageait avec les docteurs Townsend et Aarons, Andrew entendit le réceptionniste parler au téléphone du « patient du docteur Townsend qui était mort hier soir ». Un peu plus tard, Andrew croisa Townsend et lui dit gentiment :

« J'ai appris que vous aviez perdu un patient. »

Son associé acquiesça.

« C'est bien triste. Un jeune homme; vous l'avez vu, un jour. Wyrazik. Il avait une très mauvaise pneumonie, et une insuffisance cardiaque. C'est le cœur qui a lâché, comme je le redoutais. »

Andrew aurait pu ne plus y penser; bien que regrettable, le décès d'un patient n'était pas si rare. Mais quelque chose d'étrange dans le comportement de Townsend éveilla en lui un malaise confus.

Et une heure ou deux plus tard, quand Townsend eut quitté son bureau, Andrew alla chercher la fiche de Wyrazik. Il se souvenait à présent de ce patient, et, en parcourant le dossier, Andrew remarqua deux choses. L'une était la mention de l'allergie à la pénicilline, qui paraissait sans conséquences. Et l'autre, l'absence de toute référence à une éventuelle insuffisance cardiaque qui, elle, semblait capitale.

Andrew ne s'inquiétait pas encore, mais la curiosité le poussa à mener une enquête discrète à St. Bede's.

L'après-midi même, il alla consulter le fichier de l'hôpital. Après le décès de Wyrazik, son dossier et divers papiers le concernant avaient été expédiés au fichier central.

Andrew commença par lire le dernier élément de la fiche médicale – la cause du décès telle que l'avait enregistrée Townsend – puis il examina les autres documents. C'est alors que l'ordre d'injecter six cent mille unités de pénicilline, signé de la main de Townsend, lui sauta aux yeux. Il fut horrifié de lire que l'infirmière avait bel et bien administré la piqûre et ce juste avant la mort de Wyrazik, comme le prouvaient les horaires consignés pour chaque intervention.

Andrew lut le reste du dossier – la mention de l'allergie, de la main de l'interne, et l'instruction antérieure de traiter le patient par l'érythromycine – dans une sorte de brouillard. Quand il rendit les documents, ses mains tremblaient et son cœur battait la chamade.

Les questions l'assaillaient. *Que faire ? Où aller ?*

Andrew se rendit à la morgue pour examiner le corps.

Les yeux étaient clos, les traits calmes. A l'exception d'une coloration légèrement bleuâtre de la peau, la cyanose, qui aurait pu avoir d'autres causes, rien ne révélait le choc anaphylactique qui, Andrew en était désormais sûr, avait tué le jeune homme.

Il demanda à l'employé de la morgue qui l'accompagnait :

« A-t-on ordonné une autopsie?

– Non, docteur. (Puis l'homme ajouta :) Il y a une sœur qui doit arriver du Kansas. Le corps sera incinéré quand elle sera là. »

Andrew était consterné. Se souvenant de sa première expérience avec le directeur de l'hôpital, il se demandait encore ce qu'il convenait de faire. Devait-il avertir le directeur qu'une autopsie s'imposait? Il était sûr qu'elle révélerait qu'il n'y avait pas eu d'accident cardiaque. Mais, même sans autopsie, les données du dossier constituaient une preuve accablante.

C'était le soir, à présent, et il ne restait plus guère de responsables à l'hôpital; Andrew n'avait donc pas d'autre choix que d'attendre le lendemain.

Cette nuit-là, pendant que Celia dormait à son côté, inconsciente du drame que vivait son mari, il demeura éveillé, réfléchissant à la marge de manœuvre dont il disposait. Fallait-il qu'il révèle à ses confrères de l'hôpital ce qu'il savait, ou bien valait-il mieux s'adresser aux autorités extérieures pour être assuré d'une procédure impartiale? Devait-il commencer par demander des explications à Noah Townsend? Andrew se rendait bien compte de la futilité de l'entreprise, sachant combien la personnalité de Noah avait changé, et bien plus encore en profondeur qu'en surface – conséquence de toutes ces années d'asservissement à la drogue.

Le Noah qu'Andrew avait naguère connu et respecté, et à certains moments aimé, avait été un homme d'honneur, droit, nourrissant les plus hautes idées quant à l'éthique médicale, et jamais il n'aurait toléré l'affreuse négligence professionnelle dont il venait de faire preuve et le subterfuge qu'il avait employé pour la dissimuler. L'ancien Noah Townsend se serait levé, il aurait avoué et accepté les conséquences, quelle qu'en pût être la rigueur. Non, une discussion avec lui ne mènerait à rien.

Andrew éprouvait un sentiment d'irrémédiable perte, et de désolation.

Epuisé, il décida finalement de ne pas parler de ce qu'il savait en dehors du cercle étroit de l'hôpital. S'il convenait d'entreprendre une autre action, extérieure, ce serait à ses confrères d'en prendre l'initiative. Le lendemain matin, à son cabinet, il trouva le temps de relater en détail ce qu'il savait, par écrit. Puis, peu avant midi, il se rendit à St. Bede's pour affronter le directeur.

CHAPITRE 15

En fermant les yeux, songea Andrew, il aurait pu s'imaginer qu'il assistait à une réunion de parents d'élèves ou à un quelconque conseil d'administration.

Les mots volaient autour de lui.

« *Puis-je solliciter une résolution sur ce point?*
— *Monsieur le président, je suggère...*
— *Qui appuie la résolution?*
— *... appuie...*
— *... proposé et appuyé... Les partisans de la résolution...* »

Un chœur de « *Oui* ».

« *Qui est contre?* »

Silence.

« *... Déclare la résolution acceptée. Par décision unanime, les privilèges hospitaliers du docteur Noah Townsend sont suspendus...* »

Cela pouvait-il vraiment se passer ainsi? La tragédie pouvait-elle s'accommoder de cet accompagnement mineur, prosaïque, empesé? Ces expressions mesquines étaient-elles donc ce qu'on pouvait trouver de mieux pour marquer l'atroce et brusque fin d'une vie de travail, de la carrière d'un homme naguère si dévoué?

Andrew se rendit compte sans la moindre honte

que des larmes coulaient sur son visage. Conscient des regards de ses confrères assis autour de la table, il n'essaya pas de les dissimuler.

« Docteur Jordan, déclara avec compassion le président du conseil de direction de l'hôpital, croyez bien que nous partageons votre affliction. Noah était, et reste, notre ami et notre confrère. Nous respectons l'initiative que vous avez prise, et nous avons conscience de la difficulté qu'elle représentait. Ce que nous avons fait était également difficile, mais nécessaire. »

Incapable de parler, Andrew acquiesça.

Le président était le docteur Ezra Gould, un neurologue qui trois ans plus tôt avait succédé à Noah Townsend. Gould était un homme de petite taille qui s'exprimait avec douceur. Mais il possédait une autorité naturelle et jouissait à St. Bede's du respect général. Les autres membres du conseil étaient les chefs des services – chirurgie, obstétrique et gynécologie, pédiatrie, radiologie, et quelques autres. Andrew les connaissait tous assez bien. C'étaient des gens droits, sensibles, amicaux, mais qui accomplissaient à présent leur devoir même si, du point de vue d'Andrew, ils avaient attendu trop longtemps.

« Monsieur le président, déclara Leonard Sweeting, je dois avertir le conseil qu'en prévision de sa décision j'ai préparé une circulaire qui va être immédiatement diffusée dans tout l'établissement – les postes d'infirmières, le service des admissions, la pharmacie, et ainsi de suite. J'ai pris la décision d'y décrire la suspension du docteur Townsend comme « due à des raisons de santé ». Cela me paraît plus discret qu'une explication précise. Cela vous convient-il ? »

Gould promena sur l'assistance un regard interrogateur. Des murmures approbateurs s'élevèrent.

« Cela nous convient, annonça Gould.

– Je suggérerai aussi, reprit le directeur, que les détails de cette réunion soient, autant que possible, tenus secrets. »

Leonard Sweeting avait pris en main le déroulement du conseil depuis l'instant où avait été révélé l'objet de cette réunion extraordinaire – provoquant la surprise et une vive consternation chez tous les médecins convoqués d'urgence. Avant le début de la réunion, Sweeting avait également eu une conversation téléphonique avec le président du conseil d'administration de l'hôpital, Fergus McNair, qui exerçait la profession d'avocat à Morristown. L'entretien s'était déroulé en présence d'Andrew, qui n'en entendait que la moitié, mais qui saisit néanmoins les derniers mots du président, littéralement martelés dans l'appareil :

« Protégez avant tout l'hôpital.

– Je ferai de mon mieux », répondit le directeur.

Après quoi, Sweeting avait pénétré dans la salle de conférences contiguë à son bureau, dans lequel Andrew était resté seul. Quelques instants plus tard, la porte se rouvrit et Andrew fut invité à entrer.

Autour de la table, tous les visages étaient empreints de gravité.

« Docteur Jordan, commença le docteur Gould, nous avons été informés de la nature de vos accusations. Veuillez nous dire ce que vous savez. »

Andrew répéta ce qu'il avait déjà dit au directeur, en se reportant de temps à autre à ses notes. Après sa déclaration, il y eut quelques questions et une brève discussion. Leonard Sweeting fit alors circuler le dossier du défunt Kurt Wyrazik et les notations accablantes de la fiche médicale furent examinées avec des hochements de tête navrés.

Andrew eut l'impression que, même s'ils n'avaient

pas été jusqu'à imaginer de telles révélations, le sujet abordé ce jour-là ne surprenait guère les participants de cette réunion.

La résolution officielle avait ensuite été votée, dépouillant Noah Townsend du statut dont il avait si longtemps joui à St. Bede's.

Le chef du service de pédiatrie, un homme efflanqué, à l'élocution lente, intervint alors :

« Il reste un problème que nous n'avons pas évoqué, c'est celui du jeune homme qui est mort.

— Sachant ce que nous savons, répondit le directeur, une autopsie s'impose. Juste avant cette réunion, je me suis entretenu avec le père du défunt, dans le Kansas – une sœur va bientôt arriver – et il m'a donné l'autorisation nécessaire. L'autopsie aura donc lieu aujourd'hui. (Sweeting lança un regard au chef du service de médecine légale qui acquiesça.)

— Très bien, dit le chef du service pédiatrique, mais qu'allons-nous dire à sa famille?

— Très franchement, dit Sweeting, et en raison des problèmes juridiques qui peuvent être soulevés, cette question est délicate, pour ne pas dire inquiétante. Je suggère que vous laissiez au docteur Gould, à McNair, qui va arriver d'un instant à l'autre et saura nous conseiller d'un point de vue juridique, et à moi-même le soin de la résoudre. Nous en référerons éventuellement à ce conseil, par la suite. »

Le docteur Gould interrogea les autres :

« Cela vous convient-il ? »

Des hochements de tête approbateurs auxquels il semblait se mêler un certain soulagement lui répondirent.

Eventuellement. Andrew songea que c'était là le mot clef. *Eventuellement... Nous en référerons éventuellement à ce conseil. Mais pas nécessairement.*

Ce que souhaiterait sans aucun doute l'hôpital,

représenté par Leonard Sweeting et son patron Fergus McNair, c'est que l'affaire soit étouffée, et que le jeune Kurt Wyrazik soit oublié aussitôt après sa crémation. Dans un certain sens, pensa Andrew, on ne pouvait guère blâmer Sweeting ou McNair. Ils assumaient de lourdes responsabilités. Si l'affaire allait en justice, la décision du tribunal ou les sommes à verser en dédommagement risquaient d'avoir pour l'hôpital des conséquences effroyables. Andrew ignorait totalement si l'assurance, dans ce cas, couvrirait les frais, et il ne s'en souciait guère. La seule chose dont il était sûr, c'est que lui-même ne s'associerait pas à l'opération d'étouffement de l'affaire.

Des conversations s'étaient élevées, et le président frappa sur la table à plusieurs reprises pour obtenir le silence.

« Et maintenant, déclara le docteur Gould, nous arrivons au moment difficile. (Il jeta un coup d'œil à la ronde.) Je dois aller trouver Noah Townsend pour l'informer de ce qui s'est décidé ici. Je crois savoir qu'il est encore à l'hôpital. Quelqu'un veut-il m'accompagner ?

— Je vais avec vous », lança Andrew.

C'était bien le moins qu'il pût faire, se dit-il. Il devait cela à Noah.

« Merci, Andrew », répondit Gould avec un signe de tête approbateur.

En y repensant calmement par la suite, et malgré le caractère pathétique de la scène à laquelle il avait assisté, Andrew eut la conviction que Noah les avait attendus, et avait éprouvé une sorte de soulagement à les voir approcher.

Lorsque le docteur Ezra Gould et Andrew sortirent de l'ascenseur, le corridor qui s'ouvrait sur la droite était fort animé, entre les chambres des patients et le poste des infirmières. Tout au fond, se tenait Townsend, immobile, perdu dans ses pensées.

A leur approche, il remua la tête et parut se replier sur lui-même. Il commença par se détourner, puis se ravisa. Ses traits se crispèrent dans une parodie de sourire, et il leur tendit ses deux mains jointes.

« Avez-vous apporté des menottes? » demanda-t-il.

Impassible, Gould prit la parole :

« Noah, il faut que je vous parle. Venez dans un lieu plus calme.

— Pourquoi plus calme? (La réponse jaillit comme un cri; une infirmière et plusieurs patients se retournèrent, étonnés.) De toute façon, tout l'hôpital va le savoir dans les heures qui viennent, non?

— Très bien, dit Gould, puisque vous insistez, faisons-le ici même. J'ai le devoir de vous informer, Noah, que le comité directeur de St. Bede's s'est réuni aujourd'hui. Et c'est au grand regret de tous qu'il a été décidé de vous relever de vos fonctions.

— Avez-vous la moindre idée (la voix de Townsend demeurait très forte) du nombre d'années que j'ai passées ici, et de tout ce que j'ai fait pour cet hôpital?

— Je n'ignore pas que vous avez consacré de très nombreuses années à notre établissement, et nous savons tous que vous avez accompli bien des choses. (Gould souffrait de voir que les curieux, de plus en plus nombreux, s'approchaient pour mieux écouter.) Je vous en prie, Noah, ne pourrions-nous poursuivre dans un lieu plus discret?

— Tout cela ne compte donc pour rien?

— Non, pas dans le cas qui nous occupe, malheureusement.

– Demandez donc à Andrew tout ce que j'ai fait! Allez, demandez-le-lui!

– Noah, intervint Andrew, je leur ai parlé de Wyrazik. Je suis navré, mais je n'avais pas le choix.

– Ah! oui. Wyrazik. (Townsend hocha la tête à plusieurs reprises, par saccades; puis il ajouta d'une voix radoucie :) Ce pauvre jeune homme. Il ne méritait pas cela. Je suis navré pour Wyrazik. Je suis sincèrement navré. »

Puis brusquement, le vieux médecin fondit en larmes, le corps secoué de sanglots que ponctuaient des bribes de phrases incohérentes.

« ... première fois... jamais commis d'erreur... manque d'attention... plus jamais... promets... »

Andrew voulut saisir le bras de Townsend, mais Ezra Gould l'avait devancé. Le tenant d'une main ferme, Gould déclara :

« Sortons d'ici, Noah. Vous n'êtes plus vous-même. Je vous raccompagne chez vous. »

Toujours secoué de sanglots, Townsend se laissa entraîner vers les ascenseurs. Les regards des curieux les suivirent.

Gould se tourna vers Andrew et, poussant légèrement Townsend devant lui, suggéra :

« Restez ici, Andrew. Voyez quels sont les patients traités par Townsend aujourd'hui, et vérifiez les instructions qu'il a pu donner. Faites vite. Il ne faut pas que cela se répète... Vous comprenez? »

Andrew acquiesça.

Il regarda à regret les deux autres s'éloigner.

En arrivant devant les ascenseurs, Townsend se mit à pousser des hurlements hystériques et à se débattre. Quelque chose en lui semblait s'être brisé. Il avait brusquement perdu toute dignité et toute grandeur. La porte d'un ascenseur s'ouvrit, et Gould poussa Townsend à l'intérieur. Quand la porte se referma, les cris se firent encore entendre un moment avant de s'assourdir puis de s'éteindre, laissant Andrew seul dans un silence de désolation.

Ce soir-là, Ezra Gould téléphona à Andrew chez lui, après le dîner.

« Je veux vous voir, déclara le chef de service. Ce soir même. Où est-ce le plus pratique? Je peux venir chez vous, si vous voulez.

— Non, suggéra Andrew, retrouvons-nous plutôt à l'hôpital. »

Il ne s'était pas encore senti le courage de parler de Noah à Celia et, bien qu'elle eût, comme toujours, compris qu'il avait des problèmes, elle s'était bien gardée de l'interroger.

Quand Andrew arriva à St. Bede's, le docteur Gould était déjà dans son bureau.

« Entrez, dit-il, et veuillez fermer la porte. (Il prit une bouteille de whisky et deux verres dans un tiroir.) C'est contraire au règlement, dit-il, et je le fais bien rarement. Mais ce soir j'en ai grand besoin. Puis-je vous servir aussi?

— Oui, je vous remercie », répondit Andrew.

Gould versa le whisky, y ajouta de l'eau et des glaçons, et ils burent une longue gorgée en silence.

Puis Gould expliqua :

« Je n'ai pratiquement pas quitté Noah depuis ce matin. Il y a plusieurs choses que je tiens à vous dire. La première – puisque cela concerne votre cabinet et la clientèle de Noah – c'est que Townsend n'exercera plus jamais la médecine.

— Comment va-t-il? s'enquit Andrew.

— Demandez-moi plutôt *où* il est. (Gould fit tourner un moment son whisky dans le verre.) Il est hospitalisé dans une clinique psychiatrique de

Newark. D'après les spécialistes que j'ai rencontrés, il est fort peu probable qu'il puisse en sortir un jour. »

D'une voix lasse, Gould décrivit les événements de l'après-midi. A un moment, il observa sombrement :

« J'espère ne plus jamais avoir à revivre un tel cauchemar. »

En arrivant au rez-de-chaussée de St. Bede's, après avoir quitté Andrew, le docteur Gould était parvenu à enfermer Townsend, qui hurlait toujours, dans une pièce inoccupée, et à téléphoner pour réclamer de toute urgence le psychiatre de service. Quand celui-ci arriva, ils maîtrisèrent Townsend tant bien que mal, et lui administrèrent un sédatif. Townsend ne pouvait pas être ramené chez lui dans cet état, de sorte que le psychiatre avait passé quelques brefs coups de téléphone, puis accompagné de Gould, l'avait emmené en ambulance dans cette clinique de Newark.

A leur arrivée, l'effet du sédatif s'était dissipé, et Townsend devint si violent que l'emploi de la camisole fut inévitable. « Mon Dieu, ce fut atroce! » Gould tira un mouchoir de sa poche et s'épongea le visage.

Il était désormais clair que Noah Townsend avait sombré dans la démence.

Comme Ezra Gould l'expliqua à Andrew :

« On aurait dit que – depuis très longtemps, et parce qu'il se droguait bien sûr – Noah avait vécu comme une coquille vide. Dieu sait comment il arrivait à tenir, mais il y parvenait. Et puis, brusquement, le choc d'aujourd'hui a réduit la coquille en miettes... plus rien ne fonctionnait à l'intérieur et il ne restait plus rien à sauver. »

Ensuite, il y avait de cela une heure, Gould était allé voir la femme de Noah.

Andrew sursauta. Au cours de ces derniers jours, au cœur de tous ces événements, il n'avait pas un seul instant pensé à Hilda.

« Comment l'a-t-elle pris ? » demanda-t-il.

Gould réfléchit avant de répondre.

« Il est difficile de le savoir. Elle n'a pas dit grand-chose, et elle ne s'est pas effondrée. J'ai eu l'impression qu'elle s'attendait à quelque chose, sans trop savoir quoi. Je crois que vous feriez mieux d'aller vous-même lui rendre visite demain.

— Oui, dit Andrew. J'irai. »

Gould hésita. Puis, regardant Andrew droit dans les yeux, il dit :

« Il y a encore une chose dont il nous faudra discuter, Andrew. C'est le problème du mort, Wyrazik.

— Autant vous dire tout de suite, répondit Andrew d'une voix assurée, que je n'ai pas l'intention de m'associer à une opération de couverture.

— Très bien, répliqua Gould, devenu cinglant. Alors laissez-moi vous demander ceci : Que comptez-vous faire ? Allez-vous faire une déclaration publique ? Une conférence de presse, peut-être ? Après quoi vous vous offrirez comme témoin à charge dans un beau procès ? Irez-vous aider un avocat chasseur de primes à dépouiller la femme de Noah de tout l'argent qu'il a pu mettre de côté pour leurs vieux jours ? Allez-vous faire condamner cet hôpital à des dommages et intérêts bien supérieurs à ce que notre assurance pourra garantir, et qui risqueront de nous briser les reins, de nous obliger à fermer tout ou partie de l'établissement ?

— Rien de tout cela ne peut arriver, protesta Andrew.

— Si, cela pourrait fort bien se produire. Vous avez sûrement lu assez d'histoires concernant les avocats requins pour savoir de quoi ils sont capables.

– Ce problème-là ne me concerne pas, dit Andrew. Ce qui compte, c'est la vérité.

– La vérité compte pour nous tous, vous n'en avez pas le monopole. Mais, dans certaines circonstances, il est nécessaire que la vérité soit atténuée pour des raisons valables. (Sa voix se fit persuasive.) Maintenant, écoutez-moi bien, Andrew. Laissez-moi finir. (Le chef de service marqua un temps d'arrêt.) La sœur du défunt, Mlle Wyrazik, est arrivée cet après-midi du Kansas. Len Sweeting l'a vue. C'est une très brave femme, d'après lui, un peu plus âgée que son frère. Cette perte lui cause évidemment de la peine. Mais ils n'étaient pas très proches, de sorte qu'il ne s'agit pas pour elle d'un deuil insupportable. Il y a aussi un père dans le Kansas, mais il est atteint de la maladie de Parkinson à un stade assez avancé; il ne lui reste plus beaucoup de temps à vivre.

– Je ne vois pas ce que...

– Vous allez le voir. Écoutez! (Gould marqua une nouvelle pause avant de reprendre.) La sœur de Wyrazik n'est pas venue pour faire des histoires. Elle a posé peu de questions. Elle a même déclaré que la santé de son frère avait toujours été fragile. Elle veut une cérémonie crématoire et elle compte emporter ensuite les cendres dans le Kansas. Mais elle a des problèmes d'argent. Len s'en est aperçu en parlant avec elle.

– Alors elle a droit à une aide. C'est même bien le moins...

– Exactement! Nous sommes tous d'accord sur ce point, Andrew. Qui plus est, le problème de l'aide financière peut très bien s'arranger.

– Comment cela?

– Len et Fergus McNair ont trouvé le moyen. Ils y

ont passé l'après-midi. Peu importent les détails; ni vous ni moi n'avons besoin de les connaître. Mais le fait est que nos assureurs, à qui nous avons confidentiellement expliqué l'affaire, ont intérêt à la voir se terminer rapidement. Wyrazik envoyait régulièrement de l'argent à son père pour payer une partie de ses frais médicaux. Ces envois pourraient être poursuivis, disons même augmentés. Les funérailles de Wyrazik seront entièrement prises en charge. Enfin une pension décente pourrait être versée à la sœur jusqu'à la fin de ses jours.

— Comment lui expliquerez-vous cela sans reconnaître la responsabilité de l'hôpital? Supposons que cela éveille ses soupçons...

— Le risque existe, reconnut Gould, mais Len et McNair le croient nul, et ils sont juristes, après tout. Ils estiment pouvoir agir discrètement. La personnalité de cette demoiselle Wyrazik y est sans doute pour quelque chose. L'essentiel, c'est que nous éviterons ainsi le ridicule d'une condamnation à des millions de dollars.

— Je suppose que le ridicule dépend beaucoup du point de vue où l'on se place. »

Le chef de service eut un geste d'impatience.

« Essayez de vous rappeler ceci : Il n'y a pas d'épouse dans l'affaire ni d'enfants avec des études à assurer — uniquement un vieil homme déjà mourant, et une femme entre deux âges qui sera raisonnablement prise en charge. (Gould s'interrompit pour demander :) A quoi songez-vous donc? »

Andrew avait souri à l'évocation de la sœur de Wyrazik.

« Une idée cynique m'a effleuré l'esprit. Si vraiment il fallait que Noah tue un patient, il n'aurait pas pu en choisir un qui soit plus obscur! »

Gould haussa les épaules.

« La vie est pleine de hasards. Celui-ci s'est trouvé sur notre chemin, voilà tout. Alors?

— Alors quoi?

— Eh bien, allez-vous faire une déclaration publique? Allez-vous alerter la presse? »

Andrew riposta, exaspéré :

« Bien sûr que non. Je n'en ai jamais eu l'intention. Vous le saviez bien.

— Et vous n'avez pas à le déplorer. Vous avez déjà agi selon votre conscience en communiquant ce que vous saviez à la direction de l'hôpital. Vous n'êtes plus concerné par ce qui se passe ensuite. Personne ne vous demande de mentir et si, pour je ne sais quelle raison, on venait à apprendre ce qui s'est passé et qu'on vous interroge, vous diriez naturellement la vérité.

— Et que ferez-vous de votre côté? Apprendrez-vous à Mlle Wyrazik la vraie cause du décès de son frère?

— Non, répliqua Gould. Nous sommes quelques-uns à avoir une lourde responsabilité dans cette affaire, beaucoup plus lourde que la vôtre. Nous l'assumerons. Nous n'avons après tout que ce que nous méritons. »

Dans le silence qui suivit, Andrew songea qu'Ezra Gould venait de reconnaître à mots couverts qu'Andrew avait eu raison, et les autres tort, lorsque, quatre ans auparavant, il avait tenté d'aborder le problème de l'asservissement de Townsend à la drogue, et qu'il avait essuyé une rebuffade. Andrew était maintenant certain qu'à l'époque Leonard Sweeting avait informé les autres de leur entretien.

Il ne fallait sans doute attendre aucun aveu plus clair que celui-ci; jamais ces choses-là ne se faisaient par écrit. Mais au moins, songea Andrew, ils avaient appris quelque chose — lui-même, Sweeting, Gould et les autres. Malheureusement, la leçon venait trop tard pour aider Townsend ou Wyrazik.

Dans l'ensemble, ce qu'avait dit Gould était assez logique. Il était vrai que personne ne demandait à Andrew de mentir : on lui conseillait simplement de se taire. C'était une façon comme une autre de participer à l'étouffement de cette affaire. Mais à qui d'autre aurait-il pu se confier, et qu'y aurait-il gagné ? Quoi qu'il arrive, Kurt Wyrazik ne reviendrait pas à la vie et, quant à Noah Townsend, il avait été – tragiquement mais nécessairement – écarté de la scène, et n'allait plus menacer personne.

« D'accord, promit Andrew au chef de service. Je ne ferai rien de plus.

– Merci. (Gould consulta sa montre.) La journée a été longue. Je vais rentrer chez moi. »

Andrew alla voir Hilda le lendemain après-midi.

Townsend avait soixante-trois ans, et Hilda quatre de moins. Pour son âge, elle restait séduisante et elle avait gardé une silhouette élancée. Son visage était sans rides et ses cheveux gris avaient une coupe jeune. Elle arborait ce jour-là un pantalon de toile blanche avec une blouse en soie bleue. Son cou s'ornait d'une fine chaîne d'or.

Andrew s'était attendu à lui voir le visage las, peut-être les yeux rougis. Il n'en était rien.

Les Townsend habitaient une charmante petite maison à deux étages dans Hill Street, à Morristown, tout près du cabinet médical, situé à l'angle de Franklin Street et Elm Street de sorte que par beau temps Noah Townsend s'y rendait à pied. Ils n'avaient pas de domestiques, et Hilda vint elle-même ouvrir la porte, puis elle introduisit Andrew au salon. Tous les meubles de la pièce, qui donnait sur un jardin, étaient dans une harmonie de bruns très doux et de beige.

Lorsqu'ils furent assis, Hilda proposa d'un ton très naturel :

« Voulez-vous boire quelque chose, Andrew? Du thé?

— Non merci. (Il hocha la tête, puis déclara :) Hilda, je ne sais que vous dire, sinon que... je suis terriblement navré. »

Elle acquiesça, comme si elle s'était attendue à ces paroles, puis demanda :

« Cela vous faisait-il peur de venir me voir?

— Un peu, oui, admit-il.

— Je m'en doutais. Mais ce n'est pas la peine. Et ne soyez ni surpris ni choqué de voir que je ne pleure pas, que je ne me tords pas les mains, que je ne fais rien de ce que font les femmes sous le coup de l'émotion. »

Ne sachant que répondre, il se contenta de dire :

« Bien. »

Hilda poursuivit, comme si elle ne l'avait pas entendu.

« Je l'ai fait si souvent, et pendant si longtemps, que tout cela est passé désormais. J'ai tant pleuré, pendant tant d'années, que mes larmes se sont taries. Je pensais que mon cœur se brisait en morceaux, à regarder Noah se détruire ainsi. Et comme je ne pouvais rien lui faire entendre, j'en suis arrivée à croire que mon cœur s'était durci en ne laissant en moi qu'une pierre. Cela vous semble-t-il logique?

— Sans doute, oui », répondit Andrew, en se disant : Comme nous connaissons peu les souffrances des autres! Pendant des années, Hilda Townsend avait dû vivre derrière un mur de dissimulation, un mur dont Andrew n'avait jamais rien su ni soupçonné. Il se souvint aussi des paroles d'Ezra Gould la veille au soir. « *Elle n'a pas dit grand-chose... J'ai eu l'impression qu'elle s'attendait à quelque chose, sans savoir trop quoi.* »

« Vous le saviez, vous, n'est-ce pas, que Noah se droguait? demanda Hilda.

– Oui. »

Elle prit un ton accusateur.

« Vous êtes médecin. Pourquoi n'avez-vous rien fait?

– J'ai essayé. A l'hôpital, il y a quatre ans.

– Et personne n'a voulu vous écouter?

– En effet.

– Auriez-vous pu insister?

– Oui. Avec le recul, je pense que j'aurais pu insister. »

Elle soupira.

« Vous n'auriez sans doute pas réussi. (Brusquement, elle changea de sujet.) Je suis allée voir Noah, ce matin. Ou plus exactement, j'ai essayé. Il délirait. Il ne m'a pas reconnue. Il ne reconnaît personne.

– Hilda, dit Andrew très doucement, puis-je être utile à quelque chose? »

Elle ignora la question.

« Celia a-t-elle bien conscience de sa culpabilité dans ce qui s'est passé? »

La question le déconcerta.

« Je ne lui ai encore rien dit. Je le ferai ce soir. Mais de quelle culpabilité...

– Elle *devrait* pourtant! (Hilda cria ces mots d'un ton farouche.) Celia fait partie de ce monde cupide et brutal qui distribue la drogue et en tire profit. Ils font *n'importe quoi* pour circonvenir les médecins et forcer les gens, même quand ils n'en ont pas besoin, à consommer ces saletés! Ils font *n'importe quoi*! »

214

Andrew répliqua doucement :

« Aucune firme pharmaceutique n'a forcé Noah à goûter aux drogues qu'il prenait.

– Peut-être pas ouvertement. (Le ton de Hilda montait.) Mais Noah se droguait, et il n'était pas le seul, parce que les laboratoires *submergent* les médecins avec leurs produits. C'est un véritable déluge! Des publicités insidieuses, astucieuses au possible, il y en a à toutes les pages des revues médicales, et dans ces avalanches de courrier, sans parler des voyages gratuits, des réceptions, des bouteilles d'alcool – tout ça pour leur bourrer la tête de drogues, TOUJOURS DE DROGUES! Tous les laboratoires, TOUS, inondent les médecins d'échantillons, leur en promettent autant qu'ils peuvent en vouloir, il suffit de demander! Aucune restriction, jamais aucune question! Et vous le savez très bien, Andrew. (Elle s'interrompit un instant.) Je veux vous poser une question.

– Je vous promets de répondre si je le peux.

– Beaucoup de visiteurs médicaux allaient le voir à son cabinet. Pensez-vous que certains d'entre eux aient pu savoir qu'il se droguait? »

Andrew réfléchit. Il se rappela l'invraisemblable profusion de médicaments qui encombraient le bureau de Noah.

« Oui, répondit-il, oui, je pense qu'ils devaient le savoir.

– Et pourtant, cela ne les a pas arrêtés, n'est-ce pas? Ils se contentaient de l'approvisionner, de lui donner tout ce qu'il voulait. De l'aider à se détruire. Voilà dans quel monde pourri, *ignoble*, votre femme travaille, Andrew, et je le *hais*!

– Ce que vous dites n'est pas faux, Hilda, loin de là, reconnut-il. Même si vous oubliez certains aspects positifs, sachez que je comprends ce que vous devez ressentir.

– Ah! oui! vraiment? (La voix d'Hilda exprimait un mélange d'amertume et de mépris.) Alors, expliquez-le à votre femme. Peut-être envisagera-t-elle de changer d'activité. »

Puis, comme si une force longtemps refoulée se libérait enfin, elle enfouit sa tête dans ses mains et pleura.

CHAPITRE 16

LA seconde moitié des années 60 vit l'éclosion des mouvements de libération de la femme. En 1963, Betty Friedan avait publié *La Mystique féminine* : véritable déclaration de guerre à l'inégalité qui faisait des femmes des « citoyennes de seconde classe », il devint très vite la bible des féministes. On entendait désormais souvent la voix de Friedan; Germaine Greer et Kate Millett se joignirent au mouvement, lui conférant un style artistique et littéraire. Et Gloria Steinem représenta le trait d'union entre la revendication des femmes, le journalisme, et la politique féministe.

Les mouvements de libération des femmes attiraient aussi les sarcasmes. Abbie Hoffman, alors célèbre dans le camp de la contre-culture, déclara : « La seule alliance que j'accepterais de conclure avec le M.L.F., c'est au lit. » Quant aux historiens, toujours prêts à rappeler qu'il n'y a rien de neuf sous le soleil, ils firent observer qu'en Angleterre, dès 1792, une certaine Mary Wollstonecraft avait publié une courageuse revendication des Droits de la Femme, où elle expliquait que « les tyrans et les sensualistes... s'efforcent de maintenir les femmes dans l'obscurité, car les premiers veulent des esclaves, et les seconds des objets de plaisir ».

Mais, dans les années 60, nombreux furent ceux qui prirent le mouvement au sérieux, et bien des hommes firent leur examen de conscience.

Celia fut enthousiasmée par la libération des femmes. Elle acheta plusieurs exemplaires de *La Mystique féminine* et les offrit aux cadres supérieurs de Felding-Roth. Vincent Lord lui rendit le livre avec un petit mot : « Je n'ai que faire de ces sornettes. » Mais Sam Hawthorne, sous l'influence de sa femme Lilian, fit montre d'une plus grande compréhension. Il déclara à Celia :

« Vous êtes la preuve même que notre firme ne pratique aucune discrimination sexiste. »

Celia secoua énergiquement la tête :

« J'ai dû me battre pour arriver où j'en suis, Sam, grâce à votre aide, mais aussi en luttant contre les préjugés masculins, et vous le savez fort bien.

— Mais vous n'avez plus à le faire.

— Parce que j'ai fait mes preuves, et que je suis utile. Mais cela fait de moi un monstre, une exception. Et vous savez le peu de succès que j'ai, quand je demande qu'on engage plus de femmes comme délégués. »

Il se mit à rire.

« D'accord, j'avoue. Mais les mentalités évoluent. Et vous restez le meilleur exemple qu'un homme puisse trouver, en ce qui concerne l'égalité. »

Cependant, Celia ne milita pas pour la cause des femmes. Elle considérait – égoïstement, elle se l'avouait – que, d'une part, elle n'en éprouvait aucun besoin personnel et d'autre part, elle n'en avait pas le temps.

Elle travaillait toujours dans le secteur des O.T.C. à la tête de Bray & Commonwealth. Malgré la promesse de mutation faite par Sam, on ne lui avait toujours pas proposé de nouvelles fonctions, et il semblait avoir fait preuve d'optimisme en lui conseillant de « patienter quelques mois ».

En attendant, Celia partageait les inquiétudes d'Andrew au sujet de Noah et de son internement dans un hôpital psychiatrique. A mesure que le temps passait, la prédiction du docteur Gould semblait, hélas! se vérifier : Noah ne sortirait sans doute plus jamais de cette clinique.

Andrew avait répété à Celia la tirade de Hilda Townsend sur les laboratoires pharmaceutiques et leur politique de distribution de produits en quantités illimitées, et avait été surpris de l'entendre acquiescer.

« Hilda a raison. Le nombre de médicaments distribués est exorbitant et je suppose que nous le savons tous. Mais c'est la concurrence qui a créé cette situation. A l'heure actuelle, aucun laboratoire ne pourrait envisager de faire machine arrière sans en payer chèrement les conséquences.

— Sans doute les laboratoires pourraient-ils s'entendre pour procéder à un recul collectif, hasarda Andrew.

— Non. Même s'ils le voulaient, ce serait une entente illicite.

— Alors, que fait-on d'un cas comme celui de Noah? Où les visiteurs médicaux devaient bien savoir, ou en tout cas se douter, que Noah était complètement drogué. Avaient-ils le droit de continuer à l'approvisionner?

— Noah se droguait, mais il restait un médecin, fit observer Celia. Et tu sais parfaitement, Andrew, que de toute façon les médecins peuvent se procurer toutes les drogues qu'ils veulent. Si Noah n'avait pas pu se faire approvisionner par les visiteurs médicaux, il se serait tout simplement signé des ordonnances – et il le faisait peut-être, d'ailleurs. (Elle ajouta avec véhémence :) Si le corps médical ne fait rien quand les médecins se droguent, pourquoi voudrait-on que les laboratoires pharmaceutiques agissent autrement?

– Tu as raison, admit Andrew. Je n'ai rien à répondre à cela. »

En août 1967, le changement tant attendu survint dans la carrière de Celia.

Peu avant, un événement important s'était produit. Vers la fin de l'année 1966, Sam Hawthorne avait été nommé directeur adjoint, et il devint évident que, à moins d'un incident, il se trouverait un jour à la tête de Felding-Roth. Les prévisions de Celia, dix ans auparavant, sur le choix d'un mentor au sein de la compagnie semblaient donc bien près de se réaliser.

Ce fut Sam qui la convoqua et, avec un sourire, lui annonça :

« Le pensum des O.T.C. est terminé. »

Sam était désormais installé dans un bureau somptueux, complété par une vaste salle de réunions. Il ne disposait plus d'une secrétaire postée à la porte de son bureau, mais de deux. Au moment de sa prise de fonction, il avait confié à Celia :

« C'est bien le diable si je sais à quoi les occuper? Je crois qu'elles se dictent mutuellement des lettres. »

Cette fois, Sam déclara :

« Je vous offre le poste de directrice des produits pharmaceutiques pour l'Amérique latine. Si vous acceptez, vous aurez votre bureau ici, mais vous serez souvent absente – il faudra voyager beaucoup. (Il posa sur elle un regard interrogateur.) Qu'en pensera Andrew? Et vous, avec les enfants? »

Celia répondit sans hésiter :

« Nous nous organiserons. »

Sam eut un hochement de tête approbateur.

« Je comptais bien vous entendre répondre ainsi. »

La nouvelle ravit Celia et la remplit d'impatience. Elle n'ignorait pas que l'industrie pharmaceutique développait son implantation à l'étranger. Il s'agissait là d'une excellente promotion, meilleure que ce qu'elle avait espéré.

Devinant ses pensées, Sam déclara :

« L'avenir est international, dans le domaine des ventes. Jusqu'à présent, nous n'avons qu'effleuré la surface des choses, surtout en Amérique latine. (Il fit un geste de la main.) Retournez chez vous. Annoncez la nouvelle à Andrew. Nous aurons tout le temps d'entrer dans les détails demain. »

Ainsi commencèrent les cinq années qui se révélèrent un véritable passage du Rubicon dans la carrière de Celia. Loin de compliquer la vie familiale des Jordan, ce changement aida à l'enrichir. Par la suite, Celia devait écrire à sa sœur Janet : « Nous en avons tous bénéficié de manière inattendue. Andrew et moi étions davantage ensemble quand il m'accompagnait dans mes voyages que nous ne pouvions l'être à la maison, où nous étions tous deux fort occupés par nos vies professionnelles. Quant aux enfants, qui voyageaient parfois avec nous, leur vision du monde s'élargit. »

A l'annonce de la nouvelle, Andrew se montra enthousiaste. Il était soulagé de voir s'achever la période Bray & Commonwealth et, s'il conçut quelques appréhensions quant aux séparations familiales que ces nouvelles responsabilités entraîneraient, il les garda pour lui. Sa réaction, comme celle de Celia, fut de dire : nous ferons tout pour que cela réussisse.

Puis, à la réflexion, Andrew décida de profiter de

ces circonstances pour voyager avec Celia quand il le pourrait. A un an de la quarantaine, Andrew n'était pas près d'oublier la leçon de Noah Townsend, dont la déchéance avait dû commencer par un excès de travail et d'agitation. Andrew avait vu d'autres médecins sombrer, peu à peu, dans l'obsession professionnelle, excluant tout le reste, au détriment de leur famille et d'eux-mêmes.

Dans le cabinet de groupe où il travaillait depuis onze ans en qualité de spécialiste en médecine interne – depuis l'année précédant son mariage – il était désormais l'associé majoritaire. Le deuxième médecin, Oscar Aarons, était un Canadien plein de vivacité et d'énergie, doté d'un humour à toute épreuve, en qui Andrew avait toute confiance; et leur amitié naissante lui procurait une très vive satisfaction. Quant au troisième, Benton Fox, c'était un jeune médecin de vingt-huit ans qui avait fait de brillantes études et paraissait destiné, à en juger par son premier mois de collaboration, à un avenir prometteur.

Quand Andrew fit part à Celia de son intention de l'accompagner parfois dans ses voyages, elle fut folle de joie; et il s'arrangea en effet pour aller avec elle en Amérique du Sud plusieurs fois par an. Il arrivait aussi, au hasard des vacances scolaires, que l'un ou l'autre des enfants – ou les deux l'accompagnent.

Tout cela était facilité par d'heureuses circonstances ménagères et familiales. Winnie August, leur jeune employée anglaise, avait depuis longtemps abandonné le projet de partir pour l'Australie et faisait pratiquement partie de la famille Jordan. Or elle s'était mariée au printemps 1967. Curieusement, l'époux s'appelait March – Hank March. Comme disait Winnie : « Si vraiment il fallait que je change de mois, je suis bien heureuse qu'au moins ce ne soit pas décembre[1]! »

En apprenant que Hank March, cet homme sympathique et actif qui avait l'habitude de travailler à l'extérieur, cherchait un emploi stable, Andrew lui offrit de devenir son chauffeur-jardinier et homme à tout faire. Comme cette offre comprenait le logement, elle fut acceptée avec joie par Winnie et Hank. Andrew était toujours aussi reconnaissant à Celia d'avoir eu la prévoyance, peu après leur mariage, d'acheter presque malgré lui une grande maison.

En peu de temps Hank leur devint aussi indispensable que l'était déjà sa femme – à présent Winnie March.

Andrew et Celia pouvaient ainsi s'absenter, avec ou sans leurs enfants, sans s'inquiéter pour la maisonnée.

Une note de tristesse familiale assombrit cette époque. La mère de Celia mourut d'un arrêt du cœur à la suite d'une crise d'asthme aiguë. Elle avait soixante et un ans.

Le décès de sa mère affecta beaucoup Celia. Malgré le tendre soutien d'Andrew et des enfants, elle éprouva un sentiment d'abandon qui persista très longtemps, bien que ce fût là, Andrew le lui assura, une réaction très naturelle.

« J'ai observé cela chez de nombreux patients, lui expliqua-t-il. La perte d'un second parent est en quelque sorte la coupure d'un cordon ombilical nous reliant à notre passé. Peu importe l'âge que nous avons pu atteindre, tant qu'il nous reste un parent vivant, nous gardons le sentiment de pou-

1. *August* : août; *march* : mars.

voir compter sur quelqu'un. Mais quand les deux ont disparu, nous savons que nous restons vraiment seuls. »

La sœur de Celia, Janet, revint à Philadelphie pour les obsèques, laissant au Proche-Orient son mari et leurs deux petits enfants. Janet et Celia passèrent ensuite quelques jours ensemble à Morristown, et se promirent d'essayer à l'avenir de se voir un peu plus souvent.

CHAPITRE 17

LES voyages passionnaient Andrew. Pendant que Celia travaillait avec les représentants locaux de Felding-Roth en Amérique latine, il explorait les dédales des vieux quartiers des villes, ou, s'il en avait l'occasion, observait les scènes de la vie rurale. Le parc Colon de Buenos Aires lui devint familier, ainsi que les immenses troupeaux des pampas. Il découvrit Bogota, enchâssé dans la splendeur des montagnes, où les ruelles en pente, les *calles*, ruisselaient de l'eau glacée des Andes, et où les antiques charrettes tirées par des mules disputaient l'espace aux automobiles. Au Costa Rica, Andrew apprit à connaître le plateau du Meseta Central, au cœur du pays, et, bien au-delà, les forêts touffues où poussaient le cèdre et l'acajou. Depuis les ruelles étroites et encombrées de la vieille ville de Montevideo, on pouvait se rendre dans les vallées de l'Uruguay où embaumaient les buissons de plantes aromatiques et la citronnelle. Il aimait également le dynamisme de São Paulo, au bord du Grand Escarpement, et, au-delà, les vastes plaines à la riche terre rouge, la *terra roxa*.

Quand les enfants voyageaient avec eux, Andrew les entraînait dans ses explorations. D'autres fois, il partait en reconnaissance, et Celia le rejoignait quand son travail le lui permettait.

L'un des plaisirs d'Andrew consistait à marchander dans les boutiques. Les *droguerias*[1] minuscules et encombrées d'objets hétéroclites le fascinaient tout particulièrement. Il parlait avec les pharmaciens, et réussissait parfois à s'entretenir avec des médecins du cru. Il connaissait déjà un peu d'espagnol et de portugais, et ces conversations le faisaient progresser. Celia étudiait aussi ces deux langues, et ils s'aidaient mutuellement.

Cependant, les voyages n'étaient pas tous couronnés de succès. Celia travaillait beaucoup. Il était parfois très difficile de résoudre les problèmes spécifiques de chaque pays. Elle rentrait alors épuisée, irritable. Cela favorisait les frictions comme il s'en produit dans tout couple. Mais ils ne devaient jamais oublier la querelle la plus vive et la plus acerbe de toute leur vie, un heurt de volontés et d'opinions.

La scène se déroula en Equateur et, comme la plupart des disputes conjugales, tout commença à propos d'un détail dérisoire.

Ils séjournaient avec Lisa et Bruce à Quito, la capitale située sur un haut plateau des Andes, une ville où la religion et la réalité entraient en conflit. D'une part, on voyait une profusion d'églises et de monastères regorgeant de trésors, d'autels flamboyant de dorures, de stalles sculptées, de crucifix d'ivoire et d'argent, et d'ostensoirs surchargés de pierreries. Et d'autre part on découvrait la misère, la saleté, une population rurale qui devait être la plus pauvre du continent, avec des salaires – pour ceux qui avaient la chance de trouver du travail – ne dépassant pas quelques francs par jour.

1. *Droguerias* : pharmacies.

Contrastant également avec la misère environnante, l'hôtel Quito, où la famille Jordan occupait une suite, était somptueux. Celia avait passé une journée particulièrement éprouvante en compagnie du *gerente local*, le señor Antonio José Moreno.

Moreno, gros homme fort content de lui-même, avait clairement fait comprendre que toute visite de la direction de Felding-Roth constituait non seulement une intrusion sur son territoire, mais aussi un affront personnel à sa compétence. Par ailleurs, chaque fois que Celia suggérait un changement de procédure, il lançait la réponse classique de l'Amérique latine, qu'elle connaissait désormais fort bien : « *En este pais, asi se hace, señora.* » Lorsque Celia expliquait que cette attitude de « Ici c'est comme ça » risquait de faire triompher l'inefficacité et, parfois, d'être contraire à l'éthique, elle se voyait opposer la même réplique accompagnée d'un haussement d'épaules.

Celia se préoccupait surtout du fait que les médecins équatoriens recevaient une information insuffisante sur les produits Felding-Roth, et souvent même erronée quant à leurs effets indésirables. Quand elle le fit observer à Moreno, il répondit : « Les autres laboratoires agissent ainsi. Nous aussi. En dire trop long sur des choses qui n'arriveront peut-être pas nous serait *perjudicial*[1]. »

Bien qu'elle fût son supérieur hiérarchique, Celia savait que Moreno, seul sur le terrain et excellent vendeur, interpréterait d'éventuels ordres comme il le voudrait, en jouant au besoin sur des différences de langage.

En rentrant dans le salon, encore exaspérée par une journée où elle avait dû réprimer sa colère, Celia demanda à Andrew :

1. *Perjudicial* : préjudiciable.

« Où sont les enfants?

– Couchés. Ils dorment. Ils ont décidé de se mettre au lit de bonne heure. Nous avons eu une dure journée. »

L'idée de ne pas voir Lisa et Bruce comme elle l'avait espéré, ajoutée à ce qui lui parut de la froideur dans le ton d'Andrew, l'irrita encore davantage, et elle lança d'une voix coupante :

« Tu n'es pas le seul à avoir eu une journée affreuse.

– Je n'ai pas dit affreuse. Simplement dure. Bien que j'aie, personnellement, eu des moments franchement déplaisants. »

L'altitude de Quito – à près de trois mille mètres au-dessus du niveau de la mer – les affectait tous les deux. Chez Celia, cela se traduisait par une lassitude physique qui renforçait son humeur abattue, tandis que, chez Andrew, cela accentuait une certaine agressivité, très différente de son enjouement habituel.

Celia répéta :

« Des moments franchement déplaisants! Je me demande de quoi tu parles.

– Je parle de *cela*! »

Andrew désigna d'un doigt accusateur un amoncellement de fioles et d'emballages pharmaceutiques sur la table. Avec une expression dégoûtée, elle rétorqua :

« J'ai assez vu de tout cela aujourd'hui. Je te suggère d'en débarrasser la table.

– Ah! bon, cela ne t'intéresse pas? »

Il parlait d'une voix sarcastique.

« Pas le moins du monde!

– Franchement, je m'y attendais. Parce qu'il s'agit des laboratoires pharmaceutiques, et ce n'est pas joli à entendre. (Andrew prit un petit flacon en plastique.) Aujourd'hui, en me promenant avec les enfants, j'ai fait quelques achats, et j'ai posé des questions. (Il ouvrit le flacon et le renversa dans sa main.) Sais-tu ce que sont ces comprimés?

— Bien sûr que non! (Celia s'était laissée tomber dans un fauteuil et ôtait ses chaussures.) Et en plus, je m'en fiche.

— Eh bien, tu as tort! C'est de la Thalidomide, et je l'ai achetée aujourd'hui dans une *Drogueria* sans ordonnance. »

La réponse heurta Celia de plein fouet et l'entretien aurait pu en rester là, mais Andrew poursuivit :

« Le fait que j'ai pu les acheter, *cinq ans après leur retrait du marché*, ainsi que d'autres produits dangereux vendus ici sans avertissement particulier, pour la simple raison qu'il n'existe pas de service ministériel pour exiger un étiquetage complet, c'est typique de la désinvolture des laboratoires américains, y compris ton cher Felding-Roth! »

L'injustice — pour Celia qui avait passé l'essentiel de sa journée à tenter de changer précisément ce qu'Andrew critiquait — la plongea dans une fureur noire. Au lieu de parler à Andrew comme elle avait d'abord compté le faire, des humiliations que lui avait infligées Moreno, elle lui lança sa version de la réponse de Moreno.

« Que connais-tu des problèmes et des règlements locaux, hein? Quel droit as-tu de venir dicter aux Equatoriens la façon dont ils doivent se gouverner? »

Andrew blêmit.

« Le droit que j'ai, c'est que je suis *médecin*! Et je sais que les femmes enceintes utilisant ces comprimés auront des enfants avec des nageoires à la place des bras. Sais-tu ce que m'a dit le pharmacien aujourd'hui? Il m'a dit que, oui, il avait entendu parler de la Thalidomide, mais il ne savait pas que ces comprimés en étaient, parce qu'ils s'appellent *Ondasil*. Au cas où tu ne le saurais pas, ou ne voudrais pas le savoir, la Thalidomide s'est vendue *sous cinquante-trois noms différents.* (Sans attendre de réaction, il tonna :) Pourquoi donne-t-on toujours des noms différents aux médicaments ? Certainement pas pour aider les patients ou leurs médecins ! La seule raison qu'on puisse imaginer, c'est de semer la confusion pour aider les laboratoires en cas de problème. A propos de problèmes, regarde ça ! »

Andrew choisit un autre flacon et le lui tendit. Celia lut sur l'étiquette : Chloramphénicol.

« Si tu achetais cela aux Etats-Unis, il y aurait sur l'emballage un avertissement au sujet des effets indésirables, et en particulier sur le risque d'agranulocytose mortelle. Mais pas ici ! pas un seul mot ! »

Il prit un autre médicament sur la table.

« J'ai trouvé celui-ci aujourd'hui aussi. Regarde donc cette Lotromycine de Felding-Roth, que nous connaissons bien tous les deux. Nous savons qu'il ne devrait pas être employé en cas de dysfonction rénale, ni par des femmes enceintes ou allaitant leur enfant. Mais y a-t-il une notice d'avertissement ? Aucune ! Qu'importe si des gens souffrent ou meurent faute d'avoir été alertés ? Qu'importe à Felding-Roth ? Qu'importe à Celia Jordan ? »

Elle hurla :

« Comment oses-tu me parler ainsi ! »

Andrew se laissa emporter.

« J'ose, répliqua-t-il farouchement, parce que je t'ai vue changer. Changer peu à peu, pendant onze ans. Au début tu avais un idéal, tu étais honnête et droite, puis tu t'es relâchée un peu, et tu t'es laissée aller à vendre des cochonneries inutiles, et maintenant tu en arrives là – à te servir d'excuses qui n'en sont pas pour justifier l'injustifiable, mais tu ne l'admettras devant personne, pas même moi. (Sa voix monta encore d'un ton.) Qu'est devenue la jeune idéaliste qui m'avait apporté la Lotromycine et qui voulait élever la moralité de l'industrie pharmaceutique, cette fille qui s'était dressée lors du congrès pour parler haut et fort des méthodes de vente? Tu veux savoir ce qu'elle est devenue? Je crois qu'elle s'est vendue. »

Andrew s'interrompit un instant, puis reprit d'un ton cinglant :

« L'ambition et la réussite en valaient-elles la peine?

– Salaud! »

Sans réfléchir, Celia se pencha, ramassa une de ses chaussures, et la lança de toutes ses forces sur Andrew. Le talon aiguille l'atteignit au visage, et le blessa d'une entaille où le sang coula. Mais Celia ne s'en aperçut pas. Aveuglée par la colère, elle crachait des paroles venimeuses.

« Qui t'a donné le droit d'être aussi arrogant quand il s'agit de morale et d'idéal? Où était-il donc, ce précieux idéal, quand tu n'as rien fait pour Noah Townsend, *et que tu l'as laissé exercer la médecine pendant près de cinq ans, en sachant qu'il se droguait et qu'il représentait un danger permanent pour lui-même et pour ses patients*? Et ne rejette pas la faute sur l'hôpital! *Leur* inaction n'excuse pas la tienne! Tu le sais! »

» Et que dire de ce patient, poursuivit Celia enragée, le jeune Wyrazik? Est-ce vraiment Noah qui l'a tué, ou bien *toi*? C'est toi, car tu n'as rien fait pour Noah quand tu aurais pu, tu as attendu qu'il soit trop tard. Est-ce que ça ne t'empêche pas de dormir parfois? Est-ce que tu ne te sens pas coupable? Tu devrais pourtant! Et ne te demandes-tu jamais s'il n'y a pas eu d'autres morts par la faute de Noah, au cours de ces cinq années, d'autres dont tu ne sais rien, *et qui sont décédés à cause de ta négligence?* Tu m'entends, *espèce d'hypocrite? Réponds-moi!* »

Brusquement, Celia se tut. Elle se tut non seulement parce qu'elle se trouvait à court de mots, mais parce qu'elle n'avait jamais vu pareille angoisse sur les traits d'Andrew. Elle se couvrit la bouche de sa main.

« Mon Dieu! murmura-t-elle. Qu'ai-je fait! »

Puis ce ne fut plus uniquement l'angoisse qu'elle lut sur le visage d'Andrew, mais aussi l'épouvante, à cause d'une chose qui se passait derrière elle. Suivant son regard, Celia se retourna. Deux petites silhouettes en pyjama étaient entrées. Dans leur explosion de rage, les deux parents avaient oublié Lisa et Bruce, couchés dans la chambre voisine.

« Maman! Papa! » C'était la voix de Lisa, étranglée de larmes.

Bruce sanglotait.

Celia s'élança vers eux, en larmes, les bras tendus. Mais Lisa fut plus rapide. Esquivant sa mère, elle s'élança vers son père.

« Papa, tu es blessé! (Elle vit alors la chaussure, dont le talon portait des traces de sang.) Maman! Comment as-tu pu faire cela! »

Andrew porta la main à son visage, qui saignait encore. Il y avait du sang partout – sur ses mains, sur sa chemise, sur le tapis.

Bruce rejoignit Lisa et s'agrippa, lui aussi, à son père, tandis que Celia les regardait, honteuse et impuissante.

Ce fut Andrew qui prit la situation en main.

« Non! dit-il aux enfants. Ne faites pas cela! Ne prenez pas parti! Votre mère et moi avons été idiots. Nous avions tort tous les deux, et nous avons

232

honte. Nous en reparlerons tous ensemble un peu plus tard. Mais nous formons une vraie famille, une famille unie. »

Ils se retrouvèrent brusquement enlacés tous les quatre, bouleversés, comme pour ne plus jamais se déchirer entre eux.

Peu après, ce fut Lisa qui se détacha pour aller chercher dans la salle de bain des serviettes humides, et nettoyer la blessure du visage de son père.

Beaucoup plus tard, quand les enfants furent recouchés et endormis. Andrew et Celia s'étreignirent, et firent l'amour avec plus de passion et d'abandon qu'ils ne l'avaient fait depuis longtemps. Sentant venir le plaisir, Celia cria : « Plus fort! Fais-moi mal! » Et renonçant à toute douceur, Andrew l'empoigna, s'enfonça en elle, la serra contre lui brutalement, encore et encore.

Il semblait que la flamme de leur querelle eût déchaîné d'autres passions que la colère, des passions qui soudain se fondaient entre elles.

Ensuite, bien qu'épuisés, ils parlèrent pendant presque toute la nuit, et la conversation se poursuivit le lendemain. « C'était le genre de discussion dont nous avions grand besoin, dit Andrew, mais que nous reportions toujours à plus tard. »

Ils reconnurent l'un et l'autre que, dans l'ensemble, chacun avait formulé des vérités dans ses accusations.

« Oui, admit Celia, il est vrai que j'ai fait taire certains de mes scrupules. Pas tous, et même, pas beaucoup, mais quelques-uns. Et j'ai effectivement, à certains moments, étouffé ma conscience. Je n'en suis pas fière, et j'aimerais pouvoir dire que je vais retourner en arrière et redevenir comme avant, mais pour être honnête — au moins dans ce domaine – je dois avouer que je ne suis pas certaine de le pouvoir.

– Je suppose, dit Andrew, que c'est aussi le fait d'avancer en âge. On se croit devenu sage, plus averti, et on l'est. Mais on a aussi appris en chemin qu'il existe des obstacles et des impondérables que l'idéalisme ne surmontera jamais, alors on abandonne son intransigeance.

– Je vais sérieusement tenter de m'améliorer, je te le promets. Pour que la scène d'hier ait servi à quelque chose.

– Je pense que c'est valable pour nous deux », suggéra Andrew.

Un peu plus tôt, il avait avoué à Celia :

« Tu as touché un nerf à vif, en me demandant s'il m'arrivait de ne pas pouvoir dormir, en songeant à la mort de Wyrazik et peut-être à d'autres. Aurais-je pu sauver Wyrazik en agissant plus tôt au sujet de Noah ? Oui, j'aurais pu, et rien ne sert de dire le contraire et de vivre dans le mensonge. La seule chose que je puisse dire, c'est que personne ne peut exercer la médecine pendant des années sans avoir quelque chose à se reprocher, sans savoir qu'il aurait pu faire mieux et peut-être sauver un patient qui est mort. Evidemment, cela ne devrait pas se produire souvent, mais, quand cela arrive, le mieux est d'espérer qu'on retiendra la leçon pour une autre fois. »

En épilogue à cet incident, Andrew se fit faire trois points de suture, le lendemain, par un médecin équatorien qui observa avec un sourire : « La cicatrice va rester, docteur. Comme ça votre femme ne pourra pas oublier. » Andrew lui avait raconté qu'il s'était blessé en escaladant des rochers; cette réflexion prouvait simplement que Quito était une petite ville, où les histoires circulaient vite.

« J'ai vraiment honte », dit Celia. Cela se passait

234

quelques heures plus tard, tandis qu'ils déjeunaient tous les quatre ensemble.

« Il n'y a pas de quoi! répliqua Andrew. J'avais envie de faire exactement la même chose. Mais c'est toi qui avais une chaussure sous la main, voilà tout. D'ailleurs, je vise beaucoup moins bien que toi. »

Celia secoua la tête.

« Ne plaisante pas là-dessus. »

Bruce, qui n'avait rien dit pendant tout le repas, prit alors la parole :

« Vous allez divorcer, maintenant? »

Son petit visage était grave. Sans doute cette question lui pesait-elle sur le cœur depuis un bon moment.

Andrew allait répondre avec désinvolture, quand Celia le fit taire d'un geste et répondit elle-même, d'une voix très douce :

« Brucie, je te promets, je te *jure* que tant que nous vivrons, ton père et moi, jamais cela n'arrivera.

— Et je te le jure aussi », ajouta Andrew.

Le visage de l'enfant s'illumina d'un sourire radieux, et celui de sa sœur aussi.

« Je suis content », conclut Bruce, et il apparut que c'était l'heureuse fin d'un cauchemar.

La famille Jordan fit d'autres voyages plus joyeux, au fil des cinq années que passa Celia dans le secteur Exportations. Quant à son travail, il se révélait extrêmement fructueux, ce qui accrut encore sa réputation à la direction générale de la Felding-Roth. En dépit de l'opposition qu'elle rencontra, Celia parvint même à gagner du terrain, en rapprochant l'étiquetage des produits Felding-Roth vendus en Amérique latine des normes précises qu'exigeait la loi aux Etats-Unis. Cependant, comme elle l'avoua à Andrew, ce progrès ne représentait « pas grand-chose ».

« Le moment viendra, prédisait-elle, où quelqu'un abordera le sujet au grand jour. Et là, que ce soit par de nouvelles lois ou sous la pression de l'opinion publique, nous serons contraints de faire ce que nous aurions dû faire depuis toujours. Mais le moment n'est pas encore venu. »

En revanche, Celia remarqua au Pérou une pratique qu'il lui parut intéressant d'appliquer. Dans ce pays, une proportion importante de représentants employés par Felding-Roth était constituée de femmes. La raison n'en était pas une politique avant-gardiste mais, comme le découvrit Celia, leur efficacité dans la vente. Au Pérou, il est grossier de faire attendre une femme; et les visiteuses médicales étaient donc introduites très rapidement dans le bureau du médecin, passant devant tous leurs concurrents masculins qui, eux, risquaient d'attendre plusieurs heures.

Cette observation valut à Sam de recevoir une longue note de Celia, l'engageant vivement à recruter davantage de visiteuses médicales pour couvrir le territoire national : « Je me souviens qu'à l'époque où j'étais moi-même visiteuse, il m'arrivait d'avoir à attendre, mais les médecins me recevaient le plus souvent sans retard, et je pense que c'était parce que j'étais une femme. Alors pourquoi ne pas tirer profit de notre avantage? »

Dans une discussion ultérieure, Sam lança :

« N'avez-vous pas le sentiment de suggérer l'avancement des femmes pour de fausses raisons? Il ne s'agit plus de libération des femmes mais d'exploitation de la féminité.

— Et pourquoi pas? répliqua Celia. Les hommes se sont servis de leur masculinité durant des siècles, et bien souvent au détriment des femmes, alors

236

c'est notre tour, désormais. Et puis, de toute façon, homme ou femme, nous avons tous le droit de tirer profit de ce que nous avons. »

Finalement, les suggestions de Celia furent prises au sérieux et, peu à peu, les autres laboratoires suivirent l'exemple de Felding-Roth.

Et pendant tout ce temps, au-delà du monde pharmaceutique, les événements suivaient leur cours. La tragédie du Viêt-nam prenait forme et s'amplifiait, et les jeunes Américains – l'élite d'une génération – allaient se faire tuer par des hommes de petite taille vêtus tout en noir, sans que personne sache vraiment pourquoi. On s'enflamma brièvement pour une religion du rock intitulée « Woodstock Nation », qui s'éteignit aussitôt après. En Tchécoslovaquie, l'Union soviétique mit un frein brutal à la liberté. Martin Luther King et Robert Kennedy furent assassinés. Nixon devint président des Etats-Unis et Golda Meir, premier ministre d'Israël. Jackie Kennedy épousa Aristote Onassis. Eisenhower mourut. Kissinger se rendit en Chine, Armstrong sur la Lune, et Edward Kennedy à Chappaquiddik.

Puis, en février 1972, à l'âge de cinquante et un ans, Sam Hawthorne devint président-directeur général de Felding-Roth. Son accession au pouvoir se fit brusquement, au cours d'une période difficile de l'histoire de la compagnie.

CHAPITRE 18

Dans le jargon de notre époque, Sam Hawthorne aurait été décrit comme appartenant à l'espèce « pluridisciplinaire ». Il s'intéressait à mille choses, aussi bien matérielles qu'intellectuelles.

La culture lui tenait au cœur et, malgré ses activités professionnelles, il parvenait à entretenir son goût pour l'art, la littérature, la musique. Au cours de ses voyages, et quelle que fût l'urgence du travail, Sam trouvait toujours le temps de s'attarder dans les librairies, de visiter les musées et d'aller au concert. Dans le domaine de la peinture, il aimait particulièrement l'impressionnisme, avec une prédilection pour Monet et Pissarro. En sculpture, Rodin était son artiste préféré. Lilian Hawthorne avait un jour raconté à une amie qu'à Paris, dans le jardin du musée Rodin, elle avait vu son mari demeurer un quart d'heure figé dans la contemplation du groupe des Bourgeois de Calais, les larmes aux yeux.

En musique, la passion de Sam allait à Mozart. Lui-même pianiste, mais sans grand talent, il aimait avoir un piano dans sa chambre, quand il voyageait, pour jouer un peu – peut-être la *Sonate en la* n° 11 : d'abord l'*Andante*, grave et limpide, puis le *Menuetto*, plus rapide, et enfin le *Rondo Turco*, qui l'emplissait de joie après une dure journée.

La présence d'un piano, dans les suites habituellement luxueuses des hôtels où il séjournait, s'expliquait par le fait qu'il payait lui-même pour cela. Il pouvait se le permettre. Il avait de la fortune personnelle, et possédait de nombreuses actions de Felding-Roth, dont il avait hérité très jeune, à la mort de sa mère.

La mère de Sam avait été une demoiselle Roth, et il était le dernier descendant des familles Roth ou Felding à travailler dans la compagnie. Ses liens familiaux n'avaient d'ailleurs guère influé sur le cours de sa carrière, et ne l'avaient pas aidé à atteindre plus vite le sommet. S'il avait réussi, c'était grâce à son intégrité et à sa compétence, tout le monde s'accordait pour le reconnaître.

Quant à sa vie familiale, elle était tout aussi réussie : il s'entendait admirablement avec son épouse Lilian, et ils adoraient leur fille Juliette qui, à quinze ans, semblait recevoir cette adoration sans se comporter en enfant gâtée.

Sam avait beaucoup pratiqué la course de fond à l'université, et il continuait pour son plaisir à courir plusieurs fois par semaine, le matin de bonne heure. Passionné de tennis, il avait cependant moins de style que d'enthousiasme; mais son atout sur un court consistait dans sa volée au filet, qui faisait de lui un partenaire très recherché pour jouer en double.

Et, par-dessus tout, Sam était anglophile. Il avait toujours aimé l'Angleterre, et éprouvait beaucoup d'admiration pour tout ce qui était anglais – les traditions, la langue, l'éducation, l'humour, le style, la monarchie, Londres, la campagne, les automobiles. Et, fidèle à ses goûts, il possédait une superbe Rolls gris métallisé, dans laquelle il venait chaque matin au laboratoire.

Sam avait également une haute opinion de la

science britannique – et non pas simplement anglaise –, et cela l'amena à formuler une proposition audacieuse et originale, peu après son accession à la direction de Felding-Roth.

Dans un rapport confidentiel au conseil d'administration, il exposa un certain nombre d'arguments, assez déplaisants à formuler.

« Dans le domaine de la recherche pharmaceutique et de la production – notre *raison d'être*[1] –, notre firme traverse une période stérile et décourageante qui dure depuis bien plus longtemps que le " passage à vide " habituel dans cette industrie. Notre dernière grande percée remonte à près de quinze ans, avec la Lotromycine. Depuis lors, nos concurrents ont mis sur le marché des spécialités importantes réussies, mais nous, nous n'avons eu que des produits mineurs. Et nous n'avons rien d'enthousiasmant non plus à l'horizon.

« Tout cela concourt à démobiliser nos employés et à dégrader la réputation de la maison. En conséquence, notre situation financière n'est pas brillante. C'est la raison pour laquelle, l'an dernier, nous avons dû réduire les dividendes, ce qui a fait chuter la valeur de nos actions, que les investisseurs s'entêtent à bouder.

« Nous avons commencé à resserrer les budgets, mais cela ne suffit pas. D'ici deux ou trois ans, si nous ne parvenons pas à établir un programme rigoureux et positif, nous devrons faire face à une très grave crise financière. »

Ce que Sam ne disait pas, c'est que le précédent président-directeur général, révoqué après comparution devant le conseil d'administration, avait suivi une politique laxiste qui expliquait pour une grande

---

1. En français dans le texte.

part l'état critique dans lequel se trouvait à présent Felding-Roth.

Eludant cette considération, et après avoir dressé le tableau de la situation, Sam passait aux propositions concrètes.

« Je recommande vivement que nous établissions en Grande-Bretagne un centre Felding-Roth, à la tête duquel nous placerions un chercheur britannique de tout premier plan. Ce centre serait indépendant de nos activités de recherche aux Etats-Unis. »

Après une étude détaillée, il ajoutait : « J'ai la conviction que cette nouvelle unité de recherches rétablirait l'équilibre de notre secteur le plus déficitaire, et hâterait la découverte des nouveaux produits importants dont notre société a grand besoin. »

Pourquoi la Grande-Bretagne?

Sam avait prévu la question.

« Depuis toujours, la Grande-Bretagne est à l'avant-garde de la recherche scientifique et technique. Pour nous en tenir au seul XXe siècle, considérons quelques grandes découvertes d'origine britannique, qui ont radicalement transformé notre mode de vie – la Pénicilline, la télévision, le radar, le moteur à réaction, pour n'en citer que quatre.

« Bien entendu, précisait Sam, ce sont des firmes américaines qui ont commercialisé ces inventions et en ont tiré des bénéfices – cela, grâce à l'aptitude qui bien souvent manque aux Anglais. Mais les découvertes originales, dans ces cas particuliers comme dans bien d'autres, étaient fréquemment britanniques.

« Si vous m'en demandez la raison, poursuivit-il, je dirai qu'il existe des différences fondamentales, inhérentes aux systèmes universitaires britannique et américain. Chaque système a ses points forts.

Mais en Grande-Bretagne l'Université produit une émulation scientifique unique au monde. Et c'est précisément cette émulation que nous pouvons, et devrions, utiliser à notre profit. »

Sam évoquait longuement la question des coûts, puis concluait :

« On peut estimer téméraire et malvenu de lancer la compagnie dans un grand projet coûteux en ces temps difficiles. Certes, la création et l'entretien d'un nouveau centre de recherches demanderont un effort financier exceptionnel. Mais je crois fermement qu'il serait encore plus téméraire, encore plus malvenu, de continuer à dériver ainsi, sans entreprendre d'action positive, forte, audacieuse, pour l'avenir – une action dont nous avons besoin *maintenant*! »

L'opposition au projet de Sam Hawthorne se manifesta avec une force et une rapidité surprenantes.

Comme le fit remarquer un malicieux, le rapport était « à peine sorti de la photocopieuse », il n'avait pas encore été remis aux cadres supérieurs et aux directeurs de la maison que le téléphone de Sam commençait déjà à sonner et les gens à protester avec véhémence. « Il ne fait aucun doute que les Britanniques ont leurs gloires scientifiques, avança quelqu'un, mais de nos jours, les réussites américaines sont de loin les plus grandes, ce qui rend votre argumentation tout simplement risible, Sam. » D'autres tablèrent sur l'idée – comme l'exprima un membre du conseil d'administration – qu'il était « absurde et passéiste d'implanter un centre de recherches dans un pays vieilli, appauvri, affaibli ». « On aurait dit, confia Sam à Lilian, quelques semaines plus tard, que j'avais suggéré d'annuler la Déclaration d'Indépendance pour revenir au bon vieux statut colonial. »

Sam découvrit très vite qu'être président-directeur général ne lui donnait pas carte blanche et ne le libérait pas non plus des sables mouvants de la politique interne.

L'un des experts les plus actifs, en matière de politique interne, était Vincent Lord qui s'opposa immédiatement à la proposition de Sam. Tout en reconnaissant qu'il convenait de consacrer un budget accru à la recherche, le docteur Lord jugeait l'idée de créer un nouveau centre en Grande-Bretagne « naïve », et l'opinion de Sam Hawthorne sur la science britannique « puérile, fondée sur un mythe répandu par la seule propagande ».

Ces mots insultants, et d'une force inhabituelle, figuraient dans une note adressée à Sam, dont copie était envoyée à l'ami et allié de Vincent Lord qui siégeait au conseil d'administration. Après avoir lu la note, Sam, furieux, quitta son bureau pour aller trouver le directeur de recherches.

En parcourant les couloirs vitrés, aux sols impeccables, à l'air conditionné, du service de recherches, Sam songea aux millions de dollars, aux sommes pratiquement illimitées, que Felding-Roth dépensait en équipements électroniques étincelants, parfois mystérieux, installés dans des laboratoires accueillants et spacieux où travaillait une armée de chercheurs et de techniciens. Les universitaires rêvaient d'un tel cadre de travail qui était celui de toutes les grandes sociétés pharmaceutiques. L'argent affluait dans les services de recherches sans jamais être rationné. C'était uniquement le détail de la répartition budgétaire qui, comme dans le cas présent, donnait parfois matière à discussion.

Vincent Lord se trouvait dans son bureau – une pièce lambrissée, pleine de livres rangés sur des rayonnages, et très bien éclairée. La porte était ouverte, et Sam Hawthorne entra en saluant d'un petit signe de tête la secrétaire qui avait failli l'arrêter – puis s'était ravisée en voyant à qui elle avait affaire. En blouse blanche, le docteur Lord était assis à son bureau, et lisait un papier avec l'air renfrogné qui lui était habituel. Surpris, il leva les yeux et regarda Sam avec une expression d'évidente contrariété devant cette intrusion.

Sam tenait la note de Lord à la main. Il la posa sur le bureau et déclara :

« Je viens vous parler de ceci. »

Le directeur de recherches ébaucha le geste de se lever, mais Sam lui fit signe de rester assis.

« Ne bougez pas, Vince. Mais il faut que nous parlions franchement. »

Lord lança un coup d'œil sur la note afin de voir de quoi il s'agissait.

« Qu'est-ce qui ne vous a pas plu là-dedans ?

– Le contenu et le ton.

– Cela veut dire qu'il n'y a rien que vous ayez approuvé ! »

Sam reprit le feuillet, l'examina, et dit :

« C'est bien dactylographié.

– Je suppose, lança Lord avec un sourire sarcastique, qu'une fois arrivé au sommet, Sam, vous aimeriez n'être plus entouré que de béni-oui-oui. »

Sam soupira. Depuis quinze ans qu'il connaissait Vincent Lord, il s'était accoutumé à ses mauvaises manières, et il était prêt à les tolérer. Il répliqua d'une voix affable :

« Vous savez que ce n'est pas vrai. Ce que je veux, c'est une discussion raisonnable, et de meilleurs motifs que ceux que vous m'avez donnés pour justifier votre désaccord.

– A propos de raisonnable, répondit Lord en

244

ouvrant un tiroir où il prit un dossier, je m'élève vigoureusement contre une de vos déclarations.

– Laquelle?

– Au sujet de nos propres recherches. »

Lord feuilleta le dossier, puis lut à voix haute un passage du texte de Sam concernant la création d'un centre de recherches en Grande-Bretagne.

« Nos concurrents ont mis sur le marché des spécialités importantes, réussies, mais nous n'avons que des produits mineurs. Et nous n'avons rien d'enthousiasmant non plus en prévision.

– Eh bien, prouvez-moi que j'ai tort.

– Nous avons en vue un certain nombre de réalisations *prometteuses*, commença Lord. Plusieurs de ces jeunes chercheurs que j'ai fait venir travaillent...

– Vince, interrompit Sam, je sais tout cela. Rappelez-vous que je lis vos rapports. Et j'applaudis volontiers à la façon dont vous avez recruté tous ces jeunes talents. »

Vincent Lord avait su, en effet, attirer de nombreux jeunes espoirs du monde scientifique et Sam lui en était reconnaissant. Cela s'expliquait en grande partie par l'excellente réputation que Lord avait gardée, bien qu'il n'eût pas fait la grande découverte tant attendue. Il n'y avait d'ailleurs pas motif à se plaindre de lui : cette période de stérilité qui frappait la compagnie faisait partie de la vie de tout laboratoire, même avec les meilleurs cerveaux à la tête de leurs services de recherches.

« Les comptes rendus que je vous adresse sont toujours très prudents, dit Lord. Parce que je dois veiller à ce que vous et la meute commerciale ne vous excitiez pas quand les projets sont encore au stade expérimental.

– Je le sais, dit Sam, et je l'accepte. »

Il savait bien que, dans toutes les compagnies

pharmaceutiques, il existait un état de guerre permanent entre la vente et la production d'une part, et la recherche de l'autre. Comme le disaient les « commerciaux », « ceux de la recherche veulent toujours être sûrs à cent dix pour cent du moindre détail, avant de donner le feu vert ». De la même manière, les services de fabrication avaient toujours hâte d'entamer le processus de production pour ne pas se laisser prendre de court en cas d'affluence soudaine des commandes pour un nouveau produit. De leur côté, les chercheurs accusaient les « commerciaux » de « vouloir précipiter sur le marché des produits vérifiés seulement à vingt pour cent, dans le seul but de devancer les concurrents et de faire du profit ».

« Ce que je vais vous dire maintenant, et qui ne figure pas dans mes rapports, annonça Vincent Lord à Sam, c'est que nous obtenons des résultats très prometteurs avec deux produits – un diurétique, et un anti-inflammatoire.

– Voilà d'excellentes nouvelles.

– Il y a aussi la demande d'autorisation pour le Derogil, qui a été présentée à la F.D.A.

– Oui, le nouveau produit pour l'hypertension. (Sam savait que le Derogil, conçu pour diminuer la tension artérielle, n'avait rien de révolutionnaire, mais qu'il promettait de rapporter beaucoup.) Avez-vous obtenu une réponse de la F.D.A.? demanda-t-il.

– Toujours rien, répondit Lord d'une voix aigre. Ces maudits fonctionnaires... (Il s'interrompit.) J'y retourne la semaine prochaine.

– Je persiste à croire que mon affirmation n'était pas fausse. Mais puisque vous en éprouvez une telle contrariété, je la modifierai lors de la prochaine réunion du conseil. »

Vincent Lord acquiesça comme si cette concession n'avait été qu'un dû, et reprit :

« Et puis n'oubliez pas mes propres recherches sur la résorption des radicaux libres. Je sais bien qu'après si longtemps vous n'y croyez plus guère...

– Je n'ai jamais rien dit de tel, protesta Sam. Jamais! Cela vous arrange parfois de ne pas le croire, Vince, mais nous sommes un certain nombre à avoir foi en vous. Nous savons aussi que les grandes découvertes ne se font ni vite ni facilement. »

Sam n'avait qu'une idée très schématique de ce qu'était la résorption des radicaux libres. Il savait qu'il s'agissait d'éliminer les effets toxiques des médicaments dans leur ensemble, et que Vincent Lord s'y consacrait depuis dix ans. Un succès aurait d'importantes répercussions financières. Mais c'était tout.

« Rien de ce que vous m'avez dit, déclara Sam en se levant, ne modifie mon opinion quant à l'intérêt d'ouvrir un centre de recherches en Grande-Bretagne.

– Et j'y demeure opposé, car c'est inutile. (La réponse du directeur de recherches était cinglante mais, après réflexion, il ajouta :) Et même si votre projet se réalise, il faut que nous en gardions le contrôle, d'ici. »

Sam Hawthorne sourit.

« Nous en discuterons plus tard, le cas échéant. » Mais, en réalité, il ne voulait surtout pas laisser Vincent Lord prendre le contrôle du futur centre de recherches.

Une fois seul, Lord alla fermer la porte de son bureau. Puis il revint s'asseoir, découragé. Il sentait bien que l'idée de créer un centre de recherches en

Grande-Bretagne serait menée à bien en dépit de son opposition, et il y voyait une menace, il y voyait le signe que son autorité scientifique au sein de la maison s'affaiblissait. Jusqu'où cela irait-il, se demandait-il, avant qu'il soit complètement éclipsé ?

Tout aurait pu être si différent, songeait-il, si seulement ses propres recherches avaient mieux avancé et plus vite. Que pouvait-il s'enorgueillir d'avoir réussi dans sa vie ?

Il avait à présent quarante-huit ans, et n'était plus le jeune et brillant lauréat de naguère. Il se rendait bien compte que certaines de ses méthodes et de ses connaissances étaient périmées. Certes, il continuait à lire beaucoup et à se tenir au courant. Cependant, ces connaissances-là ne valaient pas celles qu'il aurait pu acquérir en se spécialisant – dans son cas c'eût été la chimie organique, qui se développait jusqu'à devenir un art, de sorte que l'instinct et l'expérience y guidaient seuls les chercheurs. Dans le domaine tout nouveau du génie génétique, par exemple, il n'était pas vraiment à son aise, pas autant que les nouvelles générations qui sortaient maintenant des universités, et dont il avait recruté quelques éléments pour Felding-Roth.

Et pourtant, se disait-il – pour se rassurer –, en dépit des changements et des nouvelles connaissances, une découverte extraordinaire, fruit de son propre travail, était toujours possible : elle pouvait surgir à tout moment. En chimie organique, il existait une réponse aux questions qu'il posait par le biais des innombrables expériences tentées pendant ces dix années de recherches assidues.

L'élimination des radicaux isolés.

La réponse que cherchait Vincent Lord vaudrait d'incalculables bénéfices thérapeutiques, et des retombées commerciales illimitées que Sam Hawthorne et bien d'autres, dans leur ignorance scientifique, n'avaient jusqu'à présent pas imaginées.

Qu'accomplirait donc la suppression des radicaux isolés?

Quelque chose de très simple, mais qui serait miraculeux.

Comme tous les chercheurs de sa spécialité, Vincent Lord savait que, lorsqu'ils entraient en action dans le corps humain et s'intégraient au métabolisme, la plupart des médicaments produisaient des « radicaux isolés ». Il s'agissait d'éléments nocifs pour les tissus sains, et qui avaient des effets indésirables entraînant parfois la mort.

L'élimination des radicaux isolés signifiait que des produits bénéfiques, *d'autres médicaments*, jusqu'à présent inutilisables par les humains en raison de leurs effets secondaires néfastes, pourraient être absorbés sans danger par n'importe qui. Et l'on pourrait désormais consommer des produits jusqu'alors réservés à un usage restreint aussi tranquillement que l'on prend de l'aspirine.

En rédigeant leurs ordonnances, les médecins n'auraient plus à s'inquiéter de la toxicité des produits. Les cancéreux n'auraient plus à subir les atroces souffrances dues à des traitements qui les maintenaient parfois en vie au prix de tortures insupportables et finissaient par les tuer à la place de leur cancer. Les effets bénéfiques de ces produits et de bien d'autres resteraient, mais les effets mortels seraient annulés par l'élimination des radicaux isolés.

Ce qu'espérait découvrir Vincent Lord, c'était *un produit qui, combiné à d'autres produits*, rendrait ceux-ci totalement inoffensifs.

Et c'était parfaitement possible. La réponse existait. Elle était là. Cachée, évasive, mais prête à se laisser découvrir. Il pouvait la sentir, l'effleurer, goûter presque déjà le nectar du succès.

Mais combien de temps? *Oh! Combien de temps allait-il encore devoir attendre?*

Brusquement il se redressa sur son siège et, par un effort de volonté, chassa son découragement. Il ouvrit un tiroir, et y prit une clef. Il avait décidé de retourner maintenant, une fois de plus, dans le laboratoire privé, situé un peu plus loin dans le même couloir, où s'effectuaient ses recherches personnelles.

CHAPITRE 19

L'AMI et allié de Vincent Lord au conseil d'administration était Clinton Etheridge, un avocat new-
yorkais réputé qui se piquait d'avoir des connaissances scientifiques. Il avait étudié la médecine
pendant deux ans avant d'opter pour le droit.
Comme le disait cyniquement l'un de ses amis :
« Clint a établi un diagnostic pour savoir où l'on
gagnait le plus d'argent, puis il a prescrit la voie la
plus directe pour s'y rendre. »

Etheridge avait maintenant cinquante-trois ans.
Qu'il eût suivi ces études brèves et incomplètes plus
d'un quart de siècle auparavant ne l'empêchait
jamais de faire de grandes déclarations d'ordre
scientifique, en laissant entendre par la solennité de
son intonation qu'elles étaient dignes d'être gravées
dans la pierre.

Vincent Lord servait ses propres ambitions en
flattant Etheridge, qu'il faisait mine de traiter en
égal devant la science. Ainsi, les opinions du directeur de recherches étaient fréquemment soumises
au conseil d'administration de Felding-Roth : le
talent persuasif de l'avocat leur donnait plus de
poids.

Ce ne fut donc pas une surprise quand, lors d'une
assemblée réunie pour discuter la proposition de

251

Sam Hawthorne, Clinton Etheridge prit la tête de l'opposition.

La réunion avait lieu au siège de Felding-Roth, à Booton. Quatorze des seize directeurs – tous des hommes – avaient pris place autour de la table en chêne de la salle du conseil.

Grand et légèrement voûté, Etheridge cultivait une image à la Lincoln. Il commença d'un ton badin :

« Dites-moi, Sam, espériez-vous que, dans leur joie de vous voir lancer cette idée pro-britannique, les Anglais vous inviteraient à prendre le thé au palais de Buckingham ? »

Sam joignit son rire aux autres, puis répliqua :

« Ce que je cherche vraiment, Clint, c'est une invitation pour un long week-end au château de Windsor.

– Bien, dit l'avocat, je suppose que c'est là un objectif réalisable, mais c'est à mon avis le *seul*. (Il devint sérieux.) Votre proposition me paraît ignorer les prodigieuses capacités et réalisations scientifiques de notre pays – qui est aussi le vôtre. »

Sam préparait cette réunion depuis longtemps et n'avait nulle intention de laisser la discussion lui échapper.

« Je n'ignore certes pas les réalisations scientifiques américaines, dit-il – comment le pourrais-je? Elles sont partout autour de nous. Je veux simplement les compléter. »

Quelqu'un d'autre intervint :

« Alors, employons notre argent à les compléter ici.

– Ce sont les Anglais eux-mêmes sur leur îlot, qui, Dieu sait comment, ont créé le mythe de leur supériorité scientifique. S'ils avaient raison, comment expliquer la fuite des cerveaux – quand tous leurs meilleurs espoirs s'empressent d'accourir *ici*, et de se joindre aux équipes de chercheurs américains ?

– Ils le font surtout, répondit Sam, parce que nous sommes mieux organisés, et que nous disposons de budgets plus importants pour payer nos chercheurs et équiper nos labos. Mais votre question apporte de l'eau à mon moulin, Clint. L'Amérique accueille les scientifiques anglais à bras ouverts précisément à cause de leur haut niveau.

– A votre avis, Sam, demanda Etheridge, quel est actuellement pour l'industrie pharmaceutique le secteur de recherches le plus intéressant ?

– Sans aucun doute possible, le génie génétique.

– Exactement. (L'avocat hocha la tête en signe d'approbation.) Et n'est-il pas vrai – je vous parle avec une certaine compétence scientifique, comme vous le savez – que les Etats-Unis ont devancé le monde entier, dans le domaine de la génétique ? »

Sam se retint de sourire. Pour une fois, le prétendu scientifique s'était laissé prendre à de fausses informations.

« En fait, Clint, ce n'est pas vrai. Dès 1651, c'est en Grande-Bretagne que William Harvey étudia le développement du poussin dans l'œuf, et qu'il put ainsi jeter les fondements du génie génétique. Et c'est encore en Angleterre que commença, en 1908, l'étude de la génétique biochimique. Entre-temps, on a fait d'autres découvertes, dont une bonne partie dans les laboratoires américains, grâce en particulier au docteur Hermann Muller, dans les années vingt. Mais on doit une autre découverte spectaculaire, souvent décrite comme « une révolution dans la science génétique », à l'Angleterre – à Cambridge, en 1953, lorsque les docteurs Watson et Crick mirent en évidence la structure de la molécule A.D.N., ce qui leur valut le prix Nobel. (Sam se permit un sourire.) Incidemment, le docteur Watson était né en Amérique, ce qui montre bien le caractère international de la science fondamentale.

Il y eut quelques petits rires, et Etheridge eut l'élégance de prendre un air navré. Il reconnut que, « comme disent les avocats, il est des questions qu'on regrette d'avoir posées ». Puis, obstiné, il revint à la charge.

« Rien de ce que vous me dites ne change mon opinion : la science américaine est la première du monde; et, de plus, la qualité de nos propres recherches souffrirait d'une dispersion excessive, si nous ouvrions boutique dans un autre pays. »

On entendit quelques murmures d'approbation, puis un autre directeur, Owen Norton, frappa la table du doigt pour obtenir le silence. Toute l'attention se tourna aussitôt vers lui.

Norton, âgé d'environ soixante-quinze ans, était le président et le principal actionnaire d'un empire de la communication comprenant une chaîne de télévision. Tout le monde s'accordait à reconnaître que sa présence au conseil d'administration représentait un atout pour Felding-Roth. Il commença d'une voix rauque et vigoureuse.

« Puis-je vous rappeler à tous que nous discutons – ou devrions discuter – des graves problèmes qui assaillent cette compagnie. Nous avons nommé Sam Hawthorne président-directeur général en espérant qu'il lui imprimerait un nouvel élan, qu'il apporterait des idées, et qu'il donnerait de bons conseils. Il vient donc de nous soumettre une proposition qui inclut ces trois éléments, et que se passe-t-il? Clint et quelques autres nous enjoignent d'y renoncer sans plus réfléchir. Eh bien, pour ma part, je n'en ferai rien. »

Owen Norton lança un coup d'œil à Etheridge,

avec qui il avait eu plus d'une dispute au cours des précédents conseils, et sa voix se fit sarcastique.

« Je crois également, Clint, que vous devriez garder vos polémiques puériles et patriotardes pour un public moins bien informé que les membres de ce conseil. »

Il s'ensuivit un bref silence, au cours duquel Sam Hawthorne songea à la surprise qu'auraient éprouvée bien des gens en découvrant que les réunions de conseils d'administration se déroulaient rarement au niveau intellectuel que l'on aurait imaginé. Et même si l'on parvenait à prendre des décisions importantes et parfois même sages, cela n'empêchait pas qu'elles fussent précédées par de longues discussions d'un niveau très médiocre, ainsi que par bon nombre d'altercations.

« Et puis, quel peut bien être l'intérêt, reprit Norton, de décider quelle science est supérieure – l'anglaise ou la nôtre? Là n'est pas la question.

— Alors, où est-elle? » demanda quelqu'un.

Norton frappa du poing sur la table.

« La diversification! Dans toutes les entreprises, y compris la mienne, il est parfois avantageux d'avoir un second réservoir de réflexion, indépendant du premier. Et le meilleur moyen d'obtenir cette indépendance consiste peut-être à mettre un océan entre les deux.

— C'est aussi un moyen de perdre le contrôle des coûts », suggéra quelqu'un d'autre.

Pendant près d'une heure, le débat se poursuivit, avec une alternance d'objections et de nouvelles idées. Comme plusieurs membres du conseil soutenaient le projet de Sam et que l'intervention de Norton avait renforcé leur détermination, l'opposition finit par se dissiper. La proposition originale fut finalement approuvée à treize voix contre une, Clinton Etheridge étant le seul dissident.

« Merci, messieurs, déclara Sam. Je suis persuadé que votre décision aura des conséquences bénéfiques. »

Plus tard, dans la journée, il convoqua Celia.

« Vous prenez du galon, lui annonça-t-il d'emblée. Le secteur international appartient désormais au passé pour vous. Vos nouvelles fonctions sont celles d'attachée spéciale de la direction, et vous devenez mon bras droit pour organiser un centre de recherches en Angleterre.

— Parfait », répliqua Celia.

La nouvelle l'enchantait, mais elle tentait de rester impassible, comme Sam. Il commençait à donner des signes de surmenage, songea-t-elle, et sans aucun doute était-ce inévitable. Il était presque totalement chauve, maintenant, il ne lui restait plus qu'une fine frange de cheveux. Celia se disait qu'elle aurait tout le temps de célébrer l'événement le soir, en l'annonçant à Andrew.

« Quand vais-je commencer? demanda-t-elle. Intérieurement, elle calculait le temps qu'il lui faudrait pour se décharger sur quelqu'un d'autre de ses responsabilités en Amérique latine. Un mois devrait suffire.

— J'aurais préféré que cela se fasse dès cet après-midi, répondit Sam. Mais il va falloir vous installer un bureau, alors disons demain matin à neuf heures. »

« Votre nouveau poste est provisoire, expliqua Sam le lendemain matin. Votre principale activité consistera à mettre sur pied notre centre de recherches en Grande-Bretagne, à l'équiper, à recruter des chercheurs et le mettre en marche. J'aimerais que ce soit chose faite d'ici un an, mais le plus tôt sera le mieux. Après quoi, nous vous trouverons une autre

256

occupation. La première chose à faire, poursuivit Sam, sera de trouver et engager un chercheur britannique pour diriger le centre; puis il faudra décider de l'emplacement et acheter ou louer un bâtiment susceptible d'être rapidement adapté à son nouvel usage. »

Tout était urgent – ce qui expliquait pourquoi il déchargeait si brusquement Celia du secteur international. Sam allait personnellement se charger du recrutement d'un directeur scientifique compétent et prestigieux, mais Celia l'aiderait dans cette tâche. Quant aux autres questions, elle s'en occuperait elle-même, en soumettant ses propositions à Sam.

Sam et Celia partiraient dès la semaine suivante pour l'Angleterre. Auparavant, toutefois, ils devaient consulter Vincent Lord qui, malgré son opposition au projet, était fort bien informé sur le milieu scientifique du Royaume-Uni : il aurait sûrement quelques noms à suggérer.

L'entretien avec le docteur Lord eut lieu quelques jours plus tard dans le bureau de Sam, en présence de Celia.

Contrairement à son habitude, Vincent Lord se montra coopératif et aimable – dans les limites de ses possibilités. Sam, qui connaissait mieux que Celia la tournure d'esprit du docteur Lord, comprenait bien pourquoi. Maintenant que la décision d'ouvrir un centre en Angleterre était prise, Lord voulait prendre le contrôle de cette succursale. Mais Sam demeurait bien décidé à ne pas céder.

« J'ai préparé une liste de gens qui pourraient être candidats, dit Lord. Il faudrait procéder à des approches très discrètes, car ils sont professeurs d'Université ou bien travaillent pour des concurrents. »

Sam et Celia étudièrent la liste, qui comprenait huit noms.

« Nous agirons discrètement, promit Sam, mais nous agirons vite.

– Vous pourriez profiter de votre séjour pour faire autre chose, reprit Lord. (Il tira d'un dossier un paquet de papiers et de lettres agrafés.) Je corresponds avec un jeune chercheur de l'université de Cambridge. Il fait un travail très intéressant sur le vieillissement mental et la maladie d'Alzheimer, mais il a épuisé son budget, et il lui faut une bourse.

– La maladie d'Alzheimer, demanda Celia, c'est bien quand le cerveau cesse de fonctionner, n'est-ce pas ?

– Oui. Une partie du cerveau. La mémoire disparaît. C'est une maladie qui évolue lentement au début, puis le processus s'accélère. »

En dépit de l'aversion que Celia inspirait au directeur de recherches, il avait fini par l'accepter comme un membre immuable et influent de la compagnie; il aurait donc été absurde de cultiver cet antagonisme. Ils en étaient venus à s'appeler par leurs prénoms – d'abord de manière un peu gauche, puis avec spontanéité.

Sam prit les lettres que lui tendait Lord, y jeta un coup d'œil, et lut à voix haute : « Docteur Martin Peat-Smith. » Puis il les passa à Celia, et demanda à Lord :

« Nous conseillez-vous de lui donner une bourse ? »

Le directeur de recherches haussa les épaules.

« Ce sont des travaux de longue haleine. La maladie d'Alzheimer déroute les chercheurs depuis 1906, quand on l'a diagnostiquée pour la première fois. Peat-Smith étudie le processus de vieillissement du cerveau dans l'espoir de découvrir une cause à la maladie d'Alzheimer.

– Quelles sont ses chances ?

— Maigres.

— Nous pourrions peut-être mettre un peu d'argent là-dedans. Et lui parler si nous en avons le temps. Mais il y a d'autres priorités. »

Celia, qui avait lu attentivement les lettres, interrogea Lord :

« Le docteur Peat-Smith ferait-il un bon candidat au poste de directeur du centre ? »

Lord parut surpris.

« Non, répondit-il.

— Pourquoi ?

— D'abord, il est bien trop jeune. »

Celia baissa les yeux vers les lettres qu'elle venait de lire.

« Il a trente-deux ans. (Elle sourit.) N'aviez-vous pas à peu près le même âge, en venant ici ? »

Reprenant son habituelle expression irritée, Lord répliqua avec hauteur :

« Les circonstances étaient différentes.

— Parlons un peu des autres, suggéra Sam. (Il avait repris la première liste.) Dites-moi tout ce que vous savez sur eux, Vince. »

CHAPITRE 20

Juin 1972. Celia s'émerveillait de voir Londres étinceler de couleurs et de faste.

Dans les jardins publics et les parcs, où une multitude de fleurs – des roses, des lilas, des azalées, des iris – embaumaient, touristes et Londoniens se prélassaient au soleil. Le défilé de la Garde – à l'occasion de l'anniversaire de la Reine – était un événement spectaculaire, qui se déroulait au rythme des fanfares. Dans Hyde Park, d'élégants cavaliers faisaient trotter leurs montures sur Rotten Row. Tout près de là, au bord de la Serpentine, des enfants jetaient du pain aux canards, qui disputaient leur place dans l'eau aux baigneurs. A Epsom, le Derby s'était déroulé dans une ambiance mêlée de tradition, de style et de brouhaha, et la victoire était allée à Roberto, monté par Lester Piggott, qui remportait son sixième Derby.

« En séjournant à Londres en cette période de l'année, on n'a certes pas l'impression de travailler, confia Celia à Sam. Il me semble que ce devrait être à moi de payer Felding-Roth pour ce privilège. »

Elle était descendue à l'hôtel Berkeley, à Knightsbridge. Au cours des dernières semaines, elle avait visité plus d'une douzaine d'immeubles pouvant accueillir le centre.

Celia était seule à l'hôtel Berkeley, Andrew n'ayant pas pu se libérer, tandis que Sam et Lilian Hawthorne étaient au Claridge.

Et c'est dans leur suite que Celia leur exposa son point de vue, au cours de la troisième semaine de juin.

« J'ai parcouru tout le pays et je crois que le mieux, pour nous, serait de nous établir à Harlow, dans l'Essex.

— Je n'en ai jamais entendu parler, observa Lilian.

— Parce que Harlow était un petit village, lui expliqua Celia. Mais c'est maintenant ce qu'on appelle une « ville nouvelle » — il en existe une trentaine, fondées à l'initiative de l'Etat, dans l'espoir d'attirer les gens et les industries à l'écart des grandes villes. Cet endroit répond à toutes nos exigences. Situé près de Londres, très bien desservi par le train et la route, à proximité d'un aéroport. On s'y loge facilement, il y a des écoles, et c'est en pleine campagne — un endroit idéal pour les employés du centre.

— Et pour loger le centre même? demanda Sam.

— J'ai trouvé ce qu'il nous faut. (Elle consulta des notes.) Une compagnie du nom de Comthrust, qui fabrique du petit matériel de communications — interphones, systèmes d'alarme, etc. — a fait bâtir un immeuble à Harlow, mais des problèmes financiers sont intervenus, et ils n'ont plus les moyens de conserver le bâtiment dont les dimensions correspondent à ce que nous cherchons. Il n'a jamais été occupé, et Comthrust a grand besoin d'argent.

— Pourrait-on y installer des laboratoires?

— Facilement. (Celia déplia des photocalques.) J'ai apporté les plans et je me suis également entretenue avec un entrepreneur.

– Pendant que vous travaillez sur tous ces papiers ennuyeux, déclara Lilian, je vais aller faire quelques courses chez Harrods. »

Deux jours plus tard, Sam et Celia se rendirent à Harlow. Pendant que Sam conduisait une Jaguar de location dans les embouteillages matinaux du nord de Londres, Celia lisait l'*International Herald Tribune*.

Après une interruption, les pourparlers pour la paix au Viêt-nam allaient reprendre à Paris, annonçait un gros titre. Dans un hôpital du Maryland, les médecins étaient parvenus à extraire une balle de l'épine dorsale de George Wallace, gouverneur de l'Alabama, victime d'un attentat un mois auparavant. Le président Nixon, faisant part de son point de vue sur la guerre du Viêt-nam, affirmait aux Américains que Hanoï était en train de perdre un pari désespéré ».

Une nouvelle de Washington, qui semblait retenir singulièrement l'attention, décrivait un cambriolage au siège du Parti National Démocrate, dans un bâtiment du nom de Watergate. Cela paraissait sans grande importance. Celia n'y trouva aucun intérêt, et abandonna le journal.

Elle interrogea Sam :

« Comment se sont déroulés vos entretiens, ces derniers jours? »

Il ébaucha une grimace.

« Pas très bien. Vous avez mieux avancé que moi.

– Les gens sont plus compliqués que les villes et les bâtiments », lui rappela-t-elle.

Sam avait rencontré tous les gens de la liste établie par Vincent Lord, dans l'espoir de découvrir un directeur.

« La plupart de ceux que j'ai vus jusqu'à présent ressemblent un peu trop à Vincent, confia-t-il à Celia. Bornés, arrogants, et sans doute déjà dépassés. Ce que je cherche, c'est un homme inventif, enthousiaste, hautement qualifié, bien sûr, et jeune de préférence.

– Comment saurez-vous que vous l'avez trouvé?

– Je le saurai. (Il souriait.) C'est un peu comme lorsqu'on tombe amoureux. On ne sait pas très bien pourquoi. Mais on sait que c'est cela. »

Ils parcoururent les trente-cinq kilomètres qui séparaient Londres de Harlow dans un flot de circulation très dense. Puis, quittant la A 414, ils se retrouvèrent dans un quartier où de larges avenues étaient bordées de verdure, où les maisons semblaient accueillantes et étaient parfois séparées par de vrais champs. Les zones industrielles étaient installées à l'écart et, du centre ville ou des quartiers résidentiels, on ne les voyait pas. Quelques anciennes constructions avaient été préservées. En passant devant une église du XIᵉ siècle, Sam arrêta la voiture et suggéra à Celia de faire un petit tour à pied.

« C'est un quartier très ancien, lui expliqua Celia tandis qu'ils flânaient dans ce lieu où l'ancien côtoyait le moderne. On y a retrouvé des objets datant de l'âge de pierre. Au premier siècle de notre ère, les Romains y ont établi un camp et érigé un temple. Puis les Saxons ont vécu ici. Dans leur langue, Harlow signifiait « colline de l'armée. »

– Nous essaierons nous aussi de laisser une trace historique, promit Sam. Et maintenant, où est donc cet immeuble que nous sommes venus voir?

– Là-bas, derrière ces arbres. C'est une zone industrielle qui s'appelle Pinnacles.

– Allons-y. »

La matinée était bien avancée.

En garant la Jaguar, Sam contempla un moment l'immeuble silencieux et désert. Une partie de la construction, destinée à accueillir les bureaux et les salles d'exposition, était en verre et en béton, sur deux étages. Quant à l'autre, faite d'acier, elle s'étendait sur un seul niveau, manifestement conçue comme un vaste atelier. Même de l'extérieur, Sam pouvait observer que Celia avait vu juste. Il ne serait pas difficile d'y installer des laboratoires.

Un peu plus loin était garée une autre voiture. Une portière s'ouvrit, et un homme grassouillet sortit et vint vers la Jaguar. Celia présenta à Sam M. LaMarre, agent immobilier, à qui elle avait fixé rendez-vous.

Après leur avoir serré la main, LaMarre tira de sa poche un trousseau de clefs et les fit tinter. « On n'achète pas une grange sans regarder le foin », dit-il aimablement. Ils se dirigèrent vers la porte principale et entrèrent.

Une demi-heure plus tard, Sam prit Celia à part et lui déclara à voix basse :

« Ce sera parfait. Vous pouvez dire à cet homme que nous sommes intéressés, et demander à nos avocats de commencer les négociations. Dites-leur aussi de faire au plus vite. »

Tandis que Celia allait s'entretenir avec LaMarre, Sam regagna la Jaguar. Quelques minutes plus tard, quand elle le rejoignit, il lui annonça :

« J'avais oublié de vous dire que, maintenant, nous partons pour Cambridge. Comme Harlow se trouve à mi-chemin, j'ai pris rendez-vous avec le docteur Peat-Smith – vous savez, celui qui fait des recherches sur la maladie d'Alzheimer et qui sollicite une bourse.

– Je suis heureuse que vous ayez trouvé le temps de le voir », dit Celia.

Après une heure de route dans la campagne baignée de lumière, ils entrèrent peu après midi dans Trumpington Street, à Cambridge.

« Quelle ville exquise et vénérable, dit Sam. Sur votre gauche, Peterhouse – le plus ancien collège. Etes-vous déjà venue ici ? »

Fascinée par cette perspective d'édifices historiques, Celia répondit rêveusement :

« Non. Jamais. »

Sam s'était arrêté en route pour téléphoner au Garden House Hotel et y réserver une table. Martin Peat-Smith devait les y retrouver.

Cet hôtel pittoresque était situé à proximité des « Backs » – ces admirables jardins qui s'étendent à l'arrière de presque tous les collèges – et au bord de la Cam, sur laquelle quelques jeunes gens laissaient nonchalamment dériver leurs barques.

Dans le hall de l'hôtel, ce fut Peat-Smith qui les vit en premier, et il s'approcha d'eux. Il fit aussitôt à Celia l'impression d'un jeune homme sain et équilibré avec une masse désordonnée de cheveux blonds et un sourire soudain qui plissait son visage poupin. Quelles que pussent être ses qualités, songea Celia, Peat-Smith n'était assurément pas beau. Mais elle avait le sentiment de se trouver en présence d'une personnalité forte et déterminée.

« Madame Jordan et monsieur Hawthorne, sans doute ? »

La voix assurée et raffinée, mais sans la moindre affectation, correspondait bien à l'aspect sincère de Peat-Smith.

« C'est bien cela », répondit Celia. Sauf qu'en termes d'importance il conviendrait d'inverser les noms.

Le sourire bref, à nouveau.

« Je tâcherai de m'en souvenir. »

Ils se serrèrent la main. Celia remarqua que Peat-Smith portait une vieille veste Harris Tweed avec des pièces aux coudes et des traces d'usure aux poignets, ainsi qu'un pantalon gris taché et déformé. Déchiffrant aussitôt ses pensées, il déclara sans le moindre embarras :

« Je sors à l'instant du laboratoire, madame Jordan. Mais je possède un costume. Et je me ferai un plaisir de l'arborer si nous nous revoyons en dehors des heures de travail. »

Celia s'empourpra.

« Je suis confuse. Pardonnez mon indiscrétion.

— Non, non, je vous en prie. (Il eut un sourire désarmant.) C'est simplement que j'aime les situations claires.

— Excellente habitude, décréta Sam. Si nous passions à table ? »

Une fois installés dans la salle à manger, d'où l'on avait une belle vue sur une roseraie et sur la rivière, ils commandèrent des apéritifs. Celia, comme toujours un daiquiri, Sam un Martini sec, et Peat-Smith un verre de vin blanc.

« Le docteur Lord m'a communiqué un rapport sur vos recherches, dit Sam. J'ai cru comprendre que vous aviez sollicité une bourse de Felding-Roth pour pouvoir continuer.

— C'est juste. Mon projet – l'étude du vieillissement mental et de la maladie d'Alzheimer – n'est plus financé. L'Université n'a pas d'argent, tout au moins pas pour moi, de sorte que je suis contraint d'en chercher ailleurs.

— Cela n'a rien d'inhabituel, le rassura Sam. Notre société accorde en effet des bourses pour la recherche universitaire lorsque le sujet nous semble intéressant. Alors, discutons-en.

— Volontiers. »

Pour la première fois, le docteur Peat-Smith laissa

paraître une légère nervosité, et Celia devina que cela s'expliquait par l'importance à ses yeux de cette affaire de bourse.

« Que savez-vous de la maladie d'Alzheimer?

– Très peu de chose, répondit Sam. Faites comme si nous ne savions rien du tout. »

Le jeune chercheur hocha la tête.

« Ce n'est pas l'une des maladies à la mode – tout au moins, pas encore. Et puis nous ne savons rien de ses causes, nous n'en sommes qu'aux hypothèses.

– Est-ce que les personnes âgées ne sont pas les principales victimes? demanda Celia.

– Celles qui ont plus de cinquante ans – oui; les risques s'aggravent encore après soixante-cinq ans. Mais la maladie d'Alzheimer *peut* affecter quelqu'un de plus jeune. On a vu des cas de personnes atteintes dès l'âge de vingt-sept ans. (Peat-Smith but une gorgée de vin, et poursuivit.) Le mal se manifeste d'abord par des pertes de mémoire. Le malade oublie des choses simples : il ne sait plus lacer ses chaussures, à quoi sert un interrupteur, ou bien même la façon dont il doit s'asseoir pour les repas. Et, peu à peu, la mémoire s'éteint. Bien souvent, le malade ne reconnaît plus personne, pas même son mari ou sa femme. Il oublie comment se nourrir, et il devient nécessaire de l'alimenter; quand il a soif, il ne sait plus demander de l'eau. Ils sont généralement incontinents et, dans les cas les plus graves, deviennent violents et destructeurs. Ils finissent par mourir de la maladie, mais cela prend dix ou quinze ans – des années terriblement pénibles pour leurs proches. »

Peat-Smith se tut un moment, puis expliqua :

« On peut observer à l'autopsie ce qui se passe dans le cerveau. La maladie d'Alzheimer frappe les cellules nerveuses dans le cortex – le centre des sens et de la mémoire. Elle déforme et détruit les fibres et les filaments nerveux. Elle encombre le cerveau d'infimes particules d'une substance qu'on appelle la plaque.

— J'ai lu quelque chose sur vos recherches, intervint Sam, mais j'aimerais que vous nous disiez vous-même quelle orientation vous prenez.

— La génétique. Et comme il n'existe pas de modèles animaux pour la maladie d'Alzheimer — pour autant que nous le sachions, aucun animal n'en est atteint —, mes expérimentations animales portent sur la chimie du processus du vieillissement mental. Comme vous le savez, je me suis spécialisé dans la chimie des acides nucléiques.

— Mes connaissances en chimie sont un peu embrouillées, mais, d'après mes souvenirs, les acides nucléiques sont les « cubes de construction » d'A.D.N. qui constituent nos gènes.

— C'est exact — et pas trop embrouillé, admit Peat-Smith avec un sourire. Et il est probable que la médecine avancera d'un grand pas lorsque nous comprendrons mieux la chimie de l'A.D.N. et que nous pourrons voir comment fonctionnent les gènes, et pourquoi ils se dérèglent parfois. C'est là-dessus que je travaille, en faisant des expériences sur de jeunes et de vieux rats pour tenter de saisir les différences entre l'A.R.N. — acide ribonucléique de liaison — des sujets jeunes et celui des sujets âgés.

— Mais, interrompit Sam, la maladie d'Alzheimer et le processus normal de vieillissement sont deux choses distinctes, non?

— En principe, oui; mais peut-être existe-t-il des recoupements. »

Peat-Smith se tut, et Celia sentit qu'il faisait un effort pour organiser ses pensées et pour les exposer de façon plus didactique.

« Une victime de la maladie d'Alzheimer peut être née avec une aberration de son A.D.N. (acide désoxyribonucléique), qui contient toute son information génétique codée. Cependant, un autre sujet, né avec un A.D.N. plus normal, peut modifier cet A.D.N. en détériorant son environnement, c'est-à-dire le corps humain. Par exemple en fumant, ou en s'alimentant très mal, pendant quelque temps, nos mécanismes réparateurs se chargent de rétablir l'ordre mais, à mesure que nous vieillissons, notre système de rééquilibrage génétique risque de ralentir ou même de s'arrêter complètement. Une partie de mes recherches concerne la cause de ce ralentissement... »

A la fin de son explication, Celia déclara :

« Vous êtes un authentique enseignant — cela vous plaît, n'est-ce pas ? »

Peat-Smith parut surpris.

« Dans une université, on doit bien s'attendre à devoir enseigner un peu ! Mais oui, cela me plaît. »

Voilà une nouvelle facette de l'intéressante personnalité de cet homme, songea Celia.

« Je commence à comprendre les questions. A quelle distance pensez-vous être des réponses ?

— Peut-être à des années-lumière. Mais il se peut aussi que nous en soyons très près. (Peat-Smith eut un sourire sincère.) C'est un risque qu'on prend en attribuant des bourses. »

Un maître d'hôtel apporta des menus, et ils interrompirent la discussion pour faire leur choix. Puis Peat-Smith reprit :

« J'espère que vous visiterez mon laboratoire. Je pourrai mieux vous expliquer ce que j'essaie de faire.

— Nous y comptons bien, répondit Sam. Aussitôt après le déjeuner. »

Pendant le repas, Celia demanda :

« Quel est votre statut à Cambridge, docteur Peat-Smith?

– J'ai un poste d'assistant. Cela signifie que je dispose d'un laboratoire dans le bâtiment de biochimie, avec un technicien pour m'aider, et la liberté d'orienter mes recherches comme je l'entends. Enfin, la liberté à condition de trouver un appui financier.

– Pour en revenir au financement dont nous parlons, dit Sam, je crois qu'il s'agissait de soixante mille dollars.

– Oui. Cela s'étalerait sur trois ans, et c'est le minimum pensable dont j'ai besoin pour continuer – pour acheter des équipements et des animaux, employer trois techniciens de labo à plein temps, et mener mes expériences. Il n'y a là-dedans pas un centime pour moi. (Il fit une grimace.) Mais c'est quand même beaucoup d'argent, n'est-ce pas? »

Sam acquiesça d'un air grave.

« Oui, beaucoup. »

Mais ce ne l'était pas. Comme le savaient fort bien Sam et Celia, soixante mille dollars représentaient une somme dérisoire, en comparaison des dépenses annuelles de Felding-Roth, ou de n'importe quel autre grand laboratoire, dans le domaine de la recherche. La question, comme toujours, se posait ainsi : le projet du docteur Peat-Smith était-il suffisamment prometteur, sur le plan commercial, pour justifier un investissement?

« Il me semble, suggéra Celia, que vous portez un intérêt très personnel à cette maladie d'Alzheimer. Avez-vous commencé pour une raison particulière. »

Le jeune homme hésita puis, fixant Celia droit dans les yeux, répondit :

« Ma mère a soixante et un ans, madame Jordan.

Je suis son unique enfant, et nous avons toujours été très proches. Elle est atteinte de ce mal depuis quatre ans, et son état empire progressivement. Mon père s'occupe d'elle du mieux qu'il peut, et je vais la voir chaque jour. Malheureusement, elle n'a pas la moindre idée de qui je suis. »

Le bâtiment de biochimie de l'université de Cambridge était un banal immeuble de trois étages en brique rouge, situé sur Tennis Court Road, une modeste rue où n'apparaissait aucun court de tennis. Martin Peat-Smith, qui était venu au restaurant à bicyclette – le mode de transport le plus répandu à Cambridge – pédalait énergiquement devant la Jaguar où Sam et Celia avaient pris place.

Ils le rejoignirent à l'entrée de l'immeuble et Peat-Smith déclara :

« Je préfère vous avertir que nos installations ne sont pas formidables, afin de vous épargner toute déception. Nous sommes toujours les uns sur les autres, à court de locaux (un bref sourire) et généralement à court d'argent. Les visiteurs sont souvent choqués en découvrant dans quelles conditions nous travaillons. »

En dépit de l'avertissement, Celia fut elle aussi choquée.

Comme Peat-Smith les quittait un instant, elle chuchota à l'intention de Sam :

« Quel endroit affreux – on dirait un cachot! Comment peut-on travailler convenablement dans ces conditions? »

En entrant, ils avaient descendu un escalier conduisant à un sous-sol. Les couloirs étaient lugubres et ils longèrent une suite de petites pièces apparemment sales et désordonnées, encombrées de matériel vétuste. Ils se trouvaient à présent dans un laboratoire de dimensions plus que modestes; Peat-Smith leur avait annoncé qu'il disposait de deux pièces pour travailler, mais qu'il devait les partager avec un autre assistant qui menait des recherches très différentes des siennes.

Pendant leur conversation, l'autre chercheur et son assistant étaient entrés et sortis à plusieurs reprises, ce qui rendait difficile un entretien particulier.

Le laboratoire était équipé d'antiques paillasses en bois, très proches les unes des autres, de sorte qu'il restait peu d'espace pour circuler entre elles. Au-dessus de ces paillasses on voyait de vieux appareils électriques et à gaz, dont l'installation ne correspondait visiblement pas aux normes de sécurité. Aux murs, de grossières étagères soutenaient des livres, des paniers, des appareils abandonnés, et Celia remarqua en particulier des cornues semblables à celles qu'elle avait utilisées dix-neuf ans auparavant, lors de ses études de chimie. Un vieux fauteuil Windsor et l'extrémité dégagée d'une paillasse faisaient office de bureau. On distinguait plusieurs tasses sales dans un coin.

Sur l'un des plans de travail, des cages grillagées abritaient une vingtaine de rats – deux par cage – plus ou moins éveillés.

Le sol du laboratoire n'avait pas été nettoyé depuis un certain temps. Non plus que les fenêtres, d'étroits soupiraux par lesquels on apercevait les roues et les châssis des voitures garées au-dehors. L'effet général était assez démoralisant.

« Peu importe l'aspect des lieux, dit Sam à Celia. N'oubliez jamais qu'une partie importante de l'histoire scientifique s'est déroulée ici même. Des futurs prix Nobel ont travaillé dans ces pièces et parcouru ces couloirs.

– Très juste, déclara Martin Peat-Smith d'une

voix chaleureuse. (Il était entré juste à temps pour entendre cette dernière remarque.) Fred Sanger était l'un d'eux; il a découvert la structure acide aminée de la molécule d'insuline dans un laboratoire situé juste au-dessus du nôtre. (Il vit que Celia observait l'antique équipement.) Dans les labos universitaires nous ne jetons jamais aucun appareil, madame Jordan, car nous ne savons jamais si nous n'en aurons pas besoin de nouveau. Nous sommes obligés d'improviser et de construire une bonne partie de notre équipement.

— Il en va de même dans les universités américaines, précisa Sam.

— Néanmoins, insista Peat-Smith, ce doit être bien différent du genre de laboratoires auxquels vous-mêmes êtes accoutumés. »

Au souvenir des vastes laboratoires immaculés et richement équipés de Felding-Roth, dans le New Jersey, Celia répondit :

« Franchement, oui. »

Peat-Smith avait rapporté deux tabourets. Il offrit le fauteuil Windsor à Celia, un tabouret à Sam, et se percha sur l'autre.

« Je dois honnêtement vous dire, commença-t-il, que mes recherches ne portent pas seulement sur les problèmes scientifiques, mais aussi sur des techniques extrêmement complexes. Ce qu'il faut trouver, c'est un moyen de transférer l'information d'un noyau de cellule du cerveau au mécanisme du cerveau qui fabrique les protéines et les peptides... »

S'échauffant à mesure qu'il expliquait, il revint vite au jargon scientifique.

« ... prenez un mélange donné de mA.R.N. provenant de jeunes et de vieux rats, placez-le dans un système vide de cellules... Les éléments d'A.R.N. peuvent produire des protéines... une longue chaîne de mA.R.N. peut programmer beaucoup de protéines... ensuite, les protéines sont séparées par électrophorèse... on pourrait envisager une technique à base d'enzyme transcriptase inversée... et si les mA.R.N. et les A.D.N. ne s'assemblent pas, cela signifiera que le vieux rat a perdu sa capacité génétique, nous commencerons alors à apprendre quels sont les peptides qui changent... finalement, je ne rechercherai plus qu'un seul peptide... »

Son explication se poursuivit ainsi pendant plus d'une heure, entrecoupée par des questions intelligentes et détaillées que posait Sam et qui impressionnèrent Celia. Bien qu'il n'eût pas de formation scientifique, Sam avait acquis beaucoup de connaissances sur le tas.

L'enthousiasme de Peat-Smith gagnait Sam et Celia. Et à mesure qu'il parlait – avec clarté et concision, révélant un esprit organisé et discipliné – leur respect s'accroissait.

Vers la fin de l'entretien, le jeune chercheur leur désigna les rats dans les cages.

« Vous n'en voyez ici que quelques-uns. Nous en avons des centaines d'autres dans nos salles d'animaux. (Il toucha une des cages et un gros rat endormi s'agita.) Ce vieillard à deux ans et demi; ce qui équivaut à soixante-dix ans pour un humain. Il vit son dernier jour. Demain, nous allons le sacrifier et comparer la chimie de son cerveau à celle d'un rat né depuis quelques jours seulement. Mais pour trouver les réponses qui nous manquent, il faudra encore beaucoup de rats, beaucoup d'analyses chimiques, et beaucoup de temps. »

Sam hocha la tête :

« Nous connaissons bien l'importance du facteur temps. Et maintenant, pour résumer, docteur : comment exprimeriez-vous votre but à long terme? »

Peat-Smith prit le temps de réfléchir avant de répondre. Puis il déclara d'un ton mesuré :

« Découvrir, par une recherche génétique continue, un peptide du cerveau qui stimule la mémoire chez les gens jeunes, mais que le corps humain cesse de produire en vieillissant. Puis, lorsque nous aurons trouvé et isolé ce peptide, nous apprendrons à le produire par des techniques génétiques. Ensuite, il pourra être prescrit à des gens de tous âges pour réduire les pertes de mémoire – et peut-être éliminer complètement le vieillissement mental. »

Ce sobre résumé les impressionna par la profonde confiance, dénuée de toute forfanterie, dont il témoignait, et ni l'un ni l'autre ne furent tentés de rompre le silence qui suivit. En dépit de la vétusté environnante, Celia avait l'impression de vivre un moment important, de voir l'histoire se faire.

Ce fut Sam qui parla le premier.

« Docteur Peat-Smith, vous avez désormais votre bourse. Elle vous est accordée, pour le montant que vous avez demandé. »

Peat-Smith parut surpris.

« Vous voulez dire... c'est aussi simple... juste comme ça ? »

Sam sourit.

« En tant que président-directeur général de Felding-Roth, je dispose d'une certaine autorité. Mais il est bien rare que j'aie le plaisir de l'exercer. (Il ajouta :) Il va de soi que le versement de cette bourse est assujetti à une condition, comme toujours dans ce genre de contrat. Nous aimerions être tenus au courant de vos progrès, et être les premiers informés des nouveaux produits que vous seriez amenés à concevoir.

– Bien sûr, acquiesça Peat-Smith, cela va de soi. »

Il demeurait éberlué. Sam lui tendit la main, et le jeune homme la serra.

« Félicitations, et bonne chance. »

Une demi-heure plus tard, ils prenaient le thé ensemble dans le bâtiment de biochimie. Sur l'invitation de Martin – ils en étaient venus à s'appeler tous les trois par leurs prénoms – ils étaient remontés dans le hall, où l'on servait du thé et des biscuits disposés sur des chariots. Leur tasse à la main, ils se dirigèrent vers une cantine qui, comme le leur expliqua Martin, était le lieu de rencontre des chercheurs qui travaillaient là et de leurs invités.

Cette cantine, aussi austère et dénuée d'élégance que le reste du bâtiment, était meublée de longues tables et de chaises en bois. Elle était bondée, et il y régnait un constant brouhaha. On voyait des chercheurs des deux sexes, de toutes corpulences, de toutes tailles et de tous âges, mais les bribes de conversation que l'on pouvait saisir étaient de caractère résolument *non* scientifique. Une discussion portait sur les places réservées du parking, un vieux membre de la Faculté se plaignant avec véhémence du favoritisme dont bénéficiait un nouveau professeur qui le privait, lui, des droits de son ancienneté. A côté de lui, un enthousiaste barbu en blouse blanche parlait d'une sensationnelle vente de vins, et recommandait tout particulièrement un certain meursault. Un autre groupe disséquait un nouveau film qui se donnait à Cambridge – *Le Parrain*, dans lequel jouaient Marlon Brando et Al Pacino.

Après avoir manœuvré entre les tables et dérangé quelques personnes, Martin Peat-Smith parvint à dégager un coin pour son petit groupe.

« Est-ce toujours ainsi ? » s'étonna Celia.

Martin parut amusé.

« Généralement, oui. Et presque tout le monde vient ici. C'est le seul moment où nous pouvons nous voir.

– Il me semble, observa Sam, que l'organisation de ce bâtiment ne permet guère d'intimité.

– En effet, ce peut être odieux certaines fois. Mais on s'y habitue.

– Faut-il vraiment que vous vous y habituiez? (Comme il ne recevait aucune réponse, Sam poursuivit en baissant la voix pour n'être entendu de personne alentour.) Je me demandais, Martin, s'il vous intéresserait de poursuivre vos recherches actuelles, mais dans de meilleures conditions, avec le meilleur matériel et toute l'aide nécessaire. »

Un demi-sourire se dessina sur les lèvres du jeune homme.

« De meilleures conditions? Où?

– Ce que je suggère, et je suis sûr que vous l'avez deviné, c'est que vous quittiez l'université de Cambridge et que vous veniez travailler chez Felding-Roth avec nous. Vous y trouveriez de nombreux avantages, et c'est en Angleterre que nous envisageons... '

– Excusez-moi! (Martin l'interrompit d'un air inquiet.) Puis-je vous poser une question?

– Bien entendu.

– La bourse que vous m'offrez dépend-elle de cette question?

– Absolument pas, répondit Sam. Vous avez d'ores et déjà obtenu cette bourse, à laquelle n'est attachée aucune condition annexe, si ce n'est celle que j'ai mentionnée. Je vous en donne ma parole.

– Je vous remercie. J'ai soudain éprouvé de l'inquiétude. (Le sourire jeune et spontané reparut.) Je ne voudrais pas être grossier, mais je pense que nous gagnerons beaucoup si je vous avertis d'une chose. »

Ce fut Celia qui répondit :

« Nous vous écoutons.

— Je suis un chercheur universitaire, et je compte le rester. Je n'entrerai pas dans le détail des raisons qui m'y poussent, mais l'une d'elles est la liberté. Par là, j'entends la liberté d'effectuer le genre de recherches que je veux, sans pressions commerciales.

— Vous seriez libre avec nous aussi... » commença Sam. Mais il s'interrompit en voyant Martin secouer la tête.

« Il y aurait des facteurs commerciaux à considérer. Dites-moi, honnêtement : n'y en aurait-il pas?

— Eh bien, de temps en temps, oui, admit Sam. Nous sommes dans les affaires, après tout.

— Exactement. Mais, ici, il n'existe *aucune* considération commerciale. Juste la science pure, une quête de connaissance. Pour ma part, j'y tiens beaucoup. Voulez-vous encore du thé?

— Non, merci », dit Celia.

Sam secoua la tête. Ils se levèrent pour partir.

Dehors, près de la Jaguar garée dans Tennis Court Road, Martin dit à Sam :

« Merci pour tout, y compris la proposition d'un poste. Et à vous aussi, Celia. Mais je resterai à Cambridge. A part ce bâtiment (il jeta un coup d'œil derrière lui en faisant une grimace), c'est un endroit magnifique.

— J'ai eu grand plaisir à vous rencontrer, répondit Sam. Et quant à votre décision de ne pas travailler chez nous, je la regrette vivement, mais je la comprends. »

Il monta en voiture.

Par la vitre ouverte, Celia déclara à Martin :

« Cambridge est un endroit magnifique. Je n'y

étais jamais venue, et je regrette de n'avoir pas eu le temps d'en voir davantage.

— Eh, rien n'est plus simple! s'exclama Martin. Combien de temps restez-vous en Angleterre?

— Oh! sûrement encore deux semaines.

— Alors pourquoi ne pas venir passer une journée ici? Je serais ravi de vous faire visiter la ville.

— Cela serait un grand plaisir pour moi. »

Pendant que Sam mettait le moteur en marche, ils prirent rendez-vous pour le dimanche en huit.

Sur la route de Londres, Celia et Sam gardèrent le silence, absorbés par leurs pensées. Quand ils eurent quitté Cambridge et se furent engagés sur l'autoroute, Celia observa calmement :

« C'est lui qu'il vous faut, n'est-ce pas? C'est lui qu'il vous faut pour diriger notre centre de recherches.

— Evidemment, répondit Sam d'une voix tendue où perçait la déception. Il est formidable. A mon avis c'est un génie. Et c'est le meilleur de tous ceux que j'ai vus depuis mon arrivée ici. Mais, bon sang, Celia, pas moyen de l'avoir! Il est universitaire et il le restera. Rien ne le fera changer d'avis.

— Je me le demande, répliqua Celia, songeuse. Je me le demande, justement. »

CHAPITRE 21

Les jours qui suivirent furent occupés, pour Sam et Celia, par les travaux d'aménagement du centre de recherches Felding-Roth à Harlow. Bien qu'indispensable, cette activité leur était pénible à cause de la déception qu'ils éprouvaient au sujet du docteur Martin Peat-Smith. Ils avaient la certitude qu'il serait le meilleur directeur possible, et Sam était persuadé que jamais il n'accepterait de quitter l'Université pour l'industrie.

Après leur visite à Cambridge, Sam avait déclaré :

« J'ai vu plusieurs autres candidats, mais aucun n'a l'envergure de Peat-Smith, et de l'avoir rencontré m'empêche maintenant d'apprécier qui que ce soit d'autre. »

Quand Celia lui rappela qu'elle allait revoir Martin le dimanche suivant, Sam hocha la tête sans conviction.

« Bien sûr, faites ce que vous pourrez. Mais je ne suis guère optimiste. C'est un jeune homme déterminé, qui connaît sa vocation. (Puis il mit Celia en garde :) Quoi que vous fassiez, ne parlez surtout pas d'argent avec lui – je veux dire, ne parlez pas du salaire qu'il recevrait s'il venait travailler chez nous. Il sait très bien lui-même que ce serait énorme en comparaison de ce qu'il perçoit actuellement. Mais si vous abordez ce sujet, vous lui donnerez l'impression que nous le croyons susceptible de se laisser corrompre et il nous considérera comme deux Américains mal élevés, persuadés de pouvoir acheter le monde entier avec des dollars.

— Voyons, Sam, protesta Celia, si Martin venait à travailler chez Felding-Roth, il faudrait bien à un moment donné que vous abordiez la question de ses appointements.

— A un moment donné, oui. Mais pas au début, car l'argent ne serait jamais la question clef. Croyez-moi, Celia, je sais comme ces universitaires peuvent être sensibles, et si – comme vous le croyez – il reste une chance que Martin change d'avis, ne gâchons pas tout par manque de tact!

— Par simple curiosité, puis-je savoir quels sont les chiffres?

— D'après mes renseignements, Martin doit gagner quelque chose comme deux mille quatre cents livres sterling par an, ce qui correspond plus ou moins à six mille dollars. Pour commencer, nous lui donnerions quatre ou cinq fois plus – disons vingt-cinq ou trente mille dollars, sans compter les primes.

— Je ne savais pas que l'écart était si grand.

— Mais les universitaires le savent, eux. Et, le sachant, ils choisissent quand même l'Université, convaincus qu'il existe une plus grande liberté intellectuelle et, pour les scientifiques, une plus grande « pureté de recherche » dans un environnement universitaire. Vous avez entendu Martin parler des « pressions commerciales », et dire qu'elles lui pèseraient.

— Oui, admit Celia, je l'ai entendu. Mais vous avez discuté, vous lui avez dit que les pressions ne comptaient pas tellement.

– C'est parce que je me trouve du côté de l'industrie, et que mon travail m'oblige à le croire. Mais, entre nous, je dois reconnaître que Martin a peut-être raison.

– Je suis souvent d'accord avec vous. Mais, sur ce point précis, je n'en suis pas si sûre. »

C'était une conversation irritante, estimait-elle, et elle y songea longuement par la suite. Elle avait également résolu, comme elle se le disait intérieurement, de se faire une « seconde opinion ».

Le samedi, veille de sa visite à Cambridge, Celia conversa au téléphone avec Andrew et les enfants, comme elle le faisait au moins deux fois par semaine depuis un mois qu'elle se trouvait en Grande-Bretagne. Ils étaient, tout autant qu'elle, ravis de la voir enfin rentrer dans quelques jours. Après l'habituel échange de nouvelles familiales, Celia parla à Andrew du docteur Peat-Smith, de la déception qu'il leur avait causée, et de ses conversations avec Sam sur cette affaire.

Elle raconta aussi à Andrew qu'elle devait revoir Martin le lendemain.

« Et *toi*, le crois-tu susceptible de changer d'avis? demanda-t-il.

– Je sens confusément que cela pourrait se produire, dans certaines circonstances. Mais je n'ai pas la moindre idée de ce qui pourrait déclencher un revirement et je ne voudrais surtout pas commettre une maladresse en parlant avec lui, demain. »

Il y eut un silence, et elle sentit la présence de son mari qui réfléchissait. Puis il suggéra :

« Sam n'a pas tort, mais il n'a peut-être pas tout à fait raison non plus. D'après mon expérience, personne ne s'est jamais senti insulté de savoir qu'il représentait une grande valeur financière. En vérité, cela ne peut que plaire, même si l'on n'a aucune intention d'accepter la proposition.

– Parle-moi encore, dit Celia. Elle respectait la sagesse d'Andrew, son aptitude à toujours aller droit au cœur d'une situation donnée.

– D'après ce que tu me dis, poursuivit-il, Peat-Smith serait quelqu'un de direct.

– Oui, très direct.

– Dans ce cas, je te suggère d'agir de même avec lui. En étant compliquée, en essayant de le percer subtilement à jour, tu risques de rater ton but. Et puis les chemins détournés ne sont pas ton style, Celia. Sois toi-même. De cette manière, s'il te paraît naturel de lui parler d'argent – ou de tout autre chose –, eh bien, fais-le.

– Andrew chéri, répondit-elle, que ferais-je sans toi?

– Rien d'important, j'espère. (Puis il ajouta :) Maintenant que tu m'as parlé de ta journée de demain, je t'avoue que j'éprouve un tout petit soupçon de jalousie. »

Celia se mit à rire.

« Il s'agit strictement de travail. Et cela ne changera jamais. »

Ce dimanche était arrivé.

Seule dans le compartiment de première classe réservé aux non-fumeurs, détendue, Celia profita du voyage pour mettre de l'ordre dans ses pensées.

De très bonne heure, elle avait pris un taxi pour se rendre à la gare de Liverpool Street – un sinistre bâtiment de brique et de fonte hérité de l'ère victorienne, qui, envahi dans la semaine par une foule animée, se révélait plus calme pendant les week-ends. Son train avait bruyamment quitté la gare, emportant peu de passagers, et Celia savourait cette solitude.

Elle repensa aux événements et aux conversations des deux dernières semaines, en se demandant une fois de plus quel avis elle suivrait aujourd'hui – celui d'Andrew, ou celui de Sam. Cette rencontre avec Martin, bien que de pure courtoisie en apparence, pouvait revêtir une grande importance pour Felding-Roth et pour elle-même. L'avertissement lui revint à l'esprit : « *Ne gâchons pas tout par manque de tact!* »

Le bruit régulier des roues la berçait, et le temps passa vite. Le train entra lentement en gare de Cambridge et s'arrêta, Martin Peat-Smith attendait Celia sur le quai, avec un grand sourire de bienvenue.

A l'âge de quarante et un ans, Celia savait qu'elle était superbe. Elle le sentait. Ses cheveux châtains étaient coupés courts, elle avait un corps mince et ferme, et de hautes pommettes bronzées par plusieurs semaines passées au grand air.

Elle avait maintenant les cheveux parsemés de quelques fils blancs. Elle acceptait avec sérénité ce rappel de son âge, mais il lui arrivait parfois de faire un rinçage colorant, et c'était précisément ce qu'elle avait fait la veille au soir.

Elle arborait une robe d'été en voile de coton vert et blanc, avec un jupon de dentelle par-dessous. Elle portait des sandales blanches à talons, et un grand chapeau blanc en paille. Elle avait fait l'acquisition de cette tenue la semaine précédente à West End car, en faisant ses bagages dans le New Jersey, elle n'avait pas imaginé qu'on pût avoir besoin de vêtements d'été en Angleterre.

En descendant du train, elle remarqua le regard admiratif de Martin. Il parut se trouver à court de mots pendant quelques instants, puis il serra la main qu'elle lui tendait et dit :

« Bonjour! Vous êtes absolument superbe. Je suis content que vous soyez venue.

– Vous n'avez pas mauvaise allure non plus. »

Martin se mit à rire, puis lui adressa son sourire d'enfant. Il avait revêtu pour la circonstance un blazer bleu marine, un pantalon de flanelle blanche, et une chemise à col ouvert.

« Je vous avais promis de porter mon complet, dit-il, mais j'ai retrouvé cette ancienne tenue que je n'avais pas mise depuis des années, et elle m'a paru moins solennelle. »

Comme ils quittaient la gare, Celia lui prit le bras.

« Où allons-nous?

– Ma voiture est garée juste là. Je pensais que nous pourrions nous promener un peu dans la ville, flâner devant quelques collèges, et ensuite aller pique-niquer.

– Formidable.

– Pendant que vous êtes ici, y a-t-il autre chose que vous aimeriez faire, ou voir? »

Elle hésita, puis répondit :

« Oui, il y a une chose.

– De quoi s'agit-il?

– J'aimerais voir votre mère. »

Surpris, Martin tourna la tête pour dévisager Celia.

« Nous pouvons passer chez mes parents aussitôt après notre promenade. Si vous êtes sûre de vouloir y aller.

– Oui, je suis sûre de vouloir y aller. »

La voiture de Martin était une Morris Mini Minor d'âge indéterminé dans laquelle il fallait presque se tenir recroquevillé. Ils parcoururent les vieilles rues de Cambridge et finirent par se garer dans Queen's Road, près des « Backs ». Il expliqua à Celia : « A partir d'ici, nous allons marcher. » Ils descendirent de voiture, et s'engagèrent dans le chemin qui menait au King's Bridge.

En arrivant au pont, Celia s'arrêta. Elle mit sa

main en visière devant les yeux et murmura, émer-
veillée :

« J'ai rarement vu quelque chose d'aussi beau. »

A son côté, Martin expliqua doucement :

« La chapelle de King's College – la plus belle vue
qui soit. »

Devant eux s'étendaient des pelouses ombragées
d'arbres vénérables. Au-delà, on voyait la chapelle –
des clochers, des contreforts massifs, des vitraux et
des flèches aériennes s'élançant au-dessus d'un toit
voûté. De part et d'autre, les pâles constructions de
pierre des collèges contribuaient à donner un sentiment de noblesse.

« Je vais vous faire mon numéro de guide touris-
tique, annonça Martin. Voici : Nous sommes une
institution fort ancienne. En 1441, le roi Henry VI
entreprit la construction de ce que vous voyez là; et
Peterhouse, au sud, est encore plus ancienne : dès
1284, y commençait " la quête de connaissance de
Cambridge ". »

Sans réfléchir, Celia s'écria :

« Comment pourrait-on s'en aller d'ici, si l'on y
est né? »

Martin répliqua :

« Beaucoup n'en sont jamais partis. De grands
savants ont vécu et travaillé à Cambridge jusqu'à
leur mort. Et certains d'entre nous – plus jeunes, et
encore en vie – comptent faire la même chose. »

Pendant encore deux heures ils se promenèrent à
pied et en voiture! Celia put ainsi se familiariser
avec l'histoire de Cambridge, et s'attacher à cette
ville. Elle retint des noms de lieux : Jesus Green,
Midsummer Common, Parker's Piece, Coe Fen,
Lammas Land, Trinity, Queen's, Newnham. La liste
semblait infinie, de même que les connaissances de
Martin.

« Alors que certains savants sont restés, d'autres

ont porté la flamme ailleurs, lui dit-il. L'un d'eux était un docteur fort érudit d'Emmanuel College – il s'appelait John Harvard. Il existe un autre lieu qui porte son nom. (Il eut une petite grimace espiègle.) Je ne me rappelle plus très bien où. »

Finalement, comme ils remontaient en voiture, Martin suggéra :

« Je crois que cela suffira. S'il reste autre chose à voir, gardons-le pour la prochaine fois. (Brusquement, son visage prit une expression grave.) Souhaitez-vous toujours voir mes parents? Je dois vous avertir : ma mère ne se souciera ni de vous ni de moi, et n'aura pas la moindre idée des raisons de notre présence. Ce peut être assez triste.

– Oui, répondit Celia. Je souhaite toujours les voir. »

Leur maison, petite et semblable à toutes celles de la rue, se trouvait dans le quartier du Kite. Martin se gara devant la porte, et tira une clef de sa poche. Ils entrèrent. D'un petit vestibule mal éclairé, il appela : « Papa! C'est moi! Et j'ai une invitée. »

On entendit des pas traînants, une porte s'ouvrit, et un vieil homme vêtu d'un chandail aux couleurs passées et d'un pantalon de velours informe apparut. Celia fut frappée par la ressemblance entre le père et le fils. Le vieux Peat-Smith donnait la même impression de robustesse massive que Martin, mâchoire carrée, même visage irrégulier – mais plus sillonné, à cause de l'âge –, et son bref sourire timide, lorsqu'il fut présenté, parut une copie de celui de Martin.

Cependant, la similitude cessa dès qu'il parla. Sa voix avait une intonation campagnarde et discordante; ses phrases, approximativement construites, révélaient une éducation très limitée.

« Ravi de vous connaître, dit-il à Celia. (Puis, à Martin :) Savais pas que tu venais, mon gars. Je viens seulement d'habiller ta mère. Elle n'est pas facile, aujourd'hui.

– Nous n'allons pas rester longtemps, papa. (Puis, Martin expliqua à Celia :) La maladie de ma mère impose d'énormes contraintes à mon père. Il en est souvent ainsi – c'est plus dur pour les familles que pour les patients eux-mêmes. »

Comme ils pénétraient dans un modeste salon, Peat-Smith père proposa à Celia :

« Vous voulez une tasse ?

– Il s'agit d'une tasse de thé, traduisit Martin.

– Oh ! volontiers, merci, répondit Celia. Notre promenade m'a donné soif. »

Tandis que son père passait dans la minuscule cuisine, Martin alla s'agenouiller auprès d'une femme aux cheveux gris, assise dans un fauteuil recouvert d'une housse à fleurs. Elle n'avait pas bougé depuis leur arrivée. Il l'enveloppa de ses bras et l'embrassa tendrement.

Cette femme avait été belle, songea Celia, et l'était encore d'une certaine manière. Elle était soigneusement coiffée, et portait une robe beige très simple, avec un rang de perles. Le baiser de son fils parut éveiller quelque chose en elle, et elle ébaucha un imperceptible sourire, mais sans paraître le reconnaître.

« Maman, dit Martin d'une voix très douce, je suis ton fils. Et cette dame s'appelle Celia Jordan. Elle est venue d'Amérique, et je lui ai fait visiter Cambridge. Elle aime beaucoup notre petite ville.

– Bonjour, madame, dit Celia. Merci de m'accueillir dans votre maison. »

Les yeux de la femme aux cheveux gris se tournèrent vers elle, donnant à nouveau l'impression qu'elle comprenait peut-être. Mais Martin expliqua à Celia :

« Il ne reste absolument plus rien, je le crains. Plus de mémoire du tout. Mais quand il s'agit de ma mère, j'oublie toutes mes connaissances scientifiques et j'essaie de communiquer avec elle.

– Je comprends. (Celia hésita, puis demanda :) Pensez-vous que, si vos recherches progressent, si vous découvrez bientôt quelque chose d'important, il y aurait une chance...

– De la secourir? (Martin répondit d'un ton assuré :) Absolument aucune chance. Quoi qu'on puisse découvrir, rien ne fera revivre une cellule du cerveau quand elle est morte. Je n'ai aucune illusion sur ce point. (Debout à côté de sa mère, il posa sur elle un regard douloureux.) Non, ce sont d'autres gens qui, un jour, pourront être sauvés. D'autres, qui n'auront pas atteint un stade aussi avancé.

– Vous êtes sûr de cela, n'est-ce pas?

– Je suis sûr qu'on découvrira des réponses – moi-même ou bien d'autres.

– Mais vous aimeriez être celui-là.

– Tous les chercheurs aimeraient être les premiers à trouver quelque chose. C'est humain. Mais (il lança un coup d'œil en direction de sa mère) l'essentiel, c'est que *quelqu'un* découvre la cause de la maladie d'Alzheimer.

– Il se pourrait donc, insista Celia, que quelqu'un d'autre y parvienne avant nous.

– Oui, admit Martin. Dans le domaine de la science, cela peut toujours se produire. »

M. Peat-Smith père apparut sur le seuil de la cuisine avec un plateau chargé d'une théière, de tasses, et d'un pot de lait.

Lorsqu'il eut posé le plateau, Martin l'entoura de ses bras.

« Papa fait tout, pour ma mère – il l'habille, la

coiffe, la nourrit, et fait bien d'autres choses moins agréables. A une certaine époque, Celia, mon père et moi n'avons pas été les meilleurs amis du monde. Mais nous le sommes devenus.

— C'est vrai. Nous avons eu bien des prises de bec, acquiesça le père. (Il demanda à Celia :) Voulez-vous du lait?

— Oui, merci.

— Autrefois, toutes ces histoires de bourses d'études que Martin fricotait avec sa mère ne me disaient rien qui vaille. Je voulais qu'il vienne travailler avec moi. Mais c'est sa mère qui avait raison, et finalement nous avons un bon fils. Il paie le loyer et tout ce qu'il nous faut. (Il jeta un coup d'œil à Martin, et ajouta :) Et j'ai entendu dire qu'il ne se débrouillait pas mal dans son collège.

— En effet! s'exclama Celia, pas mal du tout. »

Près de deux heures s'étaient écoulées.

« Ce n'est pas fatigant de parler en faisant cela? demanda Celia, confortablement étendue sur des coussins.

— Bien sûr que non. Pourquoi? »

Tout en parlant, Martin, debout, enfonça la longue perche dans l'eau et prit appui au fond pour faire avancer la barque plate à contre-courant. Martin savait apparemment tout faire, songea Celia, y compris manœuvrer ces curieux bateaux – et ce n'était pas le cas de tout le monde, à en juger par ceux qu'ils avaient rencontrés et qui, par comparaison, semblaient avancer cahin-caha.

Martin avait loué l'embarcation à un ponton de Cambridge, et ils se dirigeaient à présent vers Grantchester, cinq kilomètres plus au sud, où ils comptaient faire un tardif pique-nique.

« Je voudrais vous poser une question personnelle que vous jugerez peut-être indiscrète, déclara Celia. Mais je m'interrogeais sur la différence qui existe entre votre père et vous? Par exemple, la façon dont chacun de vous deux s'exprime – et je ne parle pas seulement de la grammaire...

– Je vois, répondit Martin. Lorsque ma mère parlait, avant qu'elle désapprenne, elle s'exprimait plus ou moins de la même manière. Dans *Pygmalion*, Bernard Shaw considère cela comme une « insulte permanente à la langue anglaise. »

– Je m'en souviens en effet, dans *My Fair Lady*. Mais vous êtes parvenu à y échapper. Comment?

– C'est encore une chose que je dois à ma mère. Avant de vous l'expliquer, toutefois, je voudrais vous dire qu'en Angleterre, la manière de parler a toujours constitué une barrière de classe, une distinction sociale. Et même si vous entendez prétendre le contraire, sachez que cela reste vrai.

– Dans les milieux universitaires, aussi?

– Oui, là aussi. Et même, surtout là. »

Martin manœuvra longuement la perche, pour se donner le temps de réfléchir.

« Ma mère avait souffert de cette barrière. Et c'est pour cela que, lorsque j'étais tout petit, elle a acheté un poste de radio qu'elle laissait sans arrêt allumé : elle voulait que j'imite les présentateurs de la B.B.C. Elle me disait : C'est ainsi que tu devras parler, alors commence dès maintenant. Il est trop tard pour ton papa et moi, mais il est encore temps pour toi. »

En écoutant sa voix mélodieuse et raffinée, mais dénuée de toute affectation, Celia constata :

« Cela a marché.

– Je le pense, oui. Ce n'est là qu'un exemple de tout ce qu'elle a fait pour moi. Ainsi, elle a découvert ce qui m'intéressait à l'école, elle s'est renseignée sur les bourses d'études, elle a fait en sorte que j'en obtienne une. C'est à ce sujet qu'ont éclaté les querelles qu'évoquait mon père tout à l'heure.

– Il trouvait votre mère trop ambitieuse?

– Il aurait voulu que je sois tailleur de pierre, comme lui. Mon père croyait en ces vers de Dickens :

Oh! laissez-nous aimer nos métiers,
Bénir le Seigneur et sa famille,
Vivre de notre labeur quotidien,
Et toujours connaître notre place en ce bas monde.

– Mais vous n'en tenez pas rigueur à votre père?

– Non. Il ne comprenait pas, voilà tout. D'ailleurs, moi non plus. Seule ma mère comprenait ce que pouvait accomplir l'ambition – et ce que je pouvais accomplir moi aussi. Peut-être comprenez-vous mieux, à présent, pourquoi je l'aime tant.

– Bien sûr. Et maintenant que je le comprends, j'éprouve le même sentiment. »

Ils laissèrent s'instaurer un silence paisible, tandis que le bateau remontait doucement le cours de la rivière entre deux rives verdoyantes, bordées de frondaisons. Puis, Celia reprit :

« Votre père a dit que vous subveniez à presque tous les besoins de vos parents.

– Je fais ce que je peux, reconnut Martin. Je fais venir une infirmière deux matins par semaine, pour permettre à mon père de souffler un peu. Je voudrais bien le faire plus souvent, mais... (Il haussa les épaules sans achever sa phrase, et en quelques gestes experts amena le bateau à la rive, à l'ombre d'un saule.) Que pensez-vous de l'endroit pour un pique-nique?

– C'est idyllique. Il n'y manque que le roi Arthur. »

Martin avait rempli un panier de victuailles – de grosses crevettes, un pâté de porc de chez Melton Mawbray, une salade verte, des fraises, et une épaisse crème jaune, spécialité du Devonshire. Il y avait également du vin – un chablis très estimable – et du café dans une bouteille Thermos.

Ils dégustèrent leur repas avec appétit.

Ensuite, en prenant le café, Celia constata :

« C'est mon dernier week-end avant de rentrer. Ce n'aurait pas pu être plus agréable.

– Votre séjour s'est-il passé comme vous l'espériez? »

Sur le point de répondre une banalité, elle se souvint du conseil d'Andrew et répondit :

« Non.

– Ah! pourquoi? Martin semblait surpris.

– Sam Hawthorne et moi-même avons trouvé le directeur idéal pour le centre de recherches de Felding-Roth, mais il n'a pas accepté le poste. Et maintenant, tous les autres postulants nous paraissent inférieurs. »

Après un moment de silence, Martin hasarda :

« Je suppose que c'est de moi qu'il s'agit?

– Vous le savez bien.

– J'espère que vous me pardonnerez ce délit, Celia.

– Il n'y a rien à pardonner. C'est votre vie, et la décision vous appartient, lui assura-t-elle. C'est simplement que, en y pensant maintenant, il y a deux choses... Elle s'interrompit.

– Continuez? Quelles sont-elles?

– Eh bien, tout à l'heure vous confessiez que vous aimeriez être le premier à trouver les réponses concernant la maladie d'Alzheimer et le processus de vieillissement mental, mais que d'autres risquaient d'y parvenir avant vous. »

Martin s'allongea sur le fond de la barque, en face

de Celia, il avait replié sa veste pour s'en faire un oreiller.

« Je ne suis pas seul à m'être lancé dans ces recherches. Je sais qu'il y a quelqu'un en Allemagne, un autre en France, et un troisième en Nouvelle-Zélande. Ce sont tous des gens très compétents et nous poursuivons les mêmes objectifs, nous explorons le même domaine. Impossible de savoir si l'un devance les autres, et lequel.

– Il s'agit donc d'une course, reprit Celia. Une course contre la montre. Sa voix était devenue sèche et pressante.

– Oui. Mais c'est inévitable, dans le domaine scientifique.

– Est-ce que l'un de vos concurrents est mieux équipé que vous?

– Oui, sans aucun doute, l'Allemand. Pour les deux autres, je n'en sais rien.

– De combien d'espace disposez-vous, en laboratoire?

– En tout (Martin calculait mentalement) environ trois cent cinquante mètres carrés.

– Alors, ne serait-il pas plus pratique, plus rapide, d'avoir *cinq fois plus d'espace* pour effectuer vos recherches avec un équipement *ad hoc* – tout ce qu'il vous faudrait, exclusivement réservé à votre projet – et une équipe d'une vingtaine de personnes, au lieu de deux ou trois? Est-ce que *cela* ne ferait pas avancer les choses, non seulement pour trouver les réponses, mais pour les trouver le premier? »

Soudain, Celia se rendit compte que l'atmosphère entre eux avait changé. L'humeur n'était plus à l'insouciance et à la détente; toute l'innocence de cette journée de campagne s'était évanouie. Il s'agissait à présent d'une lutte entre deux intelligences, entre deux volontés. Eh bien, se dit-elle, voilà pourquoi elle était venue en Angleterre, voilà pourquoi elle se trouvait aujourd'hui à Cambridge.

Martin la dévisageait avec effarement.

« Parlez-vous sérieusement? Dix-huit cents mètres carrés et vingt personnes!

— Mais bien sûr, je parle sérieusement! (Elle ajouta d'une voix impatiente :) Nous prenez-vous pour des plaisantins, dans l'industrie pharmaceutique?

— Non, admit-il, encore étonné. Je ne le croyais pas. Vous parliez de deux choses – quelle est l'autre? »

Celia hésita. Fallait-il poursuivre? Elle sentait que ce qu'elle venait de dire avait profondément impressionné Martin. Risquait-elle de détruire cet effet, de perdre l'avantage qu'elle avait pu gagner? Et puis, là encore, elle se souvint du conseil d'Andrew.

« Je vais vous le dire de manière brutale et crue, avec l'habituel manque de tact des Américains, commença Celia. Et je le dis parce que je sais que les chercheurs comme vous ne sont pas motivés par l'argent, et qu'on ne peut pas les acheter. Mais si vous travailliez pour Felding-Roth, si vous deveniez directeur de notre centre et que vous poursuiviez vos recherches chez nous, vous recevriez certainement une bonne douzaine de milliers de livres par an, plus les primes, ce qui fait un total substantiel. J'ai des raisons de croire que cela représente environ cinq fois votre salaire actuel. Par ailleurs, maintenant que j'ai rencontré vos parents, que je sais ce que vous faites pour eux, et que j'ai une certaine idée de tout ce que vous aimeriez faire en plus, il me semble que vous sauriez à quoi employer la différence. Vous pourriez envoyer une infirmière chez vos parents plus de deux fois par semaine, installer votre mère dans un environnement plus plaisant...

— Assez! (Martin s'était redressé et la foudroyait du regard; il paraissait hors de lui.) Allez au diable! Je connais le pouvoir de l'argent. Et ne venez pas me parler des gens comme moi qui s'en moquent. Je ne m'en moque pas du tout, bien au contraire, et ce que vous venez de dire me donne le vertige. Vous essayez de me miner, de me tenter, de profiter...

— C'est ridicule! répliqua-t-elle, cinglante. Profiter de quoi?

— De votre rencontre avec mes parents, par exemple. Vous avez bien observé comment ils vivent, et l'importance qu'ils revêtent à mes yeux. Alors vous en profitez, vous m'offrez une pomme en or, vous me faites le numéro d'Eve à Adam. (Il lança un coup d'œil à la ronde.) En plein paradis.

— Ce n'est pas une pomme empoisonnée, répondit calmement Celia. Et il n'y a pas de serpent sur cette barque. Ecoutez, je suis navrée que... »

Martin l'interrompit brutalement.

« Vous n'êtes pas navrée du tout! Vous êtes une femme d'affaires efficace – sacrément efficace; je peux en témoigner! Mais une femme d'affaires sans décence, prête à tout, pour obtenir ce qu'elle veut. Vous n'avez vraiment aucun scrupule, n'est-ce pas?

— Vraiment? C'était au tour de Celia d'être surprise.

— Oui, répliqua-t-il.

— Bien, dit-elle; elle rendrait coup pour coup. Supposons que je n'en aie aucun. Et supposons que vous disiez vrai. N'est-ce pas aussi ce que *vous* voulez? Les réponses à la maladie d'Alzheimer? Ce peptide du cerveau que vous recherchez! La gloire scientifique! Est-ce que cela ne vous égare pas un peu *aussi*?

– Non, rétorqua Martin, absolument pas, même si tout le reste m'égare en effet. (Il lui adressa son petit sourire grimacé, avec une nuance de dépit.) J'espère au moins qu'ils vous paient bien, Celia! Comme Américaine dépourvue de tact – pour reprendre votre propre définition – vous faites un travail diabolique! (Il se releva, et prit la perche.) Il est l'heure de partir. »

Ils redescendirent le cours de la Cam en silence, et Martin enfonçait la perche dans l'eau avec une ardeur qu'il n'avait pas déployée pour remonter le courant. Celia se demandait si elle n'était pas allée trop loin. En approchant de la ville et du ponton, Martin cessa de manœuvrer et laissa l'esquif suivre le courant. Dressé à la proue du bateau, il contempla solennellement Celia.

« Je ne connais pas la réponse, dit-il. Je sais seulement que vous m'avez désarçonné. Mais je ne sais toujours pas. »

L'après-midi était bien avancé quand Martin déposa Celia à la gare de Cambridge, et ils échangèrent des adieux un peu guindés. Le train de retour était un omnibus affreusement lent qui s'arrêtait partout, et il était plus de onze heures et demie quand elle arriva à Londres, cette fois à la gare de King's Cross. Elle prit un taxi jusqu'au Berkeley, et y parvint juste avant minuit.

Pendant presque tout le voyage, Celia avait repassé dans son esprit le film de la journée, réfléchissant en particulier au rôle qu'elle y avait tenu. Ce qui l'avait bouleversée, plus que tout, c'était l'accusation cinglante de Martin : « *Vous n'avez vraiment aucun scrupule, n'est-ce pas ?* » Etait-elle sans scrupules ? S'observant dans un miroir imaginaire, Celia reconnut que, en effet, elle l'était

peut-être. Puis elle se corrigea : Pas « *peut-être* ».
Plutôt « *sûrement.* »

Mais ne fallait-il pas savoir *un peu* manquer de
scrupules? Ne fallait-il pas savoir en manquer –
surtout quand on était une femme – pour bâtir une
carrière comme elle l'avait fait, et arriver là où elle
était à présent. *Si. Bien sûr!*

D'ailleurs, se disait-elle, l'absence de scrupules
n'était pas nécessairement synonyme de malhonnêteté. Au fond, il s'agissait d'un choix : être dure en
affaires, savoir prendre des décisions désagréables et
difficiles, combattre le superflu pour aller droit à
l'essentiel, et s'épargner les soucis concernant d'autres individus. Il était également vrai que si ses
propres responsabilités devaient s'accroître à l'avenir il lui faudrait être encore plus dure, encore plus
dénuée de scrupules qu'avant.

Alors, si l'absence de scrupules faisait partie inté-
grante de la vie d'une femme d'affaires, pourquoi la
réflexion de Martin l'avait-elle attristée?

Sans doute parce qu'elle éprouvait à son égard de
l'estime et du respect, et souhaitait lui inspirer les
mêmes sentiments. Y était-elle parvenue? Celia y
réfléchit brièvement et conclut qu'elle n'y était pas
arrivée; pas après leur querelle de l'après-midi.

Toutefois, l'opinion de Martin comptait-elle vraiment? La réponse était *non*! Il restait encore en lui
quelque chose d'enfantin, malgré ses trente-deux
ans. Celia avait un jour entendu parler ainsi des
chercheurs scientifiques : « Ils passent tellement de
temps à s'instruire qu'ils n'ont de temps pour à peu
près rien d'autre et, d'une certaine façon, ils restent
toujours des enfants. » Assurément, cela semblait
assez vrai dans le cas de Martin. Celia savait qu'elle
était beaucoup plus au fait des réalités du monde
que ne l'était Martin.

Qu'est-ce qui comptait vraiment, alors? Certainement pas les sentiments de Martin, ni ceux de Célia, mais le *résultat* de la journée.

Vraiment? oui, vraiment.

A vrai dire, Celia n'était guère optimiste. Elle avait certainement – pour reprendre l'expression de Sam – « tout gâché par manque de tact ». Plus elle y songeait, moins elle aimait ce qu'elle avait fait, et plus les souvenirs de cette journée la décourageaient.

Dans le hall de l'hôtel Berkeley, elle fut accueillie par le veilleur de nuit en uniforme.

« Bonsoir, madame Jordan. Avez-vous passé une bonne journée?

– Oui, merci. »

Intérieurement, elle ajouta : *Juste quelques miettes.*

En se retournant pour saisir sa clef, l'homme prit plusieurs messages et les tendit à Celia. Elle les lirait plus tard, dans sa chambre.

Elle s'éloignait déjà quand il la rappela :

« Madame Jordan! Il en est arrivé un autre, voici quelques minutes. Un monsieur a téléphoné. Je l'ai noté moi-même. C'est assez obscur, mais il a dit que vous comprendriez. »

Fatiguée, Celia lança un coup d'œil indifférent au feuillet; son regard se figea.

Le message annonçait :

UN TEMPS POUR TOUT Y COMPRIS GROSSIERS AMÉRICAINS OFFRANT CADEAUX. MERCI. J'ACCEPTE.
MARTIN

Sous le regard réprobateur du veilleur de nuit, le hall solennel du Berkeley répercuta l'inhabituel écho du cri victorieux de Celia.

« *Hourra!* »

CHAPITRE 22

Quelques jours avant l'excursion de Celia à Cambridge, Sam et Lilian Hawthorne avaient quitté l'Angleterre pour un bref séjour à Paris avant de repartir le samedi pour New York. Celia n'avait donc pu joindre Sam par téléphone à son bureau que le lundi à quinze heures trente, heure de Londres.

Quand elle lui annonça la nouvelle concernant Martin Peat-Smith, il s'exclama avec enthousiasme :

« Formidable! Je suis ravi, mais extrêmement surpris. Vous êtes incroyable, Celia! Comment diable avez-vous fait? »

Celia avait prévu la question. Elle répondit avec circonspection :

« Je ne suis pas sûre que cela vous plaise. »

Puis elle lui rapporta la conversation qu'elle avait eue avec Martin au sujet de l'argent, et la façon dont cela avait sans doute influé sur sa décision.

De l'autre côté de l'Atlantique, elle entendit Sam gémir :

« Oh! merde! – excusez-moi! (Puis il ajouta :) C'est moi qui vous avais dit de ne pas parler d'argent – comment ai-je pu me tromper à ce point?

– Vous ne pouviez pas savoir, dit-elle. J'ai tout simplement tâté le terrain, et découvert quels étaient les problèmes de Martin. A propos, il m'a qualifiée d'*individu sans scrupules*!

– Peu importe! Votre intervention a produit le résultat que nous espérions. J'aurais dû en faire autant, mais je n'ai pas eu votre perspicacité ni votre obstination. »

Celia songea : *Il vous manque aussi un Andrew pour vous conseiller* et, à voix haute, déclara :

« Je vous en prie, Sam, cessez de vous infliger ces reproches! C'est tout à fait inutile.

– Bon, d'accord. Mais je vais vous soumettre une petite requête.

– De quoi s'agit-il?

– Si jamais un jour nous nous trouvons en désaccord sur une question où le jugement soit essentiel, je vous autorise à me rappeler cet incident, où vous avez eu un jugement juste, et moi faux.

– J'espère que cela ne se produira jamais.

– Vous rentrez cette semaine, n'est-ce pas? demanda Sam en changeant de sujet.

– Après-demain. J'aime beaucoup Londres, mais j'aime encore plus Andrew et les enfants.

– Bien! Dès votre retour, prenez un congé pour rester un peu avec eux. Mais je veux que vous retourniez en Angleterre dans quelques semaines. Il y aura beaucoup à faire pour mettre en route notre centre, et il faudra trouver un gérant. Les talents de chercheur de Martin sont bien trop précieux pour qu'il les gaspille à des tâches administratives.

– Tout à fait d'accord, dit Celia. Cela me semble parfait.

– Autre chose de parfait, lança Sam. L'autre jour, à Paris, j'ai acquis les droits de commercialisation d'un nouveau produit français. Il en est encore au stade expérimental et ne sera pas prêt avant deux ans. Mais il me paraît extrêmement prometteur.

– Bravo! A-t-il déjà un nom?

– Oui, il s'appelle Montayne. Vous en entendrez beaucoup parler. »

La fin de 1972 et le début de 1973 furent pour Celia une période passionnante. Elle fit encore cinq voyages en Angleterre, et y séjourna chaque fois plusieurs semaines. A deux reprises Andrew put la rejoindre pour quelques jours, et une autre fois ce furent Lisa et Bruce. A l'occasion d'une de ses visites, Andrew fit la connaissance de Martin, et les deux hommes sympathisèrent aussitôt. Andrew confia ensuite à Celia : « La seule chose qui manque à Martin, c'est une femme telle que toi pour partager sa vie. J'espère qu'il la trouvera. »

Lorsque les enfants vinrent la voir, Celia profita de ses moments de liberté pour leur faire visiter Londres « jusqu'à l'épuisement complet », selon ses propres termes.

Bruce avait maintenant douze ans, et se passionnait pour l'histoire. Comme il l'expliquait un dimanche matin, tandis qu'ils déambulaient tous les trois près de la Tour de Londres :

« Tout est *là*, maman, à la portée de tous – toutes les erreurs, et tout ce qui était juste. Il y a tellement de leçons à tirer du passé!

– Oui, dit Celia, toi, tu peux les discerner. Malheureusement, la plupart des gens en sont incapables. »

La passion de Bruce pour l'histoire se manifesta également à l'occasion d'une seconde visite guidée de Cambridge par Martin Peat-Smith, organisée cette fois à l'intention des enfants. Celia voyait régulièrement Martin lors de ses séjours en Angleterre, mais ils passaient peu de temps ensemble car ils étaient chacun très occupés.

Depuis qu'il avait pris la décision d'entrer chez Felding-Roth, Martin se montrait très actif. Il recruta un autre chimiste spécialiste des acides nucléiques, un jeune Pakistanais nommé Rao Sastri, qui devait être son bras droit dans le domaine scientifique. Il engagea aussi des techniciens très qualifiés, parmi lesquels un spécialiste de la culture des cellules, et un spécialiste de la séparation électrophorétique des protéines et des acides nucléiques. La responsabilité des centaines de rats et de lapins dèstinés aux expériences fut confiée à une femme vétérinaire.

Lors de ses visites à Harlow, Martin donnait son avis sur l'emplacement des laboratoires et sur la répartition du personnel et de l'équipement dans le bâtiment, où les travaux de reconversion étaient déjà en cours. Cependant, ces visites étaient brèves et, tant que le centre ne serait pas prêt à l'accueillir, Martin poursuivait ses recherches dans son laboratoire de Cambridge. A l'exception des déplacements indispensables, Martin insistait pour ne pas se laisser submerger par des tâches administratives que d'autres pouvaient accomplir à sa place — une stratégie qu'avait déjà décidée Sam Hawthorne, et que Celia mettait en œuvre.

Elle engagea un gérant. Sûr de lui-même, Nigel Bentley était un petit homme à l'allure fragile. Il avait récemment pris sa retraite de l'armée de l'air où, avec le grade de chef d'escadron, il avait assumé la responsabilité administrative d'un grand hôpital militaire. Les qualifications de cet ancien officier convenaient parfaitement pour ce nouveau poste, et il comprenait très bien ce qu'on attendait de lui.

En présence de Celia, Bentley déclara à Martin : « Moins je vous ennuierai, monsieur — ou plus exactement, moins vous me verrez – et mieux je ferai mon travail. » Cette affirmation plut à Celia ainsi que le « monsieur », qui exprimait élégamment que Bentley avait compris sur quel pied devraient s'établir leurs relations, même si Peat-Smith était beaucoup plus jeune que lui.

Entre deux voyages en Angleterre, une page se tourna – ce fut du moins l'impression qu'elle eut – dans la vie personnelle de Celia. Cela se produisit en septembre 1972, Lisa avait alors quatorze ans et elle quittait la maison pour entrer dans une pension prestigieuse, l'école Emma Willard, au nord de l'Etat de New York. La famille entière l'accompagna. La veille au soir, à table, Celia s'était exclamée d'un ton nostalgique :

« Mais où sont passées toutes ces années? »

Ce fut Lisa – l'esprit toujours pratique – qui répondit :

« Elles ont passé pendant que tu obtenais toutes ces promotions chez Felding-Roth, maman. Et j'ai calculé que je finirai mes études au collège l'année où tu prendras la place de M. Hawthorne. »

Ils éclatèrent tous de rire, et la bonne humeur se prolongea toute la journée du lendemain lorsque, avec les autres jeunes filles, leurs parents et leurs familles, ils découvrirent la beauté, le haut niveau d'enseignement et les traditions de l'école Emma Willard.

Deux semaines plus tard, Celia retourna en Angleterre. Pris par ses activités de président-directeur général, Sam Hawthorne lui abandonnait désormais la responsabilité presque totale de l'opération britannique.

Finalement, en février 1973, le centre britannique de recherches Felding-Roth fut inauguré. C'est à ce moment-là seulement que Martin Peat-Smith vint s'installer à Harlow pour y poursuivre ses recherches sur la maladie d'Alzheimer et le processus de vieillissement mental.

Il avait été décidé qu'aucun projet de recherches ne serait entrepris pour l'instant en Angleterre. Devant le conseil d'administration réuni dans le New Jersey, Sam expliqua ainsi ce choix : « Le projet en cours est urgent, passionnant, et très prometteur du point de vue commercial, il vaut donc mieux concentrer tous nos efforts sur lui seul. »

L'inauguration du centre de Harlow ne donna lieu à aucune festivité publique. « L'heure des fanfares sonnera quand nous aurons quelque chose de positif à montrer, déclara Sam qui avait fait le déplacement pour l'occasion, et ce moment n'est pas encore venu. »

Quand y aurait-il quelque chose de positif?

« Donnez-moi deux ans, demanda Martin. D'ici là, nous devrions avoir obtenu des résultats intéressants. »

Après l'ouverture du centre, les visites de Celia en Angleterre s'espacèrent et se firent plus brèves. Pendant quelque temps, elle s'y rendit au nom de Sam pour aider à régler les premiers problèmes pratiques. Mais, dans l'ensemble, Nigel Bentley semblait justifier la confiance que l'on avait placée en lui en l'engageant comme gérant. Quant à Martin, au cours des premiers mois, il resta très discret. C'est par l'intermédiaire de Bentley qu'on savait que ses recherches se poursuivaient.

Au siège de Felding-Roth, dans le New Jersey, Celia était maintenue dans ses fonctions d'attachée de direction, et travaillait à divers projets que lui confiait Sam.

C'est à cette époque que creva, à l'échelon national, l'abcès putride du Watergate. De même que des millions d'autres personnes dans le monde, Celia et

Andrew suivaient chaque soir à la télévision le déroulement des événements, fascinés par cette affaire spectaculaire. Celia se souvenait que l'année précédente, en allant avec Sam à Harlow, elle avait abandonné la lecture du premier article publié sur l'effraction du Watergate, l'estimant dénué de tout intérêt.

Vers la fin du mois d'avril, se sentant harcelé par les journalistes, le président Nixon leur donna en pâture deux de ses proches collaborateurs – Haldeman et Ehrlichman – dans l'espoir de se protéger lui-même. Puis, en octobre, venant s'ajouter aux malheurs de Nixon et de la nation, une accusation de corruption fut portée contre le vice-président Agnew qui fut démis de ses fonctions sans qu'il y eût de lien entre cette affaire et le Watergate. Finalement, dix mois plus tard, Nixon devint, à contrecœur, le premier président des Etats-Unis à avoir démissionné. Comme le dit Andrew : « Quoi que l'histoire puisse penser de lui, au moins, il est sûr de figurer dans le *Livre des Records*. »

Le successeur de Nixon se hâta de lui accorder le pardon pour toutes les poursuites judiciaires et, quand on lui demanda s'il s'agissait là d'un accord politique, il proclama : « Il n'y a pas eu d'entente préalable. »

En entendant cette déclaration à la télévision, Celia demanda à Andrew :

« Tu y crois, toi?

– Non.

– Moi non plus! » s'écria-t-elle, désabusée.

Vers la même époque, se produisit un fait moins significatif pour l'histoire du monde, mais important pour la famille Jordan : Bruce, à son tour, quitta la maison pour entrer dans une bonne pension – Hill School, à Pottstown, en Pennsylvanie.

Pendant toute cette période, et jusqu'en 1975, les

affaires de Felding-Roth se maintinrent à un niveau égal sans aucun coup d'éclat. Deux produits conçus dans leurs propres laboratoires concoururent à cette stabilité – un anti-inflammatoire pour l'arthrite rhumatismale, et un bêta-bloquant, le Staidpace, destiné à ralentir les battements du cœur et à réduire la pression artérielle. Le médicament pour l'arthrite n'eut qu'un succès modéré, mais Staidpace se révéla un excellent produit et, très largement utilisé, il sauva bien des vies.

Staidpace aurait mieux encore contribué à l'enrichissement de Felding-Roth si l'autorisation de la Food and Drug Administration n'avait tardé – de manière totalement injustifiée au point de vue de la compagnie – à être accordée. Cela prit deux ans de plus qu'il n'était nécessaire.

Au siège de la F.D.A., à Washington, semblait régner (selon les termes de Vincent Lord, furieux) « une volonté contagieuse de ne jamais rien décider du tout ». D'autres laboratoires formulaient les mêmes doléances. On racontait qu'un important fonctionnaire de la F.D.A. exhibait triomphalement sur son bureau une plaque où était gravé le fameux serment du maréchal Pétain pendant la première guerre mondiale : « Ils ne passeront pas. » Cela semblait bien illustrer l'attitude de la F.D.A. envers toute requête concernant de nouveaux médicaments.

C'est vers cette époque que l'expression « druglag » – carence pharmaceutique – désignant l'absence aux Etats-Unis de médicaments utiles que l'on pouvait se procurer partout ailleurs, commença à se répandre et à attirer l'attention.

Cependant, l'habituelle réponse à toute demande d'accélération du processus de décision était : « Rappelez-vous la Thalidomide! »

Sam Hawthorne se dressa contre cette attitude

lors d'un congrès pharmaceutique, où il prononça une allocution. « Il est nécessaire, déclara-t-il, dans l'intérêt de tous, de respecter des critères de sécurité. Il n'y a pas bien longtemps encore, nous en manquions. Aujourd'hui, on va trop loin dans l'autre sens, et l'indécision bureaucratique devient désormais un fléau national. Quant aux esprits critiques qui s'en prennent à l'industrie pharmaceutique en invoquant le cas de la Thalidomide, je leur répondrai ceci : le nombre des enfants nés avec des malformations dues aux effets de la Thalidomide est largement dépassé par celui des victimes du manque de médicaments efficaces, dont le lancement est retardé par décision administrative. »

C'était un langage dur, marquant le début d'un débat passionné qui allait durer des années.

Chez Felding-Roth, un certain projet sur lequel reposaient beaucoup d'espoirs se trouvait maintenant en attente.

L'accord conclu par Sam au sujet d'un nouveau produit français, le Montayne, n'avait pas encore atteint le stade des expérimentations obligatoires sur l'efficacité et la sécurité du médicament. Il restait donc un long chemin à parcourir avant même que la demande pût être adressée à la F.D.A.

Montayne était destiné à combattre les nausées de début de grossesse; il serait extrêmement utile, surtout pour les femmes qui travaillaient, en les libérant d'un problème qui leur rendait la vie difficile et menaçait parfois même leur emploi. Les inventeurs du produit – les laboratoires Gironde-Chimie, une maison très respectable – étaient convaincus d'avoir découvert un produit de grande qualité et sans danger, comme le démontraient de nombreuses expérimentations faites sur des animaux et sur des humains. La firme française annonça que, jusqu'à présent, ces essais étaient une réussite et n'avaient révélé aucun effet indésirable. Cependant, comme l'expliquait le directeur de Gironde-Chimie à Sam dans une lettre personnelle :

Du fait d'incidents passés et du caractère délicat de ce produit, il nous faut être extrêmement prudents. Nous avons donc décidé de procéder à de nouvelles séries d'essais sur d'autres espèces animales, ainsi que sur des humains. Cela prendra encore du temps.

Dans le contexte d'alors, reconnut Sam, ces précautions supplémentaires paraissaient sages. Et Felding-Roth continua donc à attendre le feu vert des Français pour commencer son propre travail sur ce produit.

TROISIÈME PARTIE

1975-1977

CHAPITRE 23

Sɪ le docteur Lord avait quelques problèmes purement imaginaires, il en avait aussi de bien réels.

Et en particulier avec la F.D.A.

L'obtention de l'accord de la Food and Drug Administration, dont le siège se trouvait dans la banlieue de Washington, représentait une véritable course d'obstacles dans un labyrinthe, et aucun nouveau produit ne pouvait être lancé sur le marché sans cet accord. Certains médicaments ne l'obtenaient jamais : ils rataient le parcours. Et comme les responsables des produits étaient presque toujours les laboratoires qui les découvraient, les fabriquaient, puis les vendaient au public, les grandes firmes pharmaceutiques et la F.D.A. devaient bien souvent s'affronter. Selon la gravité du problème, cela pouvait aller de l'escarmouche scientifico-intellectuelle à la guerre totale.

Pour Vincent Lord, c'était la guerre.

Une partie de son travail chez Felding-Roth consistait à traiter avec la F.D.A. ou à superviser les négociations. Il avait horreur de cela. De plus, il détestait et méprisait les gens qui y travaillaient. Pour comble de malchance, il était obligé, s'il voulait que ses démarches aboutissent, de refouler ses sentiments – ce qui lui était extrêmement difficile, voire impossible.

Bien entendu, le docteur Lord avait de nombreux préjugés, comme tant d'autres personnes qui, travaillant pour des laboratoires, devaient traiter avec la F.D.A.

Ces préjugés étaient parfois justifiés. Mais pas toujours.

La responsabilité de cet état de choses incombait à la loi et à la coutume qui obligeaient la F.D.A. à jouer plusieurs rôles à la fois.

En tant que gardienne de la santé publique, elle avait le devoir de protéger les innocents contre les excès d'avarice, d'incompétence, d'indifférence, ou de désinvolture – toutes fautes que commettaient parfois les laboratoires pharmaceutiques, dont l'ultime but était le profit. A l'inverse, la F.D.A. était considérée comme un *ange soignant* : elle devait rendre accessibles, dans les meilleurs délais, ces nouveaux médicaments révolutionnaires – produits par les mêmes compagnies pharmaceutiques – qui pouvaient allonger ou réduire la durée de la vie.

Elle était également le bouc émissaire des critiques de tout bord – firmes pharmaceutiques, associations de consommateurs, journalistes, écrivains, avocats, groupes de pression parlementaire, etc. – qui l'accusaient d'être trop rigide ou au contraire trop tolérante. De même, elle servait régulièrement de plate-forme politique à des membres du Congrès ou du Sénat, qui croyaient détenir la Vérité Absolue et qui, surtout, trouvaient là un moyen facile d'être cités dans la presse et de paraître à la télévision.

Enfin, la F.D.A. était un authentique fouillis bureaucratique : certains secteurs avaient un personnel trop nombreux, alors que d'autres manquaient d'employés, ses experts étaient mal payés et croulaient sous le travail.

Le plus extraordinaire, cependant, c'est qu'avec toutes ces attributions, tous ces obstacles, toutes ces critiques, la F.D.A. faisait son travail, remarquablement bien, dans l'ensemble.

Mais il existait sans aucun doute des points faibles, et la fameuse « carence pharmaceutique » en était un.

La gravité de cette carence variait selon le camp qui la dénonçait. Mais nul ne disconvenait qu'elle existât. Même au sein de la F.D.A.

Vincent Lord dut lutter contre cette carence pharmaceutique lorsqu'il tenta d'obtenir l'autorisation de distribuer le Staidpace, ce médicament pour le cœur et la tension artérielle qui se vendait déjà en Angleterre, en Allemagne, en France, et dans plusieurs autres pays.

La F.D.A. exigeait que des expérimentations très complètes soient entreprises aux Etats-Unis avant que le Staidpace pût être mis en vente. Et c'était une saine exigence, que personne ne contestait.

Ce que Vincent Lord et Felding-Roth déploraient – une fois tous les essais réalisés, et les résultats positifs transmis à la F.D.A. –, c'étaient les deux années supplémentaires de tergiversations mesquines qui leur étaient imposées.

En 1972, Felding-Roth avait livré à la F.D.A. le dossier du Staidpace par camion – ce dossier comportait 125 000 pages imprimées, regroupées en 307 volumes qui auraient suffi à remplir une petite pièce. Toute cette documentation, requise par la loi, comprenait des renseignements couvrant deux années d'expérimentations animales et humaines aux Etats-Unis.

Bien que la documentation fournie fût aussi complète que possible, il était clair que personne à la F.D.A., ne pourrait la lire en entier. Car ils recevaient la même quantité d'informations chaque fois qu'un fabricant souhaitait obtenir leur approbation pour un nouveau produit.

L'équipe médico-scientifique de la F.D.A. désignait l'un de ses membres pour étudier le dossier et se prononcer sur l'opportunité d'un accord. Dans le cas du Staidpace, ce fut le docteur Gideon R. Mace, qui travaillait depuis un an à la F.D.A.

La procédure prévoyait également que, pendant l'étude des documents, les chercheurs de Felding-Roth seraient convoqués pour expliquer certaines données ou en fournir de nouvelles. C'était normal.

Ce qui l'était moins, c'étaient les habitudes de travail et l'attitude du docteur Mace. Il avançait à la vitesse d'un escargot – une lenteur incroyable, même pour la F.D.A. C'était aussi un homme mesquin, et particulièrement maussade.

Et c'est ainsi que le nom de Gideon Mace vint s'ajouter à la liste des gens que Vincent Lord méprisait, à la F.D.A.

Lord avait personnellement constitué le dossier du Staidpace, et le jugeait plus complet et satisfaisant que tous ceux jamais soumis par sa société. Son sentiment de frustration s'accrut donc à mesure qu'il voyait passer les mois sans qu'aucune décision fût prise. Puis, quand Mace donna enfin signe de vie, ce fut pour soulever des problèmes sans importance, et par la suite – comme le dit un collaborateur de Lord – « il donna l'impression de remettre en question chaque virgule, bien souvent sans que cela eût rien à voir avec la science ». Autre détail exaspérant, Mace réclama impérieusement, et à plusieurs reprises, des données supplémentaires qui se trouvaient déjà dans la documentation fournie. Quand ces faits lui furent signalés, il attendit plusieurs semaines avant de le reconnaître – et ce de manière fort déplaisante.

Exaspéré par ce retard, Vincent Lord décida de prendre les choses en main et entreprit de faire lui-même ce qu'il détestait le plus – se rendre au siège de la F.D.A.

Les locaux de l'agence gouvernementale étaient extrêmement mal situés –, à Fishers Lane dans le Maryland, à une vingtaine de kilomètres au nord de Washington, et il fallait compter une heure de voiture depuis la Maison Blanche ou la colline du Capitole. C'était un immeuble de brique en forme de E, construit à l'économie dans les années soixante, et d'une architecture sans imagination.

Les bureaux minuscules, où s'entassaient sept mille employés, étaient fréquemment dépourvus de fenêtres. Certains étaient partagés par tant de personnes, et contenaient tant de mobilier qu'on pouvait à peine s'y mouvoir. Le peu d'espace qui restait était engorgé de papiers : il y en avait partout – des piles, des tas, des rames entières, des tonnes – des quantités défiant l'imagination. La salle du courrier était un cauchemar de papier, chaque jour soumise à une avalanche qui roulait dans les deux sens, bien que le flot sortant fût loin d'égaler celui qui entrait. Dans les couloirs, des employés poussaient des chariots surchargés de dossiers.

Le docteur Gideon Mace travaillait dans une pièce à peine plus grande qu'un placard, au neuvième étage. A l'approche de la soixantaine, Mace était un escogriffe au long cou – ce qui amenait les gens dépourvus d'indulgence à faire des commentaires où il était question de girafes – et il avait le visage sanguin, avec un nez fortement couperosé. Il portait des lunettes à monture transparente et semblait toujours grimacer pour mieux voir, comme s'il avait eu besoin d'en faire changer les verres. De manières brusques, volontiers sarcastique, il devenait facilement agressif. Sa tenue consistait habituellement en un vieux costume gris qui aurait eu bien besoin d'un repassage, et une cravate élimée.

Quand Vincent Lord lui rendit visite, Mace dut ôter des piles de papiers d'une chaise pour que le directeur de recherches de Felding-Roth pût s'asseoir.

« Nous semblons avoir quelques problèmes avec le Staidpace, commença Lord, s'efforçant de paraître amical. Me voici donc, pour voir avec vous ce qui ne va pas.

— Votre dossier est insuffisant, répliqua Mace. Tout est à recommencer. Il me manque d'innombrables éléments indispensables.

— En quoi ce dossier est-il insuffisant ? demanda Lord. Et quels éléments vous manquent ? »

Mace ignora la première question et répondit à la seconde.

« Je ne l'ai pas encore décidé. Mais vos services en seront informés.

— Quand ?

— Quand je serai prêt à vous le dire.

— Peut-être ne serait-il pas inutile que vous me donniez quelque idée du problème qui nous concerne, reprit Lord, parvenant à peine à maîtriser sa fureur. Nous gagnerions du temps.

— Il ne concerne que vous, pas moi ! riposta Gideon Mace. J'ai des doutes sur la sécurité de votre produit : il pourrait bien être cancérigène. Et, pour ce qui est de gagner du temps, je m'en moque éperdument. Rien ne presse. Nous avons tout notre temps.

— Vous, peut-être ! Mais avez-vous pensé à tous les cardiaques qui pourraient bénéficier du Staidpace ? Il sauve déjà bien des vies en Europe, où nous avons conclu l'accord de distribution depuis déjà

318

longtemps. Nous aimerions bien qu'il en aille de même ici. »

Mace eut un sourire acerbe.

« Et, par pure coïncidence, que cela rapporte plein d'argent à Felding-Roth.

– Cet aspect ne me concerne en rien.

– Si vous me le dites... ricana Mace. Mais, vu de ma place, vous ressemblez plus à un voyageur de commerce qu'à un chercheur scientifique. »

Vincent Lord parvint encore à se contenir.

« Vous parliez de sécurité, tout à l'heure. Comme vous avez pu le lire dans notre rapport, les effets secondaires ont été minimes, et sans danger; aucun risque cancérigène n'est apparu. Aussi, voudriez-vous avoir l'amabilité de m'exposer la cause de vos doutes?

– Pas maintenant. J'y réfléchis encore.

– Et pendant ce temps, aucune décision ne se prend.

– Exactement.

– Selon la loi, rappela Lord au fonctionnaire, vous disposez de six mois...

– Je connais la réglementation aussi bien que vous, rétorqua Mace avec hauteur. Mais si je refuse provisoirement votre dossier et que j'exige de nouvelles données, il faudra repartir de zéro. »

Et c'était vrai. Cette tactique dilatoire était employée par la F.D.A. – parfois à juste titre, Lord l'admettait –, mais d'autres fois sur le simple caprice d'un fonctionnaire.

Arrivé à l'extrême limite de sa patience, Lord déclara :

« Eviter de prendre une décision, c'est toujours la voie la plus sûre pour un bureaucrate, n'est-ce pas? »

Mace sourit et s'abstint de répondre.

Finalement, l'entretien n'eut pour résultat que de

renforcer le sentiment de frustration qu'éprouvait Vincent Lord. Mais il l'amena aussi à prendre une décision : il allait désormais réunir tous les renseignements possibles sur la personne de ce docteur Gideon R. Mace. Ce serait peut-être utile un jour.

Au cours des mois suivants, Lord eut diverses occasions de retourner au siège de la F.D.A. et, chaque fois, il posa quelques questions décousues aux collègues de Mace, et prit discrètement des renseignements à l'extérieur. Il parvint ainsi à recueillir un nombre surprenant d'informations.

Pendant ce temps, Mace avait pris en défaut l'une des études de Felding-Roth concernant le Staidpace – une série de tests effectués sur des patients malades du cœur. Jouissant pleinement de sa puissance, il ordonna que toute la série d'essais fût refaite. Lord ne décelait aucune raison valable de recommencer le travail; cela prendrait une année entière et coûterait fort cher, et il aurait pu s'y opposer. Mais il se rendit compte que cette opposition pourrait entraîner sa défaite, le dossier du Staidpace étant alors reporté à une date indéterminée, ou même refusé. Vincent Lord donna donc à contrecœur l'ordre de refaire tout le programme d'expérimentation.

Peu après, il informa Sam Hawthorne de sa décision, et lui fit part de ce qu'il avait appris sur le compte de Gideon Mace. Ils se trouvaient tous deux dans le bureau de Sam.

« Mace est un médecin raté, annonça-t-il. C'est également un alcoolique, et il a des ennuis d'argent, en particulier parce qu'il doit payer une pension alimentaire à ses deux ex-femmes. Il fait des remplacements non déclarés le soir et les week-ends. »

Sam soupesa la valeur de ces renseignements.

« Qu'entendez-vous par " médecin raté "? »

Le directeur de recherches consulta ses notes.

« Depuis qu'il a obtenu son diplôme de médecin, Mace a travaillé dans cinq villes différentes dans des cabinets privés. Ensuite, il a ouvert son propre cabinet. D'après mes informations, tout s'est toujours mal passé parce qu'il ne s'entendait pas avec les gens. Il n'aimait pas les autres médecins et, quand il parle de l'abandon de son métier, il reconnaît qu'il n'aimait pas non plus ses patients.

– A en juger d'après le portrait que vous faites, observa Sam, ils ne devaient pas tellement l'adorer non plus. Pourquoi l'a-t-on engagé à la F.D.A. ?

– Vous connaissez la situation de la F.D.A. Ils ont du mal à dénicher *qui que ce soit*.

– Oui, c'est vrai », admit Sam.

Ce problème de recrutement s'était toujours posé à la F.D.A. Les salaires publics étaient bas et à la F.D.A. un médecin ne percevait pas la moitié de ce qu'il pouvait gagner en clientèle privée. Dans le cas des experts scientifiques, le fossé entre ceux qui collaboraient avec la F.D.A. et ceux que recrutaient les laboratoires était encore bien plus large.

D'autres facteurs entraient en ligne de compte, comme le prestige professionnel. Dans les milieux médicaux, travailler pour la F.D.A., n'avait rien de brillant. Un emploi dans l'un des Instituts Nationaux pour la Santé, par exemple, était beaucoup plus coté.

D'autre part, les médecins employés par la F.D.A. étaient privés de ce qu'aimaient la plupart des praticiens – le contact avec les patients. A la F.D.A. – comme on l'expliqua un jour à Sam, « on n'exerçait la médecine que par procuration, en lisant les rapports des autres ».

Cependant, et en dépit de toutes ces contraintes, l'agence gouvernementale pouvait s'enorgueillir de compter dans ses rangs un grand nombre de spé-

cialistes compétents et dévoués. Mais inévitablement, il s'y trouvait aussi les autres – les ratés. Les
aigris qui préféraient une relative solitude à l'obligation d'affronter des gens. Ceux qui étaient frileu-
sement repliés sur eux-mêmes, évitant de prendre
toute décision difficile. Les alcooliques. Les déséquilibrés.

Manifestement, selon Sam Hawthorne et Vincent
Lord, le docteur Gideon Mace faisait partie de ce
lot.

« Y a-t-il quelque chose que je puisse faire?
suggéra Sam. Aller trouver le directeur, par exemple?

– Je ne vous le conseille pas. Les directeurs de la
F.D.A. sont des politiques; ils vont et viennent.
Tandis que les bureaucrates restent, et ils ont la
mémoire longue.

– Vous voulez dire que nous risquerions de
gagner la partie pour Staidpace, mais de perdre
beaucoup par la suite?

– Exactement.

– Qu'en est-il de l'alcoolisme de ce Mace?

– La boisson a fait échouer ses deux mariages,
paraît-il. Mais il tient bon. Il va à son travail. Il vit. Il
a peut-être une bouteille cachée dans son tiroir,
mais à ma connaissance personne ne l'a vu boire.

– Et ce travail non déclaré, ces remplacements en
clientèle privée, est-ce interdit par le règlement?

– Apparemment pas, si Mace les limite à ses
heures de loisirs, et même s'il risque d'arriver
épuisé le lendemain à son bureau. D'autres que lui
en font autant, à la F.D.A.

– Alors, nous n'avons aucun moyen de le coincer?

– Pas pour le moment, admit Lord. Mais il a
toujours ces pensions alimentaires sur le dos, et les
ennuis d'argent font faire bien des choses. Alors, je

vais le surveiller. Qui sait, il arrivera peut-être quelque chose. »

Sam dévisagea songeusement le directeur de recherches.

« Vous êtes devenu indispensable à la compagnie, Vince, à manipuler toutes ces choses déplaisantes. A veiller au mieux de nos intérêts. Sachez que j'y suis très sensible.

– C'est-à-dire... (Lord paraissait surpris, mais plutôt content.) Je ne l'avais pas envisagé sous cet angle-là. Tout ce que je voulais, c'était épingler ce salaud, et faire passer le Staidpace. Mais vous avez peut-être raison. »

En y réfléchissant par la suite, Vincent Lord supposa que Sam avait peut-être vu juste en le qualifiant d'« indispensable ». Il avait passé dix-huit ans chez Felding-Roth et, même s'il ne s'y était guère attendu, il avait fini par s'identifier un peu à la maison, au bout d'une aussi longue période. Désormais, aussi, il se demandait moins qu'autrefois s'il avait eu raison ou tort de quitter l'Université pour l'industrie. Ses pensées se concentraient bien davantage sur la poursuite de ses recherches sur les radicaux libres – chaque fois qu'il pouvait se dégager de ses autres responsabilités dans le service. Les réponses que cherchait Lord demeuraient évasives. Mais il savait qu'elles existaient. Et jamais il n'abandonnerait. *Jamais.*

Et puis, il se sentait motivé dans ses recherches par d'autres circonstances – à savoir la création du centre de Harlow, dirigé par ce Peat-Smith, que Vincent Lord n'avait encore jamais rencontré. La compétition était ouverte. Qui – de Lord ou de Peat-Smith – ferait la première découverte importante?

Lord avait été déçu de ne pas se voir accorder la

direction des recherches de Felding-Roth en Angleterre. Mais Sam Hawthorne s'était montré intraitable, pour que « là-bas » ils soient indépendants et s'organisent comme ils voulaient. Après tout, songeait Lord, à voir comment avait évolué la situation, cela valait peut-être mieux. D'après les rumeurs qui lui parvenaient, Peat-Smith se trouvait maintenant devant un véritable mur scientifique. Si c'était vrai, Lord était dégagé de toute responsabilité.

En attendant, il y avait fort à faire en Amérique dans le domaine pharmaceutique.

Quant au docteur Gideon Mace, l'occasion qu'avait espérée Vincent Lord de le « coincer » finit par se présenter, mais pas assez tôt pour aider au passage du Staidpace qui, après bien des vicissitudes, avait enfin été autorisé et commercialisé en 1974.

Ce fut en janvier 1975, en rentrant de Washington, où il s'était rendu pour une autre affaire avec la F.D.A. qu'il reçut un coup de téléphone très particulier.

« Il y a un homme au téléphone, qui refuse de donner son nom, lui annonça sa secrétaire. Mais il insiste et prétend que vous serez ravi de parler avec lui.

– Dites-lui d'aller se... – non, attendez! (Lord était de nature curieuse.) Passez-le-moi. »

Dès qu'il fut en communication, il déclara sèchement :

« Qui que vous soyez, dites-moi vite ce que vous voulez ou je raccroche.

– Vous cherchiez à vous renseigner sur le docteur Mace – j'ai ce qu'il vous faut. »

C'était la voix d'un homme très jeune.

Lord fut aussitôt dévoré par la curiosité.

« Quel genre de renseignements?

— Mace a transgressé la loi. Avec ce que j'ai, vous pourriez l'envoyer en prison.

— Qu'est-ce qui vous fait penser que je le souhaiterais?

— Ecoutez, vous vouliez que je sois bref, mais c'est vous qui traînez. Vous êtes intéressé, oui ou non? »

Lord était sur ses gardes : la conversation téléphonique pouvait être enregistrée.

« Comment le docteur Mace a-t-il transgressé la loi?

— Il a utilisé des renseignements confidentiels pour en tirer un bénéfice personnel en Bourse. Deux fois.

— Comment pouvez-vous le prouver?

— J'ai des documents. Mais si vous les voulez, docteur Lord, il faudra me les payer. Deux mille dollars.

— Est-ce qu'en voulant monnayer ces preuves vous ne vous rabaissez pas au niveau de Mace?

— C'est possible. Mais là n'est pas la question, répondit calmement l'interlocuteur de Vincent Lord.

— Quel est votre nom?

— Vous le saurez quand nous nous verrons à Washington. »

CHAPITRE 24

C'était un bar de Georgetown, élégamment décoré dans des tons de rouge, de beige, et de brun, avec de belles appliques en bronze. C'était aussi, très visiblement, le rendez-vous des homosexuels. A l'entrée de Vincent Lord, plusieurs visages se levèrent, l'air très intéressé; il se sentit examiné et soupesé, et en éprouva un certain malaise. Mais avant que cette impression pût s'imposer, un jeune homme installé à l'écart se leva et vint à sa rencontre.

« Bonsoir, docteur Lord. Je suis Tony Redmont. (Il eut un sourire entendu.) La voix du téléphone. »

Lord marmonna un bonjour poli, et se laissa serrer la main. Il avait tout de suite reconnu Redmont, qui travaillait à la F.D.A.; il se souvenait de l'avoir rencontré à plusieurs reprises lors de précédents voyages à Washington, mais sans pouvoir se rappeler dans quelles circonstances précises. Agé d'environ vingt-cinq ans, Redmont avait des cheveux châtains bouclés et coupés court, de grands yeux bleus, avec de très longs cils, et il était fort beau.

Il regagna sa table suivi de Lord, et ils s'assirent face à face. Redmont avait déjà un verre. Il ébaucha un geste et suggéra :

« Voulez-vous vous joindre à moi?

– Je commanderai moi-même », répliqua Lord, bien décidé à ne pas laisser s'installer une atmosphère amicale. Plus tôt il en aurait terminé et mieux ce serait.

« Je suis technicien médical à la F.D.A., expliqua Redmont. Je vous ai vu entrer et sortir pas mal de fois, dans notre service. »

Maintenant, Lord se rappelait exactement le jeune homme – il travaillait dans le service de Mace. Cela expliquait en partie comment il avait pu entrer en possession des documents qu'il marchandait.

Depuis leur première conversation téléphonique, ils en avaient eu deux autres : l'une pour parler d'argent, et Redmont avait fermement maintenu sa demande de deux mille dollars en échange des documents qu'il prétendait détenir. Et l'autre pour fixer ce rendez-vous, dont Redmont avait choisi le lieu.

Quelques jours plus tôt, Lord était allé voir Sam Hawthorne dans son bureau.

« J'ai besoin de deux mille dollars, dit-il, et je ne veux pas avoir à justifier leur emploi. »

Comme Sam haussait les sourcils, Lord poursuivit :

« C'est pour payer des renseignements que je crois utiles à la compagnie. Si vous insistez, je vous donnerai des détails, mais, à mon avis, vous vous en passeriez tout aussi bien.

– Je n'aime pas ce genre d'histoire, rétorqua Sam. (Puis il demanda :) Est-ce malhonnête?

– Je suppose, répondit Lord en pesant ses mots, que ce n'est pas très moral – un avocat dirait que cela frise l'illégalité. Mais je vous assure que nous ne volons rien – comme les secrets d'un autre laboratoire, par exemple. »

Sam hésitait encore, et Lord lui rappela :

« Je vous ai dit que je vous l'expliquerais si vous le souhaitiez. »

Sam hocha la tête.

« Bon, vous aurez l'argent. Je vous signerai l'accord.

– Il vaudrait mieux mettre le moins de gens possible dans la confidence. Je pensais en particulier à Mme Jordan, qui n'a aucun besoin de connaître l'affaire. »

Sam répliqua, agacé :

« J'en déciderai moi-même. (Puis :) Bon, elle n'en saura rien. »

Lord se sentit soulagé. Celia Jordan avait une façon particulière de poser des questions incisives. De plus, elle risquait de s'opposer à son projet.

Plus tard, dans la journée, Vincent Lord reçut un chèque de la société, avec une justification de remboursement de « frais spéciaux de déplacements ».

Lord encaissa le chèque et, lorsqu'il quitta Morristown pour Washington, emporta la somme en espèces, dans une enveloppe qu'il rangea dans la poche intérieure de son veston.

Un serveur s'approcha de leur table. Ses manières correspondaient tout à fait à celles de Redmont, qu'il appelait Tony. Lord commanda un gin-tonic.

« C'est un endroit agréable, n'est-ce pas? observa Redmont quand le serveur se fut éloigné. On le considère comme un bar très chic, où viennent surtout des gens du gouvernement et de l'université.

– Je me moque bien de savoir qui y vient, répliqua Lord. Montrez-moi ces papiers.

– Vous avez l'argent? » contre-attaqua Redmont.

Lord acquiesça avec raideur, et attendit.

« Je suppose que je puis vous faire confiance, hasarda Redmont. (Puis il ouvrit une serviette en cuir, posée sur la banquette à côté de lui, et en tira une grande enveloppe cartonnée, qu'il tendit à Lord.) Tout est là. »

Le serveur apporta son verre à Lord qui commença d'examiner le contenu de l'enveloppe. Il but une gorgée, puis une seconde.

Dix minutes plus tard, il releva la tête :

« Vous avez rassemblé un dossier très complet.

– Eh bien! dit Redmont, c'est la première chose aimable que vous me dites. »

Lord gardait le silence, réfléchissant à la manière d'utiliser ces documents. Les activités secrètes du docteur Gideon Mace y étaient clairement décrites. Redmont en avait indiqué une partie par téléphone, et les papiers que lisait Lord expliquaient le reste.

Il s'agissait des lois américaines sur les brevets, sur les produits génériques, et sur les procédures de la F.D.A. Ces trois domaines étaient familiers à Lord.

Quand le brevet d'un important produit pharmaceutique expirait – normalement, dix-sept ans après son dépôt –, un certain nombre de petits fabricants s'efforçaient de commercialiser ce même produit sous forme générique, à un prix de vente inférieur à celui pratiqué par la compagnie d'origine. Et la compagnie générique en tirait des bénéfices pouvant se chiffrer en millions de dollars.

Cependant, avant de pouvoir fabriquer le moindre produit générique, il fallait d'abord déposer une demande à la F.D.A., et attendre son feu vert, même si un médicament identique se trouvait déjà sur le marché. Toutefois, on ne soumettait qu'un dossier simplifié.

Pour tout produit important dont le brevet allait bientôt expirer, la F.D.A. recevait souvent plus d'une douzaine de demandes provenant de divers laboratoires. Et, comme pour les dossiers de nouveaux médicaments, la procédure pouvait être longue.

La façon dont la F.D.A. traitait ces dossiers simplifiés était assez mystérieuse. En revanche, un premier accord intervenait habituellement assez vite. Les autres suivaient peu à peu, souvent très espacés.

Ainsi, la firme qui recevait le premier accord était fortement avantagée par rapport à ses concurrents et avait la possibilité de réaliser d'importants profits. Et quand cette société était cotée en Bourse, ses actions pouvaient doubler de valeur du jour au lendemain.

Cependant, comme les petites sociétés génériques n'étaient généralement pas cotées en Bourse, leurs actions se vendaient sur le marché libre. Et même si les professionnels des transactions étaient susceptibles de remarquer une brusque hausse d'actions sur le marché libre, le public ne s'en rendait guère compte, et ce genre d'information faisait très rarement la une des quotidiens ou du *Wall Street Journal*.

Toutes ces raisons rendaient la situation idéale pour une personne malhonnête, si elle était « dans le coup ». Cette personne, sachant quelle compagnie allait recevoir l'autorisation de commercialiser un produit, pouvait gagner beaucoup d'argent en achetant à bas prix des actions de la société *avant*, pour les revendre beaucoup plus cher aussitôt après.

C'était précisément ce qu'avait fait le docteur Gideon Mace, profitant de sa position à la F.D.A. et des renseignements confidentiels auxquels il avait accès. Par deux fois, Vincent Lord en avait pour preuve les photocopies qu'il tenait à la main. Tout y était :

– des formulaires de transactions d'achat et de vente, sur lesquels figurait le nom d'une cliente :

Marietta Mace. Redmont avait expliqué à Lord qu'il s'agissait de la sœur célibataire de Mace, un prête-nom choisi par précaution – mais qui était trop transparent.

– deux avis d'autorisation émanant de la F.D.A. et destinés aux compagnies Binvus Products et Minto Labs. Ces deux noms se retrouvaient sur les actions mentionnées dans les bordereaux de transactions.

– deux chèques annulés de Gideon Mace, à l'ordre de sa sœur, et correspondant au montant des actions.

– deux avis bancaires adressés à Gideon R. Mace, révélant que d'importants dépôts avaient été effectués sur son compte juste après les ordres de vente.

Lord avait griffonné de rapides calculs au crayon sur l'enveloppe. Après déduction par sa sœur de dix pour cent, sans doute sa commission, Mace avait fait un bénéfice net de seize mille dollars.

Peut-être plus. Il était possible que Mace eût fait d'autres opérations de ce genre, plus souvent – une enquête judiciaire pourrait le déterminer.

« Judiciaire » était le mot. Comme l'avait annoncé Redmont au téléphone, la première fois, le docteur Mace était passible de prison en cas de dénonciation.

Lord avait eu envie de demander à Redmont comment il s'était procuré tous ces documents, mais s'était ravisé. La réponse était facile à deviner. Mace avait sans doute tout conservé dans son bureau de la F.D.A. s'y croyant plus en sécurité que chez lui. Mais Redmont, jeune homme plein de ressource, avait dû trouver un moyen de fouiller ses tiroirs en son absence. Evidemment, Redmont avait dû commencer par avoir des soupçons, mais il suffisait d'une conversation téléphonique entendue par hasard.

Lord se demandait comment Gideon Mace avait pu se comporter aussi stupidement. Au point de croire qu'il pouvait agir ainsi sans se laisser prendre. Au point d'acheter et de vendre des actions sous un nom semblable au sien, puis de garder les papiers compromettants dans un lieu où quelqu'un comme Redmont pouvait les trouver et en faire des copies. Mais, après tout, même les gens les plus intelligents commettent des erreurs.

Les pensées de Lord furent interrompues par la voix irritée de Redmont.

« Eh bien, vous en voulez? Nous concluons l'affaire, oui ou non? »

Sans un mot, Lord tira de sa poche l'enveloppe contenant l'argent, et la lui tendit. Le jeune homme souleva le rabat de l'enveloppe, qui n'était pas collé, et, le visage rayonnant, en sortit l'argent.

« Vous feriez mieux de compter, suggéra Lord.

— Pas besoin. Vous ne tricheriez pas. C'est trop important. »

Depuis un moment, Lord avait remarqué la présence d'un autre jeune homme qui, installé au bar, leur lançait de temps en temps des regards inquiets. Il se tourna vers eux une nouvelle fois, et Redmont lui sourit. Lord eut un sentiment de dégoût.

« Eh bien! voilà, déclara Redmont, on dirait que c'est tout.

— Je voudrais vous poser une dernière question, dit Vincent Lord. Par curiosité.

— Je vous écoute. »

Lord désigna l'enveloppe brune dont il venait d'acquérir le contenu.

« Pourquoi avez-vous fait cela au docteur Mace?

— Oh! c'est quelque chose qu'il m'a dit, un jour.

— Qu'était-ce?

— Puisque vous tenez à le savoir, répondit Redmont d'une voix malveillante, il m'a traité de sale pédé.

— Qu'y a-t-il de mal à cela? répliqua Lord en se levant. Vous en êtes bien un, non? »

Avant de quitter le bar, il jeta un regard derrière lui. Tony Redmont l'observait, furieux.

Pendant une semaine entière, Vincent Lord se demanda ce qu'il devait faire. Il n'avait encore rien décidé lorsqu'il rencontra Sam Hawthorne.

« J'ai entendu dire que vous étiez à Washington, dit Sam. Je suppose que ce n'était pas sans rapport avec la somme que je vous ai allouée.

— Vous avez vu juste, acquiesça Lord.

— Je ne suis pas porté sur les devinettes, reprit Sam, et si vous comptiez me protéger, renoncez-y! Je suis naturellement curieux. Et je veux savoir.

— Dans ce cas, je dois aller chercher certains papiers dans mon coffre, et je vous les apporte aussitôt. »

Une demi-heure plus tard, ayant terminé sa lecture, Sam étouffa un sifflement. Il paraissait troublé.

« Vous vous rendez compte, dit-il à son directeur de recherches, que, si nous ne faisons rien, nous sommes les complices de ce délit.

— Je le suppose, en effet. Mais, quoi que nous fassions, si cela éclate au grand jour, il y aura des retombées. Nous devrons expliquer comment nous nous sommes procuré ces papiers. Et puis, à la F.D.A., peu importe qui aura eu raison ou tort, ils nous haïront jusqu'à la fin des temps.

— Alors pourquoi diable nous avez-vous entraînés là-dedans? »

Lord répondit d'un ton assuré :

« Ces renseignements peuvent nous être utiles un

jour, voyez-vous. Il y a diverses manières de s'en servir. »

Il était serein; pour des raisons qu'il n'aurait guère su expliquer, il se sentait à l'aise dans cette situation qu'il avait l'impression de contrôler. Il venait, en quelques minutes, de décider de la marche à suivre.

« Ecoutez, expliqua-t-il à Sam, j'avais d'abord pensé qu'un document de ce genre nous aiderait à faire avancer le Staidpace, mais ce problème-là est réglé. Toutefois, il y en aura forcément de nouveaux, un jour ou l'autre. D'autres produits et d'autres dossiers que nous voudrons faire accepter sans attendre aussi longtemps que pour le Staidpace... »

Choqué, Sam rétorqua :

« Vous n'insinuez quand même pas...

— Je n'insinue rien du tout. Mais, tôt ou tard, nous nous retrouverons en face de ce Mace. Et s'il nous fait des ennuis, nous aurons de quoi nous défendre. Alors ne faisons rien pour l'instant, et attendons la suite. »

Sam s'était déjà levé. Tout en réfléchissant à ce qui venait d'être dit, il marchait de long en large dans la pièce. Il finit par grommeler :

« Vous avez peut-être raison. Mais cela ne me plaît guère.

— Cela ne plaira pas non plus à Mace, riposta Lord. Et permettez-moi de vous rappeler que c'est lui le délinquant, pas nous. »

Sam paraissait sur le point d'ajouter quelque chose, mais Lord parla le premier.

« Le moment venu, laissez-moi le soin de faire le sale boulot. »

Comme Sam acquiesçait à contrecœur, Lord songea : *Il se pourrait même que j'en tire un vif plaisir.*

CHAPITRE 25

Au début de 1975, Celia eut une nouvelle promotion.

Elle devenait directrice des ventes pharmaceutiques, et accédait ainsi au rang de vice-présidente, responsable des ventes et du marketing. Pour quelqu'un qui avait débuté comme visiteur médical, c'était une réussite remarquable. Pour une femme, c'était extraordinaire.

Mais, depuis quelque temps, Celia avait remarqué que sa condition de femme ne semblait plus avoir d'importance chez Felding-Roth. On la jugeait – comme elle l'avait toujours souhaité – sur la qualité de son travail.

Celia se doutait bien qu'elle était une exception et que la place des femmes était toujours la même au sein de la plupart des entreprises ou dans la société. Mais cela prouvait que les chances qu'elles avaient de gravir les plus hauts échelons s'accroissaient et s'accroîtraient encore. Dans le domaine des changements sociaux, il fallait des pionniers, et Celia se rendait compte qu'elle en était un.

Cependant, elle restait toujours à l'écart des mouvements militants, et les déclarations politiques fracassantes de certaines nouvelles venues dans ces mouvements l'embarrassaient parfois. Elles semblaient juger toute remise en cause de leur argumentation – même une honnête divergence d'opinion masculine – comme un crime chauviniste. Il apparaissait également que bon nombre de ces femmes, n'accomplissant rien de particulier, utilisaient le militantisme comme carrière de substitution.

Bien que dans ses nouvelles fonctions Celia dût avoir moins de contacts directs avec Sam Hawthorne qu'elle n'en avait eu au cours des trois dernières années, il lui affirma qu'elle pourrait continuer à le voir comme elle le voudrait. « Si vous remarquez dans l'entreprise quelque chose d'important, et que vous jugiez inopportun, ou que vous ayez une idée de ce que nous devrions faire à propos de tel ou tel sujet, je veux le savoir, Celia », lui déclara-t-il avant qu'elle abandonne son poste d'attachée de direction. Et Lilian Hawthorne, au cours d'un charmant dîner chez elle en l'honneur de Celia et Andrew, leva son verre en disant : « Tous mes vœux, Celia – même si je regrette bien égoïstement que vous montiez en grade, car vous facilitiez l'existence de Sam, et désormais je vais me faire davantage de soucis pour lui. »

Ce soir-là, Juliette Hawthorne assistait également au dîner; elle avait maintenant dix-neuf ans, et était étudiante. Elle était devenue une belle jeune fille, et semblait n'avoir pas souffert de toute l'attention que lui valait son statut de fille unique. Un jeune homme sympathique l'accompagnait, et elle le présenta : « Dwight Goodsmith, mon *boy-friend*. Il étudie le droit. »

Les deux jeunes gens firent très bonne impression à Celia et Andrew, mais Celia se souvenait encore des deux petites filles en pyjama, Juliette et Lisa, qui s'étaient pourchassées en riant dans cette même pièce – cela semblait dater d'hier.

Après le toast de Lilian, Sam ajouta avec un sourire :

« Ce que Celia ignore encore, car je n'ai signé l'autorisation qu'en fin d'après-midi, c'est quelle est sa *vraie* promotion. Elle a désormais sa place au parking de la coursive.

— Mon dieu, papa! s'écria Juliette, et elle expliqua à son ami : c'est encore mieux qu'une décoration! »

Ce fameux parking de la coursive se trouvait au dernier étage du garage, situé dans l'immeuble voisin de Felding-Roth : il était réservé aux cadres supérieurs de l'entreprise, qui empruntaient une passerelle vitrée pour parvenir directement chez Felding-Roth où un ascenseur les menait au onzième étage, « patrie de la direction ».

Sam, bien sûr, était de ceux qui avaient accès à la coursive, et il y garait chaque jour sa Rolls gris métallisé, qu'il préférait à la limousine conduite par un chauffeur que l'entreprise mettait à sa disposition. Les gens occupant une place moins importante dans la hiérarchie se garaient aux étages inférieurs, puis descendaient en ascenseur, sortaient pour gagner l'autre immeuble, et remontaient en ascenseur à leur étage.

La « double promotion » de Celia provoqua de nouveaux rires et des plaisanteries pendant le reste de la soirée.

Sur le chemin du retour, Andrew, qui conduisait, remarqua :

« On dirait que tu as fait le bon choix quand tu as lié ta carrière à celle de Sam.

— Oui, dit Celia. Mais ces derniers temps, il m'inquiète un peu.

— Pourquoi?

— Il est plus nerveux qu'avant, et il entre dans de véritables colères quand les choses ne vont pas comme il le voudrait. Je suppose que tout cela va avec les responsabilités. Mais il y a aussi des moments où il se referme, comme s'il avait des soucis et ne voulait pas les partager.

– Tu as toi-même suffisamment de responsabilités, lui rappela Andrew, sans prendre en charge les états d'âme de Sam.

– Tu as sans doute raison. Vous croissez chaque jour en sagesse, docteur Jordan. Celia pressa le bras de son mari avec gratitude.

– Cessez de faire des avances au chauffeur, répondit Andrew. Vous le troublez. »

Quelques instants plus tard, il reprit :

« A propos de carrières accrochées aux étoiles, qu'est devenu le jeune homme accroché à la tienne?

– Bill Ingram? (Celia se mit à rire; elle n'avait jamais oublié le jour où Bill avait retenu son attention : lors de la réunion avec l'équipe de l'agence Quadrille-Brown.) Il est directeur pour l'Amérique latine. Il a le poste que j'ai occupé. Nous envisageons maintenant de le nommer aux ventes pharmaceutiques, avec une promotion.

– Très bien, apprécia Andrew. On dirait que lui aussi a su choisir son étoile. »

Une note de tristesse vint troubler la joie que sa nouvelle promotion procurait à Celia. Teddy Upshaw mourut d'une crise cardiaque, à son bureau.

Teddy était demeuré directeur des ventes chez Bray & Commonwealth. Il avait trouvé là un poste où il pouvait donner toute sa mesure. Sa mort survint moins d'un an avant qu'il prenne sa retraite. Celia éprouva un vif chagrin à l'idée qu'elle n'entendrait plus la voix joviale de Teddy, ne verrait plus sa démarche énergique, ni ses hochements de tête

enthousiastes qui ponctuaient chacune de ses paroles.

Elle assista aux obsèques en compagnie d'Andrew
et de nombreux membres de Felding-Roth, puis
suivit le cortège jusqu'au cimetière. C'était un
affreux jour de mars, et les assistants se proté-
geaient tant bien que mal des bourrasques de pluie
en se pelotonnant dans leurs manteaux et en s'abri-
tant sous des parapluies.

Ensuite quelques personnes, parmi lesquelles
Celia et Andrew, se rendirent chez les Upshaw; et
Zoé, la veuve de Teddy, entraîna Celia à l'écart.

« Teddy vous admirait beaucoup, madame Jordan. Il était fier de travailler pour vous et il me
disait toujours que, tant que vous seriez là, Felding-
Roth aurait une conscience. »

Emue par ces mots, Celia se souvint de la première fois qu'elle avait vu Teddy – quinze ans
auparavant, juste après son allocution au Waldorf,
quand on lui avait enjoint de sortir. Son visage avait
été l'un des rares sur son chemin à exprimer de la
compassion.

« J'aimais beaucoup Teddy », confia-t-elle à Zoé.

Andrew l'interrogea ensuite :

« Que voulait donc te dire Mme Upshaw? »

Celia le lui expliqua, ajoutant :

« Je n'ai pas toujours été à la hauteur de l'idéal
de Teddy. Je me rappelle cette dispute, cette discussion que toi et moi avons eue en Equateur, quand tu
m'as énuméré un certain nombre de points sur
lesquels j'avais agi sans tenir compte de ma conscience – et tu avais bien raison.

– Nous avions raison tous les deux, corrigea
Andrew. Car tu m'as également rappelé plusieurs
choses que j'avais faites – ou n'avais pas faites. Mais
nul n'est parfait, et je partage l'avis de Teddy. Tu *es*

la conscience de Felding-Roth, j'en suis fier, et j'espère que cela ne changera jamais. »

Le mois suivant apporta de meilleures nouvelles, pour le monde dans son ensemble et, plus modestement, pour Felding-Roth.

La guerre du Viêt-nam s'acheva. C'était une défaite accablante pour les Etats-Unis, peu habitués à sortir du combat en vaincus. Cependant, le massacre avait cessé, et la tâche – démesurée, mais moins sanglante – consistait désormais à cicatriser les plaies de la nation, causes de plus de douleurs et de divisions que n'en avait jamais connu l'Amérique depuis la guerre de Sécession.

« Cette amertume ne s'estompera pas de notre vivant, prédit Andrew un soir devant la télévision, après avoir regardé l'humiliant départ des troupes américaines de Saigon. Et dans deux cents ans les historiens débattront encore pour savoir si nous étions dans notre droit en allant au Viêt-nam.

– Je sais que c'est égoïste, répondit Celia, mais je ne peux pas m'empêcher de penser : heureusement que ça s'arrête avant que Brucie ait l'âge de partir. »

Une ou deux semaines plus tard, la direction de Felding-Roth eut la joie d'apprendre que le Montayne avait obtenu l'autorisation de fabrication et de distribution en France. Cela signifiait que, aux termes de l'accord signé entre Felding-Roth et les laboratoires Gironde-Chimie, les expérimentations américaines allaient pouvoir commencer.

Celia avait été inquiète en apprenant que le Montayne était destiné à combattre les nausées du début de grossesse. Comme tant d'autres, Celia gardait un vif souvenir de la Thalidomide et de ses horribles conséquences. Elle se rappelait aussi la joie qu'elle avait éprouvée, rétrospectivement, à la pensée qu'Andrew lui avait enjoint de ne prendre aucun médicament pendant ses grossesses.

Elle avait fait part de sa préoccupation à Sam, et il s'était montré compréhensif. « La première fois que j'ai entendu parler de ce produit, lui confia-t-il, j'ai eu la même réaction que vous. Mais j'ai appris beaucoup de choses depuis, qui m'ont convaincu de son efficacité et de sa totale innocuité. » Depuis la Thalidomide, quinze ans s'étaient écoulés, au cours desquels d'importants progrès avaient été accomplis dans le domaine de la recherche pharmaceutique, et en particulier dans les méthodes d'expérimentation des nouveaux produits.

« Beaucoup de choses ont changé, insista Sam. Par exemple, la pratique de l'anesthésie pendant l'accouchement était naguère vivement déconseillée, car on la croyait dangereuse. Et, de la même manière, il peut et doit exister des médicaments utilisables en toute sécurité pendant la grossesse. Le Montayne est tout simplement l'un de ceux-là. »

Il invita Celia à ne pas s'entêter avant d'avoir étudié toutes les données. Elle le lui promit.

L'importance du Montayne pour Felding-Roth fut bientôt soulignée par le directeur financier, Seth Feingold, lorsqu'il confia à Celia : « Sam a promis au conseil que ce produit nous ferait accomplir un grand bond financier, et Dieu sait si nous en avons besoin. Cette année, notre bilan ressemble à une demande d'allocation sociale. »

Feingold travaillait chez Felding-Roth depuis longtemps. Maigre, blanchi sous le harnais, et bien qu'il eût dépassé l'âge de la retraite, on le gardait à cause de sa connaissance encyclopédique des finances de la maison, et de son génie pour les manipulations financières dans les situations difficiles.

Depuis environ deux ans, il s'était lié d'amitié avec Celia, et ce d'autant plus qu'Andrew avait guéri une arthrite dont Mme Feingold souffrait depuis plusieurs années.

« Ma femme pense que votre mari pourrait changer l'eau en vin, déclara un jour le directeur financier à Celia. Maintenant que je vous connais mieux, je pense la même chose de vous. »

Au cours de l'entretien sur le Montayne, il expliqua :

« J'ai discuté avec les responsables financiers de Gironde-Chimie, et ils sont convaincus que leur produit leur rapportera des bénéfices considérables.

— Bien qu'il soit encore trop tôt pour en juger, répondit Celia, les services commerciaux s'attendent aux mêmes effets. Mais pour vous, Seth, nous ferons un effort particulier.

— Ah! Voilà une bonne fille! A propos d'effort particulier, nous sommes plusieurs à nous demander si vos Britanniques se donnent beaucoup de mal, là-bas, ou bien s'ils traînent les pieds et s'arrêtent toutes les cinq minutes pour prendre le thé?

— Je n'ai guère eu de nouvelles ces derniers temps... commença Celia.

— Je n'en ai pas eu *du tout*, interrompit Feingold. Sauf que cela nous coûte des millions de dollars; c'est un véritable gouffre. Et cela explique en partie pourquoi nos finances ressemblent à une zone sinistrée. Je vous assure, Celia, qu'un certain nombre de personnes, parmi lesquelles des membres du conseil d'administration, s'inquiètent de cette folie anglaise. Demandez donc à Sam! »

Celia n'eut même pas besoin de le demander à Sam, car il la convoqua.

« Vous avez sans doute appris, dit-il, que le

centre de Harlow et Martin Peat-Smith me valent des attaques à tir continu.

— Oui, Seth Feingold me l'a dit.

— Seth est parmi les opposants, précisa Sam. Pour des raisons financières, il aimerait nous voir fermer Harlow, de même qu'un nombre croissant de membres du conseil, et je m'attends à être malmené par les actionnaires lors de la prochaine assemblée. (Il ajouta sombrement :) Je suis parfois tenté de leur céder.

— Voyons, lui rappela Celia, Harlow n'est opérationnel que depuis deux ans. Vous aviez foi en Martin.

— Martin nous avait promis au moins *quelque chose* de positif dans les deux premières années. Et puis la foi a des limites, quand on assiste à une véritable hémorragie de dollars, et qu'on a sur le dos les administrateurs et les actionnaires! Autre chose — Martin ne veut absolument rien savoir, pour ce qui est des comptes rendus de progression. Il n'en fait aucun. Il me faut bien une assurance que quelque chose progresse, et que cela vaut la peine de continuer.

— Pourquoi n'allez-vous pas voir ce qui se passe là-bas?

— J'aimerais bien, mais je n'en ai absolument pas le temps. Aussi, je voudrais que vous y alliez. Dès que vous le pourrez. Et puis vous reviendrez faire votre rapport. »

Elle suggéra, incertaine :

« Ne croyez-vous pas que Vincent Lord serait mieux qualifié?

— D'un point de vue scientifique, oui. Mais il a trop de préjugés. Il était opposé à l'ouverture d'un centre en Angleterre, et comme l'échec de Harlow lui donnerait raison, il ne résisterait pas à la tentation de recommander sa fermeture. »

Celia se mit à rire.

« Comme vous nous connaissez bien!

– Je vous connais, Celia, répondit gravement Sam, et j'ai appris à respecter votre jugement et votre instinct. Néanmoins, je vous supplie – quelle que soit votre amitié pour Martin Peat-Smith – d'émettre, le cas échéant, un verdict aussi dur et impitoyable qu'il le faudra. Quand pouvez-vous partir?

– Je vais essayer de m'arranger pour demain. »

CHAPITRE 26

DÈS son arrivée à l'aéroport de Londres, un matin de bonne heure, Celia ne perdit pas un instant. Elle ne disposait que de quarante-huit heures. Une limousine la conduisit directement au centre de Harlow, où elle devait, avec Martin Peat-Smith et ses collaborateurs, procéder à l'analyse complète de ce qu'elle appelait « l'équation Harlow ».

Ensuite, ayant déterminé ce qu'elle devrait conseiller à Sam, elle reprendrait l'avion.

Pendant la première journée, on lui fit bien sentir que, dans toute l'équipe, l'humeur était à l'optimisme. De Martin au plus modeste employé, tous proclamaient que les recherches avançaient bien, qu'ils avaient découvert de nouvelles données, et qu'ils travaillaient dur, dans une excellente ambiance. Puis, à certains moments, les regards étaient traversés de lueurs qui semblaient être l'hésitation et le doute. Mais aussitôt elles disparaissaient, ou bien étaient niées, laissant à Celia l'impression qu'elle les avait peut-être imaginées.

Dans un premier temps, Martin lui fit visiter les laboratoires en commentant le travail en cours. Depuis leur dernière rencontre, lui expliqua-t-il, ses collaborateurs et lui-même avaient atteint leur premier objectif, qui consistait à « découvrir et isoler un mA.R.N. qui fût différent dans les cerveaux des jeunes animaux et ceux des animaux âgés ». Il ajouta : « Cela finira sans doute par se révéler vrai aussi chez les humains. »

Martin abusa du jargon scientifique.

« ...mA.R.N., extrait de cerveaux de rats d'âges divers... puis incubé avec des préparations de " cellules brisées " de ferments additionnées d'acides aminés radioactifs... le système de ferment fabrique des peptides du cerveau de l'animal, qui deviennent aussi légèrement radioactifs... ensuite on les sépare grâce à leur charge électrique, sur des colloïdes spéciaux... puis on utilise de la pellicule radiographique pour déterminer où il y a des zébrures, et l'on a un peptide... »

Tel un prestidigitateur tirant un lapin d'un chapeau – *voilà!* – Martin étala plusieurs négatifs sur une paillasse, là où Celia et lui-même s'étaient arrêtés.

« Voici les films des chromatogrammes. »

Celia les prit, mais ils semblaient presque transparents, et Martin ajouta :

« Regardez bien, et vous verrez deux colonnes de lignes foncées. L'une correspond au jeune rat, et l'autre au vieux. Vous remarquez (il lui montra du doigt), là et là, sur la colonne du jeune rat, on distingue au moins neuf peptides que le cerveau du rat âgé ne produit plus. (Sa voix monta d'un ton lorsque, sous l'effet de l'excitation, il ajouta :) Maintenant, nous avons la preuve matérielle que l'A.R.N. du cerveau, et sans doute aussi l'A.D.N., se modifie avec le vieillissement. C'est une information capitale.

– Oui », acquiesça Celia, mais elle se demandait si ce triomphe justifiait vraiment plus de deux ans d'efforts collectifs aussi coûteux.

Tout, autour d'elle, lui rappelait les dépenses

engagées – les laboratoires spacieux et les bureaux modernes, équipés de cloisons mobiles permettant de les réorganiser; les vastes corridors; une accueillante salle de conférences; et, dans les laboratoires équipés d'appareils sophistiqués, l'acier inoxydable et les paillasses modernes en matières synthétiques – pas de bois car, en termes scientifiques, le bois était sale. La climatisation aspirait les impuretés en suspension dans l'air. L'éclairage était puissant sans éblouir. Deux salles renfermaient d'énormes incubateurs vitrés, spécialement conçus pour recevoir des rangées d'éprouvettes contenant des bactéries et des ferments. D'autres pièces encore étaient protégées par des sas de sécurité et des pancartes annonçant « DANGER : RISQUES DE RADIATION. »

Le contraste avec les laboratoires de l'université de Cambridge que Celia avait visités avec Martin était saisissant, même s'il restait quelques points communs – et en particulier les papiers. Il y en avait une prodigieuse quantité empilée en désordre sur les bureaux, et surtout sur celui de Martin. On pouvait changer le cadre d'un chercheur, songeait-elle, mais pas ses habitudes de travail.

Tandis qu'ils s'éloignaient de la paillasse et des chromatogrammes, Martin poursuivit ses explications.

« Maintenant que nous avons l'A.R.N., nous pouvons produire l'A.D.N, correspondant... puis nous devons l'intégrer dans l'A.D.N. d'une bactérie... pour « tromper » la bactérie et l'induire à fabriquer le peptide du cerveau qui nous manque... »

Celia s'efforçait de saisir tout ce qu'elle pouvait, le plus vite possible.

Vers la fin de la journée, Martin ouvrit une porte donnant sur un petit laboratoire, où un technicien d'un certain âge, vêtu d'une blouse blanche, avait devant lui une demi-douzaine de rats dans des cages. Il était voûté et ratatiné, avec une maigre couronne de cheveux blancs, et portait un pince-nez à l'ancienne, retenu par un cordon noir. Martin annonça :

« Voici M. Yates, qui s'apprête à faire quelques dissections.

– Michael Yates, pour vous servir, dit-il en tendant la main. Je sais qui vous êtes – *tout le monde* le sait.

– C'est bien vrai, dit Martin en riant. (Puis il demanda à Celia :) Puis-je vous abandonner quelques instants ? Je dois donner un coup de téléphone.

– Bien sûr. (Quand Martin eut refermé la porte, elle déclara à Yates :) Si cela ne vous ennuie pas, je vous regarderai faire.

– Cela ne m'ennuie pas du tout. Mais d'abord je dois tuer l'un de ces bougres-là. » Il désignait les rats.

Avec des gestes vifs et précis, il ouvrit un réfrigérateur et tira du compartiment à glaçons une petite boîte en plastique transparent, dotée d'un couvercle à charnière. A l'intérieur se trouvait un plan légèrement surélevé, avec, au-dessous, une matière cristalline posée sur un plateau, baignant dans une légère vapeur.

« Neige carbonique, annonça-t-il. Je viens de l'y mettre, juste avant votre arrivée. »

Il ouvrit l'une des cages et, d'une main experte, empoigna un gros rat gris-blanc qui se débattit aussitôt, et qu'il enferma dans la boîte en plastique. Celia voyait à présent le rat, à l'intérieur, sur le plan surélevé.

« A cause de la neige carbonique, il respire du CO_2 là-dedans. Vous savez ce que cela veut dire ? »

En s'entendant poser cette question élémentaire, Celia ne put réprimer un sourire.

« Oui. Le dioxyde de carbone, c'est ce que nous rejetons après avoir inspiré l'oxygène de l'air. Nous ne pourrions pas survivre, si nous devions le respirer.

– Eh bien, ma fille, là-dedans non plus. C'est comme s'il était déjà mort. »

Sous leurs yeux, le rat eut deux soubresauts, puis retomba immobile. Une minute s'écoula. « Il ne respire plus », annonça Yates. Il attendit encore trente secondes puis ouvrit la boîte en plastique et en sortit le corps inerte.

« On ne peut pas être plus mort que lui. Mais cela prend trop de temps.

– Trop de temps? Cela m'a paru rapide. Celia tenta en vain de se rappeler comment on tuait les rats au temps de ses études en laboratoire.

– C'est lent, quand on doit en faire beaucoup. Le docteur Peat-Smith préfère que nous utilisions la boîte à CO_2, mais il existe un moyen bien plus rapide. Regardez. (Yates se pencha et ouvrit un placard sous la paillasse, et en tira une seconde boîte. Elle était en métal; à son extrémité était pratiquée une ouverture ronde, équipée d'une lame pivotante très effilée.) Vous avez devant vous une guillotine, annonça Yates, toujours jovial. Les Français savent faire les choses.

– Oui, mais de manière dégoûtante, répliqua Celia. Elle se souvenait à présent d'avoir déjà vu tuer des rats avec ce genre d'outil.

– Oh! c'est assez pratique. Et puis c'est rapide. »

Yates lança un coup d'œil par-dessus son épaule en direction de la porte fermée puis, avant que Celia pût protester, il empoigna un rat vivant dans une cage, et le coinça dans la seconde boîte, avec la tête qui dépassait par l'ouverture. Comme pour couper du pain, il abaissa la lame.

On entendit un petit craquement, un bruit faible qui pouvait être un cri, puis la tête du rat tomba en avant tandis que le sang giclait. Malgré son habitude des laboratoires et de la recherche, Celia éprouva une sensation de dégoût.

Désinvolte, Yates jeta le corps encore sanguinolent et agité de soubresauts dans une poubelle et ramassa la tête.

« Il ne me reste plus qu'à extraire le cerveau. Rapide et sans douleur! (Le technicien se mit à rire.) Je n'ai rien senti. »

Furieuse, Celia s'écria :

« Ce n'était pas la peine de faire *ça* exprès pour moi!

– Faire quoi? »

C'était la voix de Martin, derrière elle. Entré sans bruit, il découvrait la scène. De la même voix calme, il suggéra :

« Celia, voulez-vous m'attendre un instant dehors? »

En sortant, elle remarqua que Martin foudroyait Yates du regard. Puis elle entendit sa voix courroucée :

« Ne refaites plus *jamais* ça!... Si vous voulez continuer à travailler ici... je vous ordonne d'utiliser la boîte à CO_2 et jamais rien d'autre!... Faites disparaître cet ignoble instrument ou détruisez-le... Je n'accepterai aucune cruauté ici, comprenez-vous? »

Elle distingua la voix de Yates, qui articulait faiblement :

« Oui, monsieur. »

Quand il reparut, Martin prit Celia par le bras et l'accompagna jusqu'à la salle de réunions, où ils se retrouvèrent seuls. On avait préparé du café. Il lui en versa une tasse.

« Je suis navré de cet incident, qui n'aurait pas dû se produire, dit-il. Yates s'est excité, sans doute parce qu'il n'a pas l'habitude d'avoir une jolie femme à côté de lui quand il travaille – et il travaille très bien, je tiens à le préciser, ce qui vous explique pourquoi je l'ai fait venir de Cambridge. Il dissèque un cerveau de rat aussi bien qu'un chirurgien. »

Toute contrariété évanouie, Celia répondit :

« Ce n'était pas grand-chose. Peu importe.

– Pour moi, c'est très important.

– Vous aimez beaucoup les animaux, n'est-ce pas ? lui demanda-t-elle.

– Oui, en effet. (Martin but une gorgée de café, et ajouta :) On ne peut pas mener des recherches à bien sans faire souffrir des animaux. Il faut avant tout penser aux hommes, et même l'amour des animaux ne doit pas le faire oublier. Mais il faut s'efforcer de limiter la souffrance au strict minimum ; sinon, il serait facile de s'endurcir. Je l'ai rappelé à Yates. Et je ne pense pas qu'il l'oublie de sitôt. »

A la suite de cet incident, Celia apprécia et respecta Martin plus encore qu'avant. Mais elle savait que ses sentiments personnels ne devaient pas affecter le but de sa visite.

« Revenons à vos travaux, déclara-t-elle d'un ton décidé. Vous m'avez parlé des différences entre les cerveaux des jeunes animaux et ceux des vieux, et de vos projets pour la synthétisation de l'A.D.N. Mais vous n'avez pas encore isolé la protéine – le peptide que vous cherchez, celui qui compte. N'est-ce pas ?

– C'est vrai. (Martin lui adressa un bref sourire amical, puis poursuivit avec confiance.) Ce que vous venez de décrire, c'est l'étape suivante et aussi la plus dure. Nous y travaillons, et nous réussirons, mais, bien sûr, cela prend du temps.

– Quand nous avons ouvert ce centre, dit-elle, vous nous avez demandé deux ans – vous pensiez avoir quelque chose de positif à montrer d'ici là. Mais cela fait déjà deux ans et quatre mois. »

Il parut surpris.

« J'ai vraiment dit cela?

– Cela ne fait aucun doute. Sam s'en souvient, et moi aussi.

– Eh bien, c'était imprudent de ma part. Quand on travaille à la frontière de la science, comme nous le faisons ici, les calendriers n'existent plus. »

Martin gardait l'air calme, mais Celia décela en lui quelque chose de tendu. Physiquement aussi, Martin semblait en mauvaise forme. Il avait le visage pâle et les yeux fatigués, sans doute à cause des longues heures de travail; et sur ses traits apparaissaient des rides qu'elle n'y avait pas vues deux ans auparavant.

« Martin, reprit Celia, pourquoi refusez-vous d'envoyer des rapports sur la progression de vos travaux? Sam a un conseil d'administration à contenter, et des actionnaires... »

Le chercheur hocha la tête, laissant pour la première fois paraître son impatience.

« Il est beaucoup plus important que je me consacre à la recherche. Les rapports et la paperasse prennent trop de temps. (Il demanda brusquement :) Avez-vous lu John Locke?

– A l'Université oui. Un peu.

– Il a écrit que l'homme fait des découvertes en « tournant son esprit dans une direction donnée ». Un chercheur scientifique doit toujours s'en souvenir. »

Celia abandonna momentanément le sujet, mais l'aborda un peu plus tard avec le gérant, l'ex-chef d'escadron Bentley, qui suggéra une autre explication à l'absence de rapports.

« Il vous faut comprendre, madame Jordan, commença Nigel Bentley, que le docteur Peat-Smith trouve effroyablement difficile de mettre *quoi que ce soit* par écrit. Son cerveau tourne à une grande vitesse – et ce qu'il trouvait important hier est peut-être dépassé aujourd'hui, et le sera encore plus demain. En fait, ce qu'il a pu écrire voici deux ans, par exemple, l'embarrasse maintenant. Il y voit de la naïveté même si, à l'époque, c'était au contraire d'une incroyable perspicacité. S'il le pouvait, il effacerait tout ce qu'il a pu écrire dans le passé. C'est là un trait assez répandu parmi les chercheurs – je l'ai constaté.

– Parlez-moi encore du fonctionnement d'un esprit scientifique. »

Ils étaient seuls dans le bureau modeste mais bien organisé de Nigel Bentley, et Celia sentait croître en elle le respect que lui inspirait cet homme compétent, qu'elle avait choisi pour diriger et administrer le centre. Bentley réfléchit, puis expliqua :

« Le plus important, peut-être, c'est que les chercheurs demeurent très longtemps dans le système de l'enseignement, et ils deviennent tellement absorbés par leur spécialité, qui est souvent très étroite, qu'ils découvrent les réalités de l'existence bien plus tard que le commun des mortels. Et même, certains grands cerveaux ne parviennent jamais à faire face à ces réalités.

– J'ai déjà entendu dire, en effet, qu'ils restent par certains côtés très puérils.

– Précisément, madame Jordan. Et c'est parfois très évident. Ainsi, les universitaires ont souvent des comportements enfantins (mesquineries, disputes, jalousies), sur des questions sans importance. »

Celia observa songeusement :

« Je n'aurais pas cru cela de Martin Peat-Smith.

— Sans doute pas de cette manière, reconnut Bentley. Mais sous une autre forme.

— Expliquez-moi cela.

— Eh bien, ce qui pose de grands problèmes au docteur Peat-Smith, ce sont les petites décisions. Certains jours, comme on dit, il n'arrive pas à choisir sur quel trottoir il va marcher. Par exemple, il s'est torturé pendant des semaines pour déterminer lequel, de deux techniciens employés ici, il fallait envoyer suivre un séminaire de trois jours à Londres. Il s'agissait d'une question mineure, que vous ou moi aurions résolue en quelques minutes et, finalement, voyant que mon supérieur ne parvenait pas à prendre de décision, je l'ai prise pour lui. Tout cela, bien sûr, est en contradiction absolue avec les qualités principales du docteur Peat-Smith — sa clarté d'esprit scientifique et sa force de travail.

— Grâce à vous, je comprends mieux un certain nombre de choses, dit Celia. Et en particulier pourquoi Martin ne nous a jamais adressé de comptes rendus.

— Il y a un autre fait que j'estime de mon devoir de vous signaler, avança Bentley. Cela risque d'influer sur votre visite.

— Dites.

— Le docteur Peat-Smith est un chef, et comme tout chef, il commettrait une erreur en montrant ses faiblesses ou ses doutes. S'il le faisait, le moral de l'équipe s'effondrerait. Autre chose encore : le docteur Peat-Smith avait l'habitude de travailler seul, à son propre rythme. Du jour au lendemain, il a été placé face à d'écrasantes responsabilités, à la tête d'une équipe importante, et soumis à d'autres pressions – plus ou moins subtiles –, comme par exemple votre présence ici, madame Jordan, en ce moment même. Tous ces éléments constitueraient une charge très lourde pour n'importe qui.

– Donc, il *existe* des doutes sur les recherches en cours, dit Celia. Des doutes sérieux? »

Bentley, qui faisait face à Celia, la dévisagea un instant.

« Dans le cadre de mes fonctions, j'ai des devoirs envers le docteur Peat-Smith, mais je dois également vous rendre des comptes, à vous et à M. Hawthorne. Je dois donc répondre à votre question et ce sera oui.

– Je veux savoir quels sont ces doutes. En détail.

– Je manque de qualification scientifique, répondit Bentley. (Il hésita, puis poursuivit :) Peut-être ne serait-ce pas très régulier, mais je pense que vous devriez vous entretenir en particulier avec le docteur Sastri, et lui enjoindre, comme vous avez autorité pour le faire, de vous parler en toute franchise. »

Le docteur Rao Sastri était le chimiste spécialisé dans les acides nucléiques – ancien confrère de Cambridge, d'origine pakistanaise – que Martin avait recruté pour le seconder.

« L'enjeu est trop important pour que nous nous préoccupions de ce qui est régulier ou non, monsieur Bentley. Je vous remercie. Et je vais suivre votre conseil.

– Y a-t-il autre chose que je puisse faire pour vous? »

Celia réfléchit.

« Martin m'a parlé de John Locke, aujourd'hui. Est-il un disciple de Locke?

– Oui. Et moi aussi. (Bentley eut un sourire guindé.) Nous partageons la conviction que Locke fut l'un des plus grands philosophes et l'un des meilleurs guides que le monde ait jamais connus.

— J'aimerais bien lire quelque chose de lui, ce soir. Pourriez-vous me trouver cela ? »

Bentley nota quelques mots sur son agenda.

« Vous aurez ses œuvres ce soir, à votre hôtel. »

Ce ne fut qu'en fin d'après-midi, le second jour de sa visite à Harlow, que Celia put s'entretenir avec le docteur Sastri. Depuis sa conversation avec Nigel Bentley, elle avait discuté avec plusieurs employés qui tous avaient fait preuve d'optimisme. Cependant, Celia gardait l'impression que quelque chose lui échappait, que les gens ne lui parlaient pas en toute franchise.

Rao Sastri était un beau jeune homme à la peau sombre, intelligent et rapide, qui devait avoir une trentaine d'années. Celia savait qu'il possédait d'excellents diplômes et qu'il avait été un étudiant brillant. Bentley et Martin lui avaient affirmé qu'il était une bénédiction pour le centre de recherches. Sastri et Celia se rencontrèrent dans une petite annexe de la cafétéria réservée aux directeurs. Après avoir serré la main de Sastri, et avant de s'asseoir, Celia ferma la porte et déclara :

« Vous savez sans doute qui je suis.

— Bien sûr, madame Jordan. Mon collègue Peat-Smith m'a souvent parlé de vous, et en termes chaleureux. Je suis fort honoré de faire maintenant votre connaissance. La voix de Sastri était claire et cultivée, avec une infime trace d'accent étranger. Il souriait fréquemment, mais s'en empêchait parfois avec nervosité.

— Je suis également heureuse de vous rencontrer,

dit Celia, et je souhaite parler avec vous de la progression des recherches.

– Eh bien, tout se passe admirablement! c'est parfait!

– Oui, dit Celia, on me l'a déjà dit. Mais avant de continuer je tiens à vous préciser que je représente ici M. Hawthorne, le président-directeur général de Felding-Roth, et que j'exerce son autorité.

– Oh! mon dieu! Je me demande ce qui va suivre!

– Ce qui va suivre, docteur Sastri, c'est que je vous demande – je vous l'ordonne – d'être totalement franc avec moi, de ne rien me cacher, pas même les doutes que vous pouvez éprouver, et avoir jusqu'à présent gardés pour vous-même.

– Tout cela m'embarrasse profondément, dit Sastri. Et puis ce n'est pas très loyal, comme je l'ai dit à Bentley quand il m'a fait part de votre point de vue. Je dois des égards à Peat-Smith, après tout, c'est un homme très droit.

– Vous devez davantage d'égards à Felding-Roth, répliqua Celia. C'est la firme qui verse votre salaire – et un fort bon salaire qui plus est –, elle a donc le droit, en contrepartie, de connaître vos vraies opinions professionnelles.

– Eh bien, madame Jordan, vous allez droit au but, dirait-on!

– Je vais droit au but parce que je n'ai pas de temps à perdre et que je repars demain pour l'Amérique. Aussi, veuillez me dire très exactement où en sont les recherches et où elles vont. »

Sastri éleva les deux mains en signe de reddition, et soupira.

« Bon. Les recherches n'ont pas avancé beaucoup. Et à mon humble avis, partagé par bien d'autres chercheurs, elles ne vont nulle part.

– Expliquez-vous.

– En plus de deux ans, le seul résultat obtenu est la confirmation de la théorie que l'A.D.N. du cerveau évolue avec l'âge. Oh! oui. Il s'agit d'un résultat intéressant, mais ensuite nous nous trouvons devant un mur que nos connaissances techniques ne nous permettent pas de franchir, et elles ne nous le permettront peut-être pas avant très longtemps. Et *ce jour-là*, le peptide dont Peat-Smith a postulé l'existence peut fort bien n'être pas derrière ce mur.

– N'acceptez-vous pas ce postulat?

– C'est la théorie de mon collègue, madame Jordan. J'avoue que je l'ai partagée. (Sastri hocha la tête d'un air de regret.) Mais tout au fond de moi-même je n'y crois plus.

– Martin m'a annoncé, suggéra Celia, que vous aviez démontré l'existence d'un A.R.N. unique, et devriez pouvoir reconstruire l'A.D.N. correspondant.

– Et c'est la vérité! Mais ce qu'on ne vous a peut-être pas dit, c'est que le matériel isolé risque d'être *trop vaste*. La séquence de mA.R.N. est longue et se compose de nombreuses protéines, sans doute une quarantaine en tout. Elle est donc inutilisable – composée de peptides « absurdes ».

Celia interrogea ses souvenirs scientifiques.

« Peut-on cliver le matériel? »

Sastri sourit; sa voix prit une intonation supérieure.

« C'est précisément *là* que se dresse le mur. Il n'existe aucune technique pour aller plus loin. Peut-être dans dix ans... »

Il haussa les épaules.

Pendant une vingtaine de minutes, ils parlèrent de questions scientifiques, et Celia apprit que, de tout le groupe de chercheurs qui travaillaient à Harlow sur le projet concernant le vieillissement mental, seul Martin persistait à croire qu'il pourrait aboutir à des données positives.

A la fin, Celia déclara :

« Je vous remercie, docteur Sastri. Vous m'avez expliqué ce que j'étais venue apprendre. »

Le jeune homme sourit tristement.

« J'ai fait mon devoir, comme vous l'avez exigé. Mais je ne dormirai guère cette nuit.

— Moi non plus, sans doute. Mais c'est le prix que doivent parfois payer les gens comme vous et moi — pour la place que nous occupons. »

CHAPITRE 27

SUR l'invitation de Martin, Celia alla prendre un verre chez lui le second et dernier soir de son séjour à Harlow. Ils devaient ensuite dîner au Churchgate Hotel, où elle résidait, et où elle avait réservé une table.

Martin habitait un petit pavillon, à trois kilomètres du centre de recherches. Cette maison tout à fait moderne et fonctionnelle ressemblait exactement à des dizaines d'autres aux alentours, et Celia eut l'impression qu'elles avaient été fabriquées à la chaîne.

Martin la fit entrer dans un minuscule salon et, comme en d'autres occasions, elle sentit sur elle son regard admiratif. Pour ce rapide voyage en Angleterre, elle avait pris peu de bagages et portait un tailleur strict pour la journée. Mais ce soir-là elle arborait une robe drapée de Diane von Furstenberg, d'un motif brun et blanc très doux, avec un simple rang de perles. Ses cheveux bruns étaient coupés au carré, assez courts suivant la mode.

Entre le vestibule et le salon, Celia enjamba ou contourna cinq animaux – un setter irlandais très affectueux, un bouledogue anglais grognon, et trois chats. Dans le salon même, un perroquet trônait sur un perchoir. Elle se mit à rire.

« Vous avez vraiment la passion des bêtes.

– Oui, sans doute, acquiesça Martin. J'adore être entouré d'animaux, et je suis le bon samaritain des chats abandonnés. »

Les chats semblaient le savoir, et le suivaient partout. Martin vivait seul. Une femme de ménage venait chaque jour l'aider à tenir son intérieur. Limité au strict minimum, l'ameublement du salon se composait d'un fauteuil en cuir, d'une bonne lampe de lecture, et de trois panneaux de bibliothèque bourrés d'ouvrages scientifiques. Sur une petite table étaient alignés quelques bouteilles et un récipient plein de glaçons. Martin lui fit signe de s'asseoir dans le fauteuil et s'affaira devant la petite table.

« J'ai tout ce qu'il faut pour faire un daiquiri, si vous voulez.

– Cela me fera bien plaisir, dit Celia. Et je suis très touchée que vous vous en soyez souvenu. »

Elle se demandait s'ils seraient encore détendus et amicaux à la fin de la soirée. Elle était toujours aussi sensible au charme de Martin, mais avant de venir chez lui elle s'était bien répété les paroles de Sam Hawthorne : « *Quelle que soit votre amitié pour Martin... je vous supplie d'émettre un verdict aussi dur et impitoyable qu'il le faudra.* »

« Je vais voir Sam après-demain, déclara Celia. Et je devrai lui donner mon avis sur l'avenir du centre de Harlow. J'aimerais savoir ce que vous en pensez.

– C'est simple. (Il lui tend un daiquiri.) Vous devriez lui conseiller de nous laisser poursuivre nos recherches actuelles pendant encore un an, ou davantage, s'il le faut.

– Il existe une importante opposition à la poursuite de ces recherches. Vous le savez.

– Oui. (La confiance qu'avait manifestée Martin

depuis l'arrivée de Celia ne paraissait nullement ébranlée.) Mais il y a toujours des myopes, incapables de voir l'ensemble du tableau.

– Diriez-vous du docteur Sastri qu'il est myope?

– Je suis navré d'avoir à le dire – oui. Comment est votre daiquiri?

– Parfait.

– Rao est venu me trouver ici, il y a une heure à peine, déclara Martin. Il voulait me voir, parce qu'il voulait que je sache ce qu'il vous avait dit cet après-midi. Rao a un sens de l'honneur très élevé.

– Et alors?

– Il se trompe. Totalement. De même que tous ceux qui doutent.

– Pouvez-vous réfuter par des *faits* ce que dit Sastri?

– Bien sûr que non! (L'impatience de Martin reparut un instant, comme la veille.) Toute recherche scientifique se fonde sur des théories. Si nous avions des faits, nous n'aurions pas besoin de recherches. Ce qu'il faut, c'est un jugement professionnel très informé, et de l'instinct; on qualifie parfois cet ensemble d'« arrogance scientifique ». Quoi qu'il en soit, je suis convaincu d'être sur la bonne voie. Seul le temps – et dans notre cas particulier *un temps bref* – nous sépare de ce que nous cherchons.

– Le temps, et beaucoup d'argent, lui rappela Celia. Et aussi la question de savoir si c'est vous, ou Sastri et d'autres, qui avez raison. »

Martin but une gorgée du whisky-soda qu'il s'était servi, et réfléchit un moment.

« Je n'aime guère penser à l'argent plus qu'il n'est nécessaire, surtout quand il s'agit d'argent gagné en vendant des médicaments. Mais c'est vous qui avez soulevé la question, alors je vais vous dire une chose – parce que c'est sans doute le seul moyen de me faire comprendre de vous, de Sam, et de tous les autres. »

Celia dévisagea Martin, en se demandant ce qui allait suivre.

« Même tout au fond de ce que vous croyez être ma naïveté distraite de chercheur, je sais que Felding-Roth traverse une passe très difficile. Si la situation ne s'améliore pas dans les prochaines années, la compagnie pourrait faire faillite. (Il prit un ton coupant.) Vrai ou faux ? »

Celia hésita un instant puis acquiesça.

« Vrai.

— Ce que je peux faire, *à condition qu'on m'accorde encore un peu de temps*, c'est sauver votre compagnie. Non seulement la sauver, mais la rendre productive, célèbre, immensément riche. Et cela, parce qu'à la fin de mes recherches il y aura un médicament important. (Martin grimaça avant de poursuivre.) Peu m'importent les conséquences commerciales. Et j'éprouve beaucoup de gêne à en parler maintenant. Mais quand cela arrivera, ce que je veux voir réussir *aura* réussi. »

Cette affirmation fit à Celia le même effet qu'une autre, formulée par Martin deux ans auparavant, dans le laboratoire de Cambridge, lors de leur première rencontre. A l'époque, Sam avait éprouvé le même sentiment. Mais la première affirmation n'avait pas été vérifiée. Pourquoi, se demanda-t-elle, en irait-il autrement de celle-ci ?

Celia secoua la tête.

« Je ne sais pas. Franchement, je ne sais pas.

— Bon sang, mais je sais bien que c'est moi qui ai raison ! (Martin s'emportait.) Nous sommes tout près ! Nous sommes sur le point de trouver le moyen d'améliorer les conditions du vieillissement, et peut-être aussi de mettre fin à la maladie d'Alzheimer. (Il but d'un trait le reste de son whisky, et reposa violemment son verre sur la table.) *Mais enfin, comment puis-je vous convaincre?*

– Vous pouvez essayer pendant le dîner. (Celia consulta sa montre.) Je crois qu'il est temps d'y aller. »

La nourriture était excellente au Churchgate Hotel, mais trop copieuse – bien trop pour Celia. Et elle ne tarda pas à mettre son assiette de côté, tout en réfléchissant à ce qu'il convenait de dire maintenant. Car quoi qu'elle dise, ce serait important. Aussi, elle se retenait, hésitait, et cherchait ses mots avec précaution.

Cependant, l'atmosphère était détendue.

Plus de six siècles avant l'ouverture de l'hôtel, le Churchgate avait été un presbytère, transformé en maison particulière à l'époque de Jacques Ier. Il restait quelques parties anciennes dans ce charmant hôtel agrandi et restauré après la seconde guerre mondiale, quand le village de Harlow était devenu une ville. La salle à manger faisait partie des vestiges.

L'atmosphère de cette salle plaisait à Celia – le plafond bas, les bancs capitonnés encastrés sous les fenêtres, les nappes rouges et blanches, ainsi que le service très raffiné, et en particulier cette tradition qui consistait à servir le premier plat à l'instant même où l'on invitait les convives à quitter le bar – où ils avaient pris connaissance du menu et fait leur choix – pour passer à table.

Ce soir, Celia était assise sur l'une des banquettes, et Martin lui faisait face.

Ils poursuivirent leur conversation pendant le repas, Celia posant de temps à autre une question, attentive, tandis que Martin lui exposait d'un air confiant ses postulats scientifiques. Mais les paroles prononcées la veille par Nigel Bentley résonnaient encore dans sa tête : « Le docteur Peat-Smith est un chef et, comme tout chef, il commettrait une erreur en montrant ses faiblesses ou ses doutes... »

Martin éprouvait-il tout au fond de lui-même, en dépit de son apparente confiance, quelque incertitude intime? Celia échafaudait une tactique, pour parvenir à l'apprendre. C'était une idée issue du livre qu'elle avait lu la nuit précédente. Grâce à la ponctuelle diligence de Nigel Bentley.

Après avoir bien calculé et soupesé ses paroles, elle fixa Martin droit dans les yeux et déclara :

« Chez vous, tout à l'heure, vous m'avez dit que vous aviez « l'arrogance scientifique ».

— Ne vous méprenez pas, riposta-t-il. C'est positif, et non pas négatif – un mélange de connaissances, de désir de critiquer son propre travail, mais aussi de conviction – un mélange que doit posséder tout chercheur pour survivre. »

En l'écoutant, Celia se demanda si elle ne venait pas de déceler là une imperceptible fissure dans la façade de confiance.

« Il est possible aussi, insista-t-elle, que l'arrogance scientifique, ou quel que soit le nom que vous lui donniez, aille trop loin; qu'on devienne tellement convaincu de ce qu'on *veut croire*, qu'on se laisse aller à d'illusoires certitudes que plus rien ne peut ébranler.

— Tout est possible, répondit Martin. Mais pas dans ce cas précis. »

Il s'exprimait d'une voix neutre, dépourvue de conviction. Elle en était sûre, à présent. Elle avait touché son point faible, et il était prêt à céder, maintenant, peut-être même à s'effondrer.

« J'ai lu quelque chose, hier soir, reprit-elle et je l'ai noté. Vous le connaissez sans doute déjà. »

Son sac se trouvait près d'elle, sur la banquette. Elle en tira un feuillet à en-tête de l'hôtel, et lut à haute voix :

« " L'erreur n'est pas une faute de connaissance mais de jugement... Ceux qui ne peuvent pas garder une succession de conséquences dans leur esprit, ou évaluer l'exacte importance des preuves et témoignages contraires... peuvent aisément se laisser égarer et prendre des positions paradoxales. " »

Un silence s'ensuivit, que Celia finit par rompre, avec le sentiment de se montrer impitoyable, et même cruelle.

« C'est un extrait de l'*Essai sur l'entendement humain* de John Locke. Cet homme en qui vous croyez et que vous vénérez.

– Oui, je le sais.

– N'est-il donc pas probable, reprit-elle, que *vous* ne pesez pas ces « preuves contraires » et que *vous* prenez des « positions paradoxales », *exactement comme le dit Locke?* »

Martin tourna vers elle un regard suppliant.

« Le croyez-vous?

– Oui, je le crois, répondit calmement Celia.

– Je regrette que vous... (Il articulait avec peine, d'une voix méconnaissable. Il murmura à voix basse :) Maintenant... j'abandonne. »

Martin s'était effondré. La citation de Locke, son maître à penser – retournée par Celia contre lui –, avait eu raison de son optimisme. Plus encore, telle une machine soudain déréglée qui se détruit elle-même, il avait perdu tout contrôle. Livide, bouche bée, il tentait d'articuler des lambeaux de phrases.

« ... Dites-leur de fermer... qu'ils arrêtent tout... j'y crois toujours, mais je ne suis peut-être pas à la hauteur, pas seul... ce que nous avons cherché se trouvera un jour... cela se produira, c'est forcé... mais ailleurs... »

Celia était épouvantée. *Qu'avait-elle fait?* Elle s'était efforcée de révéler à Martin ce qu'elle croyait être une réalité, mais n'avait pas eu l'intention, ni même l'idée, d'aller si loin. Visiblement, la tension nerveuse accumulée depuis plus de deux ans, l'effrayante responsabilité qu'il avait portée seul, tout cela contribuait à le rendre vulnérable.

La voix de Martin, encore : « ... fatigué, tellement fatigué... »

En entendant ces mots de défaite, Celia éprouva le désir de prendre cet homme dans ses bras et de le consoler. Alors, avec la soudaineté d'une révélation, elle sut ce qui allait se passer.

« Martin, déclara-t-elle d'un ton décidé, sortons d'ici. »

Une serveuse leur lança un regard curieux. Déjà debout, Celia lui dit :

« Mettez la note sur mon compte. Mon ami a un malaise.

— Bien sûr, madame Jordan. (La jeune fille déplaça la table pour leur faciliter le passage.) Voulez-vous qu'on vous aide?

— Non, merci. Je vais me débrouiller. »

Elle prit Martin par le bras et le conduisit en direction du bar, à l'extérieur. De là, un escalier montait vers les chambres. Celle de Celia était l'une des premières. Elle l'ouvrit et ils entrèrent.

Cette partie de l'édifice datait également de l'époque de Jacques Ier. Le plafond bas était traversé de poutres, les murs lambrissés et la cheminée en pierre. Les vitraux des fenêtres étaient petits, rappelant qu'au XVIIIe siècle le verre constituait un luxe, et il y avait un grand lit à baldaquin.

Pendant le dîner, des femmes de chambre étaient venues préparer le lit pour la nuit, ouvrant les draps et plaçant le négligé de Celia sur un oreiller.

Celia se demanda un instant de combien d'histoires anciennes – les naissances et les morts, les maladies, les passions amoureuses, les joies et les peines, les querelles, les rendez-vous galants – cette chambre avait été témoin. Eh bien, songea-t-elle, cette nuit lui apporterait encore quelque chose.

Toujours pétrifié de douleur, Martin restait immobile, fixant sur elle un regard incertain. Elle prit le négligé et, se dirigeant vers la salle de bain, lui dit d'une voix douce :

« Déshabillez-vous. Mettez-vous au lit. J'arrive. »

Comme il persistait à la dévisager sans bouger, elle se rapprocha et murmura :

« Vous le désirez aussi, n'est-ce pas? »

Le corps parcouru d'un frémissement, il répondit :

« Oh! Mon Dieu, *oui*! »

Quand ils se retrouvèrent dans les bras l'un de l'autre, elle le réconforta comme un enfant. Mais cela ne dura pas.

Elle sentit monter la passion de Martin, en même temps que la sienne. De même que Martin avait souhaité ce moment, il était inévitable depuis leur première rencontre à Cambridge, lorsqu'un élan de sympathie mutuelle les avait poussés l'un vers l'autre. Celia comprit alors que la question n'avait jamais été « si », mais plutôt « quand? »

Le choix du lieu et du moment avait été accidentel, décidé par l'effondrement et le désespoir soudains de Martin, par l'urgent besoin qu'il avait alors laissé paraître de s'en remettre à une force et à un réconfort extérieurs. Cependant, si cela n'était pas arrivé ce soir, la même conclusion aurait eu lieu une autre fois, car chacune de leurs rencontres avait rapproché ce moment.

Tandis que Martin l'embrassait et qu'elle sentait monter le désir, elle savait bien, dans un coin de son esprit, que tôt ou tard il lui faudrait affronter les questions morales et en peser les conséquences. *Mais pas maintenant!* Il ne restait plus de force en elle, pour rien d'autre que l'assouvissement du désir. Le sien, foudroyant, brûlant, heureux, débordant, se fondait en celui de Martin.

Puis ce furent des gémissements de bonheur.

Et ils s'endormirent, Martin paraissant sombrer dans un sommeil profond et délivré de toute angoisse. Au petit matin, ils s'éveillèrent et firent encore l'amour, plus tendrement, mais avec le même plaisir.

Quand Celia s'éveilla de nouveau, la lumière du jour inondait la chambre.

Martin était parti. Elle trouva aussitôt le mot qu'il avait laissé :

Bien-aimée,

Vous m'avez été, et demeurez, une inspiration.

Tôt ce matin, alors que vous dormiez – oh! si belle! – une idée, peut-être une solution pour sortir de l'impasse, m'est venue. Je cours au labo, tout en sachant qu'il me reste peu de temps pour voir si cette idée conduit quelque part.

Quoi qu'il en soit, je garderai foi et poursuivrai jusqu'à ce qu'on m'ordonne de quitter les lieux.

Ce qui s'est passé entre nous demeurera secret – merveilleux souvenir. Ne vous inquiétez de rien. Je sais que le Paradis Retrouvé n'apparaît qu'une seule fois.

Je vous suggère de ne pas conserver ce petit mot.

Tout à vous.

Martin

Celia prit une douche, commanda son petit déjeuner, et fit ses bagages pour regagner l'Amérique.

CHAPITRE 28

Dans le Concorde des British Airways, après le déjeuner, Celia ferma les yeux et entreprit de mettre un peu d'ordre dans ses pensées.

Les questions personnelles en premier.

Pendant dix-huit années de vie conjugale avec Andrew, jamais – jusqu'à la nuit dernière – elle n'avait fait l'amour avec un autre homme. Ce n'était pas faute d'occasions – bien au contraire. Il lui était même arrivé d'être tentée de profiter d'une sollicitation, mais elle avait toujours résisté, soit par fidélité à Andrew, soit parce que cela semblait maladroit d'un point de vue professionnel. Ces deux aspects s'étaient parfois conjugués.

Plus d'une fois, Sam Hawthorne lui avait laissé entendre qu'il aurait aimé avoir une liaison avec elle. Mais elle avait décidé depuis longtemps que ce serait la pire des choses pour elle comme pour lui et avait découragé les quelques propositions de Sam avec une fermeté courtoise.

Martin, c'était tout autre chose. Depuis le début. Celia l'admirait, et – elle se l'avouait à présent – elle avait été physiquement attirée par lui. Ce désir-là était maintenant comblé, aussi complètement que pouvait le souhaiter une maîtresse.

Dans d'autres circonstances, une relation beaucoup plus riche et complète aurait pu se nouer entre Martin et elle.

Mais Martin avait eu la sagesse de reconnaître que leur amour n'avait pas d'avenir, et Celia le voyait bien aussi. A moins qu'elle ne fût prête à abandonner Andrew et les enfants, ce qui n'était pas le cas et ne le serait jamais. Elle aimait Andrew, tendrement. Ils avaient vécu beaucoup de choses ensemble, et Andrew avait en lui une richesse – de sagesse, de tendresse, de force – que personne, parmi les connaissances de Celia, ne possédait à ce point. Pas même Martin.

Par conséquent, Martin avait tout dit ce matin – en poète davantage qu'en savant. « *Ce qui s'est passé entre nous restera secret – merveilleux souvenir... Je sais que le Paradis Retrouvé n'apparaît qu'une seule fois.* »

Sans doute aurait-on pu croire qu'elle se sentait coupable après ce qui s'était passé cette nuit-là. Elle n'éprouvait en réalité rien de semblable – bien au contraire !

Ses pensées se tournèrent alors vers Andrew.

Elle se demanda s'il avait déjà eu des aventures en dehors de leur couple. Oui, sans doute. Les occasions n'avaient pas dû lui manquer non plus, car les femmes lui trouvaient du charme.

Alors, s'interrogea Celia, qu'éprouvait-elle à cette idée ?

Pas vraiment de la joie, bien sûr, en supposant que cela se fût vraiment produit, car il était difficile, pour ne pas dire impossible, d'être logique dans ce genre d'affaires. Cependant, jamais elle ne se laisserait inquiéter par quelque chose dont elle ne savait rien.

Celia avait un jour entendu quelqu'un, lors d'une réception, déclarer cyniquement : « Tout homme normalement constitué et marié depuis vingt ans, qui prétend n'avoir jamais eu d'aventures, est un menteur ou un imbécile. » Ce n'était pas vrai, bien sûr. Pour beaucoup d'hommes, ces occasions ne se présentaient jamais, et bien d'autres restaient monogames par choix.

Néanmoins, des affirmations comme celle-là avaient un fond de vérité. Celia savait par des confidences, et parfois par des commérages, qu'il ne manquait guère de petites histoires d'adultères dans les milieux médicaux qu'Andrew et elle-même fréquentaient.

Ce qui menait à une seconde question : les entorses à la fidélité comptaient-elles dans un ménage vraiment uni? Elle ne le pensait pas – pourvu qu'il ne s'agît pas de grandes passions ou de liaisons durables. En fait, bien des couples s'étaient déchirés par pruderie ou par jalousie quand le véritable motif de la rupture n'était qu'un divertissement sexuel sans conséquences.

Finalement, en ce qui concernait Andrew, elle se dit que, quoi qu'il eût fait, à l'extérieur de leur couple, il resterait toujours discret et délicat. Elle entendait bien être aussi discrète, et c'est pourquoi elle acceptait comme un fait accompli la fin de sa liaison avec Martin.

Elle conclut ainsi sa réflexion sur sa situation personnelle.

Maintenant, Harlow. Que devrait-elle conseiller à Sam le lendemain? Elle ne pouvait adopter qu'une seule position : il fallait fermer le centre. Admettre que toute l'entreprise avait été une erreur. Se hâter de mettre un terme aux déficits. Reconnaître que le projet de Martin concernant le processus du vieillissement mental constituait un échec navrant.

Etait-ce vraiment la seule ligne à suivre? Ou même la meilleure? Maintenant encore, et en dépit de tout ce qu'elle avait vu et entendu à Harlow, Celia demeurait incertaine.

Un détail en particulier lui revenait sans cesse à l'esprit : une chose que Martin lui avait dite dans sa détresse la veille au soir, quelques instants avant de quitter la salle à manger du Churchgate Hotel. Depuis ce matin, dans la limousine qui la menait à l'aéroport de Londres, Celia avait tourné et retourné les paroles de Martin dans sa tête. « *Ce que nous avons cherché se trouvera un jour... cela se produira, c'est forcé... mais ailleurs...* »

Au moment où il les avait prononcées, ces paroles n'avaient guère frappé Celia. Mais maintenant, pour quelque raison inconnue, elles semblaient revêtir une nouvelle importance. Martin pouvait-il avoir encore raison, et tous les autres tort? Où était cet « ailleurs »? Dans un autre pays? Un autre laboratoire? Se pouvait-il, si Felding-Roth abandonnait les recherches de Martin, qu'une autre société – concurrente – les reprenne et les mène « à bonne fin », c'est-à-dire jusqu'à la production d'un nouveau médicament important et rémunérateur?

Il y avait aussi la question des recherches sur le même sujet, menées dans d'autres pays. Deux ans auparavant, Martin avait évoqué les travaux de chercheurs en Allemagne, en France, en Nouvelle-Zélande. Celia savait par d'autres sources que les recherches se poursuivaient dans ces pays – apparemment sans plus de succès qu'à Harlow.

Mais en supposant que, après la fermeture du centre de Harlow, l'un de ces chercheurs fasse une découverte soudaine, une découverte extraordinaire qui *aurait pu* se faire à Harlow s'ils avaient persisté, quelle serait la réaction de Felding-Roth? Et quelle serait celle de Celia – de quoi aurait-elle l'air, aux yeux de la société – si elle conseillait de fermer Harlow maintenant?

Pour toutes sortes de raisons, elle était donc tentée de ne rien faire – « rien », c'est-à-dire de conseiller le maintien du centre de Harlow en espérant que quelque chose se passerait.

Cependant, ce genre de décision – ou plutôt d'indécision – ne représentait-il pas tout simplement la voie de la *sécurité*? Si! Il s'agissait ni plus ni moins d'un attentisme, d'une philosophie de bureaucrate qu'elle avait souvent entendu railler par Sam Hawthorne et Vincent Lord quand ils parlaient de la F.D.A. Et tout cela la ramenait à la phrase de Sam au moment du départ : *N'hésitez pas à émettre un verdict dur et impitoyable...*

Celia soupira. Elle savait qu'il était vain de regretter d'avoir à faire ce choix, mais elle ne pouvait s'empêcher de ressentir de l'amertume. Elle devait affronter la vérité : les décisions difficiles faisaient partie des hautes responsabilités qu'elle avait naguère convoitées, et que, désormais, elle assumait.

Quand le Concorde atterrit à New York, elle ne savait toujours pas quelle position adopter.

Finalement, l'entretien de Celia avec Sam Hawthorne fut retardé d'un jour, à cause du programme chargé de Sam. Le moment venu, ses conclusions sur l'affaire de Harlow étaient fermes et sans équivoque.

« Eh bien, demanda Sam sans perdre de temps en préliminaires, dès qu'elle se trouva assise en face de lui dans son bureau, avez-vous une recommandation à me faire? »

Cette question directe et l'instinct de Celia indiquaient clairement que Sam n'était pas d'humeur à entendre des détails ou des descriptions.

« Oui, répondit-elle d'une voix claire. En pesant

le pour et le contre, j'estime que la fermeture de Harlow serait une grave erreur. De plus, nous devrions laisser Martin poursuivre ses recherches sur le processus de vieillissement mental pendant au moins un an, et peut-être davantage. »

Sam acquiesça d'un air absent, et répliqua :

« Parfait. »

L'absence de réaction, et même de questions, fit comprendre à Celia que sa recommandation était acceptée telle quelle. Il lui sembla aussi que Sam était soulagé, comme si la réponse qu'elle lui avait fournie correspondait bien à celle qu'il espérait.

« J'ai fait un rapport. » Elle posa quatre feuillets sur la table.

Sam les mit dans un tiroir de son bureau.

« Je les lirai quand j'aurai le temps. Ne serait-ce que pour répondre aux questions du conseil d'administration.

— Vont-ils vous harceler?

— Vraisemblablement. (Sam eut un sourire las, et Celia sentit qu'il était épuisé et surmené. Il ajouta :) Mais ne vous inquiétez pas. Je tiendrai bon. Avez-vous informé Martin que nous continuons?

— Non. Il croit que nous allons fermer.

— Dans ce cas, dit Sam, l'un de mes rares plaisirs, aujourd'hui, consistera à lui écrire pour lui annoncer la nouvelle. Merci, Celia. »

Son petit signe de tête signifiait que l'entretien était terminé.

Huit jours plus tard, un gros bouquet de roses apparut dans le bureau de Celia. Quand elle interrogea sa secrétaire, elle s'entendit répondre :

« Il n'y avait pas de carton, madame Jordan. Quand j'ai questionné le fleuriste, il m'a dit qu'il avait reçu ses instructions par télégramme. Voulez-vous que je m'informe davantage, pour savoir qui vous les envoie?

– Ne vous donnez pas ce mal, répondit Celia. Je crois que je sais. »

CHAPITRE 29

CELIA fut soulagée de moins voyager pendant le reste de l'année 1975. Elle travaillait beaucoup, mais surtout à Morristown, ce qui lui permettait de passer plus de temps avec Andrew et d'aller voir Lisa et Bruce dans leurs écoles.

En dernière année à l'école Emma Willard, Lisa venait d'être élue présidente des classes terminales et, tout en ayant d'excellentes notes, elle menait de front diverses activités. Elle avait ainsi mis sur pied un projet qui consistait à faire travailler tous les élèves de terminales une demi-journée par semaine dans les bureaux du gouvernement de l'Etat de New York à Albany.

Lisa, pour prouver qu'il valait mieux s'adresser au Bon Dieu plutôt qu'à ses Saints quand on voulait obtenir quelque chose, avait écrit une lettre au gouverneur. Un collaborateur la lui montra et le gouverneur en fut amusé et – à la surprise de tous, excepté Lisa – envoya lui-même une réponse positive. Quand Andrew fut mis au courant, il déclara à Celia : « Aucun doute : elle est bien ta fille. »

L'organisation était apparemment aussi naturelle à Lisa que le fait de respirer. Elle venait d'adresser sa candidature à plusieurs universités, mais son ambition était d'être acceptée à Stanford.

Quant à Bruce, maintenant en seconde année à Hill Prep School, il était plus que jamais passionné par l'histoire, et cela l'occupait tellement qu'il s'en tirait souvent avec la mention « passable » dans les autres matières. Comme l'expliqua son professeur principal à Celia et Andrew, au cours d'une de leurs visites : « Ce n'est pas que Bruce travaille mal, il pourrait être excellent en tout. Mais nous sommes parfois obligés de l'arracher à ses livres d'histoire pour lui faire étudier autre chose. Je crois que votre fils est un grand historien en herbe, et je ne m'étonnerais pas de voir son nom sur la couverture de livres dans quelques années. »

Celia songea avec satisfaction, mais sans vanité, qu'il était donc possible d'avoir des enfants sains et équilibrés tout en travaillant.

Une bonne part du mérite, bien sûr, en revenait à Winnie et Hank March, qui s'occupaient de la maison avec dévouement. Comme ils célébraient le quinzième anniversaire de l'arrivée de Winnie qui coïncidait avec son trente-quatrième anniversaire – ce fut Andrew qui évoqua l'ancien rêve de Winnie : le fameux voyage en Australie, oublié depuis bien longtemps. « Ce qu'y ont perdu les Australiens, proclama-t-il gaiement, c'est les Jordan qui l'ont gagné ! »

Un seul nuage assombrissait l'enjouement de Winnie – l'absence d'un enfant qu'elle désirait plus que tout au monde. Elle confia à Celia : « On essaie tant qu'on peut, Hank et moi. Ah ! Dieu sait qu'on essaie ! Il y a des jours où je suis rompue. Mais ça ne donne rien. »

A la demande de Celia, Andrew fit faire des tests de fécondité à Winnie et à son mari. Les deux séries se révélèrent positives.

« Vous pouvez l'un comme l'autre avoir des enfants, expliqua Andrew à Winnie un soir, dans la cuisine. C'est uniquement un problème de programmation, et votre gynécologue pourra vous aider. Il va falloir continuer à essayer.

– On essaiera encore, répondit Winnie avec un soupir. Mais je ne le dirai à Hank que demain. J'ai vraiment besoin d'une bonne nuit de sommeil. »

Celia fit un bref voyage en Californie pendant le mois de septembre et, à Sacramento, elle se trouvait par hasard à proximité quand le président Ford fit l'objet d'un attentat. Seule la maladresse de la femme qui tira et sa méconnaissance de l'arme qu'elle utilisait empêchèrent qu'eût lieu une nouvelle tragédie nationale. L'expérience bouleversa Celia, et elle fut horrifiée d'apprendre, moins de trois semaines plus tard, qu'une seconde tentative d'assassinat sur la personne de Ford avait eu lieu à San Francisco.

Comme ils en parlaient un soir à table, à l'occasion de la fête de *Thanksgiving* qui les rassemblait tous à la maison, Celia s'exclama :

« J'ai parfois l'impression que nous devenons un peuple violent. (Puis, songeuse :) Je me demande où a pris naissance cette notion d'assassinat ? »

Elle n'attendait guère de réponse, mais Bruce lui en fournit une aussitôt.

« Etant donné ton métier, Maman, je m'étonne de voir que tu ne sais pas que tout a commencé par la drogue, historiquement. Et c'est de là que vient le mot « assassin » : hashishi en arabe, « mangeur de haschisch ». Du XIe au XIIIe siècle, les membres de la secte islamique Isma'ili Nizari prenaient du haschisch avant de commettre leurs actes de terrorisme religieux.

– Si je l'ignore, riposta aigrement Celia, c'est

parce que l'industrie pharmaceutique n'utilise guère le haschisch, figure-toi.

— Elle l'a utilisé, corrigea Bruce calmement, et il n'y a pas si longtemps encore. Les psychiatres s'en servaient pour traiter l'amnésie, mais cela était inefficace et ils y ont renoncé.

— Ma parole! » s'exclama Andrew, tandis que Lisa dévisageait son frère avec un mélange d'amusement et de stupéfaction.

En février 1976, Juliette Hawthorne épousa Dwight Goodsmith, le jeune homme qu'Andrew et Celia avaient rencontré l'année précédente et qui leur avait fait bonne impression. Dwight avait terminé ses études de droit à Harvard et venait de trouver un emploi à New York, où il allait donc vivre désormais avec Juliette.

Leur mariage fut l'occasion d'une réception magnifique, à laquelle furent conviées près de quatre cents personnes. « Après tout, expliqua Lilian Hawthorne à Celia, c'est le seul mariage de ma vie où je serai mère de la mariée — tout au moins je l'espère. »

Un peu plus tôt, Lilian lui avait confié son regret de voir Juliette renoncer aux études pour se marier à vingt ans. Mais, le jour du mariage, Sam et Lilian paraissaient tellement heureux qu'ils avaient dû abandonner ces sombres pensées — et avec raison, songea Celia. En observant Juliette et Dwight, ce jeune couple intelligent et doué, elle éprouva la conviction que leur mariage serait durable et solide.

En mai de la même année, Celia lut avec intérêt un livre récemment publié, *The Drugging of Americas*[1], qui suscita une émotion considérable, car il fustigeait le laxisme dont avaient fait preuve les

---

1. « Les Amériques sous l'empire de la drogue ».

sociétés pharmaceutiques des États-Unis et d'ailleurs en ne prévenant pas les médecins d'Amérique latine des effets secondaires de certains médicaments. Dans des pays plus développés, ces mises en garde étaient rendues obligatoires par les règlements. Dans cet ouvrage étaient décrites et dénoncées les pratiques que Celia avait eu elle-même l'occasion d'observer et de condamner quand elle travaillait dans le secteur international de Felding-Roth.

Ce qui distinguait ce livre des habituelles attaques menées contre l'industrie pharmaceutique, c'était l'ampleur et le sérieux de l'enquête menée par l'auteur, le docteur Milton Silverman, professeur de pharmacologie à l'université de Californie, à San Francisco. Le docteur Silverman avait également témoigné, peu de temps auparavant, devant une commission du Congrès, et on l'y avait écouté avec le plus grand respect. De l'avis de Celia, c'était là un avertissement de plus pour faire accepter à l'industrie pharmaceutique ses obligations morales et légales.

Elle acheta une demi-douzaine d'exemplaires de l'ouvrage, et les adressa aux directeurs de la compagnie – qui réagirent comme elle avait pu s'y attendre. La réponse de Sam fut, en ce sens, un modèle du genre :

Je partage tout à fait l'opinion de Silverman et la vôtre. Cependant, toute modification devra faire l'objet d'accords entre les entreprises. Aucune firme ne peut se permettre de participer à la compétition avec un handicap – et surtout pas la nôtre, étant donné sa situation financière très délicate.

Celia trouva l'argument de Sam spécieux mais ne

le contesta pas, sachant qu'elle ne pourrait pas gagner.

En revanche, la réaction de Vincent Lord lui causa une vive surprise par son ton amical.

Merci pour le livre. Je suis persuadé de la nécessité de procéder à certains changements, mais je puis vous prédire que nos maîtres feront des pieds et des mains pour laisser les choses en l'état, aussi longtemps qu'on ne les contraindra pas par la force. Mais continuez. J'essaierai de vous soutenir dans la mesure de mes moyens.

Ces derniers temps, le directeur de recherches s'était considérablement adouci, songea Celia. Elle se souvint de lui avoir adressé, treize ans auparavant, un exemplaire de *La Mystique féminine*, qu'il lui avait renvoyé en le qualifiant de « sornettes ». Ou bien n'était-ce pas plutôt, se demanda-t-elle, que Vincent Lord la jugeait désormais assez haut placée dans la hiérarchie pour qu'il cherche à se la concilier?

Au mois d'avril, Lisa, tout excitée téléphona à ses parents et leur annonça qu'elle partirait dès l'automne pour la Californie : elle était admise à l'université de Stanford. En juin, la remise des diplômes de l'école Emma Willard donna lieu à une agréable cérémonie en plein air; Andrew, Celia et Bruce y assistaient. Ils dînèrent en famille, ce soir-là, à Albany, et Andrew déclara : « C'est un grand jour pour nous, mais, pour la Terre entière, je prédis une année bien morose. »

Il fut presque aussitôt contredit par le raid audacieux d'un commando israélien à l'aéroport d'Entebbe, en Ouganda, où des terroristes palestiniens avec l'aide du président Amin Dada retenaient plus de cent otages dans un avion détourné. Forçant

l'admiration du monde libre, les Israéliens libérè-
rent les otages et les ramenèrent chez eux.

Les moments de morosité revinrent cependant –
comme Andrew se hâta de le faire remarquer –
lorsque, à la Convention Démocrate de New York,
un Géorgien inconnu obtint l'investiture de son
parti pour l'élection présidentielle, en s'appuyant
essentiellement sur sa qualité de baptiste sudiste.

Les Américains avaient eu beau être déçus par
Nixon, puis par Ford, il paraissait peu probable que
ce nouveau venu puisse l'emporter. A la cafétéria de
Felding-Roth, Celia entendit quelqu'un s'exclamer :
« Peut-on concevoir que la plus importante charge
du monde soit un jour confiée à un type qui se fait
appeler Jimmy? »

Cependant, on ne pensait guère à la politique, au
siège de Felding-Roth à Morristown. L'attention
était presque alors exclusivement tournée vers ce
nouveau médicament qui allait bientôt être
commercialisé : le Montayne.

Près de deux ans s'étaient écoulés depuis que
Celia avait fait part à Sam de ses doutes et de sa
méfiance à l'égard de Montayne. Comme il le lui
avait demandé, elle avait accepté d'étudier sans
parti pris les résultats de la recherche et de l'expérimentation.

Pendant ces deux années, une volumineuse documentation s'était accumulée et Celia avait presque
tout lu. Elle avait ainsi acquis la conviction que Sam
avait raison : la science pharmaceutique avait
considérablement progressé au cours des quinze
dernières années, et l'on ne pouvait plus refuser un
médicament aux femmes enceintes sous prétexte
qu'un autre produit, longtemps auparavant, s'était
révélé désastreux.

Autre fait significatif : l'expérimentation du Montayne – d'abord en France, puis au Danemark, en

Angleterre, en Espagne, en Australie, et maintenant aux Etats-Unis – avait été menée avec toute la prudence et toute la minutie humainement possibles. En raison de ces résultats et de ses propres lectures, Celia était non seulement convaincue de l'innocuité du Montayne, mais enthousiaste quant à son potentiel commercial.

Chez elle, à plusieurs reprises, elle avait tenté d'expliquer l'affaire à Andrew, pour le faire changer d'avis. Mais, contrairement à son habitude, Andrew ne voulait rien entendre. Il s'arrangeait toujours pour détourner la conversation et lui faire comprendre que non seulement il souhaitait éviter une discussion, mais il préférait tenir à l'écart la question du Montayne.

Celia finit par renoncer, et tut en présence d'Andrew son enthousiasme pour le Montayne. Elle savait qu'au moment du lancement spectaculaire que prévoyait Felding-Roth elle aurait de nombreuses occasions de l'exprimer.

CHAPITRE 30

« CE qui est essentiel dans le cas du Montayne, et qu'il ne faut jamais manquer de souligner, dit Celia devant le micro, c'est qu'il s'agit d'un médicament *absolument sûr* pour les femmes enceintes. Mieux encore, c'est un *médicament réjouissant*! Le Montayne est un produit que les femmes – condamnées aux nausées pendant leurs grossesses – souhaitent et méritent depuis des siècles. Et maintenant, nous Felding-Roth, nous libérons enfin les femmes américaines de cet ancien joug, nous les émancipons, pour améliorer, *ensoleiller* chaque jour de leurs grossesses! Le médicament qui fera *disparaître à jamais* les nausées de grossesse existe! *Nous l'avons!* »

L'assistance lui fit une ovation.

Cela se passait en octobre 1976. Celia participait à la réunion régionale de Felding-Roth à San Francisco, où étaient rassemblés les visiteurs médicaux, les chefs de secteurs, et les directeurs régionaux de neuf Etats de l'Ouest, y compris Hawaii et l'Alaska. Ce congrès de trois jours se déroulait au Fairmont Hotel, à Nob Hill. Celia et plusieurs autres membres de la direction séjournaient à l'élégant hôtel Stanford Court, situé juste en face, et notamment Bill Ingram, qui avait secondé Celia chez Bray & Commonwealth, et qui était à présent directeur adjoint des ventes pharmaceutiques, le bras droit de Celia.

Les projets de lancement du Montayne étaient bien avancés, et Felding-Roth comptait pouvoir mettre le produit en vente dès février, c'est-à-dire dans quatre mois. En attendant, il fallait faire connaître ce produit à ceux qui allaient le promouvoir.

Dans l'équipe de vente, l'enthousiasme était à son comble, et quelqu'un à la direction avait composé une chanson sur l'air de *America the Beautiful*.

O merveille des jours insouciants;
Merveille des rêves de maternité,
Car il est désormais simple et sûr
D'être en forme tous les matins!
Montayne, Montayne!
Montayne, Montayne!
Recommandé pour la grossesse;
Vendons-le bien, proclamons ses vertus,
Et sa puissance sans danger!

Les délégués rassemblés l'avaient chantée joyeusement ce matin, et allaient souvent recommencer au cours des deux jours à venir. Personnellement, Celia éprouvait quelques réserves au sujet de cet hymne, mais les autres l'avaient si ardemment défendu qu'elle avait accepté de laisser faire, pour ne pas refroidir l'enthousiasme.

L'expérimentation américaine avait duré un an et demi – sur des animaux, et sur cinq cents personnes – et n'avait révélé que de très rares et très légers effets secondaires, sans conséquences d'un point de vue médical. Les résultats étaient analogues à ceux obtenus dans d'autres pays, où le Montayne se vendait déjà et remportait un succès énorme auprès des praticiens et de leurs patientes.

Après l'expérimentation aux Etats-Unis, Felding-Roth avait soumis à la F.D.A. l'habituel et volumineux dossier, en espérant obtenir une approbation rapide.

Cet espoir avait malheureusement été déçu. Jusqu'à présent, la F.D.A. n'avait pas encore autorisé la vente du Montayne, et le service du marketing de Felding-Roth s'en inquiétait.

A la direction, cependant, on estimait impossible d'interrompre les préparatifs jusqu'à l'obtention du feu vert, car on risquait ainsi de perdre au moins six mois de ventes. La décision avait donc été prise de commencer la fabrication, de mettre au point la campagne de lancement, et d'organiser des réunions comme celle-ci pour galvaniser les délégués en tablant sur l'hypothèse que la F.D.A. donnerait son accord à temps.

Sam Hawthorne, Vincent Lord et d'autres avaient confiance et pensaient que cet accord interviendrait dans de brefs délais. Ils faisaient également remarquer que l'intérêt des médias pour ce nouveau produit jouait en leur faveur.

Etant donné le développement et la popularité du Montayne à l'étranger, les questions suivantes se posaient publiquement : Pourquoi la F.D.A. mettait-elle si longtemps à se prononcer? Pourquoi les femmes américaines se voyaient-elles refuser un précieux médicament que d'autres utilisaient ailleurs dans le monde, en toute sécurité, et avec des résultats si positifs? L'expression « carence pharmaceutique de l'Amérique » reparut un peu partout, faisant peser le blâme sur la F.D.A.

L'un des meneurs de cette campagne était le sénateur Dennis Donahue, habituellement acharné contre l'industrie pharmaceutique, et qui avait perçu à temps quel était le camp le plus populaire. En réponse à la question d'un journaliste, il déclara que l'indécision de la F.D.A. au sujet du Montayne était « parfaitement ridicule dans le cas qui nous occupe ». Ce commentaire fut fort bien accueilli chez Felding-Roth.

Cependant, un nouveau souci se présenta en la personne du docteur Maud Stavely, présidente d'un groupement de consommateurs établi à New York, l'Association des Citoyens pour une Médecine plus Sûre.

Le docteur Stavely et son A.C.M.S. menaient une campagne virulente contre le Montayne, prétendant que le produit risquait d'être dangereux et qu'il fallait procéder à des expérimentations supplémentaires avant de lui accorder une autorisation. Ce point de vue était très souvent repris dans la presse.

Stavely fondait son argumentation sur un procès qui s'était déroulé plusieurs mois auparavant en Australie.

Une femme de vingt-trois ans habitant dans les Terres Intérieures de l'Australie, près d'Alice Springs, avait mis au monde une petite fille. Pendant sa grossesse, elle avait été l'une des premières utilisatrices du Montayne. Par la suite, on avait découvert chez l'enfant des déficiences mentales, et les médecins avaient défini son cerveau comme « lisse ». L'enfant se révélait incapable d'effectuer le moindre mouvement, même un an après sa naissance. Les médecins qui l'avaient examinée s'accordaient tous à dire qu'elle resterait un « légume » toute sa vie, et ne pourrait jamais marcher ni s'asseoir sans aide.

Un avocat qui avait entendu parler de cette affaire persuada la mère de poursuivre la compagnie australienne qui détenait la licence de diffusion du Montayne. Un procès s'était déroulé au terme duquel la plaignante avait été déboutée. En appel, le jugement avait été confirmé.

Au cours des deux procès, les preuves que le Montayne n'était pas responsable de la malformation de l'enfant avaient paru innombrables. La mère, une femme de mauvaise réputation qui avouait elle-même ignorer qui était le père de l'enfant, avait pris plusieurs médicaments pendant sa grossesse – de la Methaqualone, du Diazepam, et quelques autres. Elle était également alcoolique et fumait non seulement du tabac mais aussi de la marijuana. Un expert médical, venu témoigner à l'audience, décrivait son corps comme un « horrible chaudron de mélanges chimiques incompatibles et susceptibles de produire les conséquences les plus inattendues ». Avec d'autres médecins, il absolvait le Montayne de toute responsabilité dans les malformations de l'enfant.

Seul un « médecin volant » des immenses espaces intérieurs de l'Australie, qui avait suivi la grossesse de la jeune femme puis l'avait accouchée, avait témoigné en faveur de la mère et fait porter la responsabilité sur le Montayne – qu'il avait lui-même prescrit. Cependant, un contre-interrogatoire lui avait fait admettre qu'il n'avait aucune preuve de ce qu'il avançait, si ce n'est « une forte présomption intuitive ». En face de tous les témoignages d'experts, son opinion n'avait guère été prise au sérieux.

Par la suite, une commission nommée par le gouvernement australien fit un supplément d'enquête, des experts scientifiques et médicaux témoignèrent à nouveau, et l'on arriva à la même conclusion : le Montayne était un produit tout à fait inoffensif.

Quant à l'Américaine, cette doctoresse Stavely – réputée pour son amour de la publicité – elle n'avait aucune autre preuve pour étayer ses accusations.

Cette campagne contrariait Felding-Roth, certes, mais ne semblait cependant pas constituer un problème sérieux.

Au congrès de San Francisco, Celia reprit son allocution quand les applaudissements se furent calmés.

« Ce que vous rencontrerez sans doute parfois chez vos interlocuteurs, c'est une inquiétude due au souvenir d'un ancien médicament, la Thalidomide, qui avait eu des effets néfastes sur les fœtus, et provoqué des naissances d'enfants malformés. Je vous le signale dès à présent, afin que nous soyons tous préparés à cette situation. »

Le silence se fit dans la salle, et tous les yeux se fixèrent sur Celia.

« Les différences entre le Montayne et la Thalidomide sont multiples, et considérables.

» La Thalidomide a été découverte il y a une vingtaine d'années, alors que la recherche pharmaceutique était infiniment moins avancée, et que la législation sur la sécurité était moins rigoureuse qu'elle ne l'est actuellement. D'autre part – et ceci vient à l'encontre de ce que l'on croit généralement –, la Thalidomide n'avait jamais été destinée aux femmes enceintes. Il s'agissait d'un sédatif, d'un somnifère.

» Il faut encore savoir que la Thalidomide n'avait pas fait l'objet de recherches systématiques sur une grande variété d'animaux, avant d'être expérimentée sur les humains. *Après* l'interdiction de la Thalidomide, par exemple, des expérimentations animales ont montré que certaines races de lapins produisaient les mêmes fœtus malformés que les humains, prouvant que, si ces études animales avaient été menées sérieusement, jamais ces tragédies humaines n'auraient eu lieu. »

Celia s'interrompit un instant pour consulter les notes qu'elle avait soigneusement préparées, en vue de cette réunion.

Son auditoire était très attentif, et elle reprit : « Le Montayne, en revanche, a bénéficié du plus grand nombre d'expérimentations qu'on puisse imaginer – sur diverses espèces animales, ainsi que sur des humains volontaires – dans cinq pays, qui ont tous des législations très strictes sur le contrôle des médicaments. De plus, le Montayne est utilisé depuis plus d'un an dans ces pays, par des milliers de femmes. Permettez-moi de vous citer un seul exemple du soin et de la précision méticuleuse avec lesquels ont été menées ces recherches et ces expériences. »

Celia évoqua la décision qu'avaient prise les laboratoires Gironde-Chimie de procéder à une année supplémentaire d'expérimentation, sans y être contraints par les lois françaises, pour s'assurer de l'innocuité et de la qualité de leur produit.

« Jamais sans doute un médicament n'a fait l'objet d'une expérimentation aussi complète. »

Après l'exposé de Celia, plusieurs porte-parole des services de recherches du laboratoire vinrent confirmer ce qu'elle avait dit, et répondre aux questions de l'assistance.

« Comment s'est passée la réunion ? » demanda Andrew une heure plus tard, dans leur luxueuse suite du Stanford Court. Il avait pris quelques jours de vacances pour accompagner Celia en Californie et aller voir Lisa, étudiante de première année à l'université de Stanford, qui vivait sur le campus.

« Assez bien, me semble-t-il. (Celia ôta ses chaussures, s'étira avec lassitude et allongea ses jambes sur un canapé.) D'une certaine façon, ces conférences régionales sont un peu comme un spectacle itinérant, et nous devrions nous améliorer à chaque représentation. (Elle posa un regard curieux sur son mari.) As-tu remarqué que c'est la première fois que tu m'interroges sur un sujet ayant un rapport avec le Montayne?

— Vraiment? s'étonna-t-il.

— Tu le sais fort bien. Puis-je te demander pourquoi?

— Peut-être parce que tu me dis tout et que je n'ai jamais besoin de te questionner.

— Ce n'est pas vrai, riposta Celia. La vérité, c'est que tu persistes dans tes réserves, n'est-ce pas?

— Ecoute, protesta Andrew en posant son journal. Je ne suis pas qualifié pour porter un jugement sur un médicament que je n'ai jamais utilisé. Il y a de nombreux savants, ici et à l'étranger, qui en savent bien davantage que moi. Ils disent que le Montayne est sans danger. Alors... (Il haussa les épaules.)

— Mais *toi*, le prescriras-tu à une patiente?

— La question ne se pose pas. Dieu merci, je ne suis ni obstétricien ni gynécoloque.

— Dieu merci?

— C'est un lapsus. (Andrew reprit d'un ton impatient :) Parlons d'autre chose.

— Non, insista Celia. (Sa voix devenait cinglante.) Je veux en parler, parce que c'est important pour nous deux. Tu m'as toujours dit que *jamais* une femme enceinte ne devrait prendre de médicaments. Le crois-tu toujours?

— Eh bien, puisque tu insistes : oui.

— N'est-il pas *possible* que, même si tu as eu raison naguère, cette vision des choses soit dépassée? Après tout, il y a longtemps que tu exerces la médecine – vingt ans – et bien des choses ont changé. (Elle se souvint d'une chose que lui avait dite Sam.) N'y a-t-il pas eu des médecins pour s'opposer à l'anesthésie des femmes enceintes sous prétexte...?

– Je t'ai dit que je ne voulais pas en discuter, dit Andrew.

– Mais moi, je le veux! répliqua-t-elle.

– Tu m'ennuies, Celia! Je n'ai rien à voir avec ton Montayne, et je ne veux rien en savoir. Je t'ai déjà dit que je n'ai pas la compétence...

– Mais tu as de l'influence, à St. Bede's.

– Et je ne m'en servirai *pas* – en aucune façon –, que je sois pour ou contre le Montayne ne me fera pas changer ma décision. »

La sonnerie du téléphone vint interrompre leur dispute. Celia s'étira pour décrocher.

Une voix de femme demanda :

« Madame Jordan?

– Oui.

– Ici Felding-Roth, à Boonton. Ne quittez pas, je vous passe M. Hawthorne. »

La voix de Sam se fit entendre.

« Bonjour, Celia. Comment cela se passe-t-il, jusqu'à présent?

– Très bien. (La bonne humeur qu'elle avait éprouvée en quittant la séance du Fairmont lui revint.) Les présentations se sont bien déroulées. Tout le monde est ravi, impatient de commencer à vendre le Montayne.

– Parfait!

– Evidemment, la question que nous nous posons tous est celle-ci : dans combien de temps aurons-nous le feu vert de la F.D.A.? »

Il y eut un silence, pendant lequel Celia sentit Sam hésiter, puis il répliqua :

« Pour le moment, c'est strictement confidentiel

entre vous et moi. Mais je puis vous affirmer que *nous aurons* le feu vert, et cela *très* bientôt.

— Puis-je savoir pourquoi vous en êtes si sûr?

— Non.

— Bien. (Si Sam voulait rester mystérieux, pensa-t-elle, c'était son droit, bien qu'elle ne vît aucune raison à cela entre eux deux. Elle demanda :) Juliette va bien?

— Oui, et mon futur petit-fils aussi, répondit Sam en riant. Je suis heureux de vous dire qu'ils vont tous très bien. »

Trois mois plus tôt, Juliette et Dwight Goodsmith avaient annoncé que Juliette attendait un enfant pour janvier..

« Embrassez Lilian et Juliette de ma part, reprit Celia, et dites à Juliette que pour sa prochaine grossesse elle pourra bénéficier des secours du Montayne.

— Je n'y manquerai pas. Merci, Celia. »

Sam raccrocha.

Pendant cette conversation téléphonique, Andrew était allé prendre une douche et s'habiller, car ils devaient ensuite parcourir cinquante kilomètres jusqu'à Palo Alto, pour y dîner avec Lisa et quelques-uns de ses nouveaux amis.

Pendant le trajet puis, au cours du dîner, ni Celia ni Andrew ne firent allusion à leur discussion de l'après-midi. La froideur du début s'estompa et disparut au fil de la soirée, tandis que Celia décidait de renoncer à aborder la question du Montayne avec son mari. Après tout, tout le monde pouvait être aveugle à un moment donné, et – même si elle en éprouvait une déception – c'était manifestement le cas d'Andrew dans cette affaire.

CHAPITRE 31

En raccrochant, après son entretien avec Celia, Sam Hawthorne se surprit à regretter d'avoir parlé avec un tel aplomb de la future autorisation du Montayne. C'était stupide et indiscret. Pourquoi l'avait-il fait ? Sans doute pour une seule raison, bien humaine : il cherchait à impressionner quelqu'un – dans le cas présent, Celia.

Il décida de se surveiller. Surtout après la discussion qu'il avait eue une heure auparavant avec Vincent Lord, et la décision qu'ils avaient prise ensemble. Cette décision risquait d'avoir des répercussions catastrophiques si jamais on l'apprenait, ce qui ne devait jamais arriver – *jamais*. Autant d'excellentes raisons, donc, de faire en sorte que l'autorisation de la F.D.A., quand elle arriverait, paraisse naturelle et spontanée. Comme elle aurait dû l'être et l'aurait été, *sans ce bureaucrate arrogant et criminel* !

C'était une pure malchance si le dossier du Montayne avait été soumis au docteur Gideon Mace.

Sam Hawthorne ne connaissait pas Mace, et ne voulait pas le connaître. Par l'intermédiaire de Vincent Lord et de quelques autres, il en savait bien assez sur les difficultés que ce Mace causait à Felding-Roth. D'abord, il avait fait absurdement traîner le dossier du Staidpace pendant deux ans, et il recommençait maintenant avec le Montayne. Sam enrageait. Pourquoi fallait-il que des gens comme Mace détiennent un tel pouvoir, et que d'honnêtes hommes d'affaires doivent les supporter, quand ils ne demandaient aux divers Mace du monde que la simple justice, et la plus élémentaire égalité?

Heureusement, les gens comme lui représentaient une minorité – une petite minorité, à la F.D.A.; Sam en était certain. Mais Gideon Mace existait bel et bien. Il bloquait en ce moment le dossier du Montayne, et se servait des réglementations et des artifices de procédure pour faire traîner les choses. Il avait donc fallu trouver un moyen de le circonvenir.

Ce moyen était désormais entre leurs mains. Plus précisément entre les mains de Felding-Roth, grâce à Vincent Lord.

A l'origine, quand Vincent avait recueilli – non, plutôt *acheté* – les preuves des activités frauduleuses du docteur Mace, il avait payé deux mille dollars qui lui avaient été remis par Felding-Roth, et la trace de cette somme était à présent ensevelie dans les notes de frais de voyages, là où jamais les inspecteurs du fisc ne la retrouveraient... A l'époque, Sam avait été irrité et même choqué par l'idée d'employer un jour ces documents de la manière dont Vincent l'envisageait.

Mais plus maintenant. A cause du Montayne. La situation était bien trop grave, bien trop préoccupante pour lui permettre ce genre de scrupules. Et *cela* constituait un nouveau motif de colère. De colère, parce que des criminels comme Mace engendraient le crime chez d'autres – en l'occurrence Sam et Vincent Lord – qui se trouvaient contraints d'employer les mêmes procédés méprisables pour simplement, se défendre. *Maudit Mace!*

Dans le calme de son bureau, Sam poursuivit son soliloque : le prix qu'on paie pour occuper la première place dans n'importe quelle grande compagnie, c'est d'avoir à prendre des décisions déplaisantes et autoriser des actions que, dans un autre contexte, on jugerait immorales et inacceptables. Mais quand on assume des responsabilités vis-à-vis de tant de gens – actionnaires, directeurs, collègues, employés, distributeurs, détaillants, clients – il est parfois nécessaire de faire taire ses scrupules pour accomplir l'inévitable même si cela peut paraître dur, déplaisant, ou même répugnant.

Et c'était précisément ce que venait de faire Sam, une heure auparavant, en acceptant la proposition de Vincent Lord : ils allaient menacer le docteur Gideon Mace de le dénoncer s'il tardait encore à autoriser la commercialisation du Montayne.

Chantage. Inutile de se voiler la face ou d'employer des euphémismes. C'était du chantage, et c'était également criminel.

Vince avait brutalement exposé son plan à Sam, puis il avait ajouté :

« Si nous ne nous servons pas de ce que nous avons pour forcer la main à Mace, vous pouvez abandonner l'idée de lancer le Montayne en février ou même dans l'année qui suivra.

– Est-ce que cela risque vraiment d'être aussi long – un an ?

– Facilement, et même davantage. Mace n'a qu'à nous demander de recommencer... »

Lord s'interrompit sur un geste de Sam, qui se souvenait de l'attente que leur avait imposée Mace pour le Staidpace.

« A une certaine époque, rappela Sam au directeur de recherches, vous envisagiez de faire ce que vous me suggérez actuellement, *sans* m'y impliquer.

– Je m'en souviens, dit Lord. Mais vous avez alors insisté pour savoir où iraient ces deux mille dollars, et par la suite j'ai changé d'avis. Je vais prendre des risques, et je ne vois pas pourquoi je les prendrais seul. C'est tout de même moi qui vais monter en première ligne pour attaquer Mace. Mais je veux que vous le sachiez, et que vous me donniez votre accord.

– Vous ne voulez pas dire que nous allons procéder par écrit ? »

Lord secoua la tête.

« Non, et c'est un risque supplémentaire pour moi. Si nous avons des problèmes, vous pourrez nier que cette conversation ait jamais eu lieu. »

Sam comprit alors que ce que voulait Vincent, c'était ne pas être seul, ne pas être le seul à savoir ce qu'il allait faire. Sam comprenait cela. La solitude était un sentiment qu'on éprouvait aussi au sommet de la hiérarchie, ou près du sommet, et Vincent Lord s'efforçait simplement de partager ce poids.

« Bien, répondit Sam. Je ne m'aime guère dans ce rôle, mais je vous donne mon accord. Allez-y. Faites ce que nous avons à faire. (Il ajouta, par manière de plaisanterie :) Je suppose que vous n'êtes pas en train d'enregistrer cet entretien ?

– Si je faisais cela, répliqua Lord, je me désignerais comme coupable en même temps que vous. »

Au moment où Lord sortait, Sam le rappela :

« Vince ! »

Lord se retourna.

« Oui ?

– Merci. Je voulais simplement vous dire merci. »

Il ne restait donc plus qu'à attendre. Attendre encore un peu, avec la certitude que la F.D.A. autoriserait bientôt le Montayne. Il ne pouvait en être autrement.

Vincent Lord se rendit compte que depuis leur dernière rencontre certains changements étaient intervenus dans l'état du docteur Gideon Mace. Certes, l'employé de la F.D.A. avait vieilli, mais il avait aussi meilleure allure, ce qui était surprenant. Il avait le visage moins rouge, et les veines de son nez se voyaient moins. Il avait remplacé son vieux complet par un neuf, et changé de lunettes, de sorte qu'il ne grimaçait plus. Ses manières s'étaient radoucies et, sans aller jusqu'à se montrer cordial, il se comportait de façon moins brusque et moins agressive. L'une des raison de ces changements – comme Vincent Lord l'avait appris en interrogeant ses relations de la F.D.A. –, c'était que Mace avait cessé de boire, et avait adhéré aux Alcooliques Anonymes.

Mais, à part ce détail, rien n'avait changé à la F.D.A.; tout avait même empiré. Les locaux présentaient toujours cet aspect de ruche impersonnelle et étriquée. Le minuscule bureau où travaillait Mace était plus envahi que jamais par la paperasse; il y en avait partout, et, pour entrer, il fallait enjamber et contourner les dossiers, posés par terre faute d'une autre place pour les ranger.

« Notre dossier est-il quelque part là-dedans? demanda Lord.

– En partie, répondit Mace. Je n'ai pas de place pour tout. Je suppose que c'est au sujet du Montayne que vous venez me voir?

– Oui. Assis là, en face du fonctionnaire, Lord espérait encore ne pas avoir à employer les photocopies des documents qu'il avait apportées dans sa serviette.

– Je suis très préoccupé par cette affaire australienne. (Mace s'exprimait maintenant d'un ton raisonnable.) Vous voyez de quoi je parle?

– Oui. Cette femme, dans les Terres Intérieures? Oui, l'affaire est passée en justice, et la femme a été déboutée. Et puis il y a eu une commission d'enquête. Dans les deux cas, les accusations ont été vérifiées et le Montayne lavé de tout soupçon.

– J'ai lu tout cela, dit Mace, mais je veux davantage de détails. J'ai écrit en Australie pour les obtenir et, quand je les connaîtrai, peut-être de nouvelles questions surgiront-elles.

– Mais cela peut durer des mois! protesta Lord.

– C'est possible, mais je ne fais que mon devoir. »

Lord fit une dernière tentative.

« Quand vous avez bloqué le Staidpace, je vous avais certifié qu'il s'agissait d'un bon produit, sans effets indésirables, et c'était la vérité – malgré tous les retards inutiles. Et, cette fois-ci encore, j'engage ma réputation de chercheur scientifique et je vous assure qu'il en va exactement de même pour le Montayne. »

Mace ne se laissa pas émouvoir.

« Je ne partage pas votre opinion. Il n'y a eu aucun " retard inutile " pour le Staidpace. En tout cas, cela n'a rien à voir avec le Montayne.

– D'une certaine façon, pourtant, si, rétorqua Lord, sachant qu'il n'avait plus le choix, et jetant un coup d'œil derrière lui pour s'assurer que la porte était bien fermée. Car j'estime que votre attitude envers Felding-Roth n'est pas fonction du dossier, mais de votre mentalité. Vous avez beaucoup de problèmes personnels qui vous perturbent l'esprit et vous conduisent à commettre des injustices. Certains de ces problèmes ont attiré l'attention de ma compagnie. »

Mace se crispa, et sa voix monta d'une octave.

« De quoi parlez-vous donc?

– De ceci. (Lord avait ouvert sa serviette, et en tirait des papiers). Voici des certificats de transactions boursières, des chèques annulés, des relevés bancaires, et divers documents prouvant que vous avez fait plus de seize mille dollars de bénéfices illicites, en utilisant des renseignements confidentiels en possession de la F.D.A., relatifs à deux sociétés de produits génériques, Binvus Products et Minto Labs. »

Lord posa une douzaine de feuillets sur ceux déjà entassés sur le bureau de Mace.

« Je crois que vous devriez examiner soigneusement ces documents. Je sais bien que vous les avez déjà vus, mais peut-être ne saviez-vous pas que quelqu'un d'autre en détenait des copies? A ce propos, je tiens à vous préciser qu'il s'agit simplement de copies, et que vous ne gagnerez donc rien à les reprendre ou à les détruire. »

Mace reconnut aussitôt le premier document – un certificat de transaction boursière. Ses mains tremblaient tandis qu'il prenait l'un après l'autre les feuillets pour les examiner, laissant ainsi clairement paraître qu'il les reconnaissait tous. Son visage prenait une teinte terreuse, et sa bouche frémissait incontrôlablement. Lord se demanda si Mace allait s'effondrer, terrassé par une crise cardiaque. Mais Mace reposa les feuillets sur la table et s'enquit d'une voix blanche :

« Où vous les êtes-vous procurés?

– Peu importe, répliqua Lord d'un ton sec. Ce qui compte, c'est ceci : nous les avons, et nous envisageons de les communiquer à l'Attorney General, et sans doute aussi à la presse. Dans ce cas, bien sûr, il y aura une enquête et, si vous êtes impliqué dans d'autres affaires de ce type, tout sortira au grand jour. »

A l'expression d'effroi qui se peignit alors sur les traits de Mace, Lord sut avec certitude qu'il avait frappé juste. Il y *avait* d'autres affaires. Désormais, ils le savaient tous les deux.

Lord se souvint d'avoir un jour dit à Sam Hawthorne, prévoyant ce qui arrivait aujourd'hui : « Le moment venu, laissez-moi faire la sale besogne. » Et il avait ajouté intérieurement : « Il se pourrait même que j'en tire un vif plaisir. » Eh bien, maintenant que cela se produisait, songea Lord, il en tirait effectivement du plaisir. Il jouissait du pouvoir qu'il exerçait en ce moment sur Mace, sur cet ennemi expert dans l'art de doser les humiliations et qui, désormais, vivait l'envers de la situation, souffrait, et se débattait.

« Vous irez en prison, bien sûr, lui signala Lord. Et je suppose que l'amende vous laissera quelque peu démuni sur le plan financier. »

Mace, désespéré, protesta :

« C'est du chantage. Vous pourriez être... »

Il parlait d'une voix nerveuse, faible. Lord l'interrompit brutalement.

« N'y songez même pas! Il y a mille manières de procéder, pour éviter que la compagnie soit impliquée, et nous n'avons aucun témoin ici – juste vous et moi. »

Lord se pencha en avant, rassembla les papiers qu'il avait montrés à Mace, et les rangea dans sa serviette. Il venait de se rappeler, juste à temps, que ses propres empreintes digitales y figuraient; inutile de courir des risques en laissant des preuves derrière lui.

Mace était brisé. Lord observa avec dégoût qu'il commençait à baver faiblement, en articulant :

« Que voulez-vous?

– Je crois que vous le savez déjà. Sans doute

pourrait-on résumer nos désirs par ces mots : une attitude raisonnable et compréhensive. »

Murmure désespéré.

« Vous voulez faire passer ce produit. Le Montayne. »

Lord ne répondit rien.

« Ecoutez, plaida Mace dans un demi-sanglot. J'étais sincère en vous disant qu'il y *a* un problème... cette affaire australienne, les doutes au sujet du Montayne... Je crois *réellement* qu'il pourrait y avoir quelque... vous devriez... »

Lord rétorqua dédaigneusement :

« Nous en avons déjà discuté. Des gens mieux informés que vous nous ont garanti que l'affaire australienne n'avait aucun sens. »

Nouveau silence.

« Si vous l'obtenez... l'autorisation ?

— Dans certaines circonstances, répliqua Lord avec circonspection, les documents dont je vous ai montré les copies ne seraient pas remis à l'Attorney General ni à la presse. Au contraire, ils vous seraient rendus avec la garantie que les originaux seraient détruits.

— Comment pourrais-je en être sûr ?

— Sur ce point, vous devriez vous contenter de ma parole. »

Mace tentait de se ressaisir; ses yeux étincelaient de haine.

« Que vaut votre parole, espèce de *salaud* ?

— Pardonnez-moi de vous le signaler, répondit Vincent Lord calmement, mais vous n'êtes pas en position de pouvoir insulter qui que ce soit. »

Cela prit deux semaines. Même avec l'appui de Gideon Mace, les roues de la bureaucratie mettaient un certain temps à tourner. Mais l'autorisation de commercialiser le Montayne fut enfin accordée. Le produit pouvait être prescrit et vendu, avec l'approbation de la F.D.A., sur tout le territoire des Etats-Unis.

Chez Felding-Roth, on était ravi de voir que le lancement pourrait avoir lieu comme prévu en février.

Ne voulant courir aucun risque avec la poste ni avec un quelconque intermédiaire, Vincent Lord se rendit lui-même à Washington et remit les papiers compromettants entre les mains du docteur Mace.

Lord avait tenu parole. Les originaux avaient été détruits.

Dans le bureau de Mace, les deux hommes n'échangèrent que les paroles indispensables.

« Chose promise, chose due. »

Lord tendit une épaisse enveloppe brune.

Mace prit l'enveloppe, examina le contenu, puis tourna les yeux vers Lord. D'un ton vibrant de haine, il déclara :

« Votre compagnie et vous-même avez désormais un ennemi à la F.D.A. Et je vous avertis : un jour, vous le regretterez. »

Lord haussa les épaules et, sans un mot, sortit.

CHAPITRE 32

Un vendredi après-midi de novembre, Celia rendit visite au docteur Maud Stavely, au siège new-yorkais de l'Association des Citoyens pour une Médecine plus Sûre.

Celia s'était décidée au dernier moment. Elle se trouvait à Manhattan et, disposant de deux heures entre ses rendez-vous, elle avait soudain eu envie de satisfaire sa curiosité en allant voir cette adversaire qu'elle n'avait jamais rencontrée. Elle se garda bien de téléphoner pour s'annoncer, sachant que, dans ce cas, Stavely refuserait certainement de la recevoir. D'autres responsables de l'industrie pharmaceutique en avaient fait l'expérience.

Celia n'avait pas oublié ce que lui avait un jour dit Lorne Eagledon, le président de l'Association des Fabricants de Produits Pharmaceutiques qui regroupait tous les grands laboratoires. Eagledon était un homme jovial et affable, qui avait d'abord été avocat dans l'administration gouvernementale.

« En tant que président de l'A.F.P.P., avait-il dit, j'aime bien rester en contact avec les groupements de consommateurs. Bien sûr, nos intérêts sont souvent opposés, mais ils ont parfois des choses utiles à nous dire, et notre industrie devrait prêter attention à leurs revendications. C'est pour cela que j'invite Ralph Nader à déjeuner deux fois par an. Il est vrai que Ralph et moi n'avons pas grand-chose en commun, mais nous parlons, et chacun écoute le point de vue de l'autre. C'est là une attitude civilisée. Mais quand j'ai invité Maud Stavely à déjeuner – ah! Seigneur! »

Invité par Celia à poursuivre, le président de l'A.F.P.P avait ajouté : « Eh bien, le docteur Stavely m'a répondu qu'elle était très prise par sa lutte contre une industrie ignoble et immorale – la nôtre – et qu'elle n'avait pas de temps à perdre en compagnie d'un laquais aux opinions inacceptables – votre serviteur. Mieux encore, elle ne voulait surtout pas entendre parler de déjeuner – elle serait morte plutôt que d'accepter même une bouchée au chocolat, payée par l'argent souillé des laboratoires pharmaceutiques. (Eagledon se mit à rire.) Et voilà donc comment je n'ai jamais rencontré cette dame, ce que je regrette infiniment. »

Il pleuvait à verse quand le taxi déposa Celia devant un vieil immeuble de six étages situé dans la 37e Rue, près de la 7e Avenue. Le rez-de-chaussée était occupé par un magasin d'équipement sanitaire dont la vitrine, brisée, ne tenait que grâce à du papier collant. Dans un couloir sombre à la peinture écaillée, un minuscule ascenseur arthritique emporta Celia jusqu'au bureau de l'A.C.M.S., au dernier étage.

En sortant de l'ascenseur, Celia se trouva devant une porte ouverte et vit, dans une petite pièce, une femme à cheveux blancs assise devant un bureau métallique très usagé. Une plaque indiquait : *Bénévole : Mme O. Thom.* Cette femme se débattait avec une machine à écrire Underwood des années cinquante. Elle leva les yeux vers Celia et s'écria :

« Je me tue à leur répéter que je ne viendrai plus travailler ici tant qu'ils n'auront pas fait réparer cette fichue machine. C'est le I majuscule qui se coince. Comment voulez-vous que j'écrive aux gens sans I[1] majuscule ? »

Celia suggéra aimablement :

« Peut-être pourriez-vous dire « nous »?

– Et cette lettre-ci, alors? répliqua aigrement Mme O. Thom. Elle doit partir pour l'Idaho – dois-je rebaptiser l'Etat Nousdaho?

– Je comprends votre problème, dit Celia, et je regrette de ne pas pouvoir vous aider. Le docteur Stavely est-il là?

– Oui, qui êtes-vous?

– Oh! Disons que je m'intéresse à votre organisation. J'aimerais lui parler. »

Mme O. Thom parut sur le point de poser encore des questions, mais elle se ravisa, se leva et disparut derrière une porte. Pendant son absence, Celia aperçut plusieurs autres personnes qui travaillaient dans les pièces voisines. On avait une impression d'affairement, et l'on entendait crépiter une autre machine à écrire, sur fond de conversations téléphoniques. A portée de main, il y avait des piles de brochures et de tracts, dont certaines destinées à être expédiées. Un tas de courrier attendait d'être ouvert. Apparemment, l'A.C.M.S. n'était pas très riche. Le mobilier devait provenir de quelque brocante. L'antique moquette avait par endroits presque disparu, laissant voir par les trous les lattes du plancher. De même que dans le couloir du rez-de-chaussée, ce qui restait de peinture s'écaillait.

Mme Thom reparut. « Bon. Vous pouvez entrer. » Elle désignait une porte. Celia obtempéra en murmurant un remerciement.

La pièce dans laquelle elle pénétra était aussi pauvre que les autres.

1. I = je en anglais (NdT).

« Oui, de quoi s'agit-il? »

Assise derrière un vieux bureau, le docteur Maud Stavely leva les yeux du papier qu'elle était en train de lire quand la visiteuse était entrée.

Après la vision qu'elle avait eue des locaux, en plus de tout ce qu'elle avait entendu dire sur la personne qui lui faisait face, Celia fut étonnée de découvrir une jolie femme aux cheveux auburn, avec de belles mains soignées, et sans doute âgée d'une quarantaine d'années. Bien qu'impatiente et coupante, la voix était raffinée, avec une trace d'accent de Nouvelle-Angleterre. Ses vêtements – une jupe de lainage brun et un chemisier rose bien coupé – n'avaient rien de luxueux, mais elle les portait avec distinction. Quant à ses yeux – ce qui, en elle, était le plus marquant – ils étaient bleus, directs, pénétrants, et ils firent comprendre à Celia qu'elle tardait trop à répondre.

« Je travaille à la direction d'une société pharmaceutique, dit-elle. Je suis navrée de m'imposer ainsi, mais je tenais à vous rencontrer. »

Il y eut plusieurs secondes de silence. Les yeux qui la scrutaient se durcirent, songea Celia, et l'évaluèrent.

« Vous devez être Jordan.

– Oui. (Celia était étonnée.) Comment le savez-vous?

– J'ai entendu parler de vous. Il n'y a pas tellement de femmes à la tête de cette industrie pourrie, et certainement personne d'autre qui ait trahi comme vous la vraie cause des femmes. »

Celia répondit avec douceur :

« Qu'est-ce donc qui vous fait croire que j'aie – comme vous le dites – trahi?

– Sinon, vous ne travailleriez pas dans le secteur des ventes de l'industrie pharmaceutique.

– A l'origine, j'étais chimiste, lui fit observer

409

Celia. Et puis, comme d'autres, j'ai gravi les échelons.

— Cela ne m'intéresse absolument pas. Pourquoi êtes-vous venue ? »

Celia tenta d'opposer un sourire à cette agressivité.

« J'étais tout à fait sincère, en disant que je tenais à vous rencontrer. Je pensais que nous pourrions discuter, écouter l'opinion de l'autre. Même si nous ne sommes pas d'accord, peut-être pourrions-nous toutes deux y gagner quelque chose. »

L'intonation amicale ne rencontra aucun écho. L'autre femme demanda froidement :

« Y gagner quoi ?

— Un peu de compréhension, sans doute, dit Celia. Mais peu importe. Visiblement, ce n'était pas une bonne idée. »

Elle se retourna, prête à sortir, et bien décidée à ne pas essuyer davantage d'impolitesse.

« Que souhaitez-vous savoir ? »

Ces mots semblaient légèrement moins hostiles. Celia hésita à poursuivre son chemin.

Stavely lui désigna un siège.

« Puisque vous êtes là, asseyez-vous. Je vous accorde dix minutes. Pas une de plus, je suis très occupée. »

En d'autres circonstances, Celia ne se serait pas laissé traiter de la sorte et aurait riposté, mais la curiosité l'emporta.

« J'aimerais savoir pourquoi vous détestez tant l'industrie pharmaceutique. »

Pour la première fois, Maud Stavely s'autorisa un léger sourire, qui s'estompa aussitôt.

« J'ai parlé de dix minutes, pas dix heures.

— Pourquoi ne pas commencer tout de suite, pour employer ces dix minutes ?

— Très bien. Le secteur le plus immoral de votre

industrie est précisément celui dans lequel vous êtes impliquée – la vente. Votre compagnie et les autres font de la vente forcée, avec cynisme. A partir de produits raisonnables, mais d'un emploi médical limité, vous lancez de bruyantes campagnes de publicité, pour faire prescrire ces médicaments à d'innombrables gens qui n'en ont pas besoin, ou qui n'ont pas les moyens de les payer, ou même à qui ils font du mal.

– Vous employez des mots très forts, dit Celia. Personne ne nie qu'il n'y ait pas eu un peu d'excès mais...

– *Un peu* d'excès! L'excès est la norme. Mais c'est une norme à laquelle vous travaillez, que vous fomentez délibérément, pour laquelle sans aucun doute vous *priez*! Si vous voulez un exemple, prenez le cas du Valium et des produits de ce type – sans aucun doute la famille de médicaments la plus utilisée et la plus prescrite, à tort et à travers dans toute l'histoire de la médecine. Après les campagnes tapageuses, lancées par des sociétés cupides comme la vôtre, ces produits laissent derrière eux un sillage de drogués, de gens désespérés, de suicides...

– Beaucoup de gens qui en avaient vraiment besoin en ont bénéficié aussi, objecta Celia.

– Une minorité, insista l'autre femme, qui aurait quand même pu les obtenir, mais sans cette publicité à outrance qui a littéralement lavé le cerveau des médecins, et leur a fait croire que des produits comme le Valium étaient la panacée. Je le *sais. J'ai moi-même été* l'un de ces médecins victimes du lavage de cerveau – jusqu'au moment où j'ai vu l'étendue du désastre dans le domaine des médicaments et où j'ai renoncé à exercer pour créer cette organisation.

– Je sais que vous êtes médecin, dit Celia.

– Oui, spécialiste de médecine interne. J'ai été

formée à maintenir les gens en bonne santé et à sauver des vies, et c'est ce que je continue à faire ici. Mais à une échelle beaucoup plus vaste qu'avant. (Stavely agita la main pour indiquer qu'elle ne souhaitait pas parler d'elle-même.) Revenons au Valium. Voici un autre point sur lequel votre industrie est dénuée de principes.

— J'écoute, dit Celia. Je ne suis pas forcément d'accord, mais j'écoute.

— Personne n'avait besoin des différents types de Valium que les laboratoires concurrents ont lancés sur le marché. Le public n'a *aucun intérêt* à disposer de cinq Valium différents. Pourtant, *après* le colossal succès financier de ce médicament, d'autres firmes ont consacré des mois, et même des années, de recherches — du temps précieux, d'énormes sommes d'argent — non pas dans le dessein de découvrir quelque chose de nouveau et d'utile, mais simplement pour avoir un Valium à *eux*, sous un autre nom — en changeant des molécules, en modifiant simplement quelques petits détails afin d'obtenir un brevet et gagner beaucoup d'argent... »

Celia l'interrompit avec impatience :

« Tout le monde sait qu'il existe des produits qui se ressemblent, peut-être plus qu'il ne devrait y en avoir. Mais ils mènent parfois à de nouvelles découvertes; et puis ce sont eux qui maintiennent les laboratoires à flot — et la société a *besoin* de ces laboratoires — entre deux découvertes.

— Mon dieu! (Le docteur Stavely leva les bras au ciel.) Croyez-vous réellement à ces arguments de collégiens? Il ne s'agit pas que du Valium. Chaque fois qu'une firme sort un produit important, les autres le copient. Et c'est pour *cela* que la recherche pharmaceutique devrait être dirigée et contrôlée par l'Etat — mais payée par les fabricants.

— Là, je ne peux pas croire que vous parliez

sérieusement, s'exclama Celia. Vous voudriez que la recherche pharmaceutique soit contrôlée par ces mêmes politiciens qui ont ruiné la Sécurité sociale, qui passent leur temps à se renvoyer l'ascenseur, qui sont incapables d'équilibrer un budget, et qui vendraient leur propre mère pour gagner des voix! Eh bien, dans un tel système, la Pénicilline elle-même ne serait plus en vente! Admettons que la libre entreprise capitaliste soit imparfaite, mais elle est mille fois meilleure, et plus morale, que *cela*! »

Stavely poursuivit comme si elle n'avait pas entendu.

« Votre industrie devra être écrasée par des réglementations contraignantes, avant de se résoudre à publier de vraies notices signalant les *dangers* des médicaments. Maintenant encore, elle lutte pour n'en dire que le minimum, et le plus souvent elle gagne. En outre, quand un nouveau produit est lancé, les effets indésirables sont soigneusement dissimulés.

— C'est absurde! protesta Celia. La loi nous impose de rendre compte à la F.D.A. de tous les effets indésirables. Oh! il peut y avoir des cas où quelqu'un a négligé...

— Il y a eu *beaucoup* de cas que nous connaissons bien et je parie qu'il y en a d'autres dont nous ne savons rien. Dissimulation illégale d'informations. Mais comment pourrait-on obtenir que le ministère de la Justice entame des poursuites? Quand vous avez ce puissant lobby au Capitole... »

Eh bien, songea Celia, elle était venue entendre des opinions, et elle était servie! Tandis qu'elle continuait à écouter, en glissant de temps à autre une objection, les dix minutes se transformèrent en une heure entière.

A un moment, Stavely mentionna une récente controverse que Celia avait suivie de près. Une société pharmaceutique (autre que Felding-Roth) avait eu des problèmes avec l'un de ses produits, un sérum intraveineux qu'on employait dans les hôpitaux. On avait découvert que certains flacons de ce liquide, supposé stérile, avaient des bouchons défectueux permettant le passage des bactéries, et il en était résulté des septicémies responsables du décès de plusieurs patients.

Le dilemme était le suivant : on savait qu'il s'agissait d'un nombre infime de flacons, et il se pouvait que tous eussent déjà été découverts; de plus, puisque le vice de fabrication avait été corrigé, on ne produirait plus un seul flacon dangereux. Par contre, interdire l'usage de tous les flacons de sérum disponibles dans les hôpitaux risquait d'entraîner de graves pénuries, et certainement plus de décès que le problème primitif. La question avait fait l'objet de discussions entre le fabricant, la F.D.A. et les hôpitaux pendant plusieurs semaines. Le docteur Stavely critiquait ce qu'elle considérait comme « un exemple typique de la mauvaise volonté des compagnies pharmaceutiques quand il fallait retirer du marché un produit dangereux ».

« Il se trouve que je connais un peu la question, dit Celia, et tous les gens concernés se sont efforcés de trouver une solution. Mais ce matin même, justement, j'ai appris que la F.D.A. avait décidé d'interdire l'emploi des stocks de sérum existants. Ils vont faire imprimer des avis pendant le week-end, et la décision sera annoncée lundi matin au cours d'une conférence de presse. »

Stavely scruta le visage de son interlocutrice.

« En êtes-vous certaine?

– Absolument. »

Celia tenait cette information d'un cadre de la société en question, en qui elle avait toute confiance.

Stavely nota quelques mots sur un bloc, et l'entretien se poursuivit. Elles en vinrent ainsi à parler du Montayne.

« Notre association fera tout ce qu'elle pourra pour empêcher ce produit insuffisamment testé d'envahir le marché, » déclara Stavely.

Celia commençait à se lasser de cette harangue, et elle répliqua sèchement :

« Dire que le Montayne a été " insuffisamment testé " est tout simplement ridicule! D'ailleurs, nous avons déjà l'autorisation de la F.D.A.

– Dans l'intérêt général, cette autorisation doit être retirée.

– Pourquoi?

– Il y a eu un cas en Australie...

– Nous connaissons ce cas d'Australie », l'interrompit Celia d'un ton las.

Elle expliqua comment les experts médicaux avaient refusé toutes les allégations portées devant le tribunal et là, aussi bien qu'à la commission d'enquête formée par le gouvernement, le Montayne avait été lavé de tout soupçon.

« Je ne suis pas d'accord avec les experts, lança Stavely. Avez-vous lu la transcription des débats?

– J'ai lu des rapports détaillés qui en rendaient compte.

– Ce n'est pas ce que je vous demande. Avez-vous lu la transcription des débats?

– Non, reconnut Celia.

– Alors *lisez-la*! Et ne prétendez plus parler du Montayne avant de l'avoir lue. »

Celia soupira :

« Je ne crois pas que cette discussion nous mène à grand-chose.

– Si vous vous en souvenez, c'est ce que je vous ai dit dès le début. » Pour la seconde fois, un léger sourire apparut sur le visage attentif de l'autre femme.

« Oui. Vous aviez raison. Pas sur grand-chose d'autre, mais en tout cas sur ce point. »

Le docteur Stavely s'était déjà replongée dans la lecture qu'elle avait interrompue à l'entrée de Celia. Elle leva un instant les yeux.

« Au revoir, Jordan.

– Au revoir. »

Celia quitta les bureaux délabrés.

Plus tard dans l'après-midi, regagnant Morristown en voiture, Celia réfléchit à la personnalité du docteur Stavely.

Stavely était assurément une femme dévouée et désintéressée, mais aussi, dans une certaine mesure, en proie à des obsessions. Il apparaissait également qu'elle n'avait aucun sens de l'humour et ne se considérait elle-même qu'avec le plus grand sérieux. Celia avait déjà rencontré des personnes de ce genre; il était toujours difficile d'avoir avec elles une conversation objective et posée. Elles avaient une telle habitude de considérer l'univers sous un jour manichéen qu'il leur était impossible d'oublier un instant leur agressivité pour étudier les nuances dont est faite l'existence.

Par ailleurs, la présidente de l'A.C.M.S. semblait brillante, bien informée et organisée. Son statut de médecin lui permettait de parler des médicaments avec autorité et d'être écoutée. D'ailleurs, certaines de ses opinions n'étaient guère éloignées de celles de Celia, qui se souvenait d'avoir, quatorze ans plus tôt, décrit ces pratiques et ces produits copiés les uns sur les autres en des termes semblables à ceux que venait d'employer Stavely. C'était Sam Hawthorne, à l'époque, qui lui avait présenté les arguments que Celia, à son tour, venait d'opposer à Stavely. Mais même si elle les employait, Celia n'était pas encore tout là fait certaine de leur valeur réelle.

Cependant, Stavely exagérait dans sa présentation des aspects négatifs de l'industrie pharmaceutique, sans tenir compte des nombreuses contributions positives qu'offrait cette industrie à la science et à la santé de l'humanité. Celia avait un jour entendu définir l'industrie pharmaceutique américaine comme un « trésor national », et elle était d'accord avec cette définition. Et puis l'idée que la recherche pharmaceutique dût être contrôlée par le gouvernement était bien naïve, ainsi que son parti pris et l'insuffisance de son information concernant le Montayne.

Mais, l'un dans l'autre, Stavely et son association représentaient des adversaires redoutables, avec lesquels il fallait compter.

Là où Stavely avait triomphé, songea Celia, navrée, c'était en lui faisant avouer qu'elle n'avait pas lu la transcription du procès australien. Elle allait corriger cette lacune dès la semaine prochaine.

Ce soir-là, au dîner, Celia raconta à Andrew l'expérience de sa journée et ce qu'elle en pensait et, comme toujours, il lui fit des suggestions pleines de sagesse.

« Tu ne trouveras sans doute pas ces militants – Maud Stavely, Sidney Wolfe, Ralph Nader et les autres – faciles à vivre, et il t'arrivera sûrement de les détester, déclara Andrew. Mais tu as besoin d'eux, ton industrie a besoin d'eux, exactement comme General Motors et les constructeurs automobiles avaient besoin d'un Nader. Car c'est lui, Nader, qui a fait évoluer les normes de qualité et de sécurité des automobiles par ses attaques et ses revendications. Et, pour ma part, je lui en suis très reconnaissant. Maintenant, ce sont Stavely et Wolfe qui vous tiennent la dragée haute.

– Tu es dans le vrai, admit Celia. Mais si seulement ils étaient raisonnables et modérés.

– Non, non. S'ils l'étaient, ce ne seraient pas des militants actifs. Autre chose – quand *ils* te paraissent dénués de scrupules et de sens moral, ce qui leur arrive parfois, tu devrais te demander où ils ont appris à agir ainsi? La réponse est la suivante : auprès des compagnies comme la tienne, ma chérie, car, quand personne ne les surveillait, elles étaient totalement dépourvues de scrupules et de sens moral. »

Celia aurait davantage apprécié la valeur de cette dernière remarque si elle avait assisté à la scène qui se déroula cet après-midi à l'A.C.M.S. quelques instants après son départ.

Le docteur Stavely appela l'un de ses collaborateurs et lui demanda :

« Cette femme qui est venue me voir, est-elle repartie? »

Comme la réponse était affirmative, Stavely donna ses instructions au jeune homme :

« Je veux organiser une conférence de presse pour demain matin – aussi tôt que vous le pourrez. Vous direz qu'il s'agit d'une affaire urgente, d'une question de vie ou de mort concernant les hôpitaux et leurs patients. Faites en sorte d'avoir les chaînes de radio et de télévision. Un communiqué sera publié en même temps – je vais le rédiger maintenant. Il va falloir que quelqu'un travaille ici cette nuit pour... »

Les instructions se poursuivirent au même rythme pendant un moment. Le lendemain matin à dix heures commençait la conférence.

Face aux journalistes et aux caméras, le docteur Stavely exposa le problème des sérums dont elle avait discuté la veille avec Celia – les flacons contaminés provoquant des septicémies, vraisemblablement responsables de plusieurs décès. Ce que ne mentionna *pas* la présidente de l'association, c'était la visite de Celia et ses révélations, à savoir que la F.D.A. avait *déjà* décidé d'interdire l'usage de tous les stocks existants du sérum produit par le fabricant en question, et qu'une déclaration en ce sens serait faite dès le lundi matin.

Au lieu de cela, Stavely déclara : « L'Association des Citoyens pour une Médecine plus Sûre déplore l'inaction de la Food and Drug Administration, et du fabricant de ce produit mortel. Nous exigeons, – oui, nous *exigeons*! – l'interdiction d'utiliser les stocks existants, et le retrait du produit... »

L'effet fut immédiat. Les grandes chaînes de télévision diffusèrent l'information dans leurs principaux bulletins, le soir même, et les journaux du dimanche lui consacrèrent tous d'importants articles, souvent accompagnés d'une photo d'Associated Press représentant Stavely derrière les micros. Et le lundi matin, quand la F.D.A. fit sa déclaration, la plupart des journalistes commencèrent leurs comptes rendus ainsi – sans se donner la peine de vérifier : « Répondant aux revendications du docteur Maud Stavely et de son Association des Citoyens pour une Médecine plus Sûre, la F.D.A. a annoncé aujourd'hui l'interdiction faite aux hôpitaux d'utiliser... »

Ce fut là un coup d'éclat triomphal pour l'A.C.M.S. qui, peu après, sut l'exploiter dans une brochure sollicitant, par courrier, des adhésions et des dons.

Celia, qui suivit les événements avec un vif sentiment d'embarras, garda pour elle-même sa part de
responsabilité. Elle avait reçu une leçon. Elle se
rendait compte à présent qu'elle avait commis une
absurde indiscrétion, et qu'une tacticienne hors
pair s'était jouée d'elle.

CHAPITRE 33

CELIA fut surprise de constater que Felding-Roth ne possédait pas un seul exemplaire de la transcription du procès australien relatif au Montayne. De plus, les services juridiques de la compagnie ne purent en localiser aucun aux Etats-Unis. Il existait d'innombrables rapports s'y référant, mais Celia voulait lire la totalité des débats. Maud Stavely en possédait évidemment une copie, mais Celia ne tenait guère à solliciter l'A.C.M.S.; elle demanda donc au département juridique d'envoyer un télégramme au cabinet d'affaires qui leur servait de correspondant en Australie, pour le prier d'en expédier un exemplaire par avion.

En attendant, elle avait beaucoup à faire. Le programme promotionnel de lancement du Montayne avançait maintenant à un rythme accéléré, car février approchait. Avec son adjoint Bill Ingram, Celia portait la responsabilité des quelques millions de dollars déjà dépensés et de plusieurs autres prévus pour les mois à venir.

Des pages publicitaires luxueuses – coûteuses insertions en quadrichromie – apparaissaient dans d'innombrables revues médicales, cependant qu'une avalanche de courrier se déversait dans les boîtes aux lettres de tous les médecins et pharmaciens d'Amérique. Parmi les cadeaux promotionnels figurait une cassette avec un enregistrement du superbe *Wiegenlied* de Brahms d'un côté, et de l'autre une description clinique du Montayne. Pour appuyer la campagne de publicité dans les média et par la poste, les visiteurs médicaux de la société offraient des milliers d'échantillons de Montayne aux médecins, et déposaient sur leurs bureaux des dés et des fanions de repérage pour le golf, au nom de Montayne.

Dans tous les bureaux de la compagnie, et comme toujours à l'occasion du lancement d'un nouveau produit, régnait une atmosphère où se mêlaient l'excitation, la joie, la nervosité, et l'espoir.

L'espoir était dû aux bonnes nouvelles provenant du centre de Harlow : il semblait en effet que l'équipe du docteur Martin Peat-Smith fût parvenue à franchir la barrière technique qui l'avait si long-temps tenue en échec. On manquait de détails – le rapport fourni par Martin était laconique – mais il s'agissait bel et bien de la barrière dont le docteur Rao Sastri, se confiant à Celia dix-huit mois plus tôt, avait dit : « Il n'existe aucune technique nous per-mettant d'avancer... peut-être dans dix ans... »

Celia était enchantée d'apprendre que, tout au moins sur ce point, Sastri avait eu tort et Martin raison.

On savait, par une lettre de l'administrateur Nigel Bentley, que l'équipe anglaise avait réussi la purifi-cation d'un mélange de peptides obtenus à partir de cerveaux de rats, et que des expériences sur des rats placés dans des labyrinthes avaient révélé l'efficacité du produit sur la mémoire des animaux plus âgés. L'expérimentation se poursuivait.

Même si l'élaboration d'un médicament suscepti-ble d'améliorer la mémoire humaine ne devait intervenir que dans un certain nombre d'années, son éventualité était désormais plus vraisemblable que jamais.

La nouvelle parvint à point nommé pour faire échouer une autre offensive de certains membres du conseil d'administration, visant à fermer le centre de Harlow – toujours pour la même raison : les frais élevés et l'absence de résultats. Avec ces nouvelles optimistes, Harlow et les recherches sur le vieillissement mental apparaissaient maintenant comme un investissement intéressant.

Celia en éprouva un vif plaisir, car c'était elle qui, un an et demi plus tôt, avait déconseillé la fermeture de Harlow.

A la mi-décembre, la transcription du procès australien arriva sur le bureau de Celia. C'était une épaisse liasse dactylographiée, comportant plusieurs centaines de pages. Mais Celia se trouvait alors tellement surchargée de travail qu'elle dut la mettre de côté et en reporter la lecture. Elle ne l'avait toujours pas lue au début de janvier, quand survint un nouvel événement, totalement inattendu, qui sembla devoir retarder encore cette lecture.

A la surprise générale, Jimmy Carter avait été élu président. Les collaborateurs de la nouvelle administration se hâtaient de trouver des candidats aux nombreux postes gouvernementaux que les républicains allaient bientôt quitter. Et Xavier Rivkin, vice-président de Felding-Roth pour tous les services commerciaux et de distribution, avait reçu une proposition.

Fidèle démocrate et fervent supporter de Carter, Xavier Rivkin avait consacré beaucoup de temps et d'argent à la campagne électorale; en outre, il connaissait de longue date le nouveau président, pour avoir servi avec lui dans la marine. Pour toutes ces raisons, le moment des récompenses était venu – l'offre d'un poste de sous-secrétaire au ministère du Commerce.

Au sein de Felding-Roth, la nouvelle de cette proposition fut d'abord tenue secrète. Sam Hawthorne et quelques membres du conseil d'administration, discutant entre eux de l'affaire, estimaient que Xavier devait accepter. Ils savaient bien que la présence d'un ami à Washington, au ministère du Commerce, ne pourrait que constituer un atout pour eux. Ils firent en sorte, avec discrétion, que Xavier puisse bénéficier d'une retraite anticipée mais généreuse, étant entendu qu'il quitterait Felding-Roth peu après la prise de fonction présidentielle, fixée au 20 janvier.

Au cours de la seconde semaine de janvier, Sam convoqua Celia et lui annonça la nouvelle concernant Rivkin, dont elle ignorait encore tout, mais qui allait être rendue publique dans un jour ou deux.

« Pour être tout à fait franc, reprit-il, personne, pas même moi, n'imaginait que cela se produirait si tôt. Mais, quand Xavier partira, vous deviendrez vice-présidente chargée de tous les secteurs commerciaux et de distribution. J'en ai parlé au conseil d'administration : les décisions prises au sujet de Xavier sont ratifiées, mais nous nous rendons bien compte que cela arrive au mauvais moment, juste quand nous allons lancer le Montayne... Quelque chose ne va pas?

– Non, non, dit Celia. (Ils étaient debout dans le bureau de Sam, et elle demanda :) Vous permettez que je m'asseye?

– Oui, je vous en prie. Il lui désigna un siège.

– Accordez-moi juste une minute pour me ressaisir. (Elle parlait d'une voix un peu rauque.) Vous ne vous en rendez sans doute pas compte, mais vos paroles m'ont fait l'effet d'un véritable coup de tonnerre. »

Sam prit un air contrit :

« Oh! je suis navré! J'aurais dû vous annoncer cela plus cérémonieusement. Il y a des jours où je fais tout à un tel rythme que...

– C'est très bien ainsi. C'est très bien de toute façon, d'ailleurs. Vous me parliez du Montayne... »

Mais les mots provenaient d'une partie d'elle, tout à fait détachée. Dans un tourbillon d'émotions, elle se souvenait du jour où, dix-sept ans plus tôt, le vice-président chargé des services commerciaux et de distribution, Irving Gregson, maintenant parti depuis longtemps, l'avait rageusement chassée du congrès des représentants, à New York, devant des centaines de participants... et Sam l'avait sauvée – du vice-président et de tous les autres – et maintenant, c'était Sam qui... Bon sang! je ne vais quand même pas pleurer, se dit-elle. Mais elle versa quelques larmes et, relevant la tête, vit Sam lui tendre un mouchoir en souriant.

« Vous l'avez bien mérité, Celia, dit-il avec douceur. Toute seule, pas à pas, et ce que j'aurais dû vous dire plus tôt, c'est : *Bravo!* J'ai annoncé la nouvelle à Lilian, au petit déjeuner, et elle en est aussi ravie que moi; elle m'a chargé de vous dire que nous allons bientôt dîner tous ensemble.

– Merci. (Elle saisit le mouchoir, s'essuya les yeux, et reprit d'une voix normale :) Remerciez Lilian de ma part; et je vous remercie également, Sam. Maintenant, revenons au Montayne.

– Bien. Comme vous avez suivi de très près la préparation du lancement, le conseil d'administration et moi-même aimerions que vous continuiez à vous occuper de ce dossier tout en assumant vos nouvelles responsabilités. Cela représentera une charge très lourde...

– Ce ne sera pas un problème, déclara Celia. Et je suis bien d'accord en ce qui concerne le Montayne.

– En même temps, il va falloir que vous trouviez quelqu'un pour vous remplacer à la direction des ventes pharmaceutiques.

– Bill Ingram, répondit Celia sans hésiter. Il est très bon, et il est prêt. Il a travaillé sur le Montayne. »

Le principe de l'étoile à laquelle on s'accroche continue à marcher, songea-t-elle, exactement comme elle l'avait décrit à Andrew pendant leur voyage de noces – il y avait très longtemps. Celia avait suivi Sam vers le sommet, et ses projets s'étaient réalisés... Et puis Bill avait suivi Celia; qui, se demanda-t-elle, s'était accroché à Bill?

Au prix d'un effort – son esprit semblait scindé en deux – elle parvint à poursuivre l'entretien avec Sam.

Ce soir-là, quand Celia annonça à Andrew la nouvelle de sa promotion, il la serra dans ses bras.

« Je suis fier de toi, dit-il. Mais je l'ai toujours été.

– *Presque* toujours, corrigea-t-elle. Il y a eu des moments où tu ne l'étais pas. »

Il grimaça.

« Bah! C'est loin derrière nous. »

Puis il s'excusa brièvement, disparut dans la cuisine, et revint un instant plus tard avec une bouteille de champagne. Winnie March le suivait, rayonnante, avec un plateau chargé de verres. Andrew annonça :

« Winnie et moi allons boire à ton succès. Tu peux te joindre à nous si tu veux. (Il leva son verre :) A ta réussite, mon amour chéri! A tout ce que tu es, as été, et seras.

426

– Moi aussi, madame Jordan, renchérit Winnie. Que Dieu vous bénisse! »

Winnie but une gorgée, puis contempla son verre d'un air hésitant.

« Je ferais peut-être mieux de ne pas tout boire, non?

– Pourquoi cela?

– Eh bien... ce n'est peut-être pas très bon pour le bébé? (Jetant un coup d'œil à Andrew, Winnie rougit un peu puis se mit à rire.) Je viens d'apprendre que je suis enceinte – après tout ce temps! »

Celia s'élança et la pressa sur son cœur.

« Winnie, c'est absolument *merveilleux*! C'est la seule nouvelle vraiment importante!

– Nous sommes très heureux pour vous, Winnie, déclara Andrew. (Il lui prit le verre de champagne des mains.) Vous avez raison, mieux vaut vous en passer, désormais. Nous ouvrirons une autre bouteille quand le bébé sera né. »

Plus tard, en se mettant au lit, Celia déclara d'une voix fatiguée :

« Oh! quelle journée...

– Une journée d'événements heureux, répondit Andrew. J'espère que cela durera. Mais je ne vois pas de raisons pour que cela cesse. »

Il se trompait.

La première annonce des mauvaises nouvelles arriva exactement une semaine plus tard.

Bill Ingram, l'air encore gamin malgré les années, entra dans le bureau de Celia, qui allait bientôt devenir le sien. Passant une main dans ses cheveux roux plus en bataille que jamais, il déclara :

« J'ai pensé que vous souhaiteriez lire cela, bien que ça n'ait sans doute aucun intérêt. Je l'ai reçu d'un ami qui vit à Paris. C'est un entrefilet paru dans *France-Soir*, reprit-il. Vous lisez le français?

– Suffisamment pour comprendre. »

En lisant l'article, Celia se sentit peu à peu envahie par un sentiment d'angoisse prémonitoire. L'article était bref.

Dans une petite ville proche de la frontière belge, Nouzonville, une jeune femme avait mis au monde une petite fille maintenant âgée d'un an. Les médecins venaient de diagnostiquer chez l'enfant une anomalie du système nerveux qui empêchait tout mouvement normal des membres; les tests révélaient également une absence totale de développement cérébral. On ne connaissait aucune possibilité de traitement. L'enfant était réduite – selon la terrible expression descriptive – à l'état de légume. Et les médecins estimaient qu'elle le resterait.

Pendant sa grossesse, la mère avait pris du Montayne. A présent, sa famille et elle-même incriminaient le médicament. Rien dans l'article n'indiquait si les médecins partageaient cet avis ou non.

L'article s'achevait sur cette phrase ambiguë : *Un autre cas, apparemment identique, a été signalé en Espagne.*

Celia garda pendant un moment le silence, réfléchissant à la signification de ce qu'elle venait de lire.

... *un autre cas, apparemment identique...*

« Comme je vous le disais, affirma Bill Ingram, je ne pense pas que nous ayons le moindre motif d'inquiétude. Après tout, *France-Soir* est réputé pour être à l'affût des nouvelles à sensation. Ce n'est pas comme si cela venait du journal *Le Monde.* »

Celia ne répondit pas. *D'abord l'Australie. Maintenant la France, et l'Espagne.*

Malgré tout, le bon sens lui disait que Bill avait

raison. Il n'y avait pas lieu de s'inquiéter. Elle se rappela ses propres certitudes au sujet du Montayne, les recherches très complètes effectuées en France, les expérimentations innombrables menées dans plusieurs pays, les garanties exigées et obtenues, le remarquable dossier concernant le médicament. Aucune raison de s'inquiéter, *bien sûr*.

Et pourtant...

Elle déclara d'un ton ferme :

« Bill, il faut absolument que vous me dénichiez le plus vite possible *tout* ce qu'on peut savoir sur ces deux cas, et que vous m'en informiez.

– D'accord, si vous y tenez. (Ingram jeta un coup d'œil à sa montre.) Je vais appeler Gironde-Chimie. J'ai encore le temps aujourd'hui, et je connais le nom d'un des commerciaux avec qui j'ai déjà discuté. Mais je ne pense pas...

– Faites-le, interrompit Celia. Faites-le *tout de suite!* »

Bill reparut une heure plus tard.

« Inutile de vous affoler, proclama-t-il. Je viens d'avoir une longue conversation avec mon ami de Gironde-Chimie. Il connaissait par cœur les deux cas mentionnés dans *France-Soir*; il m'a dit que des enquêtes très complètes ont été menées, et qu'il n'y a aucune raison de s'inquiéter. La société a envoyé une équipe d'experts à Nouzonville, puis a dépêché les mêmes en Espagne.

– Vous a-t-il donné d'autres détails?

– Oui. (Bill se reporta à une page de notes qu'il tenait à la main). Soit dit en passant, les deux cas ressemblent beaucoup à cette histoire australienne qui s'était révélée montée de toutes pièces – vous vous rappelez?

– Oui.

– Bien, les deux femmes – les mères de ces enfants nés avec des malformations du système nerveux – avaient pris une multitude d'autres médicaments et consommé des quantités effarantes d'alcool pendant leur grossesse. Et puis, dans le cas français, il y a tout un contexte familial d'enfants mongoliens tandis que, dans le cas espagnol, le père et le grand-père du bébé sont épileptiques.

– Mais les deux mères prenaient du Montayne?

– C'est vrai. Et mon interlocuteur français – il s'appelle Jacques Saint-Jean, il a un doctorat de chimie – m'a dit qu'au début Gironde-Chimie avait connu des angoisses terribles, comme vous. Mais, et il me l'a fait remarquer, leur compagnie est aussi concernée que Felding-Roth, si ce n'est plus.

– Continuez, coupa Celia.

– Eh bien, le verdict est le suivant : le Montayne n'a absolument rien à voir dans les malformations de ces enfants. Les chercheurs et les médecins, y compris ceux qui n'ont aucun lien avec la société, sont unanimes sur ce point. Tout ce qu'ils ont trouvé, c'est que certains produits consommés par les deux femmes sont dangereux quand on les prend ensemble...

– Je veux lire ces deux rapports, dit Celia. Dans combien de temps pouvons-nous en avoir des exemplaires?

– Ils sont tous les deux ici.

– *Ici?*

– Oui. Dans cet immeuble même. Jacques Saint-Jean m'a dit que Vincent Lord les avait. Ils ont été envoyés voici deux semaines, dans le cadre de l'information systématique que pratique Gironde-Chimie. Voulez-vous que je demande à Vince?

– Non. Je les lui demanderai moi-même. Vous pouvez disposer, Bill.

– Ecoutez. (Il parlait d'une voix troublée.) Si vous

me permettez de le dire, je crois que vous devriez souffler un peu... »

Elle l'interrompit d'une voix cinglante, incapable de maîtriser la tension qui croissait en elle :

« Je vous ai dit que vous pouviez disposer. »

« Pourquoi voulez-vous les voir ? » demanda Vincent Lord.

Celia se trouvait dans le bureau du directeur de recherches, où elle était venue réclamer les rapports dont elle avait parlé avec Bill Ingram.

« Parce que j'estime important de lire la documentation moi-même, plutôt que d'en être informée par des sous-fifres.

— Si c'est de moi que vous parlez, ne pensez-vous pas que je sois plus qualifié que quiconque pour lire ce genre de rapports et porter un jugement — comme je l'ai déjà fait ?

— Quel est votre jugement ?

— En aucun cas le Montayne ne peut être incriminé. Toutes les preuves appellent cette conclusion, et ce sont des preuves vérifiées avec compétence, par des gens qualifiés. Mon avis personnel — que partage à présent Gironde-Chimie — c'est que les familles en question essayaient tout simplement d'extorquer de l'argent. Cela arrive souvent.

— Sam est-il au courant de ces rapports — des incidents de France et d'Espagne ?

— Non. Pas par moi. Je ne les ai pas jugés suffisamment significatifs pour l'importuner.

— Bien. Pour le moment, je ne mets pas en cause votre décision. Mais j'aimerais quand même lire ces rapports moi-même. »

La cordialité manifestée par Lord ces derniers temps s'était visiblement glacée au fil de la conversation. Il riposta aigrement :

« Si vous avez la moindre prétention à avoir des connaissances scientifiques et à porter des jugements vous-même, permettez-moi de vous rappeler que votre petit diplôme de chimie est loin derrière vous, et complètement dépassé. »

Bien que surprise d'observer la réticence du directeur de recherches à lui communiquer le dossier qu'elle réclamait, Celia n'avait pas l'intention de se laisser entraîner dans une dispute.

« Je n'ai aucune prétention, Vince. Mais je vous en prie! – allez-vous me donner ces rapports? »

Ce qui se produisit alors la surprit également. Elle avait pensé que les dossiers étaient déposés aux archives et que Lord se les ferait apporter. Au lieu de cela, il ouvrit un tiroir fermé à clef, d'où il tira un classeur. Il en sortit quelques papiers, et les tendit à Celia.

« Merci, dit-elle. Je vous les rendrai. »

Ce soir-là, bien que très fatiguée quand elle rentra chez elle, Celia resta éveillée tard dans la nuit pour lire les rapports de Gironde-Chimie et l'essentiel de la transcription du procès australien. Ce dernier texte l'inquiéta tout particulièrement.

Il y avait dans la transcription complète plusieurs points que la version abrégée, qu'elle connaissait déjà, ne mentionnait pas.

Dans cette affaire australienne, la femme avait été décrite – dans la version abrégée – comme une personnalité fruste, grosse consommatrice de médicaments (autres que le Montayne), quasiment alcoolique, et grande fumeuse. Tout cela était vrai.

Mais il n'était pas moins vrai, ce qui n'apparaissait *pas* dans le résumé, qu'en dépit de ces éléments négatifs la mère de l'enfant handicapé était intelligente, et plusieurs témoignages le certifiaient. Par ailleurs, on ne connaissait, chez ses ascendants, aucun cas de déficience mentale ou de malformation physique.

Un second élément frappa Celia : cette femme avait déjà mis au monde deux enfants, parfaitement sains et normaux.

La version abrégée affirmait que la mère ignorait qui était le père de son enfant.

Mais – révélait la transcription complète – elle savait que c'était l'un des quatre hommes dont elle donna les noms, et qui tous eurent un entretien approfondi avec un médecin-expert. Dans aucun cas il n'y avait d'antécédents familiaux faisant apparaître des déficiences physiques ou mentales.

Quant aux rapports français et espagnol qu'elle avait obtenus de Lord, ils étaient bien tels que les avaient décrits Bill Ingram et Vincent Lord : Gironde-Chimie avait mené des enquêtes très approfondies, effectuées par des gens compétents.

Néanmoins, l'ensemble de ces trois documents accrut le trouble de Celia au lieu de l'atténuer. Car la conclusion qui s'imposait, malgré toutes les restrictions qu'on pouvait formuler, c'était que les trois femmes, en des endroits très éloignés, avaient mis au monde des bébés malformés et mentalement déficients après avoir usé du Montayne pendant leur grossesse.

Quand elle eut fini sa lecture, elle avait pris sa décision : quelle que fût la réticence de Vincent Lord, il fallait informer Sam Hawthorne non seulement de tous les faits connus, mais aussi de l'inquiétude montante qu'éprouvait Celia au sujet du nouveau produit.

CHAPITRE 34

CELA se passait le lendemain, en fin d'après-midi.

Une note barrée de la mention « URGENT » était arrivée dans la matinée sur le bureau de Sam Hawthorne, de la part de Celia. Peu après, Sam convoquait le comité de direction pour seize heures trente.

En approchant du bureau de Sam, elle entendit par une porte ouverte des bruits de rires masculins. Sur le moment, cela lui parut incongru.

Comme elle traversait le secrétariat, l'une des deux secrétaires de Sam leva les yeux et sourit :

« Bonjour, madame Jordan.

– On dirait qu'il y a une fête, Maggy?

– C'est le cas, en effet. (La secrétaire sourit à nouveau, et désigna une autre porte ouverte à Celia.) Pourquoi n'entrez-vous pas? Il y a une grande nouvelle, mais je pense que M. Hawthorne aimerait vous l'annoncer lui-même. »

Celia pénétra dans une pièce à l'air saturé de fumée de cigares. Sam s'y trouvait, en compagnie de Vincent Lord, de Seth Feingold, de Bill Ingram, et de plusieurs vice-présidents parmi lesquels Glen Nicholson, qui dirigeait le secteur industriel de la maison depuis très longtemps, le docteur Starbut, responsable de la sécurité, et Julian Hammond, issu d'une grande école commerciale et chargé des relations extérieures. Tous avaient des cigares à la main, mais Bill Ingram avait un air étrange; Celia ne l'avait encore jamais vu fumer.

« Ah! voilà Celia! s'exclama quelqu'un. Donne-lui un cigare, Sam!

— Non, répondit Sam, non! J'ai autre chose pour les dames. »

Rayonnant, il contourna son bureau, derrière lequel on pouvait voir une petite pile de boîtes de chocolats – des Turtles. Il en tendit une à Celia.

« En l'honneur de mon petit-fils qui (Sam consulta sa montre) est âgé de vingt minutes. »

Sur l'instant, le sérieux de Celia se dissipa.

« Quelle merveilleuse nouvelle, Sam! Toutes mes félicitations!

— Merci, Celia. Je sais que ce numéro de cigares et de chocolats est habituellement réservé aux pères, mais j'ai décidé d'inaugurer une nouvelle tradition en y incluant les grands-pères.

— Excellente tradition, approuva Nicholson, le responsable du secteur industriel, et Celia ajouta : Ces Turtles sont une idée de génie – c'est ma marque préférée! »

Elle remarqua que Bill Ingram, livide, avait renoncé à fumer son cigare.

« Comment va Juliette? demanda-t-elle.

— Parfaitement bien, répondit Sam. Lilian vient de m'appeler de l'hôpital il y a quelques minutes, et c'est ainsi que j'ai appris la bonne nouvelle – la mère et le jeune homme de sept livres se portent à merveille.

— J'irai bientôt voir Juliette, annonça Celia. Sans doute dès demain.

— Très bien! Je le lui annoncerai – je compte partir pour l'hôpital dès la fin de la réunion. Sam était aux anges. »

Le docteur Starburt suggéra :

« Pourquoi ne pas reporter la réunion à plus tard?

– Non, dit Sam, autant en finir maintenant. (Puis, lançant un coup d'œil à la ronde :) Je suppose que nous n'en aurons pas pour bien longtemps.

– Il n'y a pas de raisons que cela s'éternise », acquiesça Vincent Lord.

Celia éprouva soudain un sentiment de vide, la conviction que tout partait dans la mauvaise direction et que la coïncidence du problème du Montayne et la naissance du petit-fils de Sam était bien la pire chose qui eût pu se produire. L'état d'euphorie dans laquelle baignait Sam, et que partageaient les autres, allait éclipser tout ce qu'il pouvait y avoir en eux de sérieux et de responsable.

Sam les précéda vers la salle de réunions, et ils prirent tous place autour de la table. Sam présidait. Sans perdre de temps en préambules, car il ne souhaitait pas gaspiller une seule minute, il commença :

« Celia, toutes les personnes présentes ont reçu ce matin une copie de votre note d'information; Xavier Rivkin, qui s'apprêtait à partir deux jours pour Washington, a proposé de retarder son voyage pour se joindre à nous, mais je lui ai dit que ce n'était pas nécessaire. (Sam parcourut du regard l'assemblée.) Tout le monde a lu le texte de Celia? (Tous acquiescèrent.) Bien. »

Comme elle l'avait rédigé avec un très grand soin, Celia éprouva un sentiment de soulagement en apprenant qu'il avait été lu. Elle y avait exposé les faits relatifs au Montayne dans le procès australien, mettant en relief ceux qu'elle avait découverts dans la transcription intégrale et qui n'étaient pas apparus dans la version abrégée, seule connue dans la maison. Elle y relatait également les récents incidents de France et d'Espagne, qui avaient entraîné les accusations contre le Montayne, publiées dans *France-Soir* et sans doute ailleurs. Enfin, elle y expliquait le raisonnement de Gironde-Chimie et leur conviction que ces allégations contre le Montayne étaient injustifiées, et ne devaient pas causer la moindre alarme.

Elle s'était gardée de donner une conclusion personnelle, car elle laissait ce soin aux personnes rassemblées quand elles en auraient discuté.

« Laissez-moi d'abord vous dire, Celia, reprit Sam, que vous avez eu parfaitement raison de signaler ces faits à notre attention. Ils sont importants, car nous allons en entendre parler, et nous devons être prêts à donner notre version – la vraie version – de l'affaire dans trois semaines quand le Montayne va sortir. (Il posa sur Celia un regard interrogateur.) C'était bien là votre objectif, n'est-ce pas? »

La question la surprit, et elle répondit gauchement :

« Eh bien, en partie... »

Toujours pressé, Sam hocha brièvement la tête et poursuivit :

« Réglons vite une seconde question. Vince, pourquoi n'ai-je rien su de ces rapports de Gironde-Chimie dont parle Celia? »

Le visage du directeur de recherches se crispa.

« Parce que si je vous transmettais tout le courrier que nous recevons au sujet des produits, Sam, d'une part je ne ferais pas mon travail, qui consiste à déterminer ce qui est important sur le plan scientifique et ce qui ne l'est pas, et d'autre part votre bureau serait complètement noyé sous la paperasse, vous ne pourriez plus rien faire d'autre. »

L'explication parut satisfaire Sam, car il demanda :

« Donnez-nous votre avis sur ces rapports.

– Ils s'annulent d'eux-mêmes, dit Lord. Ils prouvent, avec une rigueur satisfaisante, que les conclusions de Gironde-Chimie sur l'absence *totale* de responsabilité du Montayne dans ces deux affaires sont scientifiquement justes.

– Et le cas australien ? Ces nouvelles données, que signale Celia, influent-elles sur la conclusion antérieure ? »

Celia songea : *Nous sommes tous là à parler tranquillement d'incidents, de cas, d'affaires, de conclusions, alors qu'il s'agit – même si le Montayne n'y est pour rien – de bébés qui resteront toute leur vie des « légumes », incapables de marcher ou même de remuer bras et jambes, avec un cerveau totalement inerte. Sommes-nous réellement si différents, ou bien est-ce la peur qui nous retient d'employer les mots réels, impitoyables ? Peut-être sommes-nous aussi bien soulagés que ces bébés soient nés très loin, et que nous n'ayons jamais à les voir... contrairement au petit-fils de Sam, si proche, et dont nous célébrons la naissance avec des cigares et des chocolats.*

Lord répondait à la question de Sam, ne voilant qu'à peine son antipathie à l'égard de Celia.

« Ces nouvelles données, comme vous leur faites l'honneur de les appeler, ne changent rien à rien. En fait, je ne vois même aucune raison de les mentionner. »

Un murmure de soulagement parcourut l'assistance.

« Mais pendant que nous y sommes, et pour en finir une bonne fois, poursuivit Lord, j'ai préparé un commentaire strictement scientifique de ces trois incidents – australien, français et espagnol. (Il hésita.) Je sais que nous sommes pressés...

– Combien de temps cela prendra-t-il? demanda Sam.

– Je promets de ne pas prendre plus de dix minutes. »

Sam jeta un coup d'œil à sa montre.

« D'accord, mais ne les dépassez pas. »

C'est une erreur! plaidait en silence le cerveau de Celia, épouvantée. *Cette affaire est trop vitale, trop importante pour qu'on la bâcle ainsi!* Mais elle fit taire ses pensées et se concentra sur ce que disait Vincent Lord.

Le directeur de recherches s'exprimait avec une autorité tout à la fois rassurante et convaincante. En analysant le cas des trois enfants nés avec des malformations et de leurs parents, il démontra que bien des circonstances pouvaient causer le dérèglement d'une grossesse normale, et des désordres irrémédiables pour le fœtus. En particulier, « un mélange de produits chimiques dans le corps humain, et notamment l'association de l'alcool avec certains médicaments » pouvait avoir des effets désastreux, comme on le constatait hélas! trop souvent.

Dans chacun des cas en question, poursuivit Lord, il existait tant de facteurs néfastes, dont certains très puissants, qu'il était irrationnel et déraisonnable d'accuser le Montayne, surtout quand les expériences avaient été nombreuses et systématiques dans le monde entier, sans le moindre échec, et que les autres probabilités concernant ces trois cas étaient si convaincantes. Il employa les mots « hystérie » et « fraude vraisemblable » pour décrire les tentatives d'incrimination du produit, ainsi que le relatif tapage qui s'était ensuivi.

Les autres hommes l'écoutaient gravement et paraissaient favorablement impressionnés. *Comme ils avaient peut-être raison de l'être*, se dit Celia. Elle aurait voulu éprouver la même confiance totale que Vince. Elle le souhaitait vraiment, et reconnaissait que les qualifications de Lord pour juger l'affaire étaient infiniment supérieures aux siennes. Cependant, elle qui avait été hier encore l'un des plus ardents défenseurs du Montayne n'était plus si sûre.

Lord conclut avec éloquence : « *Chaque fois* que sort un nouveau produit, il se trouve des gens pour prétendre qu'il est dangereux et qu'il entraîne des effets indésirables bien supérieurs aux avantages. Ces affirmations peuvent être le fait de professionnels sérieux, compétents, sincèrement préoccupés, mais elles peuvent aussi provenir de gens irresponsables et ignorants, et n'être pas fondées.

Chaque objection doit être prise au sérieux, bien sûr, tant dans l'intérêt général que pour protéger une compagnie comme la nôtre, qui ne pourrait pas se permettre de produire un médicament dangereux. Et chacune fait donc l'objet de vérifications méticuleuses, impartiales, scientifiques. Car – ne nous y trompons pas! – on doit tenir compte de toute protestation, de toute critique concernant un produit pharmaceutique.

Ce qu'il convient de déterminer, c'est si la réaction négative d'une personne qui a pris ce médicament provient du médicament ou de tout autre chose. Et il ne faut pas oublier que de *nombreuses* causes peuvent produire des effets indésirables.

Eh bien, je puis dire que, dans les trois cas incriminés, des examens très complets ont été menés, et qu'ils me satisfont entièrement. Les accusations ont été étudiées, et il est apparu que les effets indésirables décrits n'étaient *pas* dus à l'ingestion de Montayne.

Enfin, il reste un point essentiel à prendre en considération : si un produit devait être *à tort* incriminé pour des effets indésirables dont il ne serait pas responsable et, en raison de ces fausses accusations, être interdit à la vente, alors d'innombrables personnes seraient privées de ses bénéfices thérapeutiques, ce qui à mon avis serait injuste. »

C'était là une conclusion frappante, admit Celia.

Sam exprima visiblement le sentiment des autres en déclarant :

« Merci, Vince. Je pense que vous nous avez tous rassurés. (Il écarta son siège de la table.) Je ne pense pas qu'il soit nécessaire de voter. J'ai acquis la conviction que nous pouvions en toute sécurité poursuivre sur notre lancée, et je suppose que nous sommes tous d'accord. »

Les autres hommes acquiescèrent.

« Eh bien, conclut Sam, je pense que voilà une bonne chose de faite. Et maintenant, si vous voulez bien m'excuser...

– Je suis navrée, intervint Celia, mais je crains que ce ne soit pas fini. »

Les têtes se tournèrent vers elle.

Sam s'exclama d'un ton impatient :

« Comment cela?

– J'aimerais poser une question à Vincent.

– Bon... si vous y tenez. »

Celia baissa les yeux sur les notes qu'elle avait prises.

« Vince, vous avez affirmé que le Montayne n'était *pas* la cause des malformations de ces trois bébés, en Australie, en France, et en Espagne, qui sont condamnés à une vie végétative – des « légumes » comme l'on dit –, c'est-à-dire des bébés, ne l'oublions pas, qui ne pourront jamais bouger leurs bras et leurs jambes, ni utiliser leur cerveau. »

Si les autres avaient peur d'exprimer clairement les vérités déplaisantes, elle aurait le courage de les affronter.

Lord ricana :

« Je suis heureux d'apprendre que vous m'avez écouté. »

Ignorant le ricanement, elle demanda :

« Puisque la cause de ces malformations n'était pas le Montayne, quelle était-elle?

— Je pensais avoir dit clairement qu'il pouvait s'agir de beaucoup de choses.

— Mais laquelle? » insista Celia.

Exaspéré, Lord répliqua :

« Comment voulez-vous que je le sache? Ce peut être un facteur différent dans chaque cas! Tout ce que je sais, sur la base d'expertises scientifiques menées sur place, c'est que le Montayne n'est pas en cause.

— La vérité, c'est donc que *personne* ne sait avec certitude ce qui a causé ces malformations. »

Le directeur de recherches leva les mains aux ciel.

« Mais enfin, je l'ai déjà dit! En d'autres termes, peut-être, mais...

— Celia, intervint Sam, où voulez-vous en venir?

— Je veux en venir au fait, répondit-elle, que malgré tout ce qu'a pu dire Vincent je ne suis pas convaincue. Personne ne *sait*. J'ai des doutes.

— Quel genre de doutes? demanda quelqu'un.

— Au sujet du Montayne. (C'était au tour de Celia, à présent, de scruter les visages autour d'elle.) J'ai le sentiment – intuition, si vous préférez – que quelque chose va mal, quelque chose dont nous ne savons encore rien. Et puis il y a des questions dont nous devrions connaître les réponses, et nous ne les connaissons pas.

— Intuition féminine, sans doute, ricana Lord.

— Qu'y a-t-il de mal à cela? » rétorqua Celia, cinglante.

Sam lança d'un ton sec :

« Reprenons notre calme! (Puis, à Celia :) Si vous avez une suggestion à faire, nous vous écoutons.

– Ma suggestion, c'est que nous retardions le lancement du Montayne. »

Elle avait conscience de l'incrédulité des regards qui étaient fixés sur elle.

Les lèvres de Sam se crispèrent.

« Que nous le retardions pour combien de temps, et pour quelle raison? »

Celia répondit d'une voix assurée :

« Je suggère un report de six mois. Il se peut qu'aucun enfant malformé ne naisse pendant cette période. Mais l'inverse est également possible. J'espère que cela ne se reproduira plus. Dans ce cas, peut-être pourrons-nous disposer de renseignements qui nous font défaut pour l'instant et qui nous donneraient davantage confiance pour lancer le Montayne. »

Un silence embarrassé s'installa, que brisa Sam :

« Vous ne parlez pas sérieusement.

– Je parle très sérieusement. »

Elle affronta son regard.

En entrant ici, elle n'avait pas encore déterminé avec certitude la position à adopter. Elle avait éprouvé un vague malaise, un sentiment ambigu. Maintenant, tout devenait clair pour elle, car, loin de la rassurer, l'assurance emphatique de Vincent Lord – une assurance tellement excessive! – avait renforcé ses doutes.

Oui, elle se l'avouait, en faisant cette déclaration, elle se fondait à peu près uniquement sur son intuition. Mais son intuition ne l'avait jamais trompée.

Celia savait qu'elle aurait beaucoup de mal à convaincre les autres, et en particulier Sam, le plus important d'entre eux. Mais il fallait absolument y parvenir. Il fallait les persuader que c'était désormais dans l'intérêt commun qu'ils devaient reporter le lancement du Montayne; dans l'intérêt des femmes enceintes qui risquaient d'utiliser ce médicament et de mettre leur enfant en danger; dans l'intérêt de Felding-Roth, et de tous ceux, rassemblés ici, qui présidaient aux destinées de la compagnie.

« Avez-vous réfléchi une seule seconde aux conséquences d'un report du lancement? demanda Sam.

— Evidemment! répondit Celia, d'une voix coupante. Qui, mieux que moi pourrait le savoir? Qui a travaillé plus que moi, sur ce projet?

— Justement, dit Sam. C'est pourquoi vos paroles sont tellement incroyables.

— Aussi pouvez-vous être assuré que je ne lance pas cette suggestion à la légère. »

Sam se tourna vers Seth Feingold.

« A votre avis, combien nous coûterait le report du lancement? »

Le vieux financier paraissait mal à l'aise. Il était l'ami de Celia. Et puis il perdait pied dans des discussions scientifiques et n'aimait guère y assister. Bill Ingram aussi était embarrassé; Celia sentait bien qu'un conflit intérieur le déchirait – sa loyauté envers elle s'opposant à sa foi dans le Montayne. Nous avons tous nos problèmes, se dit-elle, et en ce qui me concerne, pour le moment, je n'en manque guère.

Mais une chose était plus claire au moins. Plus aucune hâte ne les troublait. Sam et les autres avaient accepté la nécessité de résoudre le problème soulevé par Celia, en prenant le temps qu'il faudrait.

Tête baissée, Feingold faisait des calculs au crayon. Relevant la tête, il annonça :

« En arrondissant les chiffres, nous avons engagé trente-deux millions de dollars dans ce produit.

Tout n'a pas encore été dépensé, et nous pourrions sans doute en récupérer un quart. Mais il y a aussi d'importants frais généraux que je n'ai pas comptés. Quant au coût réel du report, il est impossible à évaluer. Il dépendrait de la durée de ce report, et de l'effet consécutif sur les ventes.

– Je vais vous signaler l'un de ces effets, déclara Hammond, le responsable des relations extérieures. Si nous reportons le lancement du Montayne, la presse aura beau jeu de discréditer le produit, et ce sera fichu. »

Sam renchérit :

« J'y ai pensé aussi. A ce stade, un report serait presque aussi catastrophique que l'annulation pure et simple. (Il se tourna vers Celia, accusateur.) Si nous suivions votre conseil – fondé sur la plus vague des impressions –, avez-vous seulement pensé aux questions et aux réactions furieuses du conseil d'administration et des actionnaires? Avez-vous pensé à nos employés, qu'il faudrait mettre en chômage technique, peut-être licencier définitivement?

– Oui, dit-elle en s'efforçant de rester calme et de dissimuler la souffrance que lui causait l'affaire. J'ai pensé à tout cela. J'y ai pensé toute la nuit dernière, et toute la journée. »

Sam émit un grommellement sceptique, et se tourna de nouveau vers Feingold.

« De toute façon, résuma-t-il, nous courrions le risque de perdre à peu près vingt-huit millions de dollars, sans même parler de pertes bien plus importantes en ce qui concerne les bénéfices anticipés. »

Le directeur financier lança un regard navré à Celia, et répondit :

« Oui, mon estimation est juste.

– Nous ne pouvons guère nous permettre de

perdre tout cet argent, n'est-ce pas? reprit Sam d'une voix sombre.

– En effet, dit Feingold tristement.

– Toutefois, fit observer Celia, les pertes pourraient être bien plus importantes si nous avions des problèmes avec le Montayne.

– Il faut y réfléchir », articula Glen Nicholson, gêné. C'était le premier signe de soutien qu'elle recevait, et elle lança au directeur de fabrication un regard reconnaissant.

Vincent Lord ajouta son mot :

« Mais nous n'aurons aucun problème, n'est-ce pas. A moins que vous ne décidiez (il passa les autres en revue) d'accorder valeur d'expertise aux vues de cette dame. »

Il y eut quelques rires sans joie, vite éteints par un geste impatient de Sam.

« Celia, dit-il, je vous prie de m'écouter attentivement. (Il avait la voix grave mais se dominait mieux à présent, et leurs regards s'affrontèrent une nouvelle fois.) J'aimerais que vous réfléchissiez encore. Il se peut que vous ayez parlé un peu hâtivement, sans peser toutes les conséquences. Il nous arrive à tous, parfois, d'agir ainsi. Cela m'est, à coup sûr, arrivé aussi, et j'ai dû ravaler ma fierté pour faire marche arrière et reconnaître que je m'étais trompé. Si vous faisiez de même maintenant, personne ici n'en aurait moins bonne opinion de vous, et l'incident serait clos. Je vous le promets, et je vous supplie de changer d'avis. Qu'en dites-vous? »

Elle garda le silence, ne voulant pas se décider trop hâtivement. Sam venait de lui offrir – avec élégance, comme à son habitude – un moyen de se replier dans la dignité. Il lui suffirait de prononcer un mot, une phrase, et l'obstacle serait franchi, la crise résolue aussi vivement qu'elle avait surgi. La tentation était forte.

Avant qu'elle pût répondre, Sam ajouta :

« Vous jouez gros jeu, personnellement. »

Elle savait exactement ce qu'il voulait dire. Sa nomination comme vice-présidente n'avait pas encore été officialisée. Et si les événements suivaient leur cours logique, jamais elle ne serait confirmée dans cette fonction.

Sam avait raison. Elle jouait très gros jeu.

Elle réfléchit encore un moment, puis répondit d'un ton calme et déterminé :

« Je regrette, Sam. J'ai bien pesé le pour et le contre. Je sais quels sont les enjeux. Mais je persiste à recommander que nous reportions le lancement du Montayne. »

C'était fait. En voyant le visage de Sam s'assombrir, Celia comprit qu'elle ne pourrait plus revenir en arrière.

« Parfait, parfait, déclara-t-il avec hauteur. Eh bien, au moins, nous savons à quoi nous en tenir. (Il réfléchit un moment, et poursuivit :) J'ai dit tout à l'heure qu'il ne me semblait pas nécessaire de voter. Changement de programme. Je veux que tout soit dûment enregistré. Seth, veuillez prendre note de ce qui suivra. »

Le visage toujours affligé, le directeur financier reprit un crayon et attendit.

« J'ai déjà examiné ma position, dit Sam. Je vote bien évidemment pour la poursuite du projet de lancement du Montayne. Je désire savoir qui est d'accord, et qui ne l'est pas. Ceux qui sont d'accord, levez les mains. »

La main de Vincent Lord jaillit aussitôt. Celles du docteur Starbut, de Hammond, et de deux autres vice-présidents suivirent. Surmontant apparemment ses doutes, Nicholson leva la main aussi. Bell

Ingram hésita : il posa un regard d'imploration muette sur Celia. Mais elle se détourna, refusant de l'aider; il fallait qu'il prenne sa décision lui-même. Une seconde plus tard, la main de Bill s'élevait à son tour.

Sam et les autres dévisageaient Seth Feingold; il soupira, posa son crayon, et leva une main tremblante.

« Nous voici donc à neuf contre un, annonça Sam. Il ne reste plus aucun doute que la société poursuivra ses projets de lancement en ce qui concerne le Montayne. »

Le silence s'instaura de nouveau, embarrassé cette fois, comme si personne ne savait plus que dire. Et, dans ce silence, Sam se leva.

« Comme vous le savez, annonça-t-il, je m'apprêtais à partir voir ma fille et mon petit-fils à la clinique quand tout cela a commencé. Je vais donc m'y rendre maintenant. »

Il ne restait plus aucune trace de joie dans sa voix. Il salua de la tête tous les hommes présents, mais sortit sans regarder Celia. Elle resta assise. Bill Ingram, qui s'était levé, s'approcha d'elle.

« Je suis désolé... » commença-t-il.

Elle lui fit signe de se taire.

« Peu importe. Je ne veux pas le savoir. »

Soudain, elle se rendit compte que tout ce qu'elle avait construit dans cette société – sa situation, son autorité, sa réputation, son avenir – venait de s'écrouler. Pourrait-elle même survivre ici, désormais? Elle n'en était pas sûre.

Bill demanda :

« J'ai une question à vous poser : qu'allez-vous faire? (Comme elle ne répondait rien, il poursuivit :) Maintenant que vous avez protesté, maintenant que tout le monde connaît votre avis sur le

Montayne... Vous n'allez pas pouvoir continuer à diriger le service des ventes? »

Celia répondit d'une voix neutre, ne voulant pas encore prendre de décision :

« Je ne sais pas. Je n'en sais rien. » Mais elle savait que ce soir, chez elle, elle devrait tout remettre en question.

Seth Feingold soupira :

« J'étais désespéré de voter contre vous, Celia. Mais vous savez ce que c'est – je ne comprends rien aux questions scientifiques. »

Elle le foudroya du regard.

« Alors pourquoi avez-vous voté? Vous auriez pu dire que vous n'y compreniez rien et vous abstenir. »

Il hocha la tête avec une expression navrée et sortit.

Un à un les autres suivirent, et Celia demeura seule.

CHAPITRE 35

« Je sens que quelque chose va mal, déclara Andrew au cours du dîner, rompant un long silence. Et même très mal, à mon avis. (Il se tut puis, comme Celia ne répondait rien, il reprit :) Tu n'as rien dit depuis mon arrivée, et je connais assez bien tes humeurs, alors je ne t'ennuierai pas. Mais quand tu voudras parler et que tu auras besoin de moi... eh bien, ma chérie, je suis là. »

Elle posa son couteau et sa fourchette sur la table, sans avoir rien mangé, et fixa sur lui un regard noyé de larmes.

« Oh! mon amour, comme j'ai besoin de toi! »

Il tendit la main et prit la sienne, puis déclara très doucement :

« Prends ton temps. Finis d'abord de dîner.

– Je ne peux plus rien avaler. »

Un peu plus tard, dans le salon, en buvant un cognac qu'Andrew lui avait servi, Celia lui raconta les événements des deux derniers jours, et termina par l'échec de sa tentative pour convaincre Sam et les autres.

Andrew l'écoutait attentivement, en posant parfois une question. A la fin, il observa :

« Je ne vois pas ce que tu aurais pu faire d'autre.

– Il n'y avait rien d'autre à faire, convint Celia. Mais ce qu'il me faut décider – c'est ce que je vais faire maintenant.

– Faut-il vraiment que tu prennes une décision? Dès maintenant? Pourquoi ne pas prendre un peu de recul? Je pourrais me libérer aussi, et nous partirions en voyage ensemble. (Il insista.) Loin des passions, tu pourrais réfléchir à toute cette affaire, et décider à ton retour de ce qui te paraît juste. »

Elle eut un sourire de gratitude.

« Je voudrais bien disposer de tout ce temps. Mais je ne peux pas retarder ma décision. »

Andrew s'approcha de Celia, l'embrassa, puis lui dit :

« Tu sais que je t'aiderai par tous les moyens possibles. Mais souviens-toi d'une chose. J'ai toujours été fier de toi et je le resterai, quoi que tu décides. »

Elle posa sur lui un regard tendre, en se disant qu'un homme de moindre valeur lui aurait rappelé leur discussion de San Francisco, quand il avait refusé d'abjurer ses doutes sur le Montayne et sa foi dans la nocivité de *tout* médicament pour les femmes enceintes. Ce jour-là, Celia lui avait laissé entendre – avec une malveillance qu'elle regrettait à présent – que son jugement médical était peut-être dépassé.

C'était manifestement au tour de Celia d'être assaillie de doutes, mais Andrew avait trop de noblesse pour lancer : « Je te l'avais bien dit. »

Si elle devait appliquer les principes d'Andrew au dilemme présent, songea-t-elle, quelle serait la décision?

Inutile de le lui demander. Elle le savait.

Elle se souvint également d'un conseil qu'elle avait reçu des années auparavant.

« *Celia, je crois que vous possédez quelque chose :*

un don, un instinct pour juger ce qui est bien... Faites
usage de ce don, Celia... quand vous serez puissante,
ayez la force de faire ce que vous croyez devoir faire...
Ne vous laissez pas convaincre par des gens de
moindre valeur... »

L'émotion l'envahit au souvenir d'Eli Camperdown. L'ancien directeur général de Felding-Roth
avait prononcé ces paroles sur son lit de mort, dans
sa maison de Mount Kemble Lake.

« Encore un peu de cognac? proposa Andrew.

– Non merci. »

Elle vida son verre, regarda son mari dans les
yeux, et déclara d'une voix ferme :

« Je ne peux pas participer au lancement du
Montayne. Je vais démissionner. »

Au cours des vingt-quatre années passées chez
Felding-Roth, c'était la chose la plus pénible que
Celia eût jamais faite.

Ecrite à la main et adressée à Sam, la lettre de
Celia était brève.

C'est avec un très vif regret que je vous présente ma
démission du poste de directrice des ventes pharma-
ceutiques de Felding-Roth.

Cette lettre met un terme à mes liens avec la
compagnie.

Vous connaissez mes raisons. Il me paraît inutile de
les rappeler ici.

Je tiens à préciser que mon expérience dans la
maison aura été heureuse et privilégiée. L'un de ces
privilèges, et non des moindres, fut votre soutien et
votre amitié, pour lesquels je vous reste très recon-
naissante.

Je pars sans amertume, et souhaite à Felding-Roth
et à toute son équipe les succès qu'ils méritent.

452

La lettre de Celia fut remise en main propre à Sam Hawthorne, et elle se présenta une demi-heure plus tard. La secrétaire l'introduisit immédiatement, et referma la porte sans bruit.

Sam leva les yeux, s'interrompant dans sa lecture. Il affichait une expression renfrognée, et s'enquit d'une voix glaciale :

« Vous avez demandé à me voir. Pourquoi?

– Eh bien, répondit-elle avec un peu d'hésitation, j'ai travaillé de nombreuses années pour cette compagnie, et plus particulièrement pour vous. Il m'a paru que je ne pouvais pas simplement m'en aller... »

Il lui coupa la parole avec une brutalité qu'elle ne lui avait jamais vue :

« Mais c'est exactement ce que vous faites! Vous nous laissez tomber – vos amis, vos collègues, et tous ceux qui dépendent de vous. Vous nous abandonnez déloyalement au plus mauvais moment, dans une période cruciale, où la compagnie a besoin de vous. »

Elle protesta :

« Mon départ n'a rien à voir avec la loyauté ou l'amitié.

– C'est ce que je constate! »

Il ne lui avait pas offert de s'asseoir, et elle resta debout.

« Sam, plaida-t-elle, essayez de comprendre! Je ne *peux* pas participer au lancement du Montayne, cela m'est impossible. C'est devenu une affaire de conscience.

– Vous appelez cela « conscience », répliqua-t-il, mais je pourrais vous suggérer d'autres termes!

– Lesquels?

– Eh bien, hystérie féminine. Ou bien, autocomplaisance étriquée et mal informée. Ou encore, dépit, pour n'avoir pas eu gain de cause. Alors, vous montez sur vos grands chevaux. (Sam poursuivit, la fixant d'un regard furieux.) Vraiment! Vous ne vous comportez pas mieux que ces bonnes femmes qui manifestent avec des banderoles dans la rue, ou qui s'enchaînent aux grilles! La vérité, c'est que vous vous êtes laissé piéger comme une imbécile par cette Stavely, qui n'y connaît rien du tout! »

Il lui désigna le *New York Times* étalé sur son bureau, et lui montra un article faisant état d'une déclaration du docteur Maud Stavely qui, elle aussi, avait appris l'existence des bébés nés avec des malformations en France et en Espagne, et qui utilisait ces incidents afin de développer sa campagne pour l'interdiction du Montayne. Celia avait déjà lu l'article.

« Vous vous trompez, dit Celia. Je n'ai pas été dupée. »

Elle préféra ne pas relever la misogynie mesquine des piques qu'il lui avait lancées.

Comme s'il n'avait pas entendu la protestation de Celia, il ricana :

« Et maintenant, je suppose que vous allez vous joindre à Stavely et à sa bande!

– Non, dit Celia. Je ne vais me joindre à rien du tout, je ne vais voir personne, et je ne vais faire aucune déclaration sur les raisons de mon départ. (Puis elle ajouta d'une voix qu'elle voulait conciliante :) Après tout, j'ai reconnu hier que c'était presque uniquement mon instinct que je suivais. »

Jamais encore elle n'avait vu Sam d'aussi mauvaise humeur. Elle décida néanmoins de lancer un dernier appel, d'essayer une dernière fois.

« J'aimerais vous rappeler, commença-t-elle, une chose que vous m'avez dite un jour. Je me trouvais alors à Londres, et je venais de recruter Martin Peat-Smith. »

454

Un peu plus tôt ce jour-là, en réfléchissant à cet entretien, elle s'était souvenue des paroles de Sam, quand elle était parvenue à convaincre Martin d'entrer chez Felding-Roth, après l'échec de Sam. Sam lui avait conseillé de ne pas parler d'argent à Martin, mais Celia avait passé outre et c'était l'argent, en fin de compte, qui avait fait pencher la balance du côté de Felding-Roth. En apprenant la nouvelle au téléphone, Sam avait déclaré : « Si jamais un jour nous nous trouvons en désaccord sur une question où le jugement soit essentiel, je vous autorise à me rappeler cet incident, où vous avez eu un jugement juste et moi faux. »

Elle le lui rappela, maintenant, mais eut l'impression de s'adresser à un mur.

« Même si c'est vrai, répliqua-t-il, et bien que vous le prétendiez, je ne m'en souviens plus. Mais cela prouve tout simplement que votre jugement s'est détérioré entre-temps. »

Soudain, elle fut envahie par une tristesse et une émotion vives et c'est avec difficulté qu'elle articula :

« Au revoir, Sam. »

Il ne répondit pas.

En rentrant chez elle, Celia s'étonna que quitter Felding-Roth eût été aussi simple. Elle s'était contentée de reprendre quelques objets personnels dans son bureau, de dire adieu à sa secrétaire et à quelques collaborateurs, dont certains étaient au bord des larmes. Puis elle était partie.

D'une certaine façon, sans doute, ce départ abrupt était irréfléchi, mais par ailleurs il s'était révélé salutaire. Ces dernières semaines, presque tout son travail s'était concentré sur le Montayne et, puisqu'elle ne pouvait pas continuer sans souffrir en son âme et conscience, il aurait été absurde de rester. Et puis elle laissait tout en ordre derrière elle : comme Bill Ingram devait de toute façon lui succéder dans quelques semaines, il pouvait prendre immédiatement la direction du service, sans qu'il y ait de temps mort.

Cette pensée lui rappela que plus jamais elle ne deviendrait vice-présidente de la société, cruelle déception après être passée si près du but. Mais, se dit-elle, c'était là une désillusion qu'elle apprendrait à surmonter.

Andrew appela deux fois Celia dans la journée; une fois à son bureau, et la seconde fois chez eux. En apprenant que sa démission était déjà effective, il annonça qu'il rentrerait de bonne heure, et arriva en effet à temps pour prendre le thé que Celia venait de préparer. C'était une occupation nouvelle et elle songea que désormais cela lui arriverait fréquemment.

Ils se retrouvèrent avec infiniment de tendresse.

Un peu plus tard, en buvant son thé à petites gorgées, Andrew déclara d'une voix douce :

« Tu as besoin de te remettre de toutes ces décisions. Aussi, je viens d'en prendre quelques-unes tout seul. Pour nous deux. La première, c'est que toi et moi allons *vivre* un peu. »

Il exhiba une grosse enveloppe.

« Je me suis arrêté dans une agence de voyages, en rentrant, pour mettre en œuvre la seconde de mes décisions. Nous allons partir en voyage.

– Où?

– Partout. Faire le tour du monde. »

Elle lui jeta les bras autour du cou en s'écriant :

« Oh! Andrew! Tu es merveilleux! Ta présence seule m'est déjà d'un tel réconfort!

– Espérons que tu en diras toujours autant après

six mois de tête-à-tête sur des paquebots et dans des hôtels. (Il sortit des brochures de l'enveloppe.) Pour commencer, j'ai pensé que nous pourrions aller en Europe et nous y promener un peu – en France, en Espagne, en Italie, partout où l'un de nous aura envie d'aller – et puis traverser la Méditerranée en bateau... »

L'humeur dépressive qui avait accablé Celia ces derniers jours s'évanouit soudain. Ils avaient souvent évoqué l'idée de faire le tour du monde, mais toujours vaguement, pour un lointain avenir. Et pourquoi pas maintenant, en effet, songea-t-elle. Retrouveraient-ils jamais une occasion plus favorable?

Avec un enthousiasme d'enfant, Andrew donnait déjà corps à l'idée.

« Nous pourrions nous rendre en Egypte et en Israël, passer par les émirats... en Inde, bien sûr... et puis il faut absolument aller au Japon, à Singapour aussi... ensuite l'Australie et la Nouvelle-Zélande...

– Quelle idée fantastique, dit-elle.

– Il va falloir que je trouve un remplaçant, expliqua Andrew, et cela va me prendre environ un mois pour tout mettre sur pied. Nous pourrons donc partir en mars. »

Ils savaient tous deux que les enfants ne présenteraient pas une entrave à ce projet : Lisa et Bruce avaient déjà prévu de travailler pendant l'été, loin de la maison familiale.

Celia se rendait compte que, pour le moment, et grâce aux encouragements d'Andrew, elle parvenait à refouler sa peine; mais elle savait qu'elle ne pourrait s'empêcher d'en souffrir encore, et qu'elle ne parviendrait peut-être même jamais à s'en débarrasser complètement.

Plus tard dans la soirée, Andrew suggéra :

« Je sais que c'est un peu tôt, mais as-tu envisagé

ce que tu allais faire, maintenant que tu as quitté Felding-Roth? Je t'imagine mal en femme au foyer.

– Non, admit-elle. Je ne me vois pas non plus jouer ce rôle. Mais je ne sais vraiment pas. J'ai besoin de temps pour réfléchir – et c'est justement ce que tu m'offres, mon chéri. »

Cette nuit-là, ils firent l'amour. Sans fougue, mais avec une exquise douceur où Celia retrouva la paix.

Pendant les semaines qui suivirent, Celia tint parole et ne fit aucune déclaration publique concernant la raison de son départ de chez Felding-Roth. Comme on pouvait s'y attendre, la nouvelle de sa démission se répandit rapidement dans la presse professionnelle, et suscita une vive curiosité, qui demeura insatisfaite. Le *Wall Street Journal*, *Business Week*, et le *New York Times* téléphonèrent tous à Celia pour solliciter des interviews. Mais elle refusa. Elle éluda aussi, très poliment, les questions de ses amis et de ceux d'Andrew.

Elle n'expliqua la situation qu'à Bruce et à Lisa, et cela, sur le conseil d'Andrew.

« Tu le leur dois, dit-il. Les enfants t'admirent comme moi. Ils ont le droit de savoir *pourquoi* ils peuvent continuer à le faire. Ils ne devraient pas être réduits à se poser des questions. »

Ils se rendirent spécialement à Stanford pour voir Lisa, et à Pottstown, où Bruce effectuait son avant-dernière année à Hill School. Ce fut une distraction bienvenue pour Celia. Elle n'avait plus rien à faire de ses journées, et ne parvenait pas à s'y habituer.

Lisa marqua de la compassion, mais fit encore une fois la preuve de son sens pratique.

« Tu trouveras autre chose à faire, maman, et ce sera sans aucun doute important. Mais la meilleure chose possible, c'est ce tour du monde que tu vas faire avec papa. »

Cependant, ce fut Bruce qui résuma le mieux la situation, avec sa sensibilité précoce : « Pourvu que tu te sentes en paix avec toi-même, maman... Si, avec le temps, tu es sûre d'avoir eu raison, c'est la seule chose qui compte. »

Après avoir vu ses enfants, Celia se sentit vraiment en paix avec elle-même. Et ce fut dans cet état d'esprit que, au début du mois de mars, elle s'envola pour Paris avec Andrew, prenant le départ de leur odyssée.

CHAPITRE 36

Dans sa maison de Harlow, Martin Peat-Smith s'était mis au lit mais n'arrivait pas à dormir. Cela se passait un samedi, quelques minutes avant minuit, et à la fin d'une semaine chargée en événements passionnants.

Pensant que le sommeil finirait bien par arriver, il se détendit et laissa son esprit vagabonder.

La science, songea-t-il dans un instant de fantaisie, se comportait parfois comme une femme qui refuse ses faveurs à un soupirant, jusqu'au moment où il paraît sur le point de renoncer, prêt à abandonner tout espoir. Alors, dans un brusque revirement, elle capitule, ouvre les bras et ôte ses vêtements, révélant tout, et offrant tout.

Poussant plus loin la comparaison, Martin se disait que, parfois, une vague de jouissance déferlait à mesure que se dévoilait tout ce monde onirique.

Pourquoi diable, se demanda-t-il, *me suis-je laissé entraîner dans cette rêverie érotique?*

Puis, faisant les questions et les réponses : *Tu le sais très bien! C'est à cause d'Yvonne. Chaque fois qu'elle s'approche de toi au labo, ton cerveau ne s'intéresse plus qu'à une seule chose – et c'est peut-être de la biologie, mais à coup sûr pas de la science!*

Alors pourquoi n'as-tu rien fait?

Pourquoi, en effet? *Nous examinerons cette question plus tard.*

Pour le moment, Martin repensa à ses recherches et aux progrès vraiment remarquables qu'il avait accomplis depuis... quand était-ce donc?

Eh bien, la période la plus passionnante, celle de la découverte proprement dite, avait commencé depuis un an à peine.

Son esprit fit un saut en arrière. Jusque-là, et plus loin encore.

La visite de Celia à Harlow avait eu lieu deux ans auparavant, en 1975. Martin se souvenait de lui avoir montré des films chromatogrammes et de lui avoir expliqué : « Là où apparaissent des bandes, nous avons un peptide... Vous allez voir deux colonnes de lignes sombres... au moins neuf peptides. »

Mais le problème – qui paraissait insurmontable – était que le mélange de peptides découvert dans les cerveaux de jeunes rats apparaissait en trop petites quantités pour pouvoir être purifié et testé. Et puis ce mélange contenait des substances étrangères, ce qui amenait Rao Sastri à parler de peptides « absurdes ».

Les expériences visant à purifier le mélange s'étaient poursuivies, mais les résultats apparaissaient au mieux comme dérisoires; ce qui semblait confirmer l'opinion de Sastri, selon laquelle les techniques requises ne seraient pas mises au point avant au moins dix ans.

Dans l'équipe scientifique de Harlow, le moral avait baissé, ainsi que la foi dans la théorie de base de Martin.

Et c'était à ce moment-là, au creux même de la vague, que tout s'était déclenché.

Après un travail patient, mené sur de nombreux cerveaux de jeunes rats, ils avaient pu réaliser une purification partielle. Ensuite, ce nouveau mélange enrichi – composé de moins de peptides – avait été injecté à des rats plus âgés.

Presque aussitôt, l'aptitude des vieux rats à apprendre et à se souvenir s'était améliorée de manière spectaculaire. Les tests du labyrinthe le démontraient clairement.

Souriant à ce souvenir, Martin évoqua le labyrinthe du laboratoire.

Il s'agissait d'une maquette des labyrinthes où, depuis des siècles, les humains s'amusaient à entrer, à errer et à se perdre dans les dédales des impasses avant de parvenir à trouver la vraie sortie. Le labyrinthe le plus célèbre du monde était sans doute celui de Hampton Court Palace, à l'ouest de Londres, dont on affirmait qu'il avait été conçu pour le roi Guillaume III, au XVIIe siècle.

Le labyrinthe en contre-plaqué des laboratoires de Harlow était un modèle réduit, une copie fidèle de celui de Hampton Court, qu'avait construit un chercheur de Harlow à ses moments de loisirs. Contrairement à celui de Hampton Court, cependant, il était exclusivement réservé à l'usage des rats.

Un par un, ces rats étaient placés devant l'entrée du labyrinthe, poussés à y entrer s'il le fallait, mais ensuite laissés à eux-mêmes pour en trouver l'issue. A la sortie les attendait une récompense sous forme de nourriture et leur aptitude à parvenir jusqu'à elle était soigneusement observée et chronométrée.

Les résultats des dernières séries de tests correspondaient toujours aux prévisions. Jeunes ou vieux, les rats avaient du mal à trouver la sortie la première fois qu'ils entraient dans le labyrinthe. Cependant, dès la deuxième fois, les jeunes y arrivaient plus rapidement, encore plus vite la troisième fois, et ainsi de suite.

Manifestement, les jeunes rats tiraient la leçon de chaque expérience, et se souvenaient des tournants à prendre ou à ne pas prendre.

Les vieux rats au contraire n'apprenaient plus rien, ou bien avec infiniment plus de lenteur que les jeunes.

Jusqu'à l'injection de la nouvelle solution de peptides.

Ensuite, les progrès avaient été extraordinaires. A leur troisième ou quatrième passage dans le labyrinthe, les vieux rats effectuaient le parcours à toute vitesse, et pratiquement sans hésitation ni erreur. La différence de résultats entre les jeunes et les vieux rats s'était beaucoup réduite.

A mesure que se poursuivait l'expérimentation, l'enthousiasme des chercheurs décupla. Il y en eut même un ou deux pour pousser des cris de joie lorsqu'un vieux et gros rat accomplit une performance spectaculaire. A un moment, Rao Sastri serra la main de Martin avec effusion. « Vous aviez raison depuis le début ! Cela vous autorise à nous qualifier tous " d'hommes de peu de foi ". »

Martin hocha la tête.

« Je commençais à perdre la foi.

— Je ne le crois pas, dit Sastri. En vrai gentleman, vous cherchez à réconforter vos collègues humiliés.

— Quoi qu'il en soit, répondit Martin, je crois que nous tenons là quelque chose de suffisamment valable pour envoyer un rapport en Amérique. »

Ce rapport parvint à Felding-Roth, dans le New Jersey, alors que chacun préparait dans la fièvre le lancement du Montayne, et peu de temps avant les doutes de Celia.

Cpendant, et alors même qu'on étudiait ce rapport dans le New Jersey, un nouveau problème se posait à l'équipe de Harlow.

En dépit de signes favorables, le dernier mélange de peptides présentait des difficultés. De même que le précédent, il n'était disponible qu'en quantités limitées. Pour pouvoir travailler ensuite à l'affiner, et pouvoir identifier et isoler un seul et unique peptide, il était essentiel de disposer de quantités plus importantes.

Le moyen que choisit Martin, pour se fournir plus abondamment, fut la production d'anticorps. Ceux-ci se lieraient au peptide choisi et l'isoleraient. Pour cela, il fallait employer des lapins, car ils produisaient des anticorps en beaucoup plus grandes quantités que les rats.

Et voici qu'entre en scène Gertrude Tilwick.

La surveillante du secteur animal du centre était une femme à l'allure sévère et aux lèvres pincées, qui approchait de la cinquantaine. Nigel Bentley l'avait engagée assez récemment et, avant l'incident qui les opposa, Martin et elle n'avaient guère eu affaire l'un à l'autre.

Sur la demande de Martin, Miss Tilwick apporta plusieurs lapins en cages. Il lui avait déjà expliqué que le mélange brut de peptides dans une solution huileuse – un « adjuvant » – devrait être injecté dans les pattes des lapins, ce qui leur causerait de vives souffrances. Il faudrait donc maintenir fermement chaque animal pendant l'opération.

Avec les lapins, Miss Tilwick apporta une planchette équipée de quatre lanières. Elle ouvrit la cage, saisit un lapin et l'étendit sur la planche. Puis elle lui enserra vivement chaque patte dans une lanière.

Elle agissait avec une indifférence rude, totalement insensible à ce qu'elle faisait. Sous les yeux horrifiés de Martin, le malheureux animal se mit à lancer des cris de terreur – jamais il n'avait imaginé qu'un lapin pût *crier*. C'était un son atroce. Puis le silence se fit et, quand la quatrième patte fut attachée, on s'aperçut que la bête était morte. Morte de peur.

Cette fois encore à propos d'animaux, la colère de Martin éclata et il chassa la surveillante du laboratoire.

Exit Miss Tilwick.

Martin appela alors Nigel Bentley, et lui dit qu'on ne pouvait garder dans le centre une personne qui était à ce point insensible aux souffrances des bêtes.

« Bien entendu, convint Bentley. Nous ne garderons pas Miss Tilwick, et je suis navré d'apprendre ce qui vient d'arriver. Elle avait d'excellentes qualifications techniques, et je n'ai pas vérifié sa cote de S.D.A.

— Oui, des Soins Délicats et Attentionnés sont indispensables, dit Martin. Pouvez-vous m'envoyer quelqu'un d'autre ?

— Je vais vous envoyer l'assistante de Tilwick. Si elle donne satisfaction, nous la ferons avancer d'un échelon. »

Et voici maintenant Yvonne Evans.

A vingt-cinq ans, Yvonne était un peu dodue, mais gaie et séduisante, avec de longs cheveux blonds, des yeux bleus pleins d'innocence, et un teint de lis et de roses. Elle venait de Brecon, une petite bourgade du Pays de Galles, dont elle avait gardé un peu l'accent. En outre, elle avait une poitrine éblouissante, et elle ne portait visiblement pas de soutien-gorge.

Cette poitrine spectaculaire fascina Martin dès le premier instant ; et surtout quand commença la série d'injections.

« Donnez-moi d'abord une minute ou deux », annonça Yvonne.

Ignorant la planche barbare qu'avait préparée

Gertrude Tilwick, elle prit délicatement un lapin et, tandis que Martin attendait avec une seringue hypodermique, elle l'approcha doucement de son visage et lui fredonna des douceurs en le caressant. Finalement, elle nicha la tête de l'animal contre sa poitrine et tendit délicatement à Martin l'une des pattes arrière en murmurant : « Allez-y. »

Six lapins furent ainsi traités en un temps record – une injection dans chaque patte. Martin était malgré lui distrait par la proximité de ces seins, et se surprenait à regretter de n'avoir pas sa tête à la place de celle du lapin.

Les soins tendres d'Yvonne apaisaient visiblement les animaux, mais ils souffraient néanmoins et, en cours d'opération, elle demanda :

« Faut-il vraiment que ce soit fait dans les pattes? »

Martin grimaça.

« Je n'aime pas cela non plus, mais c'est un très bon endroit pour la fabrication des anticorps. L'injection est douloureuse et l'irritation dure un long moment, mais c'est l'irritation qui attire les cellules productrices d'anticorps. »

L'explication parut satisfaire Yvonne. Quand ils eurent terminé, il observa :

« Vous aimez les animaux. »

Elle posa sur lui un regard curieux.

« Bien sûr.

— Ce n'est pas le cas de tout le monde.

— Ah! Vous voulez parler de Tilly? (Le visage d'Yvonne se renfrogna.) Elle n'aime personne à commencer par elle-même!

— Miss Tilwick ne travaille plus ici.

— Je le sais. M. Bentley me l'a dit. Il m'a aussi dit de vous signaler que j'ai la qualification requise et que, si je vous conviens, je pourrai travailler à son poste.

– Vous me convenez, répliqua Martin, puis il se surprit lui-même en ajoutant : Vous me convenez à merveille. »

Yvonne eut un petit rire.

« C'est réciproque, docteur. »

Après cette première rencontre, d'autres employés du centre furent chargés des séances d'injections, mais Martin continuait à croiser Yvonne dans les labos. Un jour, plus préoccupé d'elle que de la question, il lui demanda :

« Puisque vous aimez tant les animaux, pourquoi n'êtes-vous pas allée à l'école vétérinaire? »

Elle hésita puis, avec une brusquerie inhabituelle, répondit :

« C'était ce que je voulais faire.

– Que s'est-il passé?

– J'ai raté un examen.

– Un seul?

– Oui.

– Ne pouviez-vous le repasser?

– Je ne pouvais pas me permettre d'attendre. »

Elle leva les yeux sur lui, et il fut bien obligé de relever les siens et de soutenir son regard. Yvonne continua :

« Mes parents n'avaient pas les moyens de m'entretenir, et j'ai dû commencer à gagner ma vie. Alors je suis devenue technicienne en animaux – faute de mieux. » Puis elle eut un sourire plein de douceur, et il comprit qu'elle savait où ses yeux s'étaient attardés.

Cela s'était passé plusieurs semaines auparavant et, depuis, Martin avait été pris par d'autres questions.

L'une était l'analyse informatique des tests poursuivis dans le labyrinthe des rats, révélant que les premiers résultats étaient justes et restaient constants après plusieurs mois d'expérimentation.

Cela seul constituait déjà une excellente nouvelle mais, en plus, on était parvenu à affiner le mélange de peptides et, finalement, à isoler un peptide actif spécifique. Celui-ci – ce peptide tant espéré – était la septième séquence des films chromatogrammes originaux, et il fut aussitôt baptisé Peptide 7.

Ces deux succès furent communiqués à la maison mère par télex, et Sam Hawthorne répondit aussitôt par un message de félicitations. Martin aurait bien voulu pouvoir aussi communiquer avec Celia, mais la nouvelle de sa démission lui était parvenue peu de temps avant. Il n'avait pas la moindre idée des raisons de son départ, mais en fut attristé. Celia avait joué un rôle essentiel dans le programme de recherches et la création du centre de Harlow, et il paraissait injuste qu'elle ne pût partager le fruit de ce qu'elle avait participé à créer. Il savait aussi qu'il avait perdu une amie et une alliée, et se demandait s'ils se reverraient un jour. Cela semblait peu probable.

D'un point de vue scientifique, un seul facteur troublait Martin, tandis qu'il passait en revue tous ces événements, dans son lit, sans trouver le sommeil. Il s'agissait des vieux rats qui avaient reçu des injections régulières de peptides pendant plusieurs mois.

Leur mémoire s'était améliorée, mais leur état général s'était apparemment détérioré. Ces animaux avaient perdu beaucoup de poids. Après tant de succès, certaines réactions alarmantes se faisaient jour.

Se pouvait-il que le Peptide 7, bénéfique pour le cerveau, fût en même temps nuisible pour le corps? Les rats traités au peptide allaient-ils continuer à maigrir, dépérir, et finalement mourir? Dans ce cas, le Peptide 7 serait inutilisable, aussi bien pour les humains que pour les animaux, et toutes les recherches effectuées jusqu'à présent – quatre années à Harlow, plus les travaux antérieurs de Martin à Cambridge – auraient été vaines.

Cette idée le hantait, mais il s'était efforcé de l'écarter au moins quelques heures de son esprit, pendant le week-end.

Et maintenant, ce samedi soir... *Non! on était déjà dimanche matin...* Ses pensées retournèrent à Yvonne, et à la question qu'il s'était posée quelques moments plus tôt : *Pourquoi n'as-tu rien fait?*

Il aurait sans doute pu lui téléphoner, songea-t-il, et il regretta de n'y avoir pas pensé avant. Il était trop tard, à présent. Ou peut-être pas? *Et pourquoi pas, après tout?*

A sa propre surprise, Yvonne décrocha aussitôt.

« Allô!

— Yvonne?

— Oui.

— Je suis...

— Je sais qui vous êtes.

— Eh bien, reprit-il, voilà, je ne pouvais pas dormir, et je me disais...

— Moi non plus, je ne pouvais pas dormir.

— Je me demandais si nous ne pourrions pas nous voir demain.

— Demain, c'est lundi, lui fit-elle remarquer.

— Ah! oui. Eh bien, aujourd'hui?

— Très bien.

— Quelle heure vous conviendrait?

— Pourquoi pas maintenant? »

Pouvant à peine croire à un tel bonheur, il proposa :

« Puis-je venir vous chercher?

— Oh! je sais où vous habitez. Je peux venir chez vous.

— Vous êtes sûre?

— Aucun problème. »

Il éprouva le besoin d'ajouter autre chose.

« Yvonne.

– Oui ?

– Je suis heureux que vous veniez.

– Moi aussi. (Il entendit la douceur de son rire.)
Je croyais que vous ne vous décideriez jamais. »

CHAPITRE 37

Selon le titre d'un livre que Martin se souvenait d'avoir lu, ce fut une nuit inoubliable.

A peine Yvonne était-elle arrivée qu'ils s'embrassèrent tendrement et, lorsqu'elle eut flatté et caressé les divers animaux qui les entouraient dans le vestibule, elle demanda :

« Où est votre chambre?

– Je vais vous montrer le chemin », dit-il, et elle le suivit dans l'escalier, chargée d'un petit sac pour la nuit.

Dans la chambre faiblement éclairée, Yvonne se débarrassa rapidement de ses vêtements, révélant sa nudité au regard enchanté de Martin, dont le pouls s'accéléra quand il découvrit ces seins merveilleux.

Lorsqu'elle le rejoignit dans le lit, ils s'étreignirent sans la moindre retenue, gaiement, tendrement. Martin sentait en Yvonne une sensualité généreuse et candide. Peut-être était-ce simplement l'amour de la vie et de toutes les créatures vivantes, mais cela s'exprimait à présent par cette main chaude et mouvante qui semblait être partout à la fois, par ces lèvres douces qui exploraient sans relâche le corps de Martin, et par les ondulations de son corps, qui provoquaient en lui des réactions comme il n'en avait jamais imaginées jusqu'à cette nuit.

Elle murmura :

« Ne te presse pas. Fais durer le plaisir.

– Je vais essayer », chuchota-t-il.

Cependant le désir ne tarda pas à les emporter dans une apothéose. Puis la passion s'apaisa, et un sentiment de calme et de sérénité envahit Martin, tel qu'il en avait rarement connu.

Même alors, son esprit de chercheur réclama l'explication de cette félicité. Peut-être, pensa-t-il, n'éprouvait-il tout simplement que le soulagement de tensions croissantes. Toutefois, ses instincts non scientifiques lui disaient qu'il s'agissait de bien autre chose : Yvonne était une femme d'une rare qualité, douée d'une sérénité communicative... et sur cette pensée il sombra dans le sommeil.

Il dormit profondément et s'éveilla à la lumière du jour, avec un arrière-fond sonore d'activité dans la cuisine, en bas. Quelques instants plus tard, Yvonne apparut, vêtue d'un des peignoirs de Martin et portant un plateau chargé d'une théière, de tasses et de petites crêpes tartinées de miel. Elle était suivie des deux chiens et trois chats de la maison, qui reconnaissaient en elle une amie sûre.

Yvonne posa le plateau sur le lit dans lequel Martin venait de s'asseoir.

Elle montra le peignoir en souriant :

« J'espère que tu ne m'en veux pas.

– Il te va beaucoup mieux qu'à moi. »

Elle s'assit sur le lit et versa le thé.

« Voyons, tu l'aimes avec du lait, mais sans sucre.

– Oui, mais comment le sais-tu...

– Je me suis renseignée au labo. Au cas où... A propos, ta cuisine est dans un état lamentable. Elle lui passa une tasse.

– Merci. Je suis navré pour la cuisine. C'est parce que je vis seul.

– Avant de repartir, tout à l'heure, je la nettoierai. »

Le peignoir s'était ouvert, et Martin suggéra :

« Pour ce qui est de repartir, j'espère que tu n'es pas pressée? »

Laissant le vêtement tel qu'il était, elle sourit.

« Attention à tes doigts, sur l'assiette. C'est chaud. »

Il insista :

« Je n'arrive pas à y croire. Le petit déjeuner au lit est un luxe que j'avais oublié depuis des années.

– Tu devrais l'avoir souvent. Tu le mérites.

– Mais c'est toi l'invitée. J'aurais dû te le servir, au contraire.

– J'aime que ce soit ainsi. Encore du thé?

– Peut-être tout à l'heure. »

Il posa sa tasse et tendit les bras vers Yvonne. D'un mouvement d'épaules, elle fit glisser le peignoir à terre et se coula contre Martin. Sans hâte, cette fois, il la pressa contre lui et explora longuement ses seins, ses cuisses.

« Tu as un corps magnifique, murmura-t-il en l'embrassant.

– Il y en a un peu trop, dit-elle. Je devrais maigrir. (Elle se pencha et se pinça la cuisse, serrant entre deux doigts cette chair crémeuse.) Ce qu'il me faudrait, c'est un peu de ton Peptide 7. Là, je pourrais mincir sans problème, comme tous ces rats.

– Pas la peine. (Martin avait le visage enfoui dans sa chevelure.) Tu me plais telle que tu es. »

Leur passion de la nuit passée renaissait, croissante. Martin s'apprêtait à la pénétrer et elle, frémissante, s'agrippait à lui.

« Viens! viens! » geignit-elle.

Mais il s'immobilisa brusquement, au contraire, et son étreinte se relâcha. Puis il prit Yvonne par les épaules et l'écarta doucement de lui.

« Qu'as-tu dit?

– J'ai dit, viens!

– Non, avant. »

Elle l'implora :

« Martin. Ne me torture pas! Je te veux *maintenant*!

– *Qu'as-tu dit?* »

Frustrée, et sentant leur intimité s'évanouir elle se laissa retomber en arrière.

« Pourquoi as-tu fait cela?

– Je veux savoir ce que tu as dit. Sur le Peptide 7. »

Elle répliqua avec mauvaise humeur :

« Le Peptide 7? Ah! j'ai dit que si j'en prenais aussi, je pourrais maigrir comme les rats. Mais qu'est-ce...

– C'est bien ce que je pensais. (Il bondit hors du lit.) Vite! Habille-toi.

– Pourquoi?

– Nous allons au labo. »

Incrédule, elle s'exclama :

« Maintenant? »

Martin avait enfilé une chemise et bouclait son pantalon.

« Oui, tout de suite. »

Etait-ce possible, se demandait-il. Etait-ce vraiment *possible*?

Martin contemplait une douzaine de rats qui avaient à tour de rôle parcouru le labyrinthe. A sa demande, Yvonne les avait apportés de la salle des animaux. C'était un groupe qui, depuis des mois, avait reçu des injections de mélange de peptides partiellement purifié – et, plus récemment, de Peptide 7. Tous ces rats étaient minces – bien plus qu'au début du traitement. Maintenant, Yvonne replaçait le dernier rat dans sa cage.

Il était encore tôt ce dimanche matin. A part eux deux et un gardien, avec qui ils avaient échangé quelques mots en entrant, le centre était désert et silencieux.

De même que tous ceux qui l'avaient précédé, le douzième rat se mit à manger ce qu'il y avait dans sa cage.

« Ils continuent à bien s'alimenter, observa Martin.

– Oh! oui, dit Yvonne. Ils mangent tous avec appétit. Et maintenant, vas-tu me dire de quoi il s'agit?

– D'accord. Comme les rats traités aux peptides ont perdu du poids, nous avons tous pensé que leur état général s'était détérioré. (Il ajouta tristement.) Cela n'avait rien de bien scientifique.

– Quelle différence y a-t-il?

– Une importante différence. Suppose que leur état général n'ait *pas* empiré. Suppose qu'ils se portent tous très bien? Et même mieux qu'avant? Suppose que le Peptide 7, tout en améliorant la mémoire, ait causé une *saine perte de poids*. Il y a une différence essentielle.

– Tu veux dire...

– Je veux dire, compléta Martin, que nous avons peut-être mis le doigt sur une chose qu'on recherche depuis des siècles – un moyen d'introduire la nourriture dans l'organisme sans produire de graisse et donc sans entraîner d'excès de poids. »

Bouche bée, Yvonne le dévisagea :

« Mais alors, ce pourrait être terriblement important?

– Bien sûr... si c'est vrai.

– Mais c'est quelque chose que tu ne cherchais pas.

– Beaucoup de découvertes ont eu lieu tandis que les savants cherchaient autre chose.

– Alors, que vas-tu faire ensuite? »

Martin réfléchit.

« J'ai besoin de consulter des spécialistes. Demain, je vais leur demander de venir ici.

– Dans ce cas, suggéra Yvonne, pleine d'espoir, nous pourrions retourner chez toi, maintenant? »

Il l'entoura de son bras.

« Jamais je n'ai entendu de meilleure proposition »

« Je vous enverrai un rapport détaillé, bien sûr, annonça le vétérinaire à Martin. Il comprendra les proportions de graisse, et les analyses complètes de sang, d'urines et de selles, effectuées dans mon laboratoire. Mais je peux d'ores et déjà vous dire que vos rats sont les plus sains que j'aie jamais vus, surtout si l'on considère leur âge avancé.

– Merci, docteur, dit Martin. C'est exactement ce que j'espérais. »

Cela se passait le mardi suivant, et le docteur Ingersoll, vieux vétérinaire spécialiste des petits mammifères, était venu spécialement de Londres par un train du matin. Il devait repartir dans l'après-midi.

Un autre expert, un nutritionniste de Cambridge, était attendu deux jours plus tard à Harlow.

« Je suppose, reprit le docteur Ingersoll, que vous n'allez pas me révéler ce que vous avez injecté à ces rats?

– Si vous n'y voyez pas d'inconvénient, répondit Martin, je préférerais n'en rien dire. Tout au moins, pas encore.

– Je me doutais fort que vous n'en diriez rien. Eh bien, quelle que soit votre trouvaille, cher monsieur, vous semblez avoir mis le doigt sur quelque chose d'intéressant. »

Martin sourit, et en resta là.

Le jeudi suivant, le nutritionniste Ian Cavaliero fit un commentaire encore plus surprenant.

« Il se pourrait bien qu'en traitant ces rats, dit-il, vous ayez modifié le fonctionnement de leurs glandes endocrines ou de leur système nerveux, ou peut-être même des deux. Par suite, les calories qu'ils absorbent avec leur nourriture se transforment en chaleur et non en graisse. A condition de ne pas exagérer il n'y a aucun mal à cela. Leurs corps se débarrassent tout simplement de l'excès de chaleur par l'évaporation ou d'autres moyens analogues. »

Le docteur Cavaliero, jeune chercheur que Martin avait connu à Cambridge, faisait autorité en matière de nutrition.

« De récentes études ont montré que tous les individus – ou tous les animaux – n'utilisent pas les calories avec la même efficacité. Certaines de ces calories produisent de la graisse, mais beaucoup d'autres sont consommées par des travaux corporels que nous n'avons pas conscience d'effectuer. Par exemple, le pompage des ions – disons, de sodium – par les cellules qui les injectent dans le sang, suivant un processus cyclique continu. D'autres calories *doivent* produire de la chaleur, afin de maintenir la température du corps. Mais on a découvert, toutefois, que la *proportion* produisant de la chaleur, du travail métabolique ou de la graisse varie considérablement. Par conséquent, si vous parvenez à modifier et à contrôler cette proportion – comme vous semblez le faire avec ces animaux – cela représente un progrès majeur.

Le petit groupe que Martin avait invité à assister à l'entretien écoutait Cavaliero avec une grande attention. Il y avait là Rao Sastri, deux autres membres de l'équipe, et Yvonne.

Sastri intervint :

« Cette variation concernant la graisse, le travail et la chaleur explique sans doute pourquoi certains privilégiés peuvent engloutir d'énormes repas sans perdre de poids.

— Exactement. (Le nutritionniste sourit.) Nous avons tous rencontré des gens ainsi faits, et les avons enviés. Mais il se pourrait bien qu'autre chose se produise, dans le cas de vos rats – un facteur de satiété.

— Par le système nerveux central ?

— Oui. Le système nerveux central est, bien sûr, régulé très strictement par les peptides du cerveau. Et puisque vous me dites que le produit injecté affecte le cerveau, peut-être réduit-il les signes de la faim au niveau du cerveau... De sorte que votre composé, d'une manière ou d'une autre, a un remarquable effet anti-obésité. »

La discussion se poursuivit et, le lendemain, Martin reprit les termes de Cavaliero, « remarquable effet anti-obésité », dans un rapport adressé personnellement à Sam Hawthorne.

« Bien que la stimulation de la mémoire par le Peptide 7 demeure notre objectif premier, écrivit Martin, nous allons également mener des expériences concernant ce qui, à première vue, apparaît comme un effet secondaire très intéressant, et riche en possibilités cliniques. »

Il rédigea son rapport sur un ton mesuré, mais l'enthousiasme était à son comble parmi l'équipe de Harlow.

QUATRIÈME PARTIE

1977-1985

CHAPITRE 38

MAJESTUEUX, le navire américain *Santa Isabella* s'avançait dans le canal Fort Armstrong, et avec cette puissante noblesse que ne possède aucun autre moyen de transport au monde, il pénétra dans le port d'Honolulu.

Avec bien d'autres passagers, Andrew et Celia se tenaient à l'avant du pont, sous la passerelle.

A l'aide de ses jumelles, Andrew scrutait déjà les quais et les bâtiments du port.

Tandis que la tour Aloha apparaissait au-devant d'eux, dorée par le soleil hawaiien qui resplendissait dans le ciel bleu et pur, le navire vira doucement sur tribord, entouré par les remorqueurs. Des sirènes de bateaux s'élevèrent. Parmi l'équipage du *Santa Isabella*, les préparatifs d'accostage redoublaient.

Andrew baissa ses jumelles et jeta un coup d'œil à Celia. Elle était comme lui superbe et bronzée, après ces six mois de repos passés au grand air. Elle s'était détendue aussi, il le voyait bien en se souvenant de la nervosité qui avait précédé leur départ. Aucun doute : ce voyage effectué dans une relative solitude et sans aucune contrainte leur avait fait du bien à tous deux.

Il releva ses jumelles.

« Tu sembles chercher quelque chose », dit Celïa.

Sans tourner la tête, il répondit :

« Si je le trouve, je te le dirai.

– Bien. (Elle soupira.) J'ai du mal à croire que ce soit déjà presque fini. »

Et pourtant, c'était presque fini. Ce long périple, qui les avait menés dans quinze pays différents, allait s'achever ici. Après une brève escale, ils rentreraient directement d'Honolulu chez eux, prêts à reprendre le cours de l'existence et à affronter les changements qui les attendaient – des changements qui, en fait, concernaient surtout Celia.

Elle se demandait ce qu'il adviendrait d'elle.

Délibérément, depuis leur départ au début du mois de mars, elle avait chassé de son esprit toute pensée relative au futur. C'était maintenant le milieu du mois d'août, et il fallait songer à l'avenir.

Elle posa la main sur le bras d'Andrew :

« Toute ma vie, je me souviendrai de ce voyage, dit-elle. Tout ce que nous avons vu, et fait... »

Il y avait *tant* à se rappeler, songea-t-elle. Des scènes lui revenaient en mémoire : Oui, ce clair de lune féerique sur le Nil, et le sable, la chaleur torride de la Vallée des Rois... le labyrinthe des ruelles pavées d'Alfama, à Lisbonne, vieilles de neuf cents ans, avec des fleurs partout... Jérusalem – *la colline proche du ciel, où tendant son oreille au vent un homme peut entendre la voix de Dieu...* à Rome, ce mélange paradoxal du terrestre et du divin... les îles grecques, joyaux de la mer Egée, dont le souvenir entremêlait la lumière éblouissante, les villages blancs étagés en terrasses, les montagnes, les champs d'oliviers... Abu Dhabi, opulent et gorgé de pétrole, où Celia avait eu la joie de retrouver sa sœur Janet, avec son mari et ses jeunes enfants...

l'Inde aux contrastes violents, dont les plaisirs se découpaient sur un fond d'effroyable misère et de crasse... Une vision de carte postale : Jaipur, la ville rose... Puis la Grande Barrière, véritable royaume australien du Corail, rêve absolu du plongeur sous-marin... et près de Kyoto, au Japon : l'irréelle et fragile beauté du Palais Impérial de Shugakuin, refuge d'un empereur, lieu de poésie, encore protégé du flot de touristes... le pouls frénétique de Hong Kong, comme si le temps devait s'arrêter, *et c'était le cas!*... A Singapour, au cœur d'une colossale opulence, les humbles étals de nourriture, un paradis pour les gourmets, où l'on servait ces *nasi beryani* au Coin du Glouton le bien nommé...

C'était aussi à Singapour qu'Andrew et Celia s'étaient embarqués à bord du *Santa Isabella*, pour traverser la mer de Chine puis le Pacifique, jusqu'à Hawaii où leur voyage s'achevait. Ici. Maintenant.

Une vingtaine d'autres passagers voyageaient avec eux, vivant au rythme lent du navire, loin de l'habituelle animation joviale et forcée des croisières organisées.

Tandis que le bateau continuait d'avancer lentement, la rêverie de Celia se poursuivit...

Malgré tous ses efforts pour chasser l'avenir de ses pensées, elle n'avait pu empêcher le passé de s'y insinuer. Ces derniers jours surtout, elle s'était demandé si elle n'avait pas eu tort de quitter Felding-Roth si brusquement? Elle avait démissionné en suivant son instinct, sans réfléchir. Avait-elle agi follement? Celia n'en savait rien, et cette pensée-*là* l'amenait à se demander si, un jour, elle n'éprouverait pas des regrets bien plus forts que son actuelle incertitude.

Son départ n'avait guère affecté Felding-Roth ni le Montayne. Le lancement avait eu lieu en février, comme prévu; et, semblait-il, avec un vif succès.

D'après ce qu'elle avait pu en lire dans la presse avant de partir, le Montayne avait aussitôt été adopté, et en particulier par les femmes qui continuaient à travailler pendant leur grossesse, et pour qui les nausées du matin constituaient un grave problème. Il était clair que les ventes de ce produit amélioraient considérablement la situation de Felding-Roth.

Elle avait également appris en France qu'il en allait de même pour les inventeurs du Montayne, les laboratoires Gironde-Chimie.

Les articles de *France-Soir* concernant les cas de Nouzonville et d'Espagne n'avaient apparemment pas nui à la réputation du médicament. Aux Etats-Unis, les arguments du docteur Maud Stavely n'avaient pas non plus retenu l'attention, ni entravé les ventes.

Les pensées de Celia revinrent au navire, qui approchait à présent du quai n° 10, où ils devaient débarquer et passer la douane.

Soudain, à côté d'elle, Andrew s'exclama :

« Ah! Voilà! »

– Voilà quoi? »

Il lui donna les jumelles et lui indiqua :

« Regarde la seconde fenêtre – au-dessus du quai, à gauche de la tour de l'horloge. »

Surprise, elle fit comme il le lui disait.

« Qu'est-ce que je trouverai?

– Tu vas voir. »

Il restait peu de gens autour d'eux, seulement deux ou trois personnes. Les autres avaient regagné leurs cabines pour se préparer à débarquer.

Celia régla les jumelles, et les déplaça un peu pour explorer les fenêtres indiquées par Andrew. Presque aussitôt, elle s'écria :

« Je les *vois*! Mais c'est imposs...

« – Tu les vois bel et bien, intervint Andrew. Ils sont là en chair et en os.

– Lisa et Bruce! »

Eperdue de joie, Celia cria les noms de ses enfants, puis, tenant les jumelles d'une main, elle se mit à agiter frénétiquement l'autre bras. Andrew fit comme elle. Derrière la vitre, là où Andrew les avait repérés, Lisa et Bruce agitèrent les bras en réponse.

Celia n'en croyait pas ses yeux.

« Je ne comprends pas. Nous ne nous attendions pas à les voir ici. Comment sont-ils arrivés là?

– Moi, je m'y attendais, expliqua Andrew. En fait c'est moi qui ai tout organisé. Il m'a fallu donner un certain nombre de coups de téléphone à Singapour, quand tu avais le dos tourné, mais... »

Encore abasourdie, Celia semblait à peine l'entendre.

« Bien sûr, je suis ravie de les revoir. Mais Lisa et Bruce devaient travailler pendant l'été. Comment ont-ils pu se libérer?

– Cela n'a posé aucun problème – quand je leur ai expliqué pourquoi je voulais qu'ils viennent ».

Il rangea les jumelles dans leur étui.

« Je ne comprends toujours pas, reprit Celia. Tu voulais les voir.

– En effet, oui. C'était pour pouvoir tenir une promesse. Une promesse faite il y a très longtemps.

– Une promesse à qui?

– A toi. »

Elle posa sur lui un regard perplexe.

Andrew reprit très doucement, pour l'aider à se souvenir.

« C'était pendant notre lune de miel. Nous parlions, et tu me disais que tu avais préféré faire notre voyage de noces aux Bahamas, plutôt qu'à Hawaii.

485

Tu disais qu'Hawaii t'aurait attristée. Puis tu m'as parlé de ton père, et de sa mort à Pearl Harbor, lorsque l'*Arizona* fut coulé.

– Attends! »

La voix de Celia n'était plus qu'un faible chuchotement. *Oui, maintenant elle se souvenait... elle se souvenait, après tant d'années.*

Ce jour-là sur la plage, pendant leur voyage de noces aux Bahamas, elle avait décrit son père à Andrew, elle lui avait décrit le peu qu'elle se rappelait du sous-officier Willis de Grey... « Quand il revenait, la maison résonnait toujours de gaieté et de rires. Il était grand, avec une voix de stentor, et il faisait rire les gens. Il adorait les enfants. Et puis il était fort... »

Et Andrew qui s'était d'emblée révélé compréhensif, et l'était toujours resté, lui avait demandé : « Es-tu déjà allée à Pearl Harbor? »

Elle avait répondu : « Je ne saurais pas dire pourquoi, je ne me sens pas encore mûre. Tu vas trouver cela curieux, mais, un jour, j'aimerais aller là où mon père a péri. Pas toute seule cependant. Je voudrais y emmener mes enfants. »

Et c'est alors qu'Andrew avait promis : « Un jour, quand nous aurons des enfants et qu'ils seront en mesure de comprendre, nous irons tous ensemble. »

Une promesse... il y avait de cela vingt ans.

Tandis que le *Santa Isabella* accostait au quai n° 10 et que les amarres étaient lancées, Andrew annonça de la même voix douce :

« Nous irons demain. Tout est organisé. Nous nous rendrons au Mémorial de l'*Arizona*, là où a sombré le navire de ton père et où il a trouvé la mort. Et, ainsi que tu le souhaitais, tes enfants seront avec toi. »

Les lèvres de Celia tremblèrent. Elle aurait été bien incapable d'articuler un seul mot, tandis qu'elle étreignait les deux mains d'Andrew. Elle leva les yeux vers lui, et il y lut une adoration telle que peu d'hommes peuvent en voir dans leur existence entière.

Quand elle put se ressaisir, la voix vibrante d'émotion, elle murmura :

« Tu es un homme merveilleux, merveilleux! »

CHAPITRE 39

A DIX heures du matin, la limousine avec chauffeur qu'Andrew avait louée attendait la famille devant la porte du Kahala Hilton Hotel. En cette belle matinée de la fin août, il faisait chaud, mais sans excès, avec une légère brise soufflant du sud – un temps de Kona, comme disent les Hawaiiens. Ici et là, quelques petits nuages tachetaient le ciel bleu.

Un peu plus tôt, Lisa et Bruce avaient rejoint leurs parents pour le petit déjeuner, dans une agréable suite surplombant le terrain de golf Waialae et, plus au sud, l'océan Pacifique. Depuis la veille, cela n'avait été qu'un flot ininterrompu de récits, de descriptions, de questions, où chacun des quatre avait pris sa part, après ces six mois de séparation. Lisa avait terminé sa première année à l'université de Stanford. Quant à Bruce, qui allait entrer en terminale à Hill Prep School, il avait soumis sa candidature au Williams College, dans l'Etat du Massachusetts – une institution historique, ce qui n'était pas pour déplaire à Bruce dont l'histoire demeurait le principal sujet d'étude.

Ainsi, et en prévision de la journée qui commençait, Bruce annonça qu'il venait d'étudier soigneusement l'attaque de Pearl Harbor par les Japonais en 1941. Et il ajouta avec une feinte suffisance :

« Si vous avez des questions, je pense être en mesure d'y répondre.

– Tu es insupportable! s'exclama Lisa. Mais puisque tes services sont gratuits, je veux bien condescendre à les employer. »

Tout en essayant de participer à la gaieté du petit déjeuner, Celia éprouvait un inhabituel sentiment de détachement. C'était quelque chose d'assez difficile à définir, mais d'une certaine manière, aujourd'hui, il lui semblait que son passé avait rejoint – ou presque – le présent. En se réveillant elle avait eu conscience de s'apprêter pour un événement et, cette impression persistant, elle s'était habillée en conséquence, choisissant avec soin une jupe plissée blanche très stricte, et un chemisier bleu marine et blanc. Elle portait des sandales blanches, et avait préparé un sac de paille. L'effet voulu n'était ni décontracté, ni absurdement cérémonieux, mais élégant et... les mots lui vinrent : attentionné et respectueux. En se regardant dans le miroir avant de rejoindre les autres, une pensée lui traversa l'esprit, au sujet de son père : *Si seulement il avait vécu assez longtemps pour me voir maintenant – moi sa fille, avec ma fille!*

Comme s'ils avaient deviné les émotions de Celia, les autres s'étaient vêtus avec plus de recherche qu'à l'accoutumée. Lisa, en blue-jeans le jour précédent, arborait aujourd'hui une simple robe à fleurs en voile de coton, qui mettait en valeur sa beauté fraîche et lumineuse et, l'espace d'un instant, Celia se revit à son âge – dix-neuf ans – vingt-sept ans plus tôt.

Andrew avait choisi un costume d'été et, pour la première fois depuis bien longtemps, il portait une cravate. Celia trouva qu'avec ses cheveux gris, à l'approche de la cinquantaine, son mari acquérait de plus en plus de distinction. Quant à Bruce, encore gamin malgré son sérieux, il était superbe, avec le blazer de son école et une chemise à col ouvert.

Comme la famille Jordan approchait, le chauffeur de la limousine porta la main à sa casquette et ouvrit une portière. Il s'adressa à Andrew.

« Monsieur Jordan? Je crois que vous allez voir le mémorial de l'*Arizona*, n'est-ce pas?

– Très juste. (Andrew consulta un papier.) Toutefois on m'a précisé de ne pas aller au Visitor Center, mais de nous faire conduire directement au quai du CINCPACFLT. »

Le chauffeur haussa les sourcils.

« Oh! vous devez être quelqu'un de très important.

– Pas moi. (Andrew sourit et regarda Celia.) Ma femme. »

La limousine démarra et Lisa demanda :

« Qu'est-ce que c'est, ce CINC–je ne sais quoi? »

Ce fut Bruce qui répondit :

« Commandement en Chef de la Flotte du Pacifique. Dis donc, papa, tu as le bras long! »

Celia regarda Andrew avec curiosité :

« Comment as-tu pu organiser cela?

– Je me suis servi de ton nom, lui dit-il. Au cas où tu ne le saurais pas, ma chérie, il ouvre encore des portes, et beaucoup de gens te vouent leur admiration. »

Pressé de questions, il déclara :

« Puisque vous voulez tout savoir, j'ai téléphoné au directeur régional de Felding-Roth à Hawaii.

– Tano Akamura? demanda Celia.

– Oui. Et il m'a chargé de te dire que ton absence était vivement regrettée. Quoi qu'il en soit, la femme d'Akamura a une sœur mariée à un amiral. Le reste s'est fait tout seul. Et nous allons donc nous rendre au mémorial de l'*Arizona* dans le canot de l'amiral.

– Bien joué! » apprécia Bruce.

Son père sourit.

« Merci.

– Merci à *toi*, corrigea Celia. (Puis elle demanda :) Quand tu as parlé avec Tano, lui as-tu par hasard demandé comment allaient les choses? »

Andrew hésita.

« Tu veux dire chez Felding-Roth... au sujet du Montayne?

– Oui. »

Il avait espéré qu'elle ne poserait pas la question, mais il répondit :

« Très bien, apparemment.

– Ce n'est pas tout ce qu'il t'a dit, insista Celia. Dis-moi tout. »

A contrecœur Andrew ajouta :

« Il m'a dit que le Montayne était une réussite formidable et, selon ses propres termes, " battait tous les records de vente ". »

Celia hocha la tête. Cela correspondait bien à ce qu'on pouvait attendre et n'était qu'une simple confirmation des informations précédentes, datant du lancement du Montayne. Mais cela redonnait de la force à la question qu'elle se posait : avait-elle commis une erreur, en démissionnant aussi hâtivement? Elle préféra chasser cette pensée de son esprit pour l'instant.

La limousine emprunta les autoroutes de Lunalilo et de Moanalua, puis traversa le centre de Honolulu, avec ses gratte-ciel ultra-modernes. Au bout d'une vingtaine de minutes, ils quittèrent l'autoroute près du stade d'Aloha et, peu après, pénétrèrent dans l'enceinte de la marine américaine, à Aiea Bay. Le quai du CINCPACFLT était situé dans un cadre fort agréable, réservé à l'usage des familles de militaires.

Une vedette de quinze mètres – appelée le canot de l'amiral – attendait à quai, moteur en marche. Deux hommes d'équipage vêtus de blanc manœuvraient le bateau, et une demi-douzaine de passagers étaient assis sous un auvent.

Une jeune femme en uniforme largua les amarres dès que les Jordan furent à bord. Du poste de commande, le capitaine fit démarrer l'embarcation. Elle s'éloigna du quai et s'engagea dans la navigation dense de Pearl Harbor.

La brise qui rafraîchissait les terres était plus vive sur l'eau; et de petites vagues venaient heurter la coque du bateau, projetant parfois des embruns sur les passagers. L'eau du port était d'un gris-vert terne, et l'on ne discernait rien sous la surface. La femme en uniforme donna quelques explications tandis qu'ils contournaient Ford Island. Andrew, Lisa et Bruce l'écoutaient attentivement mais Celia, plongée dans ses souvenirs, laissait errer ses pensées et ne saisissait que des bribes.

« Le dimanche 7 décembre 1941 au matin... Des bombardiers japonais, des avions de chasse et des torpilleurs ainsi que de petits sous-marins attaquent par surprise... première vague à 7 h 55... à 8 h 05, des explosions secouent les bâtiments alignés... à 8 h 10, touché à l'avant par la soute de munitions, l'*Arizona* explose et coule... à 8 h 12, l'*Utah* sombre... Le *California* et le *West Virginia* sombrent... l'*Oklahoma* chavire... les pertes s'élèvent à 2 403 morts et 1 178 blessés... »

Il y a si longtemps de cela, songea-t-elle – trente-six ans; la moitié de la durée d'une vie. Et pourtant jamais, jusqu'à cet instant, cela n'avait paru si proche.

La vedette, qui tanguait un peu à l'approche de

Pearl Harbor, ralentit en doublant la pointe sud de Ford Island. Soudain, droit devant eux, apparut le Mémorial de l'*Arizona*, éclatant de blancheur au soleil.

Voilà où cela s'est passé, et j'y arrive enfin. Quelques vers d'un poème lui revinrent en mémoire. « *Donnez-moi ma coquille de silence... et j'entreprendrai mon pèlerinage.* » Comme elle regardait au-devant du bateau, une pensée incongrue l'envahit : *Le Mémorial ne ressemblait absolument pas à ce qu'elle avait imaginé. Il évoquait plutôt un long wagon de chemin de fer, affaissé au milieu.*

Le commentaire à nouveau : « Selon les paroles de l'architecte, la forme de cette structure, affaissée au centre mais vigoureusement redressée aux extrémités, exprime la défaite initiale et la victoire finale »... *L'architecte y avait-il pensé avant, ou après? Mais peu importait. Seul le navire comptait, et maintenant on l'apercevait – c'était incroyable, à quelques mètres seulement au-dessous de la surface de l'eau.*

« ... et le Mémorial recouvre entièrement le navire englouti. »

Le navire de mon père. Là où il vivait quand il nous quittait, là où il est mort... quand j'avais dix ans, à Philadelphie, à plus de sept mille kilomètres.

Andrew tendit la main et prit celle de Celia. Ni l'un ni l'autre ne disait mot. Parmi tous les passagers de la vedette régnait un recueillement, un silence particulier, comme s'ils avaient tous partagé la même émotion.

La vedette accosta à un ponton, devant l'entrée du Mémorial. La jeune femme fixa les amarres, et la famille Jordan débarqua, suivie des autres passagers. Ils s'aperçurent en avançant que le sol s'affermissait sous leurs pas, car le Mémorial reposait sur des piliers enfoncés dans le sol, tout au fond de l'eau. Il ne touchait le navire en aucun point.

Près du centre du Mémorial, Celia, Andrew et Lisa s'immobilisèrent devant une ouverture de la structure en béton, et contemplèrent le pont principal du navire, maintenant bien visible, et dont la proximité avait quelque chose d'effrayant.

Quelque part au-dessous de nous repose le corps de mon père, ou ce qu'il en reste. Je me demande comment il est mort. Fut-ce un trépas rapide et miséricordieux, ou bien au contraire atroce? Oh! comme j'espère qu'il n'a pas souffert!

Bruce, qui s'était éloigné, revint vers eux. Il annonça calmement :

« J'ai trouvé le nom de grand-père. Je vais vous le montrer. »

Ses parents et sa sœur le suivirent jusqu'à un mur de marbre, où ils découvrirent des centaines de noms gravés.

Dans les quelques minutes que dura l'attaque japonaise, 1177 personnes périrent sur l'Arizona seul. Par la suite, il fut impossible de renflouer le navire, qui devint donc – pour plus de mille hommes – un tombeau éternel.

Une inscription disait :

A LA MÉMOIRE DES HOMMES COURAGEUX QUI REPOSENT ICI

Bruce tendit le doigt.

« Là, maman. »

W F DE GREY – CEM

Ils gardèrent un silence respectueux, chacun plongé dans ses pensées, puis ce fut Celia qui, la première, fit un mouvement pour retourner là où ils s'étaient d'abord arrêtés, pour contempler encore la coque du navire qu'on avait depuis longtemps dépouillé de ses équipements. Cette proximité la fascinait. Une bulle vint éclater à la surface et une tache huileuse se répandit sur l'eau, comme des pétales de fleur. Quelques minutes plus tard, une nouvelle bulle mystérieuse remonta.

« Ces bulles proviennent des réservoirs de carburant, expliqua Bruce. Elles remontent ainsi depuis le naufrage du navire. Personne ne sait combien de temps dureront les réserves, mais ce pourrait bien être encore une vingtaine d'années. »

Celia tendit la main pour effleurer la joue de son fils.

Voici mon fils, ton petit-fils. Il m'explique ton navire.

« Je regrette de ne pas avoir connu grand-père », déclara Lisa.

Celia allait répondre quand tout à coup elle sentit qu'elle ne pouvait plus contenir son émotion. Ce fut comme si la simple réflexion de Lisa avait soudain rompu un barrage. Le chagrin et la peine inondèrent Celia – le chagrin au souvenir de son père qu'elle avait si peu connu mais tant aimé, et que ce pèlerinage ravivait brusquement; au souvenir de sa mère, décédée depuis dix ans ce mois-ci; et, s'ajoutant à ses anciennes douleurs, la peine plus récente de Celia, causée par son propre échec, cette terrible erreur de jugement, comme elle la considérait à présent, qui avait mis une fin stupide à sa carrière. Pendant plus de six mois, elle avait résolument écarté cette pensée de son esprit. Mais maintenant, tel un prix qu'on finit par payer longtemps après, cela venait augmenter sa peine, et elle s'effondra. Ne voyant plus à quoi se raccrocher, elle fondit en larmes.

Andrew s'élança vers elle. Mais Lisa et Bruce furent plus rapides. Tous deux étreignirent leur mère et la réconfortèrent de leur mieux, sanglotant eux aussi sans la moindre honte.

D'un geste très tendre, Andrew les enveloppa tous les trois de ses bras.

Ce soir-là, la famille se rassembla dans la salle Maile du Kahala Hilton pour dîner. En s'asseyant, les premières paroles de Celia furent :

« Andrew, mon chéri, j'aimerais que nous buvions du champagne.

— Bien sûr. (Faisant signe au sommelier, Andrew commanda une bouteille de Taittinger — la marque préférée de sa femme — puis déclara à Celia :) Tu es rayonnante, ce soir.

— C'est exactement ce que j'éprouve », répondit-elle avec un grand sourire.

Depuis le matin, ils n'avaient guère parlé de leur excursion à Pearl Harbor. Au Mémorial, durant les quelques minutes de faiblesse de Celia, les gens avaient discrètement détourné leurs regards, et Andrew se doutait bien que le Mémorial, évoquant tant de souvenirs tragiques pour ceux qui venaient s'y recueillir, avait été témoin de plus d'une scène analogue.

Celia avait dormi pendant presque tout l'après-midi, puis elle était descendue faire le tour des boutiques de l'hôtel, et y avait fait l'acquisition d'une superbe robe longue, de style hawaiien, rouge et blanche, qu'elle arborait ce soir.

« Quand tu te lasseras de cette robe, maman, suggéra Lisa, je me ferai une joie d'en hériter. »

Le champagne fut servi à cet instant-là. Celia leva son verre et déclara :

« A vous tous! Je vous aime de tout mon cœur et je vous remercie! Je tiens à vous dire que jamais je n'oublierai ce qui s'est passé aujourd'hui, non plus que votre compréhension et votre tendresse. Mais il faut également que vous sachiez que c'est terminé, à présent. Je suppose qu'il s'agissait d'un genre de déblocage, de... quel est le mot?

— Catharsis, dit Bruce. C'est un mot grec qui signifie purification. Aristote l'employait pour...

— Oh! arrête un peu! (Lisa se pencha en avant et, par-dessus la table, frappa la main de son frère.) Il y a des moments où tu exagères vraiment! »

Andrew se mit à rire, et les autres joignirent leur rire au sien, y compris Bruce.

« Continue, maman, demanda Lisa.

— Eh bien, voilà : j'ai décidé qu'il était temps de cesser de me lamenter sur mon propre sort, et de reprendre ma vie en main. Je viens de passer des vacances merveilleuses, les plus belles de ma vie, mais ce sera terminé dans deux jours. (Elle posa un regard tendre sur Andrew.) Je suppose que tu es prêt à reprendre ton travail?

— Oui, vraiment. Non seulement prêt, mais ravi.

— Je comprends cela, dit Celia, parce que j'éprouve le même sentiment. Je ne vais donc pas rester inactive. J'ai l'intention de trouver du travail.

— Que feras-tu? » demanda Bruce.

Celia but une gorgée de champagne avant de répondre.

« J'y ai beaucoup réfléchi, je me suis posé des questions, et chaque fois je me suis retrouvée devant la même réponse : c'est l'industrie pharmaceutique que je connais le mieux, il est donc logique que j'y reste.

— Tout à fait d'accord, approuva Andrew.

— Pourrais-tu retourner chez Felding-Roth? La question venait de Lisa.

— Non. J'ai brûlé mes vaisseaux. Je suis certaine que jamais Felding-Roth n'accepterait de me reprendre, même si je le voulais. Non, je vais essayer d'autres compagnies.

– Si elles ne se jettent pas sur toi pour t'engager de force, dit Andrew, ce sera vraiment qu'elles ont une direction déficiente. Mais as-tu réfléchi et déterminé celles qui te tenteraient le plus?

– Oui. (Celia poursuivit songeusement.) Il y a une compagnie, par-dessus tout, que j'admire beaucoup. C'est Merck. Si l'on cherche une « Rolls Royce » de l'industrie pharmaceutique – c'est Merck. Je m'adresserai là en premier.

– Et ensuite?

– J'aime bien SmithKline, et aussi Upjohn. Ce sont deux sociétés pour lesquelles je serais fière de travailler. Ensuite, s'il le faut, je pourrai éventuellement faire une liste plus longue.

– Je suis certain que tu n'auras pas à le faire. (Andrew leva son verre.) A l'heureuse compagnie qui aura le privilège d'engager Celia Jordan! »

Plus tard au cours du dîner, Bruce demanda :

« Que faisons-nous demain?

– Puisque c'est notre dernière journée à Hawaii, suggéra Celia, que diriez-vous d'aller paresser sur la plage? »

Ils convinrent tous qu'une journée de farniente était leur plus cher désir.

CHAPITRE 40

Dans la chambre des Jordan, quelques minutes avant six heures du matin, la sonnerie du téléphone retentit. Le bruit cessa, puis recommença.

Celia dormait à poings fermés. A côté d'elle, Andrew, qui franchissait la frontière entre le sommeil et l'éveil, se retourna.

La veille au soir, en se couchant, ils avaient ouvert la vitre coulissante du balcon, pour laisser entrer un peu d'air et le murmure de la mer. Maintenant, dans cette grisaille qui précède l'aube, des objets devenaient visibles – comme si un metteur en scène avait fait lentement passer l'éclairage du noir à la lumière, pour introduire une nouvelle scène. Dans un quart d'heure, le soleil allait apparaître à l'horizon.

Andrew s'assit enfin, réveillé par l'insistance du téléphone. Il tendit le bras pour décrocher.

Celia remua et demanda d'une voix ensommeillée :

« Quelle heure est-il?

– Beaucoup trop tôt! (Andrew répondit au téléphone.) Oui. Qu'y a-t-il?

– J'ai un appel personnel pour Mme Celia Jordan. C'était une voix d'opératrice.

– De la part de qui? »

Une autre voix de femme intervint sur la ligne.

« M. Seth Feingold de Felding-Roth, dans le New Jersey.

– M. Feingold sait-il l'heure qu'il est ici ?

– Oui, monsieur. Il le sait. »

Celia s'était assise, bien réveillée à présent.

« C'est Seth ? (Comme Andrew acquiesçait, elle déclara :) Passe-moi le téléphone. »

Il lui tendit l'appareil. L'opératrice prononça encore quelques mots, puis Celia entendit la voix du vieux directeur financier.

« Est-ce vous, Celia ?

– Oui, Seth.

– On me dit que je vous ai réveillée, et je vous prie de m'en excuser. Mais il est midi, ici. Et nous ne pouvions plus attendre.

– Qui est-ce " nous " ? Et attendre *quoi* ?

– Celia, ce que j'ai à vous dire est d'une extrême importance. Veuillez m'écouter très attentivement. »

La voix de Feingold semblait tendue.

« Allez-y, dit Celia. Je vous écoute.

– Je vous appelle au nom du conseil d'administration, et à sa demande. Je suis chargé, premièrement, de vous informer que lorsque vous avez démissionné – pour les raisons que nous connaissons tous – vous aviez raison, et tous les autres... (la voix se brisa, puis continua)... nous tous avions tort. »

Effarée, elle se demandait si elle entendait bien cela, ou si elle rêvait.

« Je ne comprends pas, Seth. Vous ne parlez tout de même pas du Montayne ?

– Si, malheureusement.

– Mais d'après tout ce que j'ai pu lire ou entendre, le Montayne est une réussite spectaculaire. Elle avait encore à l'esprit le rapport transmis hier par

Andrew et provenant de Tano, le directeur régional de Felding-Roth à Hawaii.

– C'est ce que nous pensions tous, jusqu'à très récemment. Mais tout a changé – de manière effroyable. Et nous nous trouvons maintenant dans une situation terrible.

– Attendez un instant, voulez-vous. »

Couvrant l'appareil de sa main, elle dit à Andrew :

« C'est très important, mais je ne sais pas encore de quoi il s'agit. Va écouter sur l'autre poste. »

Il y en avait un dans la salle de bain. Celia attendit qu'Andrew fût en place, puis déclara :

« Continuez, Seth.

– Ce que je viens de vous dire, Celia, c'est seulement le premier élément. Voici le second : le conseil d'administration souhaite que vous reveniez. »

Elle n'en croyait toujours pas ses oreilles. Après un temps de silence, elle suggéra :

« Je crois que vous feriez mieux de tout reprendre au début.

– Bon. »

Elle sentait Seth mettre de l'ordre dans ses pensées et, en attendant, se demanda soudain pourquoi c'était lui, et non Sam Hawthorne, qui l'appelait.

« Vous vous souvenez des rapports concernant les bébés malformés? Les *bébés-légumes* – cette atroce expression. Les comptes rendus d'Australie, de France, et d'Espagne?

– Bien sûr.

– Il y en a eu beaucoup d'autres – dans ces pays-là et ailleurs. Tellement qu'il n'y a plus aucun doute possible : le Montayne est en cause.

– Oh! Seigneur! »

Celia se couvrit le visage de sa main libre. Sa première pensée fut : *Faites que ce ne soit pas vrai! C'est un mauvais rêve, ce ne peut pas être vrai! Je ne veux pas avoir eu raison, pas de cette manière abomi-nable.* Puis elle aperçut Andrew par la porte ouverte de la salle de bain, le visage sombre et contracté, elle discerna la clarté de l'aube naissante, au-dehors, et elle comprit que tout cela était réel. Elle ne rêvait pas.

Seth poursuivit, énumérant les détails « ... commencé il y a deux mois et demi avec quelques rapports dispersés... des cas analogues aux premiers... les nombres s'accrurent... plus récemment, un flot... toutes les mères avaient pris du Montayne pendant leur grossesse... près de trois cents bébés nés avec des malformations dans le monde jusqu'à présent... évidemment, il y en aura bien davantage, surtout aux Etats-Unis, où le Montayne se vend depuis sept mois... »

Celia ferma les yeux. *Des centaines de bébés qui auraient pu être comme les autres, mais qui ne pourraient jamais penser, ni marcher, ni s'asseoir, jamais de leur vie être normaux... Et tant d'autres à venir.*

Elle éprouvait l'envie de pleurer amèrement, de faire exploser sa colère. Mais à qui la faire entendre? A personne. Il était inutile de pleurer et trop tard.

Aurait-elle pu, personnellement, faire plus pour empêcher cette monstrueuse tragédie? *Oui!*

Elle aurait pu élever la voix, après sa démission, et rendre publics ses doutes sur le Montayne, au lieu de garder le silence. Mais cela aurait-il changé quoi que ce soit? L'aurait-on écoutée? Non, sans doute, mais il aurait suffi qu'une seule personne l'entende, qu'un seul bébé soit sauvé, et son effort n'aurait pas été vain.

Comme s'il avait pu lire ses pensées, à sept ou huit mille kilomètres de distance, Seth observa :

« Nous avons tous interrogé notre conscience,

Celia. Nous avons tous vécu des nuits d'insomnie et de désespoir, et chacun de nous connaîtra le remords jusqu'à la tombe. Mais vous pouvez garder la conscience tranquille. Vous avez fait tout ce que vous avez pu. Ce n'est pas votre faute si vos conseils ont été ignorés. »

Celia songea : Il serait tellement facile et réconfortant d'accepter cette vision des choses. Mais elle savait que, jusqu'à la fin de ses jours, elle connaîtrait le doute.

Brusquement, une nouvelle pensée l'assaillit.

« Ce que vous venez de me dire a-t-il déjà été révélé au public? A-t-on averti les femmes qu'elles devaient immédiatement cesser de prendre du Montayne?

– Eh bien... pas vraiment. On en a parlé un peu ici et là mais – curieusement – fort peu. »

Cela expliquait pourquoi Andrew et elle n'avaient rien entendu de négatif sur le compte du Montayne pendant leur voyage.

Seth poursuivit :

« Apparemment, personne dans la presse n'a encore percé l'affaire à jour, mais j'ai bien peur que cela ne tarde pas.

– Vous avez *bien peur*... »

Elle se rendait compte qu'ils n'avaient pas essayé de donner l'alerte générale, et cela signifiait qu'on *continuait de vendre et d'employer* le Montayne. Celia se souvint encore du rapport d'Andrew, la veille, citant Tano : il avait dit que « les ventes battaient tous les records! » Un frisson la parcourut, et elle demanda :

« Qu'a-t-on fait pour retirer le produit de la vente et rappeler tous les stocks?

– Gironde-Chimie nous a annoncé le retrait du Montayne en France cette semaine. Je crois que les Anglais s'apprêtent à faire une déclaration publique. Et le gouvernement australien en a déjà interdit la vente. »

Elle cria :

« Moi, je vous parle de l'Amérique.

– Je vous assure, Celia, que nous avons fait tout ce que requiert la loi. Tous les renseignements parvenus chez Felding-Roth ont été transmis à la F.D.A. Tous. Vincent Lord s'en est occupé personnellement. Maintenant, nous attendons la décision de la F.D.A.

– Vous attendez la décision! Mais, au nom du ciel, pourquoi attendre? Quelle *autre* décision peuvent-ils prendre que le retrait du Montayne?

– Nos avocats, répondit-il sur la défensive, estiment qu'à ce stade il vaudrait mieux connaître *d'abord* la décision de la F.D.A. »

Celia se retenait de hurler.

« La F.D.A. est très lente. Cela risque de leur prendre des semaines.

– C'est possible, en effet. Mais, d'après les avocats – si nous effectuons ce retrait de notre propre chef, ce pourrait être un aveu d'erreur et donc de responsabilité. Et déjà maintenant les conséquences financières...

– A quoi riment les finances, quand des femmes enceintes continuent à prendre du Montayne? Quand des bébés vont naître... »

Celia s'interrompit, comprenant que la discussion ne servait à rien, et ne menait nulle part. Elle se demanda une nouvelle fois pourquoi c'était le directeur financier, et non Sam, avec qui elle discutait.

Elle déclara d'un ton décidé :

« Il faut que je parle à Sam. »

– C'est malheureusement impossible. Tout au moins pour le moment. (Silence embarrassé.) Sam est... il n'est plus lui-même. Il a des problèmes personnels. C'est l'une des raisons pour lesquelles nous voulons – nous avons *besoin* de vous.

– Que voulez-vous dire ? Expliquez-vous. »

Elle entendit un long, profond soupir.

« Je ne voulais vous en parler qu'au dernier moment, car je sais que cela vous bouleversera. (La voix de Seth faiblissait, accablée.) Vous vous souvenez... juste avant votre départ, Sam a eu un petit-fils.

– Le bébé de Juliette, oui. »

Celia se souvint d'avoir participé à la petite fête en l'honneur du bébé, dans le bureau de Sam, avant de tout assombrir par l'exposé de ses doutes au sujet du Montayne.

« Il semble que, pendant sa grossesse, Juliette ait particulièrement souffert de nausées matinales. Et Sam lui a donné du Montayne. »

En entendant ces mots, Celia sentit son sang se figer. Elle eut l'horrible pressentiment de ce qui allait suivre.

« La semaine dernière, les médecins ont établi que le bébé de Juliette était victime du produit. (La voix de Seth n'était plus qu'un murmure.) Le petit-fils de Sam souffre d'une malformation mentale et physique – c'est un bébé-légume, comme les autres. »

Celia étouffa un cri de souffrance et d'horreur, puis elle se ressaisit, incrédule.

« Comment Sam a-t-il pu faire une chose pareille ? A l'époque, le Montayne n'était pas encore autorisé.

– Il y avait des échantillons réservés aux médecins, vous le savez bien. Sam s'en est servi sans le dire à personne. Il avait une telle confiance dans le produit qu'il n'a sans doute pas envisagé le risque. Cela représentait pour lui un symbole personnel, et sans doute y avait-il aussi de l'orgueil dans ce geste

– si vous vous en souvenez, c'était Sam qui avait lui-même acheté le Montayne à Gironde-Chimie.

– Oui, je m'en souviens. »

Les pensées de Celia tourbillonnaient – un mélange de colère, d'amertume et de pitié. Seth y mit un terme.

« Je vous ai dit que nous avions besoin de vous, Celia, et c'est bien vrai. Comme vous pouvez l'imaginer. Sam est torturé par le remords et l'angoisse et, en ce moment, il ne réagit plus. Mais ce n'est qu'une partie du problème. Tout part à la dérive. Nous sommes comme un navire en perdition, et nous avons besoin de vous pour évaluer les dommages et prendre les choses en main. D'abord, vous êtes la seule personne ayant suffisamment d'expérience et de connaissances. Ensuite nous tous – y compris le conseil d'administration – respectons votre jugement. Surtout maintenant. Enfin, on vous propose d'être directeur général. Je n'entrerai pas dans les détails financiers, mais sachez qu'ils seraient très généreux. »

Directeur général de Felding-Roth. Un seul échelon au-dessous du président-directeur général, et bien au-dessus du poste auquel elle avait renoncé en démissionnant. En d'autres temps, songea Celia, cette offre lui aurait causé une grande joie. Comme il était curieux que cela ne signifie soudain plus rien, ou presque.

– Vous avez sans doute deviné, reprit Seth, que je ne suis pas seul, et que plusieurs membres du conseil d'administration écoutent cette conversation. Nous attendons tous, en espérant que votre réponse sera positive. »

Celia s'aperçut qu'Andrew lui adressait des signaux, depuis la salle de bain. Pour la seconde fois, elle dit : « Veuillez attendre un instant. »

Andrew lâcha l'appareil et rejoignit Celia. Elle

couvrit le téléphone de sa main, et demanda à son mari :

« Qu'en penses-tu?

– C'est à toi de prendre ta décision. Mais rappelle-toi une chose : Si tu y retournes, ta démission et ton départ ne compteront plus. Les responsabilités et les accusations concernant le Montayne rejailliront sur toi.

– Je le sais. (Elle réfléchit.) Mais j'ai travaillé longtemps pour cette compagnie. Il y a eu de bonnes années, et maintenant ils ont besoin de moi. Mais je ne reviendrai que si... »

Elle reprit le combiné.

« Seth, je vous ai écouté attentivement. J'accepte, mais à une condition.

– Dites.

– Il faut retirer le Montayne de la vente aujourd'hui même, et Felding-Roth doit publier une déclaration sur les dangers que présente le produit. Pas la semaine prochaine, pas demain, *aujourd'hui*. Plus question d'attendre que la F.D.A. prenne une décision.

– Celia, c'est impossible. Je vous ai expliqué les mises en garde de nos avocats sur la question des responsabilités. Nous inciterions ainsi les gens à nous réclamer des millions de dollars en justice – de quoi nous mener à la faillite.

– Il y aura des poursuites de toute façon.

– Nous le savons. Mais nous ne voulons pas aggraver encore la situation. Le retrait aura forcément lieu bientôt. En attendant, nous pourrions en discuter ici avec vous...

– Je ne veux pas en discuter. Je veux que ce soit fait. Je veux que ce soit annoncé aujourd'hui même à la radio et à la télévision, et dans tous les journaux du pays d'ici vingt-quatre heures. Quand je l'aurai constaté de mes propres yeux, je reviendrai. Sinon, rien à faire. »

Ce fut au tour de Seth de dire :

« Attendez un instant. »

Celia entendit à l'autre bout une discussion assourdie. Il y avait manifestement de fortes dissensions, et elle perçut la voix de Seth qui disait : « Elle ne veut rien savoir », puis, un moment plus tard : « Bien sûr, qu'elle parle sérieusement. Et rappelez-vous que nous avons plus besoin d'elle qu'elle de nous. »

La discussion dans le New Jersey se poursuivit encore quelques minutes, sans que Celia pût rien en saisir, puis Seth revint au téléphone.

« Vos conditions sont acceptées, Celia. Vos exigences seront exécutées dans l'heure. Je vous le garantis personnellement. Et maintenant... quand pouvez-vous arriver ?

— Par le premier vol que je pourrai attraper. Comptez sur moi demain au bureau. »

CHAPITRE 41

Ils trouvèrent quatre places dans un 747 des United Airlines quittant Honolulu à 16 h 50 à destination de Chicago, d'où ils prendraient une correspondance pour New York, arrivant à neuf heures le lendemain matin. Celia comptait dormir le plus possible pendant le vol, afin de se rendre chez Felding-Roth le matin même.

Lisa et Bruce, qui avaient envisagé de rester encore deux jours à Hawaii, prirent la décision de rentrer avec leurs parents. « Il y a longtemps que nous ne vous avons pas vus, dit Lisa, et nous souhaitons être le plus possible avec vous. Et puis si je me retrouve seule, maintenant, je vais sûrement avoir le cafard et pleurer en pensant à tous ces enfants handicapés. »

Au cours d'un petit déjeuner qu'ils prirent tous ensemble dans la suite d'Andrew et de Celia, et qui fut interrompu par de nombreuses conversations téléphoniques relatives à leur départ, Andrew expliqua aux enfants les derniers développements tragiques de l'affaire du Montayne.

« Je vous en parlerai, déclara Celia, mais si vous le voulez bien, pas tout de suite. Je suis encore sous le coup de l'émotion. » Elle se demandait si elle avait bien fait d'accepter de revenir, puis elle se rappela que son exigence concernant le retrait immédiat du Montayne aurait au moins pour conséquence de sauver quelques enfants et leurs mères d'un destin horrible.

Avant même de quitter le Kahala Hilton pour l'aéroport de Honolulu, ils surent que Felding-Roth avait tenu sa promesse. L'émission qu'ils écoutaient à la radio fut interrompue par un bulletin spécial informant les auditeurs du retrait immédiat du Montayne à cause « d'éventuels effets dangereux, sur lesquels on enquêtait » et enjoignant aux médecins de ne plus le prescrire, et aux femmes enceintes de ne plus l'utiliser.

Peu après, à l'heure des informations, une enquête détaillée sur le retrait du Montayne constituait la principale nouvelle et, à l'aéroport, la dernière édition du *Honolulu Star-Bulletin* publiait en première page un article d'Associated Press sur l'affaire. Il était clair qu'un tir d'alerte soutenu avait commencé, et allait se poursuivre.

Pour la famille Jordan, la journée se révéla très différente de celle qu'ils avaient prévue, à paresser sur la plage, mais la situation de leurs quatre sièges, à l'arrière de l'appareil, leur garantissait au moins toute l'intimité souhaitable pour converser et, au bout d'un moment, Celia déclara :

« Merci pour votre patience. Maintenant, je suis prête à répondre à toutes les questions que vous voudrez me poser. »

Bruce parla le premier.

« Comment une chose pareille a-t-elle pu se produire, maman, et pourquoi un produit dûment autorisé se révèle-t-il aussi nocif? »

Elle réfléchit longuement avant de répondre.

« Il faut d'abord te rappeler qu'un médicament, *n'importe quel* médicament, est un produit chimique introduit dans le corps humain. Il y est introduit –

généralement sur prescription médicale – dans le but de corriger quelque chose qui *va mal*. Mais, tout en faisant du bien, il peut aussi faire du mal. Cela s'appelle les effets indésirables, et il peut en exister d'inoffensifs.

– Il y a aussi ce qu'on appelle un « risque calculé », ajouta Andrew. Le médecin doit juger si le risque impliqué par l'usage de tel ou tel médicament vaut la peine d'être pris. Certains produits présentent plus de risques que d'autres. Même la simple aspirine n'est pas sans danger : par exemple, elle peut provoquer des hémorragies gastriques.

– Mais, avant de les mettre en vente, les laboratoires pharmaceutiques doivent quand même expérimenter leurs produits, intervint Lisa, et puis la F.D.A. est censée étudier les risques – leur nature et leur étendue – non ?

– Oui, tout cela est vrai, reconnut Celia, mais ce que bien des gens ne comprennent pas, c'est qu'il y a des limites à l'expérimentation, même à l'heure actuelle. Quand on expérimente un produit, on l'essaie sur des animaux. Puis, si les résultats paraissent satisfaisants, on l'essaie sur des humains qui se sont portés volontaires. Tout cela prend plusieurs années. Cependant, à la fin des expérimentations humaines, quand tout semble aller parfaitement bien, il n'a malgré tout été employé que sur quelques milliers de personnes.

– Et il se peut qu'aucune de ces personnes n'ait subi d'effets secondaires – ou seulement des choses sans importance.

– Oui, répondit Celia. Mais quand le produit est sur le marché, et que des dizaines de milliers, des millions de gens, l'utilisent, il arrive que des effets indésirables se manifestent chez *quelques individus*, un infime pourcentage de la population – des réactions que l'on ne *pouvait pas* prévoir à l'époque de l'expérimentation. Bien entendu, si ce pourcentage se révèle important et que les réactions soient graves ou même fatales, il faut retirer le produit du marché. Il n'existe aucun moyen de savoir si un produit est totalement sûr tant qu'il n'a pas été largement employé.

— Ces réactions ne doivent-elles pas faire l'objet de comptes rendus? demanda Bruce.

— Bien sûr. Et si une firme pharmaceutique apprend l'existence de cas en Amérique, la loi lui impose d'en informer la F.D.A. Et c'est ce qui arrive habituellement. »

Le front de Lisa se plissa.

« Habituellement?

— Oui, expliqua Celia, « habituellement », parce qu'il est parfois difficile de déterminer s'il s'agit d'un véritable effet indésirable du produit, ou d'une réaction à tout autre chose. Souvent, c'est une affaire de jugement scientifique, donnant lieu à des désaccords réels, honnêtes. Un autre point à ne jamais perdre de vue, c'est qu'une décision hâtive pourrait entraîner l'interdiction d'un bon médicament, susceptible de sauver des vies.

— Mais dans le cas du Montayne, leur rappela Andrew, tout le contraire s'est produit. Le jugement de votre mère était juste, sur la question de ces réactions controversées, et les autres avaient tort.

— Non, non, ce n'est pas tout à fait vrai, dit-elle. Il s'agissait en l'occurrence d'une intuition, et non pas d'un jugement scientifique. D'une intuition qui aurait pu être fausse.

— Mais elle ne l'était pas, insista Andrew. C'est cela seul qui compte. Mieux encore, tu t'en es tenue à ce que tu croyais, et tu as eu le courage de démissionner par principe, ce que bien peu de gens font. Et pour toutes ces raisons, ma chérie, ta famille est fière de toi.

– Oui, vraiment, maman! s'exclama Bruce.

– Moi aussi, maman », dit Lisa qui se pencha et embrassa sa mère.

Un repas fut servi. Chipotant sans enthousiasme, Andrew observa :

« Le seul argument en faveur des repas servis en avion, c'est qu'ils font passer le temps. »

Un peu plus tard, ils revinrent à ce qui les préoccupait. Bruce commença :

« Ce que je trouve difficile à croire, c'est que la presse et la télévision n'aient rien su de ce qui se passait, pour le Montayne. Enfin, qu'ils n'aient pas vu l'importance de l'affaire.

– Cela peut arriver, répondit Andrew, et c'est déjà arrivé, presque de la même façon. Il s'agissait de la Thalidomide, et c'est une affaire sur laquelle j'ai lu beaucoup de choses. »

Pour la première fois depuis de nombreuses heures, Celia sourit.

« Notre famille compte *deux* passionnés d'histoire!

– En 1961 et 1962, reprit Andrew, la presse américaine s'est totalement désintéressée des ravages de la Thalidomide en Europe. Et même quand un médecin américain, le docteur Helen Taussig, est allée témoigner devant le Congrès, et qu'elle a montré des photos d'enfants malformés qui ont fait frémir les députés, pas un seul mot n'a paru à ce sujet dans les journaux.

– C'est incroyable, dit Lisa.

– Tout est relatif, dit Andrew. Certains journalistes sont paresseux. Ceux qui auraient dû assister à la session étaient absents, et de plus ils n'ont même pas lu la transcription des débats par la suite. Un seul fit son travail sérieusement, c'était Morton Mintz, du *Washington Post*. Il a rassemblé tous les éléments, puis il a révélé l'affaire de la Thalidomide, battant tous les autres au poteau. Bien entendu, c'est aussitôt devenu une grande affaire, comme le Montayne à présent.

– Je tiens à vous préciser, mes enfants, intervint Celia, que votre père était opposé au Montayne depuis le début.

– Est-ce que tu prévoyais ces conséquences tragiques ? demanda Lisa.

– Absolument pas. Mais, en tant que médecin, j'estime qu'on ne doit pas prendre de médicaments pour de simples désagréments passagers.

– Qu'entends-tu par là ? demanda Lisa.

– Eh bien, par exemple, les nausées de grossesse. Elles se limitent normalement aux premiers mois, et disparaissent assez vite sans laisser de séquelles. Prendre un médicament à ce moment-là – à moins d'une réelle urgence médicale – c'est une sottise, et toujours un risque. Votre mère n'a jamais rien pris, pour aucun de vous deux. J'y ai veillé. (Andrew regarda fixement sa fille.) Et quand ton tour viendra, tu ne prendras rien du tout. Et si tu veux un beau bébé sain – pas d'alcool ni de vin, et pas de tabac non plus.

– Je te le promets », dit Lisa.

En écoutant ces paroles, Celia eut soudain une idée qui, le moment venu, pourrait peut-être transformer l'expérience du Montayne, chez Felding-Roth, en quelque chose de positif.

Andrew parlait encore.

« Les médecins sont souvent coupables en ce qui concerne les médicaments. D'abord, ils en prescrivent trop – la plupart du temps, inutilement, et en partie parce que certains patients se sentent volés s'ils sortent de chez le médecin sans ordonnance. Et puis, rédiger une ordonnance, c'est le moyen le plus facile de mettre fin à une consultation, et de passer au patient suivant.

– C'est vraiment le jour des confessions, constata Bruce. Que font encore les médecins, qu'ils ne devraient pas faire?

– Beaucoup sont mal informés. Ils ignorent en particulier les effets indésirables et les interactions des médicaments. On ne peut évidemment pas avoir tout cela en tête, mais les médecins font trop rarement l'effort d'ouvrir un dictionnaire des spécialités pharmaceutiques en présence d'un patient, ou bien ils sont trop orgueilleux pour le faire.

– Montrez-moi un médecin qui n'a pas peur de vérifier quelque chose en présence d'un patient, déclara Celia, et je vous montrerai un bon médecin, sûr et consciencieux. Votre père en est un – je l'ai vu faire! »

Andrew sourit.

« Bien entendu, vivre avec votre mère m'a permis de bénéficier de quelques avantages en ce qui concerne les médicaments.

– Arrive-t-il aux médecins de commettre des erreurs graves, avec les médicaments? interrogea Lisa.

– Très souvent, répondit Andrew. Et il y a des cas où un pharmacien vigilant peut corriger les erreurs d'un médecin en lui demandant des précisions sur telle ou telle prescription. En règle générale, les pharmaciens en savent beaucoup plus que les médecins sur les médicaments. »

Bruce demanda malicieusement :

« Mais y a-t-il beaucoup de médecins qui l'admettent?

– Malheureusement non. Le plus souvent, les pharmaciens sont traités comme des subalternes, et non en confrères comme ils devraient l'être. (Il sourit, et ajouta :) Bien sûr, les pharmaciens peuvent se tromper aussi. Et puis les patients eux-mêmes gâchent parfois tout en doublant ou en triplant la dose prescrite, pour obtenir – comme ils l'expliquent ensuite dans l'ambulance – « un effet plus rapide ».

– Et tout cela, conclut Celia d'un ton ferme, est plus que n'en peut affronter en une seule journée votre mère épuisée. Je crois que je vais essayer de dormir. »

Elle s'assoupit et ne se réveilla qu'au moment de l'atterrissage à Chicago.

La correspondance et le vol jusqu'à New York s'effectuèrent sans incidents – mais plus confortablement, car ils avaient pu réserver des sièges en première, alors qu'ils n'avaient trouvé, pour quitter Honolulu, que des places en classe économique.

Celia fut surprise en découvrant qu'une limousine de Felding-Roth les attendait à Kennedy Airport, pour les conduire à Morristown. Le chauffeur, qu'elle connaissait de vue, la salua et lui tendit une enveloppe contenant une lettre de Seth Feingold.

Chère Celia,

Soyez la bienvenue. La voiture et le chauffeur vous sont adressés avec les compliments du conseil d'administration, et sont désormais réservés à votre usage exclusif.

Vos collègues et subordonnés – dont moi-même – seront heureux de vous revoir dès que vous serez reposée de votre voyage.

Bien à vous,

Seth

Dans la maison des Jordan, les retrouvailles avec Winnie et Hank March furent joyeuses. Winnie allait accoucher dans quelques semaines. Comme

516

Lisa, Bruce, Celia et Andrew l'embrassaient tour à tour elle s'exclama :

« Me serrez pas trop fort, ou sinon le petit coquin va sortir comme un diable de sa boîte! »

Andrew éclata de rire.

« Je n'ai plus mis de bébé au monde depuis mes années d'internat – il y a bien longtemps – mais je suis prêt à m'y remettre! »

Moins communicatif que sa femme, Hank était cependant heureux de les revoir, et s'affairait à ranger les bagages.

Ce fut un peu plus tard, tandis que l'habituel trio de Winnie, Celia et Andrew échangeait des nouvelles dans la cuisine, qu'une terrible pensée assaillit Celia.

Presque épouvantée par sa question, elle demanda :

« Winnie, pendant votre grossesse, vous n'avez rien pris?

– Vous voulez dire pour les nausées? »

Avec une frayeur croissante, Celia balbutia :

« Oui.

– Comme le Montayne? »

Winnie désignait le *Newark Star-Ledger* du jour posé sur un coin de meuble, et où l'affaire du Montayne s'étalait en première page.

Au comble de l'inquiétude, Celia fit signe que oui.

« Mon docteur m'en a donné en me disant de les prendre, répondit Winnie. Et je les aurais bien pris. J'avais tout le temps mal au cœur, le matin. Sauf que... (Elle jeta un coup d'œil à Andrew.) Je peux le dire?

– Oui, bien sûr, dit-il.

– Sauf que, avant que vous ne partiez tous les deux, le docteur Jordan m'a dit – c'était un secret entre nous deux –, que si jamais on me donnait de ce Montayne, de ne pas le prendre, mais de le jeter dans les toilettes. Alors c'est ce que j'ai fait. »

Les yeux brillants de larmes de Winnie se posèrent un instant sur le journal, puis revinrent à Andrew.

« J'ai eu assez de mal à le mettre en route, ce bébé. Alors... oh! je vous bénirai toute ma vie, docteur Jordan! »

Soulagée et reconnaissante, Celia pressa Winnie sur son cœur.

CHAPITRE 42

Sam Hawthorne n'était plus que le fantôme de lui-même.

Quand elle le vit, le jour de son retour chez Felding-Roth, Celia fut tellement surprise qu'elle ne put articuler un mot. Et ce fut lui qui parla le premier.

« Alors, ce doit être agréable de revenir dans toute votre gloire, si juste et clairvoyante, quand nous nous révélons tous d'ignobles incapables? »

Ces paroles malveillantes, prononcées d'une voix rauque et méconnaissable, augmentèrent l'effroi de Celia. Elle ne l'avait pas vu depuis sept mois, et il avait vieilli d'au moins dix ans. Son visage était blême et hagard, ses yeux ternis paraissaient renfoncés dans leurs orbites cernées de bistre. Il avait tant maigri que son complet était maintenant trop large.

« Non, Sam, répondit Celia. Ce n'est pas agréable du tout. C'est triste pour nous tous, et je suis vraiment désespérée en ce qui concerne le bébé. Et si je suis revenue, c'est simplement pour apporter mon aide.

— Oh! oui. Je savais bien que vous prendriez cet air... »

Elle lui coupa la parole.

« Sam, allons plutôt parler dans un endroit plus calme. »

Ils s'étaient rencontrés dans un couloir où passaient de nombreux employés. Celia sortait d'une réunion avec Seth Feingold et plusieurs autres directeurs.

Le bureau de Sam se trouvait à quelques pas, et Sam s'y dirigea sans ajouter un mot. Celia le suivit.

Une fois la porte refermée, il se retourna vers Celia. Sa voix restait dure et méchante.

« Ce que je voulais dire, c'est que je me doutais bien que vous alliez nous faire votre numéro de compassion. C'est tellement facile. Et maintenant, si vous me disiez plutôt le fond de votre pensée? »

Elle répliqua calmement :

« Mieux vaudrait que vous me disiez d'abord ce que vous croyez que je pense!

— Oh! je le sais bien! Que j'ai été irresponsable et criminel de donner du Montayne à Juliette avant qu'il soit autorisé. Que c'est *moi et moi seul* qui ai commis cette abomination de transformer mon petit-fils, le bébé de Juliette et Dwight, en... en une hideuse caricature d'être humain, en... »

La voix de Sam se brisa sur les derniers mots, et il se détourna.

Celia gardait le silence, déchirée entre le chagrin et la compassion, pesant ce qu'elle allait dire.

« Si vous voulez savoir la vérité, Sam – et le moment semble venu – oui, j'ai effectivement pensé cela. Et je le pense sans doute encore. »

Sam la dévisageait fixement, suspendu à ses lèvres.

« Mais je n'oublie pas qu'il est facile d'avoir raison après coup. Que nous commettons tous des erreurs de jugement...

— Mais pas *vous*, pas cette fois-ci. Pas toutes ces

erreurs colossales que j'ai accumulées. La rancœur persistait.

— J'en ai commis, moi aussi, dit Celia. C'est inévitable, quand on assume des responsabilités. Et c'est bien souvent la malchance qui donne à certaines erreurs des conséquences pires que d'autres.

— Celle-ci est la pire de toutes. (Sam contourna son bureau et se laissa tomber sur son siège.) Et tous ces autres bébés, y compris ceux qui naîtront par la suite. Je suis responsable...

— Non, répliqua-t-elle fermement. Ce n'est pas vrai. Pour tout le reste, vous avez été guidé par Gironde-Chimie et par des conseillers scientifiques. Vous n'étiez pas le seul. D'autres gens responsables pensaient comme vous.

— Mais pas vous. Qu'avez-vous donc de spécial, pour ne pas vous être laissé prendre?

— Je m'y suis laissé prendre comme les autres, au début », lui rappela-t-elle.

Sam enfouit son visage dans ses mains.

« Oh! Mon dieu! Quel gâchis! (Il releva la tête.) Je suis injuste avec vous, n'est-ce pas?

— Ce n'est pas grave. »

La voix de Sam s'adoucit :

« Je regrette, très sincèrement. Pour tout vous avouer, je suis sans doute jaloux de vous. Et aussi, je regrette tellement de ne pas vous avoir écoutée, de n'avoir pas suivi vos conseils. (Des paroles décousues suivirent.) Pas dormi. Des heures et des heures sans dormir, je réfléchis, je me souviens, j'ai honte. Mon gendre ne m'adresse plus la parole. Ma fille refuse de me voir. Lilian essaie de nous aider tous, mais elle ne sait pas comment faire. (Sam s'interrompit, hésita, puis reprit :) Et ce n'est pas tout. Il y a autre chose, que vous ignorez.

— Qu'est-ce? »

Il détourna la tête.

« Je ne vous le dirai jamais.

— Sam, déclara Celia fermement. Il faut vous ressaisir. Les tortures que vous vous infligez ne changeront rien. »

Il poursuivit, comme s'il ne l'avait pas entendue :

« Je suis fini, ici. Vous le savez.

— Non, je n'en sais rien du tout.

— Je voulais démissionner. Mais les avocats s'y sont opposés. Pas encore. Je dois rester en place. (Il ajouta avec une ironie désespérée :) Il faut préserver les apparences. Protéger la compagnie. Pour ne pas donner davantage de prise aux chacals qui nous traquent avec leurs poursuites en justice. C'est pour cela que je reste encore président-directeur général quelque temps, que je m'assieds ici : pour sauver la mise des actionnaires.

— Je suis heureuse de l'apprendre, observa Celia. Nous avons tous besoin de vous pour diriger la maison.

— Non. C'est vous qui vous en chargerez. On ne vous l'a pas dit? La décision a été prise par le conseil d'administration.

— Seth vient de m'en dire un mot. Mais *moi*, j'ai besoin de vous. »

Il leva vers elle un regard anxieux.

Soudain, Celia alla fermer à clef la porte donnant sur le couloir, puis celle ouvrant sur le bureau des secrétaires. Elle décrocha un téléphone.

« Ici Mme Jordan. Je suis avec M. Hawthorne. Que personne ne nous dérange. »

Sam était toujours à son bureau, inerte.

Celia lui demanda :

« Sam, depuis que c'est arrivé, avez-vous pleuré? »

Surpris, il secoua la tête.

« A quoi bon?

— Cela aide parfois. »

Elle s'approcha, se pencha, et l'enveloppa de ses bras.

« Sam, chuchota-t-elle, laissez-vous aller. »

Il commença par se dégager et, indécis, scruta le visage de Celia. Puis soudain, comme si un barrage avait cédé, il s'abandonna comme un enfant sur l'épaule de Celia, et pleura.

Après cette première rencontre, il était clair, aux yeux de Celia, que Sam était un homme brisé, le cœur dévasté par le chagrin. Il était dans l'incapacité de continuer à diriger la société. Malgré toute son affection, Celia dut se résoudre à accepter cette situation.

Sam venait chaque matin au volant de sa Rolls gris métallisé, et se garait au parking de la coursive. Celia et lui arrivaient parfois en même temps – elle dans la limousine conduite par son chauffeur, ce qui lui rendait grand service, car elle pouvait ainsi travailler et lire des rapports pendant les trajets. Dans ces cas-là, Sam et elle se rendaient ensemble à leur bureau, empruntant la passerelle vitrée puis l'ascenseur jusqu'au dixième étage, patrie de la direction. S'ils échangeaient quelques mots, c'était Celia qui en prenait l'initiative.

Une fois dans son bureau, Sam n'en bougeait plus guère de toute la journée. Nul ne cherchait à savoir ce qu'il y faisait mais, à l'exception de quelques notes de service anodines, il n'en sortait rien de particulier. Il n'assistait jamais aux réunions de la direction.

Dès le lendemain de son retour, il ne faisait plus aucun doute que c'était Celia qui dirigeait la maison.

C'était à elle que l'on soumettait les problèmes les plus importants, ainsi que toutes les questions demeurées en suspens ces derniers mois. C'était à elle encore que l'on demandait de prendre les décisions engageant l'avenir de la compagnie. Elle réglait tout avec détermination, fermeté, et bon sens, comme elle avait toujours agi.

Elle passait le plus clair de son temps en réunions avec des avocats.

Les premières poursuites en justice furent entamées dès qu'éclata au grand jour l'affaire Montayne, avec la nouvelle de son retrait du marché. Certaines d'entre elles paraissaient justifiées. Il était déjà né aux Etats-Unis quelques bébés, dont des prématurés, présentant des malformations analogues à celles déjà constatées dans d'autres pays, et liées à l'absorption de Montayne pendant la grossesse.

Inévitablement, cette liste de cas allait s'allonger. Une estimation confidentielle du nombre total de bébés qui naîtraient aux Etats-Unis avec des malformations parlait d'un peu plus de quatre cents cas. Ce chiffre avait été obtenu par l'étude des statistiques déjà disponibles en France, en Espagne, en Angleterre, et ailleurs. Il prenait en considération la durée de la présence du Montayne sur ces marchés, les quantités de produits vendues, et les chiffres correspondants pour les Etats-Unis.

D'autres poursuites émanaient de femmes qui avaient pris du Montayne pendant leur grossesse, mais dont les enfants n'étaient pas encore nés; il s'agissait alors de poursuites anticipées motivées par la peur, pour la plupart, accusant Felding-Roth de négligence. Enfin, il y en avait aussi un petit nombre jugées infondées ou frauduleuses. Mais il allait cependant falloir faire face à toutes les attaques, ce qui représentait d'énormes frais et d'innombrables discussions avec les avocats.

Quant au coût global, Celia – qui avait dû très rapidement s'instruire sur une question entière-

524

ment nouvelle pour elle – découvrit que Felding-Roth avait souscrit une assurance couvrant sa responsabilité à concurrence de cent trente-cinq millions de dollars. Et, pour la même raison, la société gardait encore en réserve vingt millions de dollars.

« Ces cent cinquante-cinq millions de dollars peuvent paraître beaucoup d'argent, et peut-être suffiront-ils à régler tous les cas que nous pourrons traiter à l'amiable, déclara Childers Quentin à Celia. Mais à votre place, je n'y compterais pas trop. Vous allez vraisemblablement devoir en trouver davantage. »

Quentin, un vieil homme charmant, aux cheveux blancs et aux manières affables, dirigeait à Washington un cabinet juridique spécialisé dans les questions pharmaceutiques, et en particulier dans la défense des laboratoires poursuivis en justice. Ses services avaient été sollicités sur le conseil des avocats de Felding-Roth.

Celia apprit que, parmi ses collègues, Quentin était surnommé « Monsieur Règlalamiable », à cause de ses talents de négociateur – « il a le sang-froid d'un joueur de poker de très haute volée », commentait un avocat de la firme – et parce qu'il savait exactement *jusqu'où* aller, pour régler les différends sans avoir à passer devant les tribunaux.

Celia décida très vite de faire confiance à Childers Quentin, guidée en cela par la sympathie qu'il lui inspirait.

« Nous devons proposer très rapidement des accords raisonnables et généreux, lui expliqua-t-il. Ces deux derniers points sont essentiels, pour contenir une situation désastreuse dans des limites supportables. Et pour ce qui est de la générosité, ne perdez pas de vue que la *pire* des choses serait qu'*un seul* cas passe en justice, et obtienne du jury des indemnités de plusieurs millions de dollars. Cela créerait un précédent, et ce serait la curée – c'est-à-dire la faillite pour votre société.

– Avons-nous vraiment une chance de pouvoir tout régler à l'amiable?

– Bien plus grande que vous ne l'imaginez. Lorsqu'un tort irréparable est causé à leur enfant, comme c'est le cas avec le Montayne, la première réaction des parents est le désespoir. Ensuite vient la colère. Les parents veulent alors punir ceux qui ont provoqué leur désespoir, et pour cela ils font appel à un avocat. Ce qu'ils veulent avant tout, c'est leur jour de gloire au tribunal, en quelque sorte. »

Mais nous, les avocats, nous sommes plus pragmatiques. Nous savons qu'un procès peut se perdre, même pour de mauvaises raisons. Nous savons aussi que l'instruction du procès, l'encombrement des tribunaux et les artifices de procédure employés par la défense peuvent retarder de plusieurs années la comparution. Et là, même si l'on gagne, les appels peuvent encore faire traîner l'affaire pendant des années.

Les avocats savent aussi que, la première bouffée de colère passée, leurs clients vont perdre toute illusion et s'épuiser. Les enquêtes préliminaires risquent d'envahir leur vie, en ravivant constamment leur douleur. Chaque fois, les gens regrettent de n'avoir pas tout réglé au début et repris tant bien que mal le cours de leur existence.

« Oui, admit Celia, je comprends cela.

– Autre chose, encore. Les avocats spécialisés dans ce genre d'affaire, et avec qui nous allons devoir traiter, se préoccupent de leurs propres intérêts aussi bien que de ceux de leurs clients. Bon nombre d'entre eux prennent ces dossiers en main en échange d'une rémunération au pourcentage, et ils reçoivent un tiers, ou parfois même plus, de la somme allouée. Mais les avocats ont des frais aussi – des frais professionnels et doivent assurer leur standing... (Quentin haussa les épaules.) Ils sont comme vous et moi. Ils aiment mieux avoir leur argent tout de suite que dans un avenir incertain, et c'est un facteur qui entre en ligne de compte pour le règlement à l'amiable.

– Sans doute, en effet. (Les pensées de Celia avaient un peu erré, pendant qu'il lui parlait.) Depuis que je suis revenue, il y a des jours où j'ai l'impression d'être devenue froide et calculatrice, et de ne penser au Montayne et à tout ce qui s'est passé qu'en termes d'argent.

– Je vous connais déjà suffisamment, protesta Quentin, pour savoir que cela n'arrivera jamais. Et sachez aussi, au cas où vous penseriez le contraire, que je ne reste pas non plus indifférent à cette terrible tragédie. Oui, j'ai un travail à faire et je le ferai. Mais je suis père et grand-père, et la pensée de tous ces enfants détruits me brise le cœur. »

Au cours de cet entretien et de ceux qui suivirent, il fut convenu qu'un supplément de cinquante millions de dollars permettrait sans doute de régler tous les cas.

Par ailleurs, on estimait à huit millions de dollars le coût du rappel, du retrait, et de la destruction de tous les stocks existants de Montayne.

Quand Celia fit part de ces conclusions à Seth Feingold, il hocha gravement la tête, mais parut moins alarmé par ces chiffres qu'elle ne l'avait craint.

« Nous avons bénéficié de deux concours de circonstances cette année, lui expliqua-t-il. D'une part, les bénéfices exceptionnels que nous rapportent les O.T.C.; et d'autre part un revenu considérable et inattendu provenant des taux de change.

Normalement, bien sûr, ce sont les actionnaires qui auraient perçu ces bénéfices. Mais étant donné la situation actuelle, ils serviront à constituer la réserve supplémentaire de cinquante millions.

– Eh bien, soyons reconnaissants envers ces deux « concours de circonstances », déclara Celia. Elle se souvenait que d'autres fois, déjà, les O.T.C., naguère méprisés, avaient permis à Felding-Roth de traverser des passes difficiles.

« Il y a encore une chose qui semble jouer en notre faveur, reprit Seth, ce sont les résultats encourageants des recherches menées en Angleterre. Je suppose que vous êtes au courant.

– Oui. J'ai lu les comptes rendus.

– Si c'était nécessaire, cette perspective nous permettrait d'emprunter à des banques. »

Celia avait été ravie d'apprendre les progrès réalisés à Harlow, qui allaient sans doute bientôt aboutir à l'élaboration d'un nouveau produit, le Peptide 7 – « bientôt », en langage pharmaceutique, signifiait encore deux années avant de pouvoir soumettre le produit à l'approbation des services gouvernementaux.

Dans l'espoir que Sam s'intéresserait de nouveau à la vie de la maison, Celia était allée discuter avec lui des dernières découvertes faites à Harlow.

Comme la création de ce centre avait été une de ses idées, et qu'il avait lutté pout obtenir gain de cause, elle s'était dit qu'il aurait plaisir à voir justifiée sa foi, et elle espérait que cela le sortirait un peu de sa terrible dépression. Ce fut un échec complet. Sam répondit par l'indifférence. Il refusa également l'offre d'aller s'entretenir avec Martin Peat-Smith à Harlow, afin d'évaluer l'importance de ce qui se passait là-bas.

« Non, Celia, merci. Je suis certain que vous

pourrez fort bien vous renseigner par d'autres moyens. »

Mais l'attitude de Sam ne changeait rien au fait que Harlow allait désormais beaucoup compter pour l'avenir de Felding-Roth.

Et autre chose aussi.

Les longues années de recherches de Vincent Lord dans le domaine de l'élimination des radicaux libres avaient enfin commencé à produire des résultats positifs. Et les promesses paraissaient suffisamment importantes – tout semblait annoncer une grande découverte scientifique, telle qu'en rêvait Lord depuis toujours – pour que les laboratoires américains de Felding-Roth entreprennent un effort massif de recherche dans ce sens.

Le Peptide 7 de l'équipe britannique allait sans aucun doute être réalisé en premier, mais la découverte de Vincent Lord, provisoirement désignée sous le nom de Hexine W, allait vraisemblablement suivre à un ou deux ans d'intervalle.

Cette évolution de la situation eut un second effet : elle raffermit l'avenir de Lord chez Felding-Roth. Celia avait d'abord envisagé – en repensant aux vigoureuses prises de position de Lord en faveur du Montayne, et pour diverses autres raisons – de le remplacer à la première occasion. Mais il paraissait désormais trop précieux pour être licencié.

Et c'est ainsi que, en dépit de l'ombre terrible du Montayne, le climat de la compagnie semblait s'ensoleiller.

CHAPITRE 43

A HARLOW, Yvonne Evans et Martin Peat-Smith passaient de plus en plus de temps ensemble.

Yvonne gardait le studio qu'elle avait loué en entrant au centre de recherches de Felding-Roth, mais s'y trouvait rarement. Elle passait tous les week-ends et presque toutes les nuits chez Martin, où elle avait pris en main tout l'aspect ménager de la vie de Martin. En même temps, leurs ébats amoureux ne perdaient rien de leur intensité.

Yvonne avait réorganisé la cuisine, qui étincelait maintenant d'ordre et de propreté. Et elle y préparait de savoureux repas, révélant un talent de cuisinière qui semblait être inné et lui procurer un vrai plaisir. Chaque matin avant qu'ils partent – séparément – pour travailler, elle faisait le lit, et changeait les draps plus souvent que ne le faisait Martin. Elle laissait des petits mots à la femme qui venait chaque jour faire le ménage, pour lui donner ses instructions de sorte que la maison avait pris cet aspect de lumineuse propreté que seule peut donner une réelle attention aux détails.

Yvonne introduisit également quelques changements dans la vie animale de la maisonnée. Elle amena son chat siamois puis, un samedi où seul Martin travaillait, elle apporta des outils et perça une chatière dans une porte, à l'arrière de la maison. Tous les chats pouvaient désormais aller et venir comme ils le voulaient, ce qui eut un effet très sain sur eux et sur toute la maisonnée.

Quand elle restait dormir, Yvonne faisait courir les chiens le matin de bonne heure, ce qui complétait l'exercice que leur donnait leur maître chaque soir.

Tout cela plaisait fort à Martin.

Il aimait aussi son babillage gai, et généralement anodin. Elle parlait d'une multitude de sujets sans importance – les nouveaux films, la vie privée des vedettes, les chanteurs pop et leurs extravagances; les magasins de Londres qui faisaient des soldes, et ce qu'on trouvait chez Marks & Spencer; les programmes de télévision; les potins du centre – qui se fiançait, qui attendait un enfant ou allait divorcer; les écarts du clergé, relatés par la presse britannique toujours vigilante; éventuellement même un scandale politique...

Curieusement, Martin supportait assez bien ces bavardages, et il lui arrivait même de les trouver délassants, comme une musique de fond.

L'un des sujets d'intérêt – presque de passion – d'Yvonne était le prince Charles. Largement étalée dans la presse, sa vie sentimentale fascinait Yvonne et lui causait parfois même du souci. Elle en parlait interminablement. Un nom fréquemment associé à celui du prince était à l'époque celui de la princesse Marie-Astrid de Luxembourg. Yvonne refusait de prendre au sérieux ces commérages. « Ce serait un mariage raté, disait-elle à Martin. D'abord, elle est catholique, et puis ce n'est pas du tout son genre.

« Comment le sais-tu? demandait-il avec étonnement.

– Je le sens bien. »

Lady Amanda Knatchbull, autre candidate, lui convenait mieux.

« Elle pourrait faire l'affaire, admettait Yvonne. Mais si seulement il se montrait patient, je suis sûre qu'il finirait par trouver mieux, la perle rare.

– Il doit sûrement s'inquiéter, railla Martin. Pourquoi ne lui écris-tu pas pour l'en avertir ? »

Yvonne poursuivit songeusement, avec un peu de poésie, comme si elle n'avait rien entendu :

« Ce qu'il lui faudrait, c'est une vraie rose anglaise. »

Un soir, après avoir fait l'amour avec elle, Martin taquina Yvonne :

« Tu t'imaginais sûrement que j'étais le prince Charles, n'est-ce pas ? »

Et elle répondit malicieusement :

« Comment le sais-tu ? »

Malgré son penchant pour le bavardage, Yvonne n'avait rien d'une cervelle d'oiseau. Elle s'intéressait à de nombreux autres sujets et en particulier aux recherches sur le processus du vieillissement mental, que Martin lui expliquait patiemment et qu'elle semblait comprendre. Curieuse de la dévotion qu'il marquait pour les écrits de John Locke, elle tenta à plusieurs reprises de se plonger dans les *Essais*, et Martin l'y surprit, le front plissé par la concentration.

« Ce n'est pas facile à lire, avoua-t-elle.

– Non, pour personne, lui dit-il. Il faut se donner du mal pour y parvenir. »

Quant à leur liaison, Martin était certain que des commérages devaient circuler – Harlow était une trop petite ville pour qu'on pût espérer le contraire. Mais Yvonne et lui demeuraient discrets au centre, et ne communiquaient entre eux que dans la mesure où le travail l'exigeait. Martin considérait que sa vie privée ne regardait que lui.

Il n'avait pas réfléchi à la durée de leur liaison, mais, à la façon dont il leur arrivait d'en parler, il était clair qu'ils ne faisaient aucun projet d'avenir et considéraient leur amour comme une aventure qui ne serait pas éternelle.

Ils partageaient cependant un grand enthousiasme pour la progression des recherches à Harlow.

Dans l'un des rares comptes rendus adressés à la maison mère, Martin écrivit : « Nous connaissons désormais la structure du Peptide 7. Le gène a été produit, introduit dans des bactéries, et d'importantes quantités sont prêtes. » Le processus, expliquait-il, ressemblait beaucoup à « la préparation de l'insuline humaine ».

Parallèlement, l'expérimentation concernant l'innocuité et l'efficacité du Peptide 7 se poursuivait et le nombre des données animales obtenues était tel que, d'ici quelques mois, la permission d'entamer les expériences sur des humains pourrait être sollicitée.

Martin n'avait pu empêcher les fuites, et la presse eut bientôt vent de ses recherches. Il refusa toutes les demandes d'interviews, estimant qu'il était prématuré d'annoncer quoi que ce fût mais les journalistes trouvèrent d'autres sources d'information et publièrent quand même quelques articles. Dans l'ensemble, ils ne se trompaient pas. Ils parlaient beaucoup d'un « produit miracle pour retarder le vieillissement, actuellement à l'essai sur des animaux », ainsi que du « remarquable effet amaigrissant de ce médicament ». Martin fut néanmoins exaspéré de voir qu'un membre de l'équipe scientifique avait commis des indiscrétions.

Sur les instructions de Martin, Nigel Bentley tenta de découvrir qui avait parlé. Mais en vain.

« En vérité, fit observer l'administrateur, ces fuites ne vous ont causé aucun tort. Le monde scientifique a déjà une idée assez claire de ce que vous faites – souvenez-vous des deux experts que vous avez consultés. Et le fait d'exciter le public dès maintenant pourrait fort bien, au contraire, stimuler les ventes par la suite. »

Peu convaincu, Martin abandonna cependant la question.

Ces articles eurent également pour conséquence regrettable de provoquer un flot de lettres, de tracts, et de pétitions envoyés par des mouvements de protection des « droits des animaux » – mouvements extrémistes qui s'opposaient à toute expérimentation animale. Martin et son équipe y étaient parfois décrits comme des « sadiques », des « bourreaux », des « barbares », et des « criminels sans cœur ».

Comme le fit remarquer Martin à Yvonne, après avoir lu quelques-unes de ces lettres :

« Tous les pays ont leurs cinglés anti-expérimentation, mais c'est l'Angleterre qui bat les records. (Il prit une autre lettre, puis la reposa d'un air écœuré.) Ces gens ne souhaitent pas seulement que les souffrances des animaux soient limitées au strict minimum – ce à quoi j'adhère totalement, et je suis favorable à une législation dans ce sens. Mais ils veulent que *toutes* les recherches scientifiques qui ont recours à des expérimentations animales soient supprimées.

– Crois-tu qu'un jour la recherche pourra se faire sans animaux ?

– Un jour, peut-être. Déjà maintenant, là où bien souvent nous utilisions des animaux, nous employons désormais des méthodes comme la culture des tissus, la pharmacologie quantique, et les ordinateurs. Mais se passer entièrement d'animaux... (Martin hocha la tête.) Cela arrivera peut-être un jour, mais pas avant très longtemps.

– Ne te laisse pas abattre. (Yvonne ramassa les lettres de protestation et les fit disparaître dans un porte-documents.) Et puis, pense à *nos* animaux à nous. Grâce au Peptide 7, ils sont en bien meilleure santé, et beaucoup plus intelligents. »

Mais ses paroles ne parvinrent pas à remonter le moral de Martin. Ce récent afflux de courrier l'avait attristé.

Au centre de recherches, cependant, le contraste avec l'atmosphère des premiers temps à l'époque des tâtonnements, quand les progrès étaient si maigres, et les résultats toujours négatifs – était tel que Martin confia à Rao Sastri : « Je suis inquiet. Quand tout va aussi bien, on peut être sûr qu'un gros pépin vous attend au prochain tournant. »

Ces mots se révélèrent véritablement prophétiques – et bien plus tôt qu'on n'aurait pu s'y attendre.

Ce fut le week-end suivant, dans la nuit du samedi au dimanche, que la sonnerie du téléphone réveilla Martin vers une heure du matin. Yvonne dormait à son côté.

Martin décrocha, et entendit la voix de Nigel Bentley.

« Je suis à l'institut, expliqua l'administrateur. C'est la police qui m'a appelé, et je pense que vous devriez venir aussi.

– Que s'est-il passé?

– Ce sont malheureusement de mauvaises nouvelles, répondit Bentley d'une voix sombre. Mais j'aimerais mieux que vous le constatiez par vous-même. Pouvez-vous être ici assez rapidement?

– Je pars à l'instant. »

Yvonne était réveillée, à présent. Voyant que Martin commençait à s'habiller en toute hâte, elle se leva à son tour.

Ils partirent ensemble, dans la voiture de Martin. Au centre de recherches, il y avait déjà plusieurs voitures, dont deux véhicules de police équipés de gyrophares bleus. Une voiture de pompiers s'éloignait. Les portes d'entrée du centre étaient ouvertes.

Bentley et un inspecteur de police en uniforme les accueillirent à l'intérieur. S'il fut surpris de voir arriver Yvonne, Bentley n'en laissa rien paraître.

« Nous avons été attaqués, dit-il. Par des amis des animaux.

– Des *amis des animaux*? Le front de Martin se plissa.

– En fait, monsieur, intervint l'inspecteur de police, l'attentat a été revendiqué par l'Armée de Sauvegarde des Animaux. Elle a déjà fait parler d'elle. L'inspecteur arborait l'expression résignée d'un homme qui a déjà vu bien des folies humaines, et s'attend à en voir encore d'autres. »

Martin demanda d'un ton impatient :

« Qu'ont-ils fait exactement? Que s'est-il passé?

– Ils sont entrés par effraction, expliqua Bentley. Et puis ils ont libéré tous les animaux. Il en reste quelques-uns éparpillés dans l'immeuble, mais la plupart des cages ont été sorties à l'extérieur avant d'être ouvertes, et les animaux se sont sauvés. Ensuite, ils ont pris tous les dossiers qu'ils ont pu trouver, les ont sortis, et les ont aspergés d'essence.

– Enfin, ils ont mis le feu, compléta l'inspecteur. Quelqu'un les a vus d'un autre bâtiment, et a donné l'alarme. Nous sommes arrivés en même temps que les pompiers, et nous avons pu arrêter deux suspects, un homme et une femme. De son propre aveu, l'homme a déjà fait de la prison pour le même motif.

— Les deux personnes arrêtées se trouvent dans mon bureau, reprit Bentley. Il semblerait qu'ils soient venus à six. Ils ont maîtrisé le gardien et l'ont enfermé dans un placard. Ils savaient également neutraliser le système d'alarme.

— Toute l'opération a fait l'objet de préparatifs minutieux, dit l'inspecteur. Ces gens-là sont des spécialistes. »

Martin n'entendait plus. Il avait les yeux fixés sur quatre rats réfugiés dans un coin du grand hall, serrés les uns contre les autres. Effrayés par des voix, les rats s'enfuirent en direction d'une autre porte ouverte. Martin les suivit, pour aller constater l'état des laboratoires et des salles d'animaux.

Il s'y trouva confronté au chaos et à la confusion. Les cages qui n'avaient pas été emportées étaient ouvertes et vides. Des livres de références avaient disparu. Les tiroirs avaient été arrachés, et une partie de leur contenu jonchait le sol. De nombreux dossiers manquaient. Sans doute avaient-ils été brûlés.

Bentley, l'inspecteur et Yvonne avaient suivi Martin.

Yvonne murmura : « Oh! mon dieu! »

Quant à Martin, bouleversé, il n'arrivait à articuler que : « Pourquoi? Mais pourquoi? »

L'inspecteur suggéra :

« Peut-être pourriez-vous poser cette question aux deux individus que nous avons appréhendés, docteur. »

Martin acquiesça sans un mot, et l'inspecteur prit la tête du groupe en direction du bureau de l'administrateur. A l'intérieur, un jeune policier gardait un homme et une femme.

Agée d'une trentaine d'années, la femme était grande et mince, avec un nez aquilin et des traits hautains. Elle portait les cheveux coupés très courts, et une cigarette lui pendait aux lèvres. Elle était vêtue d'un jean moulant, d'une chemise à carreaux, et de bottes cuissardes en plastique. A l'entrée de l'inspecteur et des autres, elle posa sur eux un regard méprisant, sans doute indifférente au fait qu'elle eût été arrêtée.

L'homme, environ du même âge, était assez frêle et, en d'autres circonstances, on aurait pu le croire faible et doux. Il avait l'air d'un employé de bureau, avec un début de calvitie, les épaules un peu voûtées, et des lunettes cerclées d'acier. Il eut un faible sourire à l'adresse de ceux qui entraient – un air de défi.

« Voici nos deux lascars, annonça l'inspecteur. Nous les avons avertis que tout ce qu'ils diraient pourrait être retenu contre eux, mais ils semblent vouloir parler. Tout fiers d'eux-mêmes, apparemment.

– Et à juste titre, riposta l'homme. (Il parlait d'une voix mal assurée, et toussa nerveusement pour se reprendre.) Nous avons commis une noble action. »

Martin se laissa emporter :

« Vous rendez-vous compte de ce que vous avez fait ? De la quantité de travail que vous avez gâchée, détruite ?

– Ce que nous savons, dit la femme, c'est que nous avons sauvé de la vivisection des créatures amies – nous les avons sauvées des tyrans comme vous, qui exploitez les animaux à vos propres fins égoïstes.

– Si vous le croyez vraiment, vous n'êtes que de

538

fieffés imbéciles doublés de sombres ignorants. (Martin se retenait de leur sauter à la gorge.) Tous les animaux que vous avez libérés étaient nés en captivité. Ceux qui sont sortis ne pourront pas survivre. Ils mourront atrocement. Et quant à ceux qui sont encore à l'intérieur, il va falloir les détruire.

– Cela vaudra mieux pour eux que d'avoir à endurer vos inhumaines cruautés, dit la femme.

– Il n'est pas inhumain! Il n'est pas cruel! (C'était Yvonne, cette fois, le visage enflammé et la voix aiguë.) Le docteur Peat-Smith est l'un des hommes les plus doux qui aient jamais existé. Il adore les animaux.

– Les animaux domestiques, sans doute! ricana l'homme.

– Nous sommes *contre* les animaux domestiques, renchérit la femme, car il s'agit d'une relation de maître à esclave. Nous considérons que les animaux ont les mêmes droits que l'homme. Ils ne doivent pas être enfermés, entravés, ou souffrir dans le seul dessein de rendre les humains plus heureux ou plus sains. » (Sa voix ferme et mesurée avait le ton de la certitude morale la plus absolue.)

L'homme ajouta :

« Nous considérons également que l'espèce humaine n'a aucune supériorité sur les autres espèces.

– Dans votre cas, lança l'inspecteur, je dois dire que c'est vrai. »

Martin s'adressa à la femme.

« Votre bande de cinglés et vous-même venez de détruire le résultat d'années de recherches scientifiques qu'il va falloir recommencer. Et en attendant que tout soit reconstitué, des milliers, peut-être même des centaines de milliers de braves gens seront, à cause de vous, privés d'un médicament qui aurait pu rendre leur existence meilleure, plus supportable...

– Eh bien, tant mieux pour l'Armée de Sauvegarde des Animaux! interrompit la femme, méprisante, en crachant littéralement ses paroles à la face de Martin. Je suis ravie d'apprendre que nos efforts ont été couronnés de succès. Et si ce que vous appelez recherche scientifique, et que moi j'appelle des atrocités barbares, se poursuit, j'espère que vous en mourrez un jour, dans d'horribles souffrances.

– Espèce de folle! »

Yvonne hurla ces mots en se jetant sur elle. Il y eut un moment d'effarement, où personne ne se rendit compte de ce qui se passait. Toutes griffes dehors, Yvonne avait attaqué la prisonnière.

A eux deux, Martin et l'inspecteur parvinrent à tirer Yvonne en arrière.

La militante de l'Armée de Sauvegarde des Animaux se mit à hurler.

« C'est une agression! J'ai été agressée! (Deux longues estafilades lui traversaient le visage, et elle cria aux deux policiers :) Arrêtez cette salope! Il faut l'inculper de coups et blessures.

– Arrêter cette dame? (L'inspecteur semblait peiné. Il jeta un coup d'œil à Yvonne, toute tremblante, qui semblait en état de choc.) L'arrêter pour quoi? Je n'ai observé aucune agression. (Il se tourna vers le jeune policier.) Et vous?

– Non, chef. Je présume que la prisonnière a dû recevoir ces marques au visage en ouvrant les cages des animaux. »

Martin entoura Yvonne de son bras.

« Allons-nous-en. Nous ne gagnerons rien à parler avec ces gens. »

En partant, ils entendirent l'inspecteur demander :

« Et maintenant, soyez un peu raisonnables et donnez-moi les noms de ceux qui étaient avec vous.

— Va te faire voir, sale flic », répliqua la femme.

Bentley avait suivi Martin et Yvonne.

« Ces deux-là iront en prison, dit-il.

— Je l'espère bien! s'exclama Yvonne.

— Oui, ils iront en prison, dit l'administrateur d'un ton rassurant. Et ils y retrouveront d'autres membres de leur Armée de Sauvegarde des Animaux, qui s'y trouvent déjà pour d'autres actions analogues. Ils se voient tous comme des martyrs. J'ai lu beaucoup de choses à leur sujet. Il paraît qu'ils ont des centaines de sympathisants dans le pays. (Il ajouta sombrement :) Je regrette. J'aurais dû prévoir cela.

— Aucun de nous ne l'aurait pu, dit Martin. Dès demain, nous commencerons à nettoyer et à faire le compte de ce qui reste. »

CHAPITRE 44

L'ÉVALUATION des dégâts – tâche démoralisante – prit plusieurs jours. Finalement, Martin estima que le raid « pour la cause des animaux » entraînerait un retard de deux ans.

Au milieu des papiers brûlés, on ne put sauver que quelques dossiers. Par la suite, Nigel Bentley dit à Martin : « Ces fous savaient apparemment ce qu'ils cherchaient, et où le trouver. Cela signifie qu'ils bénéficiaient de complicités à l'intérieur et, d'après la police, cela correspond bien à leurs méthodes habituelles. Ce qu'ils font, paraît-il, c'est qu'ils persuadent des employés du ménage ou de l'entretien de devenir informateurs. Je vais tâcher de découvrir qui sont les traîtres, mais je n'ai pas grand espoir. »

Bentley, de plus, mettait en œuvre d'importantes mesures de sécurité pour l'avenir. Comme il le disait : « D'une certaine manière, nous venons de faire un exercice d'alerte, mais ces fous-là ne renoncent pas volontiers, et ils risquent de revenir. »

Martin fit son rapport à la maison mère dès le lendemain. Il parla directement avec Celia Jordan, dont il avait été ravi d'apprendre le retour au sein de la compagnie quelques jours plus tôt : il exprima le regret que leur première conversation concerne de mauvaises nouvelles.

Celia fut choquée en apprenant les dévastations dont Harlow avait été l'objet – tellement aux antipodes des récents comptes rendus faisant état de la progression des recherches sur le Peptide 7. Elle interrogea Martin sur les retards à prévoir.

« Il faut refaire toutes les expérimentations animales pour reconstituer nos dossiers, dit-il, et pouvoir ainsi présenter la demande d'autorisation. Ce sera une terrible perte de temps et d'argent, mais nous n'avons pas le choix.

– Etes-vous sûr que deux ans suffiront?

– C'est un maximum. Si nous pouvons gagner quelques mois, nous le ferons. Nous en savons beaucoup plus qu'il y a deux ans, et nous trouverons certainement des raccourcis. Nous ferons tous de notre mieux.

– Je veux que vous sachiez que le Peptide 7 a pris une très grande importance pour nous, déclara Celia. Vous souvenez-vous d'une conversation que nous avons eue chez vous? Vous m'aviez dit qu'avec un peu de temps vous découvririez un médicament important, qui ferait gagner beaucoup d'argent à Felding-Roth? Ce sont vos propres mots. »

A l'autre bout de la ligne, Martin grimaça.

« J'ai bien peur de m'en souvenir, en effet. Je ne me comportais pas en vrai chercheur, et j'espère que cette conversation restera entre nous.

– Ne craignez rien. Mais je vous la rappelle parce que la première partie de votre prédiction s'est réalisée. Et maintenant nous avons plus que jamais besoin de voir la seconde partie se vérifier.

– Deux ans pour revenir où nous en étions, répéta Martin. Raccourcis ou non, ce ne sera pas beaucoup plus bref. »

Mais cet entretien l'encouragea à hâter la réorganisation. De nouveaux animaux furent commandés et, dès leur livraison, toute l'équipe retrouva la routine lassante des expériences déjà faites long-temps auparavant. Trois semaines plus tard, les dossiers commençaient à se reconstituer.

Depuis la nuit du saccage, et pendant toute la période qui suivit, Yvonne soutint Martin au moral comme au physique. Elle prit totalement en charge sa vie domestique, ne lui demandant rien et faisant tout, afin que le Centre ne soit privé ni de son attention ni de son énergie. A d'autres moments, elle le réconfortait, et elle semblait savoir intuitive-ment quand se faire silencieuse et attentive ou, au contraire, quand le distraire par son joyeux babil-lage. Un soir, après une journée particulièrement dure, elle lui demanda de s'allonger à plat ventre sur le lit, et lui fit un massage suédois de relaxation qui le plongea bientôt dans un sommeil profond, d'où il n'émergea qu'au matin.

Le lendemain, Martin lui demanda où elle avait appris à faire ce genre de choses, elle répondit :

« A une époque, j'ai partagé un appartement avec une masseuse. C'est elle qui m'a montré comment faire.

— J'ai remarqué une chose, dit-il, c'est que tu ne manques jamais une occasion de t'instruire. Exacte-ment comme tu l'as fait avec John Locke. L'as-tu relu, ces derniers temps?

— Oui. (Yvonne hésita, puis ajouta :) J'ai trouvé un passage de son *Essai* qui correspond tout à fait à ces militants " pour la Sauvegarde des Animaux ". C'est à propos de l'enthousiasme.

— Je ne suis pas sûr de m'en souvenir. Pourrais-tu le retrouver? »

L'*Essai* de Locke se trouvait à l'autre bout de la pièce mais, sans se donner la peine d'aller le chercher, Yvonne récita :

« La révélation immédiate étant un moyen beaucoup plus facile d'établir ses opinions et de régler sa conduite que le travail ardu et souvent ingrat d'un raisonnement rigoureux, il n'est guère surprenant que certains aient si bien su feindre la révélation, et se persuader que le ciel les guide dans leurs actions et leurs opinions... »

Martin la dévisageait avec ébahissement. En le voyant, elle s'interrompit, rougit légèrement, puis continua.

« L'esprit ainsi préparé, la moindre opinion infondée qui s'empare de leur fantaisie devient une illumination de l'Esprit de Dieu soutenue par l'autorité divine; et quelque étrange action qu'ils trouvent en eux-mêmes l'inclination à accomplir, ils voient dans cette impulsion un appel ou un ordre du ciel... »

Yvonne se tut, retint un petit rire, puis articula d'un ton gêné.
« Cela suffit.
— Non, non! s'exclama Martin. Je t'en prie, continue. Si tu peux. »
Elle répondit, incertaine :
« Tu te moques de moi.
— Pas le moins du monde.
— Bon. »
Elle reprit le fil de sa récitation.

« ... l'enthousiasme, qui, bien qu'il ne soit fondé ni sur la raison ni sur l'inspiration divine, mais provienne de la complaisance d'un cerveau échauffé ou présomptueux... les hommes obéissent le plus volontiers aux élans qu'ils reçoivent d'eux-mêmes... Car une forte complaisance, tel un nouveau principe, emporte tout aisément, lorsqu'elle s'élève au-dessus du sens commun et se libère des contraintes de la raison... »

Yvonne acheva de citer le passage, puis se tut, posa ses grands yeux bleus sur Martin, attendant sa réaction. Elle semblait douter d'elle-même.

Incrédule, il déclara :

« Je m'en souviens bien, à présent. Et je ne crois pas que tu en aies changé un seul mot. *Comment as-tu fait* ?

– Eh bien, je... je me rappelle les choses.

– N'importe quoi ? De manière aussi détaillée ?

– Je crois, oui. »

Martin se souvint alors que, quand elle lui racontait des potins sans importance, Yvonne semblait toujours avoir retenu chaque détail – les noms, les dates, les lieux, etc. Il avait remarqué cela inconsciemment, mais sans y attacher d'importance jusqu'à maintenant.

« Combien de fois dois-tu lire un texte pour le retenir ? demanda-t-il.

– D'habitude, une fois suffit. Mais pour Locke, j'ai dû m'y reprendre à deux fois. Yvonne gardait un air gêné, comme si Martin avait découvert un secret honteux.

– Je veux tenter une expérience », dit-il.

Il alla dans une autre pièce chercher un livre de Locke qu'Yvonne n'avait à coup sûr jamais vu. Il l'ouvrit à une page qu'il avait marquée un jour, et lui dit : Lis ce passage.

« Je peux le lire deux fois?

– Bien sûr. »

Elle baissa la tête, ses longs cheveux blonds retombant en avant tandis qu'elle lisait, fronçant les sourcils dans l'effort, puis elle donna le livre à Martin. « Dis-moi ce que tu as lu », dit-il, et il suivit du doigt le texte à mesure qu'elle récitait.

« Il existe des vérités essentielles qui constituent le fondement, la base sur laquelle reposent beaucoup d'autres, et dans laquelle elles puisent leur solidité. Ce sont là des vérités vivantes, riches, qui meublent l'esprit et, telles les lumières du ciel, ne sont pas seulement belles et plaisantes en elles-mêmes, mais éclairent et démontrent d'autres choses que, sans elles, on ne pourrait voir ni connaître. Ainsi de l'admirable découverte de M. Newton que tous les corps gravitent... »

Elle poursuivit ainsi l'expérience pendant plusieurs paragraphes, et chaque fois Martin constatait que les mots correspondaient exactement à ce qu'il pouvait lire.

A la fin, Yvonne déclara :

« C'est un très beau texte.

– Et toi, tu es magnifique, dit-il. Tu possèdes quelque chose d'extraordinaire – sais-tu ce que c'est? »

A nouveau l'embarras, l'incertitude.

« Dis-le-moi.

– Tu as une mémoire photographique. C'est un don extrêmement rare et précieux. Tu devais bien le savoir, non?

– D'une certaine façon, oui. Mais je n'ai jamais voulu être différente. Etre une bête curieuse. »

La voix d'Yvonne se brisa. Pour la première fois depuis qu'il la connaissait. Martin la sentit au bord des larmes.

« Mais qui diable a pu te parler de bête curieuse?

– Un prof, à l'école. »

A force de questions et de tendresse, Martin parvint à lui faire raconter l'affaire.

Grâce à sa mémoire photographique, elle avait, lors d'une composition, reproduit mot pour mot le texte du cours. Le professeur qui avait corrigé son devoir l'avait accusée de tricher et, ensuite, n'avait pas voulu entendre ses protestations. Désespérée, Yvonne s'était alors prêtée à une expérience de mémorisation semblable à celle que Martin venait de lui faire effectuer.

Vexé de s'être trompé, le professeur s'était moqué du don d'Yvonne et l'avait traitée de « bête curieuse » qualifiant d'idiot ce type d'apprentissage.

Martin l'interrompit.

« Cela n'a rien d'idiot, si tu comprends ce que tu retiens.

– Oh! Je comprenais bien.

– Je le crois volontiers, dit-il. Tu as un très bon cerveau – je l'ai déjà vu à l'œuvre. »

Après cette scène avec le professeur, Yvonne avait non seulement caché son talent, mais s'était même efforcée de l'étouffer. En travaillant, elle prenait grand soin de ne retenir aucune phrase, et y parvenait en partie. Mais, ce faisant, elle avait également amoindri la qualité de sa compréhension, et elle avait fini par obtenir de mauvaises notes et échouer à l'examen d'entrée à l'école vétérinaire.

« Les professeurs peuvent accomplir des choses

formidables, lui affirma Martin, mais ceux qui sont stupides peuvent causer de grands dommages. »

Attristée par l'évocation de ses souvenirs, Yvonne ne répondit rien, et Martin se plongea dans ses réflexions.

Après un long silence, il déclara :

« Tu as fait beaucoup de choses pour moi. Peut-être que, pour changer, je pourrais faire quelque chose pour toi. Cela te plairait encore, de devenir vétérinaire? »

La question surprit Yvonne.

« C'est possible?

— Bien des choses sont possibles. La seule question, c'est : le *veux*-tu?

— Bien entendu. C'est ce que j'ai toujours voulu.

— Alors je vais me renseigner, dit Martin. Et nous verrons ce que je pourrai trouver. »

Ce ne fut pas long.

Deux jours plus tard, après le dîner qu'Yvonne avait préparé chez lui, Martin déclara :

« Viens t'asseoir. J'ai des choses à te dire. »

Dans la petite salle de séjour, il s'installa dans son fauteuil en cuir tandis qu'Yvonne se pelotonnait devant lui, assise sur le tapis. Malgré toutes ses bonnes intentions, elle n'avait perdu aucun poids, et Martin lui faisait bien comprendre que cela ne lui déplaisait pas; il aimait les courbes moelleuses de son corps.

« Tu *peux* présenter ta candidature à l'école vété-rinaire, lui annonça-t-il, et tu as toutes les chances d'y être acceptée. Tu pourras sans doute aussi décrocher une bourse d'études, car tu en auras bien besoin pour pouvoir vivre décemment, et le centre de recherches t'aidera également. Mais même si tu n'arrives pas à obtenir de bourse, je suis sûr que je trouverai autre chose.

– Mais il faudrait d'abord que je fasse des études préparatoires, que je passe des examens.

– Oui, et je me suis renseigné sur ce point. Tu devras passer trois unités de valeur – une en chimie, une en physique, et une, au choix, en zoologie, biologie, ou botanique. Etant donné l'expérience que tu as, c'est la zoologie qui s'impose.

– Oui, bien sûr. (Un doute apparut.) Cela m'obligerait à abandonner mon travail?

– Pas nécessairement, tant que tu prépareras tes unités de valeur. Tu pourras étudier le soir, et pendant les week-ends. Je t'aiderai. Nous travaillerons ensemble.

– Je n'arrive pas à y croire, murmura Yvonne.

– Tu y croiras mieux quand tu te rendras compte de tout le travail que cela représente.

– Oh! Je travaillerai dur, je te le promets.

– Je le sais. Et avec cette mémoire prodigieuse, tu y réussiras sans problèmes. Les examens ne seront qu'une formalité pour toi. (Il s'interrompit un instant pour réfléchir.) Il va falloir que tu apprennes à modifier le texte de tes cours, pour ne pas les réciter par cœur à l'examen. Inutile de rendre les examinateurs soupçonneux comme ta fameuse prof. Mais tu vas t'exercer à l'avance. Et puis il existe des techniques, pour passer les examens. Je te montrerai. »

Yvonne se releva d'un bond et lui jeta les bras autour du cou.

« Oh! Tu es merveilleux, mon amour, et tu as eu une idée magnifique! C'est ce qui m'est arrivé de plus beau dans toute ma vie.

– Eh bien, je pense exactement la même chose de toi. »

CHAPITRE 45

CHEZ Felding-Roth, dans le New Jersey, la douce euphorie qui avait suivi le retour de Celia ne dura guère.

La nouvelle du pillage de l'institut de Harlow y porta un premier coup grave. Puis, plus près, un drame plongea soudain la maison dans la consternation.

Ce fut un accident – tout au moins est-ce le mot « accident » qui fut finalement retenu par la police de Boonton pour classer l'affaire – qui se produisit moins d'un mois après le retour de Celia.

Quelques minutes avant neuf heures, la voiture de fonction de Celia arriva au parking de la coursive, tout près de l'entrée de la passerelle vitrée qui menait à l'immeuble Felding-Roth. Le chauffeur de Celia se gara à côté de la passerelle, sur la gauche car – comme il l'expliqua par la suite – il avait remarqué dans son rétroviseur, avant de pénétrer dans le garage, que la Rolls de M. Hawthorne le suivait d'assez près. Sachant que le président-directeur général allait se garer à sa place habituelle, entre un mur extérieur et la voiture de Celia, il avait laissé le plus d'espace possible sur sa gauche.

Celia n'aperçut la voiture de Sam qu'en sortant de la sienne, tandis que le chauffeur lui ouvrait la porte. Elle vit d'abord le capot, aisément reconnaissable, arriver au sommet de la rampe d'accès, puis le reste de la voiture.

Décidant de faire le trajet jusqu'à son bureau en compagnie de Sam, comme cela leur arrivait parfois, Celia attendit en regardant la superbe voiture – qui avait fait l'orgueil et la joie de Sam pendant des années – avancer lentement.

Puis tout se précipita.

Le puissant moteur de la Rolls rugit et, dans un crissement de pneus, la voiture s'élança brusquement à une vitesse qu'aucune autre voiture n'aurait pu atteindre en aussi peu de temps. Elle passa devant Celia et son chauffeur dans un éclair gris argent, traversa l'emplacement réservé à Sam, et sans ralentir fonça droit dans le mur. Ce mur, un simple parapet, constituait l'unique séparation entre le parking et le vide, à près de vingt mètres au-dessus du sol.

Dans un énorme craquement, le parapet céda, la voiture s'engouffra dans la brèche, puis disparut.

Aussitôt après, et pendant un moment qui parut interminable à Celia, ce fut le silence. Puis, d'en bas, hors de vue, parvint le bruit du choc, et l'affreux écrasement du métal et du verre brisé.

Le chauffeur se précipita vers l'endroit où le mur était démoli, et la première impulsion de Celia fut de le suivre. Elle se retint. Réfléchissant très vite, elle rentra dans sa voiture, et décrocha le téléphone pour appeler Police Secours. Elle indiqua l'adresse et demanda qu'on envoie d'urgence des policiers, un camion de pompiers et une ambulance. Puis elle composa le numéro du standard de Felding-Roth et demanda l'envoi sur les lieux de l'accident des médecins disponibles dans la maison. Ce fut seulement après avoir donné l'alerte que Celia rejoignit son chauffeur, près du mur béant.

Ce qu'elle vit l'horrifia.

La voiture de Sam était retournée sur le toit et complètement écrasée. C'est le pare-chocs qui avait dû heurter le sol en premier et l'avant s'était entièrement encastré dans l'habitacle. Le tout avait ensuite basculé sur le toit, qui était également défoncé. Une fumée s'élevait de la carcasse mutilée, mais le feu n'avait cependant pas pris. Une roue tordue tournait absurdement.

Heureusement, la voiture était tombée dans un terrain vague. Nul ne s'y trouvait au moment du drame.

Plusieurs personnes couraient à présent vers le véhicule accidenté, et Celia entendit approcher des sirènes. Mais il semblait impossible que quelqu'un eût pu survivre dans ce qui restait de la Rolls.

Il fallut près d'une heure pour dégager le corps de Sam, sinistre tâche que les pompiers exécutèrent sans hâte, car un médecin avait pu se glisser à l'intérieur et confirmer l'évidence – Sam était mort.

Prenant la situation en main, Celia avait appelé Lilian pour lui annoncer la nouvelle aussi doucement que possible, et lui conseiller de ne pas se rendre sur les lieux du drame.

« Si vous voulez, proposa Celia, je vais venir tout de suite. »

Il y eut un silence, puis Lilian répondit :

« Non. Laissez-moi un moment. J'ai besoin d'être seule. »

Sa voix paraissait lointaine et désincarnée, comme venant d'une autre planète. Elle avait déjà souffert, et allait souffrir encore davantage. *Tout ce que les femmes doivent endurer*, songea Celia dans un soupir.

Lilian reprit :

« Ensuite, j'irai voir Sam. Voudrez-vous me dire où on l'emportera, Celia?

– Oui. Et je viendrai vous chercher, si vous voulez.

– Merci. »

Celia tenta de joindre Juliette, puis son mari Dwight, mais ne trouva ni l'un ni l'autre.

Elle convoqua ensuite Julian Hammond, le vice-président chargé des relations extérieures, et lui enjoignit de « diffuser immédiatement un communiqué de presse sur la mort de Sam, en la qualifiant de tragique accident. Je veux que l'on insiste sur le mot " accident " pour éviter toute extrapolation. Vous pouvez dire que son accélérateur s'est bloqué ».

Hammond protesta :

« Personne ne va le croire. »

Au bord des larmes et contrôlant à grand-peine son émotion, Celia répliqua d'un ton tranchant :

« Ne discutez pas! Faites ce que je vous dis. Et *tout de suite.* »

Le dernier service qu'elle pourrait rendre à Sam, songea-t-elle, serait, dans la mesure du possible, de lui épargner l'indignité d'un scandale.

Mais, pour ses proches, le suicide ne faisait aucun doute.

Ce qui semblait le plus vraisemblable, c'était que Sam, écrasé par le poids de son désespoir et de ses remords, eût soudain trouvé le moyen de mettre fin à ses jours en voyant le parapet devant lui, et enfoncé l'accélérateur en comptant sur la fragilité de l'obstacle qui le séparait du vide. Il était bien dans la nature généreuse de Sam, disaient ses amis, qu'il se fût rappelé l'existence du terrain vague, et donc l'absence de danger pour quiconque.

Celia gardait à part soi certains doutes, ainsi que des sentiments de culpabilité. Elle se demandait si

Sam avait déjà, en d'autres occasions, envisagé le suicide, mais s'était raisonné. Elle s'interrogeait : N'avait-il pas, voyant Celia ce jour-là en arrivant au sommet de la rampe – Celia si sûre d'elle-même, exerçant une autorité qu'il aurait conservée si les circonstances n'avaient pas inversé les rôles –, Sam n'avait-il pas alors...? Elle ne pouvait se résoudre à formuler la fin de cette question, dont jamais elle ne connaîtrait la réponse.

Une autre pensée la hantait : le souvenir de ce que Sam lui avait dit, le jour de son retour, dans son bureau : « ... *il y a autre chose, que vous ignorez.* » Et, un instant plus tard : « *Je ne vous le dirai jamais.* »

Quel *était* l'autre secret de Sam? Celia s'efforçait de deviner, mais en vain. Quel qu'il fût, ce secret avait dû disparaître avec lui.

A la requête de la famille, les obsèques se déroulèrent dans la plus stricte intimité. Celia seule y représentait la compagnie, accompagnée d'Andrew.

Assise sur un inconfortable siège pliant dans une chapelle des pompes funèbres, et pendant qu'un pasteur mielleux, à qui Sam était inconnu, proférait des platitudes religieuses, Celia fit en sorte d'oublier le présent et d'évoquer le passé, tellement plus riche.

Vingt-deux ans plus tôt – Sam l'engageant comme visiteuse médicale... Sam à leur mariage... le choix de Sam comme patron dont elle suivrait l'étoile... Au congrès de Felding-Roth, à New-York, quand il avait risqué de perdre son poste pour la défendre : « Je monte à cette tribune pour qu'on sache que je partage l'avis de Mme Jordan. Si nous la laissons partir ainsi, c'est que nous sommes tous des sots et des aveugles »... Sam se démenant pour la placer sur « la voie express »... la nommant à la direction des

O.T.C. puis directrice pour l'Amérique latine : « L'avenir est international. » *Sam parlant de sa propre nomination, et de ses deux secrétaires* : « Je crois qu'elles doivent se dicter des lettres l'une à l'autre. »... *Sam l'anglophile, qui avait vu loin en créant un institut de recherches en Angleterre* : « Celia, j'ai besoin de vous comme bras droit. » *Sam qui avait payé de sa réputation, puis de sa vie, une erreur de jugement.*

Elle sentit Andrew bouger à côté d'elle, et il lui passa un mouchoir. Alors, seulement, Celia se rendit compte que les larmes ruisselaient sur son visage.

A leur requête encore, seules Lilian et Juliette accompagnèrent le cercueil jusqu'à sa tombe. Celia leur parla brièvement avant de partir. Lilian était pâle; il semblait rester fort peu de vie en elle. Quant à Juliette, elle avait le visage et les yeux durs, et paraissait n'avoir pas pleuré pendant la cérémonie. L'absence de Dwight ne pouvait manquer de frapper.

Dans les jours qui suivirent, Celia fit tout ce qu'elle put pour que le décès de Sam fût officiellement déclaré accidentel. Elle parvint à accréditer cette version parce que, comme elle l'expliqua à Andrew : « Personne ne paraissait avoir le cœur de prétendre le contraire. Et Sam n'avait pas d'assurance-vie, de sorte que cela n'avait aucune incidence financière. »

Après un intervalle de deux semaines dicté par les convenances, le conseil d'administration de Felding-Roth se réunit pour élire un nouveau président-directeur général. Au sein de la compagnie, il ne faisait aucun doute qu'il s'agissait là d'une simple formalité, et que Celia serait désignée pour occuper cette fonction.

Seth Feingold entra dans le bureau de Celia quelques minutes après la fin de la réunion. Il avait l'air sombre.

« Je suis chargé de vous annoncer quelque chose, dit-il, et cela m'est odieux. Mais vous ne serez pas président-directeur général. Comme Celia ne réagissait pas, il poursuivit : Vous n'allez sans doute pas me croire, et Dieu m'est témoin que je trouve cela injuste, mais il y a encore des hommes au conseil d'administration qui n'apprécient pas l'idée de voir une femme diriger la compagnie.

– Je le crois volontiers, répondit Celia. Certaines femmes ont passé leur vie entière à le découvrir.

– La discussion a été longue, et parfois houleuse, reprit Seth. Les avis étaient partagés, et plusieurs personnes se sont vigoureusement exprimées en votre faveur. Mais les opposants sont restés intraitables. Finalement, nous avons dû trouver un compromis. »

Un président provisoire avait été nommé, lui expliqua Seth. Il s'agissait de Preston O'Halloran, un banquier à la retraite qui siégeait depuis des années au conseil d'administration de Felding-Roth. Agé de soixante-dix-huit ans, il ne marchait désormais plus qu'à l'aide d'une canne. Et, bien qu'il fût un expert financier respecté, sa connaissance de l'industrie pharmaceutique se limitait pratiquement à ce qu'il apprenait lors des réunions du conseil d'administration.

Celia avait rencontré O'Halloran plusieurs fois, mais elle le connaissait peu.

« Provisoire pour combien de temps ? demanda-t-elle.

– O'Halloran a accepté d'assumer la fonction pour un maximum de six mois. D'ici là, le conseil aura procédé à une nomination définitive. (Seth fit une grimace.) Autant vous dire qu'il est fortement question de chercher quelqu'un à l'extérieur de la société.

– Je vois.

– Sans doute ne devrais-je pas vous dire cela. Mais, franchement, Celia, si j'étais vous, je leur dirais d'aller tous au diable, et je partirais d'ici en claquant la porte – à l'instant même.

– Non, Seth, non. Si je le faisais, il y aurait sûrement quelqu'un pour dire : *Ah! c'est bien une femme*! Et puis j'ai accepté de revenir pour faire un grand nettoyage, et je vais le faire. Mais quand j'en aurai fini... eh bien, nous verrons à ce moment-là. »

Cette conversation lui en rappela une autre, qu'elle avait eue avec Sam des années auparavant, lorsqu'elle avait été nommée directrice adjointe de la formation à la vente au lieu de directrice, parce que, comme l'avait alors dit Sam : « Il y a des gens dans cette maison qui ne peuvent pas se faire à cette idée. Pas encore. »

Plus ça change, plus c'est la même chose, se récita-t-elle en silence.

« Te sens-tu blessée dans ton amour-propre? » demanda Andrew pendant le dîner.

Celia réfléchit avant de répondre.

« Oui, je crois. L'injustice m'écœure. Et pourtant, c'est curieux, j'ai l'impression de ne pas y attacher autant d'importance qu'autrefois.

– C'est ce que je pensais. Veux-tu que je te dise pourquoi? »

Elle se mit à rire.

« Oui, s'il vous plaît, docteur.

– C'est parce que tu es une femme accomplie, ma chérie. Accomplie dans tous les sens du terme. Tu es la meilleure épouse qu'un homme puisse rêver d'avoir, une mère admirable, et tu es intelligente, responsable, compétente dans ton travail, capable de surpasser la plupart des hommes. Tu as prouvé mille fois ce que tu vaux. Alors, tu n'as plus besoin d'apparat ni de titres, car tous ceux qui te connaissent le savent – y compris les minables chauvinistes mâles du conseil d'administration de Felding-Roth, dont pas un ne t'arrive à la cheville. C'est pour cela que la décision d'aujourd'hui ne devrait pas t'affliger un seul instant, car les perdants sont ceux qui l'ont prise, et ils s'en apercevront tôt ou tard. (Andrew s'interrompit.) Excuse-moi. Je n'avais pas l'intention de faire un discours. Je voulais simplement exposer quelques vérités, et peut-être te réconforter un peu. »

Celia se leva de sa chaise et alla lui passer les bras autour du cou. En l'embrassant, elle murmura :

« Tu as parfaitement réussi. »

Le bébé de Winnie – un robuste garçon – naquit le lendemain. L'événement enchanta non seulement Winnie et Hank, mais la famille Jordan tout entière; Lisa et Bruce téléphonèrent pour la féliciter.

Winnie, quant à elle, prit les choses avec bonne humeur selon son habitude. « On croirait que j'ai touché le gros lot! s'exclama-t-elle gaiement, à la maternité. Maintenant, peut-être qu'on devrait essayer d'avoir des jumeaux, Hank et moi. »

CHAPITRE 46

VINCENT LORD était métamorphosé. Il déployait une énergie considérable et rayonnait de bonheur.

Après avoir consacré vingt années à chercher dans une seule direction, après avoir poursuivi un rêve auquel peu de savants croyaient – la découverte de ce produit éliminant les radicaux libres –, son rêve se réalisait enfin. Ses années de recherches allaient être récompensées.

Ce qui était désormais envisageable – il ne restait plus qu'à effectuer les essais animaux, puis humains, requis par la loi –, c'était un produit qui rendrait bénéfiques et inoffensifs d'*autres* produits, jusqu'alors dangereux.

Hexine W – le nom provisoire qu'avait donné Lord à son invention n'avait pas été changé – intriguait beaucoup les milieux pharmaceutiques, mais les détails de l'affaire demeuraient le secret de Felding-Roth. D'autres laboratoires, qui surveillaient attentivement les dossiers de demandes de licence et devinaient l'importance de celui-ci, manifestaient déjà clairement leur intérêt.

Comme l'expliqua le directeur d'une firme concurrente à Celia, lors d'un entretien téléphonique : « Naturellement, nous aurions préféré que nos propres chercheurs découvrent ce que semble

560

avoir découvert Lord mais, puisque ce n'est pas le cas, nous souhaitons être vos premiers interlocuteurs lorsque vous serez prêts à négocier. »

Particularité fort intéressante, ce nouveau produit allait pouvoir être utilisé de deux manières différentes : inclus comme ingrédient actif dans la formulation d'autres produits – c'est-à-dire mélangé en cours de fabrication; ou bien présenté sous forme de comprimés, pour être associé à d'autres médicaments.

Hexine W allait donc être une matière première active. Autrement dit, il s'agissait d'un produit destiné aux laboratoires, que des fabricants d'autres produits pharmaceutiques emploieraient et vendraient. Ces différentes firmes agiraient sous licence, moyennant des royalties – sans doute énormes – versées à Felding-Roth.

Les principaux bénéficiaires de l'Hexine W seraient les gens atteints d'arthrite ou de cancer. Il existait déjà de nombreux médicaments pour ces maladies, mais qu'on ne pouvait prescrire qu'à dose infime, quand il n'y avait aucune contre-indication à cause des effets secondaires dangereux. Grâce à l'Hexine W, ces inconvénients allaient disparaître ou tout au moins diminuer considérablement.

Au cours d'une réunion des services commerciaux, Vince Lord expliqua ce qui se passerait dans le cas de l'arthrite. Il employait un langage de vulgarisation.

« Les patients souffrent d'une inflammation des articulations qui les immobilise et leur crée une douleur intense. Cela se produit quand la maladie crée des radicaux libres qui, à leur tour, attirent des leucocytes – des globules blancs. Les leucocytes s'accumulent, causant l'inflammation et la développant.

Mais l'Hexine W, poursuivit Lord, jugule la pro-

duction de radicaux libres, de sorte que les leucocytes cessent d'être attirés vers le site de la maladie.
Résultat, l'inflammation disparaît et la douleur
aussi. »

L'effet de cette déclaration fut tel que plusieurs
personnes applaudirent. Et Lord rougit de plaisir.

Grâce à la Hexine W, ajouta-t-il, d'autres maux
plus bénins bénéficieront également de nouvelles
possibilités de traitement.

La grande découverte décisive avait eu lieu trois
mois auparavant : ç'avait été le couronnement d'un
lent et fastidieux processus de tâtonnements et
d'erreurs – un processus souvent décourageant, et
accompagné d'échecs répétés.

Ce processus même donnait la mesure de la
réussite de Lord, que certains avaient jugé parfois
« dépassé ».

Il s'agissait de créer de nouveaux médicaments à
partir d'anciens, par le moyen de la chimie organique. On prenait un produit existant, puis on modifiait sa composition chimique, puis on la modifiait
encore... et encore, à l'infini s'il le fallait. Le but était
toujours de mettre au point un nouveau produit
efficace, dérivé de l'ancien, et dépourvu au maximum de toxicité. Lord se souvenait comment, deux
ans auparavant, après avoir essayé en vain près de
mille composés, il avait fait le serment de ne jamais
abandonner.

Une approche différente, plus nouvelle – qu'utilisait Sir James Black, l'inventeur de la Cimetidine de
SmithKline –, consistait à déterminer quel désordre
biologique pourrait être corrigé par des moyens
pharmaceutiques, puis à créer un produit totalement nouveau. Quant à Martin Peat-Smith, à Harlow, il employait des méthodes génétiques encore

plus modernes. Cependant, ces deux systèmes impliquaient des années d'expérimentation et pouvaient se solder par un échec; mais quand ils réussissaient il en résultait de nouveaux médicaments révolutionnaires.

Lord avait décidé que l'ancienne méthode convenait mieux à son objectif et à son tempérament. Et, bon sang, se répétait-il, il avait eu raison!

Ce qui lui causait le plus de plaisir dans l'immédiat, c'était le bataillon de spécialistes – chimistes, biologistes, médecins, cliniciens, pharmacologistes, toxicologues, vétérinaires, experts en pathologie, et statisticiens – qui, chez Felding-Roth, travaillaient ensemble et unissaient leurs compétences pour donner à l'Hexine W sa forme définitive.

Même dans ces conditions, du fait d'un programme très complexe d'expérimentations animales et humaines, il fallait encore compter un délai d'environ deux ans avant de pouvoir solliciter l'autorisation de la F.D.A. pour commercialiser l'Hexine W.

Tout en se gardant bien de le dire, Lord avait été ravi d'apprendre que le centre de Harlow avait subi des dommages entraînant un retard considérable dans le programme de Peat-Smith. Car cela signifiait que l'Hexine W arriverait peut-être en premier sur le marché.

La bonne humeur de Lord l'avait même amené à prendre l'initiative d'un geste de paix à l'égard de Celia. Peu après son retour au sein de la compagnie, il alla la voir dans son bureau. Il la félicita pour le nouveau poste qu'elle occupait, et ajouta :

« Je suis heureux de vous voir revenir parmi nous.

— A ce propos, répondit Celia, je vous félicite. Je viens de lire le rapport concernant l'Hexine W.

— Elle sera certainement reconnue comme l'une

des grandes découvertes du XXe siècle », observa Lord avec naturel. En dépit d'un certain adoucissement intervenu au fil des ans, le sentiment de sa propre valeur ne s'était pas atténué en lui.

Au cours de sa conversation avec Celia, Lord préféra ne pas admettre qu'elle avait eu raison au sujet du Montayne, et lui tort. Il estimait qu'elle avait alors tout simplement pris une position au hasard, sans que rien de scientifique la justifiât; elle n'en avait donc pas plus de mérite que le détenteur d'un ticket de loterie gagnant.

Malgré ses efforts pour améliorer ses rapports avec Celia, il fut soulagé d'apprendre, après la mort de Sam Hawthorne, qu'elle ne devenait pas président-directeur général. Cela aurait été vraiment invivable. Pour une fois, se disait-il, le conseil d'administration avait fait preuve d'un peu de bon sens.

Au début de l'année 1978, Felding-Roth misait toujours sur l'Hexine W.

La nomination à titre provisoire de Preston O'Halloran à la tête de Felding-Roth n'apporta guère de changement dans les responsabilités et dans les activités quotidiennes de Celia. Le lendemain de la réunion extraordinaire du conseil d'administration, O'Halloran s'était montré ouvert et franc à son égard.

Ils se retrouvèrent tous deux dans le bureau du président-directeur général. La vue d'un nouvel occupant dans ces locaux où, si récemment encore, elle avait eu l'habitude de voir Sam réveilla brusquement son chagrin.

S'exprimant avec précaution et courtoisie, le vieil O'Halloran déclara :

« Je tiens à ce que vous sachiez, madame Jordan,

que je n'étais pas de ceux qui s'opposaient à votre nomination aux fonctions de président-directeur général. J'aurai également l'honnêteté de reconnaître que je ne soutenais pas non plus votre candidature, mais que j'aurais suivi une majorité en votre faveur, le cas échéant. J'ai même été jusqu'à en informer les autres membres du conseil d'administration.

— Je suis ravie d'apprendre que vous considérez cela comme une extrême audace, répliqua Celia, sans pouvoir retenir une pointe d'acidité.

— Touché ! »

Le vieil homme sourit, et elle songea : au moins, il a de l'humour.

« Très bien, monsieur O'Halloran, poursuivit-elle d'un ton décidé. Ainsi, nous savons tous deux à quoi nous en tenir, et je vous en suis reconnaissante. Pourriez-vous me dire, cependant, comment vous souhaitez que je procède, et comment nous nous répartirons les tâches.

— Mes amis m'appellent Snow[1]. (Nouveau petit sourire grimacé.) Ce sobriquet me vient d'une jeunesse dissolue, où j'ai beaucoup skié. Je serais heureux que vous l'utilisiez, et peut-être pourrais-je vous appeler Celia ?

— D'accord. Et maintenant, voyons comment nous allons travailler. » Elle savait que ce n'était pas gentil, mais peu lui importait.

Il la rabroua doucement :

« Le président n'a pas de comptes à rendre au directeur général, Celia. C'est le contraire. Mais, pour qu'il n'y ait pas de malentendu entre nous, permettez-moi de vous avouer que ma connaissance de l'industrie pharmaceutique ne peut en rien se comparer à la vôtre. En revanche, là où mes com-

1. Neige.

pétences dépassent peut-être les vôtres, c'est dans le domaine de la gestion financière. Et il convient en ce moment d'y porter une attention particulière. C'est donc à régler les questions financières que j'occuperai l'essentiel des six mois, ou peut-être moins, que je vais passer dans ce fauteuil. »

Celia dut reconnaître intérieurement qu'il l'avait traitée avec patience et courtoisie. Elle répondit, plus aimablement qu'elle n'avait parlé jusqu'alors :

« Je vous remercie, Snow. Et je ferai de mon mieux pour honorer ma part du contrat.

– J'en suis persuadé. »

Le nouveau président ne venait pas tous les jours au bureau, mais cela ne l'empêcha pas de mettre sur pied un remarquable plan financier couvrant les cinq années à venir, que Seth Feingold décrivit à Celia comme un pur joyau.

Le directeur financier ajouta : « Il a peut-être besoin d'une canne pour marcher, mais il a le cerveau affûté comme un rasoir. »

Celia apprit à apprécier O'Halloran pour le soutien qu'il lui prodiguait systématiquement, ainsi que pour son infaillible courtoisie. Il était véritablement, suivant une expression démodée, « un gentilhomme de la vieille école ».

Elle fut donc navrée, la dernière semaine de janvier 1978, d'apprendre qu'il s'était alité avec une mauvaise grippe. Et sa peine était sincère, la semaine suivante, quand on lui annonça que Snow O'Halloran était mort d'un infarctus.

Cette fois, on n'attendit pas deux semaines pour nommer un successeur. La question fut réglée dès le lendemain des obsèques de O'Halloran.

Aucun candidat possible n'avait été trouvé à

l'extérieur de la compagnie, bien que le président provisoire eût servi quatre des six mois prévus.

Il ne restait plus qu'un seul choix possible, et le conseil d'administration se résolut en un quart d'heure à prendre la décision qui aurait dû s'imposer en septembre : Celia Jordan devenait président-directeur général de Felding-Roth.

CHAPITRE 47

ELLE avait eu cette idée en revenant de Hawaii, au mois d'août dernier. C'était une remarque d'Andrew qui l'avait fait naître.

Il avait dit à Celia, Lisa et Bruce : « *J'estime qu'on ne doit pas prendre de médicaments pour de simples désagréments passagers.* » Il s'agissait alors de la grossesse – la catastrophe du Montayne, qu'ils venaient juste d'apprendre, avait suscité cette déclaration.

Et Andrew avait ajouté, à l'adresse de sa fille : « *Et quand ton tour viendra, tu ne prendras rien du tout. Et si tu veux un beau bébé sain – pas d'alcool ni de vin, et pas de tabac non plus.* ».

Ces paroles constituaient le fondement de ce que Celia s'apprêtait maintenant à proposer, comme politique de base de la maison. Elle avait même un nom pour ce projet : la Doctrine Felding-Roth.

Elle avait envisagé d'évoquer l'idée plus tôt, lorsqu'elle était directeur général, mais y avait renoncé par crainte de n'être pas écoutée.

Même après sa nomination à la tête de la maison, elle attendit encore, patiemment, sachant qu'il lui faudrait obtenir l'aval du conseil d'administration.

Maintenant, sept mois plus tard, en septembre, elle était prête à agir.

Bill Ingram, récemment promu à la fonction de vice-président responsable des ventes et du marketing, l'avait aidée à formuler la Doctrine Felding-Roth, dont l'introduction annonçait :

FELDING-ROTH

S'ENGAGE SOLENNELLEMENT

Article 1 : Felding-Roth n'entreprendra jamais de recherches, de fabrication, ou de ventes, concernant des produits pharmaceutiques destinés aux femmes enceintes, et visant à traiter des maux bénins et naturels tels que les nausées, dans le cadre d'une grossesse normale.

Article 2 : Felding-Roth recommande activement, par tous les moyens à sa disposition, qu'aucune femme enceinte ne se fasse prescrire, ou n'obtienne et emploie, au cours d'une grossesse normale, des produits tels que ceux décrits à l'Article 1, et quelle que soit leur origine.

Article 3 : Felding-Roth recommandera aux femmes enceintes d'éviter l'emploi de tous les produits pharmaceutiques prescrits par ordonnance ou commercialisés en vente libre – les siens comme ceux des autres compagnies – pendant toute la durée de leur grossesse, à l'exception des médicaments prescrits par un médecin en cas de nécessité médicale exceptionnelle.

Article 4 : Felding-Roth recommandera également aux femmes enceintes de s'abstenir, pendant toute la durée de leur grossesse, d'absorber des boissons alcoolisées, y compris du vin, et de fumer du tabac...

Cela continuait encore. On y trouvait une autre référence aux médecins – en partie pour soutenir la relation de conseil et de confiance entre le praticien et le patient, et aussi pour apaiser les médecins qui, en tant que prescripteurs, étaient les meilleurs clients de Felding-Roth. Il y était également fait mention des situations particulières, telles que les urgences médicales, où l'emploi de médicaments pouvait se révéler déterminant ou même vital.

« Je n'ai rien lu d'aussi intelligent depuis bien longtemps, dit Bill Ingram. Il y a une éternité que quelqu'un aurait dû rédiger ce texte. »

Ingram, qui avait voté contre Celia en faveur du Montayne lors de la réunion précédant la démission de Celia, avait éprouvé une forte gêne mêlée de honte quand elle était revenue chez Felding-Roth. Quelques semaines plus tard, il avait avoué :

« Je me demande sérieusement si, après tout ce qui s'est passé, vous voulez encore de moi ici.

– La réponse est oui, répondit Celia. Je sais comment vous travaillez, et aussi que je peux vous faire confiance et compter sur vous. Pour ce qui est du passé, vous avez commis une erreur de jugement comme cela nous arrive à tous. Il est malheureux qu'elle ait entraîné des conséquences aussi effroyables, mais vous n'étiez pas seul, et j'imagine que l'expérience vous aura servi de leçon.

– Oh! oui. Et j'ai amèrement regretté de n'avoir pas eu l'intelligence et le courage d'être solidaire.

– Ne soyez pas aveuglément solidaire, lui conseilla-t-elle. Même maintenant. Il y aura des moments où je me tromperai et, si vous vous en apercevez, il ne faudra pas hésiter à me le signaler. »

Après la nomination de Celia à la présidence, il y eut un nouveau partage des responsabilités, ainsi que plusieurs promotions, parmi lesquelles celle de Bill Ingram. Il s'acquittait déjà très bien de ses nouvelles fonctions.

Désormais, membre à part entière du conseil d'administration, Celia prépara soigneusement la réunion au cours de laquelle serait discuté son projet de Doctrine Felding-Roth.

Gardant à l'esprit ce que Sam lui avait dit de ses problèmes avec le conseil, et se souvenant de la résistance qu'avait rencontrée, des années auparavant, le projet anglais, Celia s'attendait à une opposition.

A sa vive surprise, il n'y en eut guère.

Un membre du conseil – Adrian Caston, le président d'un trust financier – voulut néanmoins savoir s'il était « raisonnable ou nécessaire de nous fermer à jamais un domaine de la médecine qui, à l'avenir, connaîtra peut-être des développements nouveaux et sûrs qui entraîneront des profits importants ».

La réunion se déroulait dans la salle de conférences de la compagnie, et Celia répondit en fixant son regard sur la longue table en noyer :

« Monsieur Caston, je crois que c'est *exactement* ce que nous devrions faire. Il faut le faire parce que nous nous interdirons ainsi, et interdirons à nos successeurs, la tentation et le risque d'entraîner cette compagnie dans une nouvelle affaire Montayne. (Dans un silence attentif, elle poursuivit :) Les souvenirs s'effacent vite. Beaucoup de jeunes femmes arrivant à l'âge d'avoir des enfants ne se souviennent plus de la Thalidomide, ou n'en ont même jamais entendu parler. Dans quelques années, ce sera également vrai du Montayne, et les femmes enceintes recommenceront à prendre *tout ce que leur prescriront leurs médecins*. Mais, si cela devait se produire, faisons en sorte de n'y être pas mêlés, et de toujours nous rappeler que l'histoire des médicaments destinés à infléchir le cours normal de la grossesse est jalonnée de catastrophes. »

Le temps et l'expérience ont montré que la grossesse est le *seul état de santé* qu'il vaut mieux laisser à la nature. Notre compagnie possède, à son passif, une catastrophe due à un produit destiné aux femmes enceintes, et nous le payons chèrement en ce moment même. A l'avenir, nous ferions mieux de chercher ailleurs nos bénéfices, et d'encourager les autres à en faire autant.

Clinton Etheridge, administrateur de longue date et avocat, dont elle avait cru qu'il prendrait position contre elle, demanda au contraire la parole pour lui apporter son soutien.

« A propos de bénéfices, j'aime beaucoup cette idée de transformer notre débâcle du Montayne en avantage commercial. Au cas où certains ne l'auraient pas remarqué, cette prétendue doctrine (l'administrateur brandit le texte) est diaboliquement astucieuse. C'est là un fort joli exemple de promotion des autres produits que nous vendons. Nous aurons certainement l'occasion de l'apprécier en termes de dollars. »

Intérieurement, Celia fut révoltée, puis elle se répéta que tout appui était bon, même s'il était dicté par de mauvaises raisons. Elle s'interrogea également sur Etheridge, dont elle savait qu'il était l'ami et l'allié de Vincent Lord, et qui exprimait parfois les opinions du directeur de recherches au conseil d'administration, comme l'avait découvert Sam bien des années auparavant. Lord avait eu connaissance de la Doctrine Felding-Roth, savait qu'elle devait faire l'objet des discussions d'aujourd'hui, et en avait certainement parlé avec Etheridge. Alors... l'appui qu'elle recevait maintenant était-il le moyen détourné qu'avait choisi Lord pour transmettre à Celia ses regrets concernant le Montayne? Sans doute n'en saurait-elle jamais rien.

La discussion se poursuivit entre les membres du conseil, mais ce fut surtout pour déterminer comment mettre en œuvre cette doctrine. Owen Norton, magnat de la presse parlée et télévisée, eut le mot de la fin.

Regardant Celia de l'autre bout de la table, Norton, qui venait de célébrer son quatre-vingt-deuxième anniversaire, déclara d'une voix sèche :

« Peut-être aurez-vous remarqué, madame Jordan, que nous finissons par respecter votre jugement féminin. Et je ne puis dire qu'une chose en mon nom personnel et au nom de quelques autres, c'est que je regrette que cela nous ait pris si longtemps.

— Monsieur, répondit Celia très sincèrement, vos paroles me vont droit au cœur. »

Le vote qui suivit, pour donner à la doctrine de Celia le statut de politique officielle de la maison, fut unanime.

L'impact de la Doctrine Felding-Roth fut important, mais n'atteignit pas le grand public comme l'avait espéré Celia.

A de rares exceptions près, les médecins lui firent bon accueil. Un obstétricien écrivit :

Veuillez avoir l'obligeance de m'en adresser quelques exemplaires supplémentaires, car je voudrais en encadrer un et l'afficher dans mon bureau. Je compte le faire lire aux femmes enceintes qui s'estimeront lésées si je ne leur prescris pas l'un de ces palliatifs dont, à mon avis, elles feraient mieux de se passer.

Par votre déclaration hautement morale, vous avez renforcé la position de certains d'entre nous, qui ne pensons pas *qu'on puisse tout régler à force de médicaments. Puissiez-vous être entendus!*

Les exemplaires supplémentaires furent envoyés – à ce médecin et à beaucoup d'autres qui en demandèrent aussi.

Quant aux protestataires, ils s'appuyaient sur l'idée que c'était à eux, et non aux laboratoires, qu'il incombait de conseiller à leurs patients quels médicaments prendre ou ne pas prendre. A en juger par le volume du courrier, il s'agissait toutefois d'une faible minorité.

La Doctrine Felding-Roth apparut abondamment dans la publicité de la compagnie, mais uniquement dans le cadre de la presse professionnelle. Celia avait d'abord envisagé de passer des placards dans la grande presse, mais elle s'était laissé convaincre que cela ne pourrait qu'éveiller l'hostilité des médecins de la F.D.A., qui n'aimaient guère l'approche directe des consommateurs quand il s'agissait de médicaments.

C'est sans doute pourquoi la presse ne prêta guère attention à la Doctrine Felding-Roth. Le *New York Times* publia un entrefilet dans sa section financière, et le *Washington Post* enterra un paragraphe du même genre dans une section de moindre importance. Dans les autres journaux, la nouvelle ne fut mentionnée que dans la mesure où il restait de l'espace disponible. Quant à la télévision, malgré toutes les démarches des attachés de presse de Felding-Roth, elle ne consacra pas une seule seconde à l'information.

« Si nous lançons un produit qui révèle des effets indésirables imprévus, ces types de la télévision nous dépècent littéralement, se plaignit Bill Ingram à Celia. Mais quand nous faisons quelque chose de positif comme cette doctrine, ils ne savent que bâiller.

– C'est parce que le journalisme télévisuel est simpliste, répondit-elle. Il s'agit de rechercher l'impact fort, immédiat, et ils évitent tout ce qui est cérébral, toute réflexion qui prendrait trop de temps d'antenne. Mais ne vous inquiétez pas. Il y aura des moments où cette politique jouera en notre faveur.

– N'oubliez pas de me le signaler quand cela se produira », déclara Ingram sur un ton de doute.

La réaction des autres laboratoires fut mitigée.

Ceux qui commercialisaient des produits à l'usage des femmes enceintes marquèrent une franche hostilité. « C'est un coup minable, pour attirer l'attention à bon compte, rien de plus », déclara en public le porte-parole d'une de ces sociétés.

D'autres laissèrent entendre que Felding-Roth « se refaisait une virginité » tout en portant préjudice à la profession; mais ce raisonnement n'était pas très clair. Cependant, un ou deux concurrents manifestèrent ouvertement leur admiration. « Franchement, déclara à Celia l'un des grands patrons de l'industrie, je regrette que nous n'y ayons pas pensé en premier. »

« Tout cela ne prouve rien, confia-t-elle à Andrew, si ce n'est qu'on ne peut pas plaire à tout le monde.

– Un peu de patience, lui conseilla-t-il. Tu as fait quelque chose de bien, attends que les vagues se propagent. Le moment venu, tu seras surprise de voir jusqu'où elles seront allées. »

D'autres vagues étaient soulevées par le Montayne. L'une en particulier provenait du Capitole, à Washington.

Les assistants du sénateur Dennis Donahue étudiaient le dossier depuis un an et ils décidèrent que c'était un sujet idéal de commission d'enquête. « Idéal » dans ce cas, signifiait pour leur patron qu'on était sûr d'attirer l'attention du grand public, et donc de la télévision. Comme le sénateur le rappelait volontiers à son entourage : « N'oublions jamais que la télévision touche les masses – et ces gens-là votent. »

Ainsi, on apprit que la sous-commission sénatoriale sur l'éthique des techniques de vente, présidée par Donahue, commencerait l'audition de l'affaire à Washington D.C. au début de décembre. En octobre, au cours d'une conférence de presse, le sénateur annonça que les témoins avaient déjà été assignés à comparaître. Toute personne détenant des renseignements sur l'affaire était invitée à se mettre en rapport avec les membres de la commission.

Quand Celia apprit la nouvelle, elle appela Childers Quentin à Washington.

« C'est une vraie catastrophe, affirma-t-il. Je crains bien que votre compagnie, et vous particulièrement, madame Jordan, en tant que porte-parole, n'ayez de durs moments à passer. Si vous voulez mon avis, je vous conseille vivement de vous préparer dès maintenant à l'audition, avec l'aide d'un avocat. Je sais comment se déroulent ces interrogations, et je peux vous garantir que l'équipe du sénateur fera tout pour trouver des détails scabreux. »

CHAPITRE 48

Sɪ le mot démagogue n'avait pas été forgé par les Grecs à l'époque de Cléon, il aurait fallu l'inventer pour définir le sénateur américain Dennis Donahue. Il n'en existait pas d'exemple plus frappant.

Né riche et privilégié, il jouait volontiers au « fils du peuple », et se décrivait comme un « authentique prolétaire », ou comme un homme « issu de la terre ». Aucune affirmation n'aurait pu être plus inexacte mais, comme tout ce qui se répète beaucoup, on finissait par le croire.

Le sénateur aimait également à se faire passer pour un « porte-parole des pauvres et de ceux qui souffrent; l'ennemi de leurs oppresseurs ». Quant à savoir s'il se préoccupait réellement des pauvres et des opprimés, seul Donahue connaissait la réponse. Quoi qu'il en fût, il se servait bien d'eux.

Partout dans le pays où se déroulait un combat de David contre Goliath méritant un reportage télévisé, Donahue accourait et prenait bruyamment parti pour David, même dans les cas où Goliath avait manifestement raison. « Il y a toujours plus de David, expliqua un jour l'un de ses assistants, dans un moment de franchise étourdie, et ils sont bien utiles en période électorale. »

C'est sans doute pour la même raison que, dans

577

toute querelle professionnelle, Donahue soutenait les syndicats, jamais l'entreprise, même s'il s'agissait d'abus syndicaux manifestes.

Le chômage et le syndicalisme constituaient des terrains fertiles pour un politicien ambitieux – il l'avait découvert de bonne heure. Cela expliquait pourquoi, quand le nombre de chômeurs augmentait, le sénateur allait parfois se joindre aux files d'attente devant les bureaux d'emploi et conversait avec les gens. D'après lui, il venait pour « voir par lui-même, et savoir ce qu'éprouvaient les chômeurs » – admirable objectif auquel nul ne pouvait raisonnablement trouver à redire. Il était cependant intéressant d'observer que les média étaient toujours prévenus des intentions du sénateur, et que des équipes de télévision et des photographes l'attendaient. Et c'est ainsi que son visage familier, arborant ses expressions les plus pathétiques pendant qu'il discutait avec les chômeurs, apparaissait le soir même à la télévision et le lendemain dans les journaux.

Quant aux autres questions de « sens commun », le sénateur en avait découvert une récente et fructueuse en fustigeant les hommes d'affaires qui voyageaient en première classe et déduisaient ces dépenses de leur déclaration de revenus. Si les gens souhaitaient bénéficier de ce genre de privilèges, proclamait-il, ils n'avaient qu'à se les payer eux-mêmes, au lieu de se faire subventionner par les contribuables. Il présenta un projet de loi au Sénat visant à faire interdire la déduction d'impôts pour les voyages aériens en première classe, tout en sachant fort bien que le projet finirait par tomber dans une oubliette au cours de l'interminable procédure législative.

En attendant, la presse et les média ne parlaient plus que de cela. Pour entretenir l'idée, le sénateur

Donahue se faisait un principe de voyager en classe touriste, et ne manquait jamais d'informer à l'avance la presse de chacun de ses déplacements. Jamais un voyageur de première classe n'avait reçu autant d'attention et de sollicitude que Donahue, dans son fauteuil de classe touriste. Ce qu'il omettait de préciser en public, c'est qu'il effectuait la plupart de ses voyages dans un luxueux avion particulier – affrété par son entreprise familiale, ou bien prêté par des amis.

Donahue était trapu, avec un visage rond de chérubin qui le faisait paraître encore plus jeune que ses quarante-neuf ans. Gros sans être obèse, il se disait « confortablement rembourré. » Le plus souvent, surtout en public, il était un modèle de jovialité et arborait un sourire de copain. Il se coiffait et s'habillait avec un désordre étudié, conforme à son image de « brave homme ».

Les observateurs objectifs reconnaissaient en lui l'opportuniste qu'il était. Cependant, beaucoup de gens et pas seulement les membres de son parti, mais aussi certains adversaires politiques, le trouvaient sympathique. Il avait en effet de l'humour, et savait accepter une plaisanterie à ses dépens. Et puis il était de bonne compagnie, et sa conversation toujours intéressante.

Ce dernier point le rendait séduisant aux yeux des femmes, et Donahue avait la réputation de savoir tirer profit de cet avantage, même si son mariage paraissait indestructible – on le voyait fréquemment en compagnie de sa femme et de ses enfants.

Tel était donc ce sénateur Donahue qui, peu après dix heures du matin en ce premier mardi de décembre, frappa un coup de marteau pour ouvrir la séance de la sous-commission sénatoriale sur l'éthique des techniques de vente, et annonça qu'il ferait une brève déclaration avant que l'audition commence.

La commission était réunie, dans la salle SR-253 de l'ancien bâtiment des bureaux du Sénat, un cadre impressionnant. Le président de la commission et ses collègues siégeaient à une table en fer à cheval, sur une estrade, face aux témoins et au public. Trois grandes fenêtres dominaient le parc et la fontaine du Sénat. Il y avait une cheminée de marbre, et des rideaux beiges marqués à l'emblème des Etats-Unis. Dennis Donahue lisait un discours préparé : « Nous avons tous conscience de cette effroyable tragédie mondiale, affectant des enfants dont le cerveau et les fonctions naturelles semblent avoir été détruits par un médicament qui, jusqu'à récemment, se prescrivait et se vendait dans notre pays. Le nom de ce médicament est le Montayne. »

Le sénateur était un orateur de talent, et la centaine de personnes qui composaient l'assistance gardaient un silence attentif. Des caméras de télévision étaient braquées sur lui. Aux côtés de Donahue, huit autres sénateurs siégeaient – cinq du parti majoritaire de Donahue, et quatre de l'opposition. A la gauche du président se tenait Stanley Urbach, principal conseiller de la commission, qui avait été procureur à Boston. Derrière le sénateur étaient alignés quinze membres de la commission, certains assis et d'autres debout.

« Ce que va établir cette enquête, continua Donahue, c'est à qui incombe la responsabilité de cette succession d'événements, et aussi... »

Inscrite comme premier témoin, Celia n'était pas surprise par le ton et la teneur de cette déclaration. Elle était assise devant une table recouverte de feutre vert, et à sa droite se tenait son conseiller, Childers Quentin. Elle l'avait persuadé d'accepter cette responsabilité supplémentaire parce que, comme elle le lui avait dit, « aucun avocat n'en sait autant que vous, maintenant, sur le Montayne. Et j'ai toute confiance dans vos conseils. »

Ceux qu'il lui avait prodigués avant le début de la réunion étaient sans ambiguïté : « Décrivez la totalité des faits aussi honnêtement, aussi clairement, et aussi brièvement que possible, lui répétait Quentin. Et n'essayez surtout pas de briller ou de marquer des points contre Donahue. »

Celia avait en effet eu l'idée de rappeler au cours des auditions, que plus de deux ans auparavant, quand la commercialisation du Montayne en Amérique avait été retardée par la F.D.A. – sans raisons croyait-on alors –, Donahue avait protesté contre le retard, l'estimant « parfaitement ridicule en l'occurrence ».

« Il n'en est absolument pas question! avait décrété Quentin. Tout d'abord, Donahue n'aura pas oublié son intervention ou son équipe la lui aura rappelée, de sorte qu'il sera prêt à répondre. Il vous dirait sans doute qu'il avait été une victime de plus de la propagande des laboratoires pharmaceutiques, ou quelque chose dans ce genre. Et ensuite, vous éveilleriez son hostilité, ce qui est particulièrement déconseillé. »

L'avocat révéla alors à Celia quelques faits de la vie à Washington.

« Un sénateur américain dispose d'un pouvoir et d'une influence considérables; d'une certaine façon, même, plus qu'un président, parce que l'exercice de ce pouvoir est plus occulte. Il n'est pas de département gouvernemental où un sénateur ne puisse s'introduire et obtenir quelque chose, pourvu que ce ne soit pas complètement fou ou illégal. Des gens importants, à l'extérieur comme au sein du gouvernement, se couperont en quatre pour faire une faveur à un sénateur, même si cette faveur peut porter tort à quelqu'un d'autre. C'est un système d'échanges et, dans ce système, le pouvoir d'un sénateur – qui peut être employé à de bonnes ou à de mauvaises fins – a la plus forte cote. Voilà pourquoi je vous dis : bien sot celui qui choisirait de se faire un ennemi d'un sénateur. »

Celia avait pris bonne note de ce conseil et s'était fait le serment de s'en souvenir dans chacun de ses échanges avec Donahue, qu'elle détestait déjà farouchement.

Vincent Lord accompagnait également Celia, et avait pris place à côté de Quentin. Alors que Celia devait prononcer une déclaration au nom de Felding-Roth puis subir un contre-interrogatoire, le rôle du directeur de recherches se limiterait à d'éventuelles questions.

Le sénateur Donahue termina son discours, se tut un moment, puis annonça :

« Notre premier témoin est Mme Celia Jordan, président-directeur général de Felding-Roth, dans le New Jersey. Madame Jordan, voulez-vous nommer les personnes qui vous accompagnent ?

– Oui, monsieur le sénateur. »

En quelques mots, Celia présenta Quentin et Lord.

« Merci, madame. Nous connaissons bien M. Quentin. Docteur Lord, nous sommes heureux de vous avoir parmi nous. Madame Jordan, vous avez une déclaration à faire, je crois. Nous vous écoutons. »

Restant assise à la barre des témoins, Celia commença de parler dans le micro placé devant elle.

« Monsieur le Président, messieurs les membres de la sous-commission : D'abord et avant tout, ma compagnie souhaite exprimer sa vive affliction et sa compassion pour les familles qui ont souffert ce que le sénateur Donahue vient à juste titre d'appeler une effroyable tragédie mondiale. Bien que ce ne soit pas encore prouvé scientifiquement, et que les études puissent prendre encore des années, il paraît dès à présent certain que le Montayne porte la responsabilité de cette catastrophe. C'est une infime partie de la population qui a été touchée et cela s'est produit dans des circonstances qu'il était impossible de prévoir lors des expérimentations qui ont été faites, d'abord en France puis dans d'autres pays, et avant l'autorisation officielle de la F.D.A. pour la commercialisation aux Etats-Unis. »

Celia s'exprimait d'une voix claire, mais discrète et délibérément sobre. Chaque mot de sa déclaration avait été soigneusement pesé et elle avait été rédigée par plusieurs personnes, mais surtout par Childers Quentin et elle-même. Elle s'en tenait donc au texte qu'elle lisait, n'ajoutant un ou deux mots que lorsqu'il le fallait.

« Ma compagnie souhaite rappeler qu'elle s'est toujours conformée à la loi sur les essais, sur la distribution, et sur la communication des rapports. Et même, quand de sérieux doutes sont apparus, ma compagnie a devancé la loi en effectuant le rappel et le retrait du Montayne sans attendre la décision de la F.D.A.

« Je voudrais maintenant revenir sur les origines du Montayne, en France, où il a été mis au point par les laboratoires Gironde-Chimie, une firme qui jouit d'une excellente réputation, et qui a déjà fait dans le passé d'importantes découvertes... »

Le compte rendu prononcé par Celia était précis et impersonnel. Cette décision avait également fait l'objet de discussions, au siège de Felding-Roth et au bureau de Childers Quentin à Washington.

Quentin avait demandé à Celia :

« Comment pensez-vous traiter la question de votre démission au sujet du Montayne?

— Je ne la traiterai pas du tout, riposta-t-elle. Ma démission était une affaire strictement personnelle, dictée par mon instinct et ma conscience. Maintenant que je suis revenue, je représente la compagnie, et je rends compte de ce qu'a fait la compagnie.

— Et où se trouve votre conscience, dans tout cela?

— Bien à sa place, intacte, répliqua-t-elle sèchement. Si l'on m'interroge sur ma démission, je répondrai honnêtement. Mais je n'ai pas l'intention de l'évoquer moi-même dans le seul dessein de me faire applaudir. »

Celia avait aussi rappelé à Quentin l'absence totale de fondement scientifique à sa décision de démissionner — une faiblesse dont elle avait eu conscience à l'époque, et qui l'avait retenue de faire le moindre commentaire public.

Maintenant, elle expliquait à la sous-commission sénatoriale : « Aucun doute concernant l'innocuité du Montayne n'est apparu avant juin 1976, date à laquelle nous est parvenu un rapport australien. Et même alors, il n'y avait apparemment aucun motif d'inquiétude, puisqu'une requête du gouvernement australien... »

Pas à pas, elle retraça l'histoire du Montayne. Son récit dura quarante minutes, et Celia conclut ainsi : « Ma compagnie s'est conformée à toutes les requêtes de cette commission et a fourni tous les documents confirmant mes dires. Nous restons prêts à coopérer par tous les moyens, et à répondre aux questions. »

Les questions commencèrent aussitôt, la première venant de l'expert-conseil Stanley Urbach, un homme au long visage et aux lèvres minces, qui donnait l'impression de ne rire qu'en de bien rares occasions.

« Madame Jordan, vous avez mentionné ce rapport australien, qui éveilla les premiers doutes au sujet du Montayne. Cela s'est vraisemblablement produit sept ou huit mois avant la mise en vente du produit sur le marché américain. Est-ce vrai ? »

Elle calcula mentalement.

« Oui.

– Dans votre déclaration sont évoqués deux autres rapports défavorables, l'un en France et l'autre en Espagne, tous deux intervenus *avant* la commercialisation du Montayne sur le territoire des Etats-Unis. Est-ce vrai aussi ?

– Pas entièrement, monsieur Urbach. Vous les qualifiez de rapports défavorables. Il s'agissait plus précisément – à ce moment-là – d'allégations que les laboratoires Gironde-Chimie avaient vérifiées et déclarées infondées. »

L'expert-conseil fit un geste d'impatience.

« Nous n'allons pas ergoter sur des mots. Permettez-moi de vous demander ceci : Ces rapports étaient-ils *favorables* ?

– Non, et je vais tenter de nous faire gagner du temps. Dans l'industrie pharmaceutique, la notion de " rapports défavorables " a un sens très particulier. Dans ce sens, les rapports de France et d'Espagne ne l'étaient pas. »

Urbach soupira.

« Le témoin accepterait-il un compromis avec " rapports critiques " ?

– Oui, sans doute. » Celia savait déjà que ce serait difficile, et qu'elle allait passer un mauvais moment.

Le sénateur Donahue intervint.

« Ce que veut établir notre expert-conseil est extrêmement simple. Est-ce que vous – votre compagnie – aviez connaissance de ces rapports avant de commercialiser le Montayne dans notre pays.

– Oui.

– Mais vous avez quand même lancé ce médicament?

– Monsieur le sénateur, chaque nouveau médicament attire des opinions négatives. Elles doivent toutes faire l'objet d'un examen attentif...

– Je vous en prie, madame Jordan. Je ne suis pas ici pour écouter un exposé sur les pratiques de l'industrie pharmaceutique. Il vous suffit de me répondre par " oui " ou par " non ". Je répète : Connaissant ces rapports, votre compagnie a-t-elle, oui ou non, persisté dans son intention de vendre ce médicament à des femmes enceintes? »

Celia hésita.

« Nous attendons, madame Jordan.

– Oui, certes, monsieur le sénateur, mais...

– Ce " oui " nous suffira. (Donahue hocha la tête à l'adresse de Urbach.) Poursuivez.

– N'aurait-il pas été préférable et plus prudent, suggéra Urbach, de faire une enquête plus approfondie sur ces rapports, et de retarder le lancement du Montayne? »

Celia songea amèrement que c'était précisément l'argument qu'elle avait soulevé, et qui avait provoqué sa démission.

« En jugeant avec le recul, oui, répondit-elle. Bien sûr. Mais à l'époque, la compagnie agissait sur l'avis d'experts scientifiques.

– Quels experts? »

Elle réfléchit avant de répondre. Il s'agissait bien sûr de Lord, mais elle voulait être juste envers lui.

« Notre directeur de recherches, le docteur Lord, mais lui-même jugeait en fonction des données apparemment fiables que lui fournissait Gironde-Chimie.

— Nous interrogerons plus tard le docteur Lord sur ce point. En attendant... (Urbach consulta ses notes.) La décision de continuer et de ne pas retarder le lancement en dépit de ces rapports défavo... pardon, critiques, était-elle liée à la notion de bénéfices anticipés?

— Eh bien, la notion de bénéfices entre toujours en ligne de...

— Madame Jordan! Oui ou non? »

Intérieurement, Celia soupira. *A quoi bon?* Chaque question était un piège, toutes tendaient à la même conclusion préconçue.

Elle admit.

« Oui.

— Ces bénéfices avaient-ils une importance vitale pour votre société?

— On le croyait, oui.

— Qu'est-ce que ces bénéfices étaient censés représenter? »

Impitoyablement, les questions chargées de sous-entendus continuèrent. Celia se demanda pourtant : étaient-elles vraiment si injustement chargées d'insinuations, quand elles touchaient de si près à la vérité? N'y avait-il pas eu un temps, bien des années auparavant, où elle aurait elle-même posé ces questions? Et n'était-il pas ironique qu'elle dût comparaître ici, en lieu et place de Sam Hawthorne qui, lui, aurait mérité de se trouver confronté à ces questions, mais qui était mort? Pour la première fois depuis Hawaii, elle se souvint des paroles d'avertissement d'Andrew : « *Si tu y retournes... les accusations et les responsabilités concernant le Mon-*

tayne rejailliront sur toi. » Comme tant d'autres fois, Andrew avait eu raison.

Son épreuve fut interrompue par la pause du déjeuner, et le sénateur Donahue l'informa : « Madame Jordan, vous pouvez quitter la barre, mais veuillez rester à notre disposition pour des questions ultérieures. (Puis il annonça :) Le prochain témoin, après l'interruption de séance, sera le docteur Lord. »

CHAPITRE 49

CELIA et Quentin mangèrent un sandwich en buvant un café à l'arrière de la limousine qui les attendait devant l'immeuble du Sénat. « C'est plus rapide et plus discret qu'aucun autre endroit, pour déjeuner », lui avait dit Quentin en expliquant ce qu'il avait organisé. Ils étaient maintenant garés dans Jefferson Drive, non loin du Smithsonian Institute, et le chauffeur en livrée faisait les cent pas dehors.

Invité à déjeuner avec eux, Vincent Lord avait décliné l'offre, car il avait pris d'autres dispositions.

« Ils font en sorte de vous donner le mauvais rôle, observa Quentin au bout d'un moment. Je veux dire à vous, personnellement. Quel effet cela vous fait-il ? »

Celia répondit par une grimace.

« Quel effet cela peut-il faire ? Je n'aime pas cela bien sûr.

— Il s'agit purement et simplement d'une tactique. (L'avocat but une gorgée de café bouillant.) Toute enquête de ce type, qui constitue un exercice politique, exige qu'il y ait un méchant à montrer du doigt. Comme vous représentez la compagnie, c'est vous qu'ils ont sous la main. Mais je pourrais faire quelque chose pour y remédier.

– Faire quoi?

– Donahue et son équipe connaissent votre position personnelle, et savent que vous avez démissionné pour cela. Il est impossible qu'ils l'ignorent; ce sont des gens très bien renseignés. Ils savent sans doute aussi quelles ont été vos exigences pour revenir, et je suis certain qu'ils connaissent la Doctrine Felding-Roth et savent que vous en êtes l'auteur.

– Alors pourquoi...

– Ecoutez-moi d'abord. Et essayez de voir les choses sous cet angle. (Quentin adressa un signe de tête à un groupe de touristes qui s'était arrêté pour tenter de regarder dans la limousine, puis reporta son attention sur Celia.) Pourquoi voudriez-vous que les collaborateurs de Donahue se préoccupent de préserver votre image? Et s'ils le faisaient, sur qui d'autre pourraient-ils centrer le tir? Certainement pas sur un mort : il est hors d'atteinte.

– Je comprends cela, dit Celia, et je sais bien, comme vous me l'avez dit, qu'il s'agit d'un exercice politique. Néanmoins, la vérité n'a-t-elle pas *aussi* son importance?

– Si j'étais l'avocat de la partie adverse, expliqua Quentin, voici comment je répondrais à votre question : oui, la vérité est toujours importante. Mais en ce qui concerne le Montayne la vérité réside dans ce qu'a fait la compagnie – Felding-Roth – parce qu'elle a commercialisé le Montayne, et qu'elle en porte la responsabilité. Quant à vous – oui, en effet, vous avez démissionné. Mais vous êtes revenue et, ce faisant, vous avez accepté votre part de responsabilité pour le Montayne, même après les faits. (Quentin eut un sourire lugubre.) Bien entendu, je pourrais plaider exactement l'inverse et être tout aussi convaincant.

– Les avocats! (Le rire de Celia était faible.) Leur arrive-t-il de croire à quelque chose?

– On s'y efforce. Mais l'ambivalence permanente est l'un des risques du métier.

– Vous disiez que vous pourriez faire quelque chose. De quoi s'agissait-il?

– Dans la sous-commission siègent plusieurs membres de l'opposition qui sont favorables à votre industrie. Ils ont également un expert-conseil. Aucun d'eux n'a encore pris la parole, et ils s'en garderont sans doute bien, car ils risqueraient de se faire accuser de soutenir le Montayne – c'est une position intenable. Mais ce que pourrait faire l'un d'eux, si je le lui demande comme une faveur, c'est de vous interroger de manière à faire ressortir votre dossier personnel et à redorer votre image.

– Cela aiderait-il Felding-Roth?

– Non, sans doute même au contraire. »

Résignée, Celia conclut :

« Dans ce cas, n'y pensons plus.

– Comme vous voudrez, répliqua tristement l'avocat. Après tout, c'est vous que cela regarde. »

Vincent Lord prit le micro réservé aux témoins dès que s'ouvrit la séance de l'après-midi.

Cette fois encore, ce fut Urbach qui mena l'interrogatoire, et il demanda d'abord à Lord quelle était sa formation scientifique. L'expert-conseil passa ensuite aux débuts du Montayne, et Lord répondit aux questions avec une assurance détendue.

Au bout d'un quart d'heure, Urbach demanda :

« Lorsque le Montayne se trouva prêt à être lancé aux Etats-Unis, et que ces rapports d'Australie, de France, et d'Espagne parvinrent à votre compagnie, avez-vous recommandé un report de lancement?

– Non.

– Pourquoi cela?

– Un report à ce stade ne pouvait être décidé que par la direction. En tant que directeur des recherches, je n'étais concerné que par l'aspect scientifique.

– Veuillez nous expliquer cela.

– Certainement. Mon rôle consistait à donner un avis scientifique sur les informations que nous fournissaient les laboratoires Gironde-Chimie. Je n'avais aucune raison de recommander un report. »

Urbach insista :

« Vous avez employé l'expression "avis scientifique". En dehors de toute donnée scientifique, éprouviez-vous le moindre doute, la moindre intuition au sujet de ces trois rapports? »

Pour la première fois, Lord hésita avant de répondre :

« J'aurais pu.

– Vous *auriez pu* ou vous *avez* éprouvé des doutes?

– Eh bien, j'étais mal à l'aise. Mais, là encore, ce n'était absolument pas scientifique. »

Celia, qui s'était détendue tout en écoutant, se fit soudain plus attentive.

Urbach continuait :

« Si je vous comprends bien, docteur Lord, vous vous trouviez en quelque sorte devant un dilemme?

– J'imagine que vous pourriez dire cela, oui.

– Il ne s'agit pas d'imaginer, docteur Lord, ni de savoir ce que je pourrais dire. Il s'agit de ce que vous nous dites, vous.

– Eh bien... d'accord, je peux dire cela.

– Merci. (L'expert-conseil jeta un coup d'œil à ses notes.) Nous voudrions également savoir ceci : après avoir lu les rapports dont nous parlons,

592

docteur, avez-vous *recommandé* la commercialisation du Montayne?

– Non. »

Cette série de réponses révolta Celia. *Lord mentait.* Non seulement il avait pris le parti de commercialiser quand même le Montayne, et avait voté dans ce sens lors de la réunion organisée dans le bureau de Sam, mais il s'était moqué des doutes de Celia et de son plaidoyer en faveur du report.

Le sénateur Donahue se pencha vers un micro.

« J'aimerais poser au témoin la question suivante : si vous aviez eu des responsabilités de direction, docteur Lord, et non de pure recherche scientifique, auriez-vous recommandé un report? »

Cette fois encore, Lord hésita. Puis il répondit d'une voix ferme :

« Oui, monsieur le sénateur. »

Le salaud! Celia commença de griffonner un petit mot pour Quentin : *c'est faux*... puis elle se ravisa. Que pouvait-elle faire? En supposant qu'elle remette en cause l'honnêteté de Lord et qu'un débat s'ensuive – qu'est-ce que cela changerait? A cette audition – rien. Ecœurée, elle chiffonna le papier sur lequel elle avait commencé à écrire.

Après quelques questions supplémentaires, Lord fut remercié et sortit aussitôt sans un regard ni un mot pour Celia.

Le témoin cité ensuite fut Maud Stavely.

La présidente de l'Association des Citoyens pour une Médecine plus Sûre s'avança d'une démarche assurée et prit place devant un micro à la barre des témoins, à quelque distance de Celia et de Quentin. Elle ne leur adressa pas un regard.

Le sénateur Donahue accueillit le témoin avec

cordialité, puis le docteur Stavely lut une déclaration. Elle faisait état de ses propres qualifications, expliquait la structure de l'A.C.M.S. parlait de la lutte de son organisation contre les laboratoires pharmaceutiques, et de son opposition au Montayne, proclamée dès le début.

Tout en détestant l'emphase de cette déclaration et les allusions qu'elle y décelait, Celia dut reconnaître intérieurement que Stavely paraissait très compétente. De même que lors de leur première rencontre, deux ans auparavant, la présidente de l'A.C.M.S. était séduisante, et elle arborait aujourd'hui un tailleur brun sobre et bien coupé.

Au sujet du Montayne, Stavely déclara :

« Malheureusement, nos protestations n'ont pu percer le mur de silence par manque de moyens. L'A.C.M.S. n'a pas les énormes ressources – les milliards de dollars – que les firmes comme Felding-Roth dépensent en propagande, dupant les médecins et le public pour leur faire croire que des médicaments tel le Montayne sont inoffensifs, tout en sachant très bien – comme c'était le cas pour le Montayne – qu'il y a des indications contraires. »

Stavely marquant une pause, Dennis Donahue intervint.

« Je suppose, docteur Stavely, que, comme votre opinion sur le Montayne s'est révélée exacte, les dons à votre association ont dû affluer.

– Certes, monsieur le sénateur. Et nous espérons qu'après ces auditions – que, pour notre part, nous jugeons salutaires – ils s'accroîtront encore. »

Donahue sourit sans répondre, et Stavely poursuivit.

Celia fut consternée quand sa visite au siège de l'A.C.M.S. fut mentionnée. Elle se serait bien passée de cette nouvelle complication.

La question revint lors du contre-interrogatoire du docteur Stavely par Stanley Urbach.

L'expert-conseil de la commission demanda :

« Quelle était la date de cette visite ? »

Stavely consulta ses notes :

« Le 12 novembre 1978.

— Mme Jordan vous a-t-elle exposé l'objet de sa visite ?

— Elle m'a dit qu'elle souhaitait discuter. Et nous avons, en particulier, parlé du Montayne.

— Il me semble qu'à ce moment-là le Montayne avait obtenu l'accord de la F.D.A. mais n'était pas encore en vente. Est-ce exact ?

— Oui, c'est exact.

— Est-il exact, aussi, qu'à cette époque-là l'Association des Citoyens pour une Médecine plus Sûre s'efforçait activement de faire annuler la décision de la F.D.A. ?

— Oui, nous nous étions mobilisés autour de cet objectif, et nous nous donnions beaucoup de mal pour arriver à nos fins.

— Ces efforts, tout ce travail que vous faisiez pour interdire le Montayne, cela semblait inquiéter Mme Jordan ?

— Eh bien, cela ne lui faisait assurément pas plaisir. Elle défendait le Montayne, affirmant qu'il ne présentait aucun danger. Bien entendu, je n'étais pas d'accord.

— Vous a-t-elle dit *pourquoi* elle jugeait ce médicament sûr ?

— Je m'en souviens très bien — elle n'en a rien dit du tout. Evidemment, elle n'a aucune qualification médicale pour porter un jugement de cet ordre — mais cela n'a jamais empêché les Jordan et tous les vendeurs de son acabit d'en porter un quand même. (La voix de Stavely exprimait le mépris. Elle ajouta :) Quoi qu'il en soit, j'ai été choquée par son ignorance.

— Pourriez-vous nous expliquer plus précisément ce qui vous a choquée?

— Oui. Vous vous souvenez sans doute que, à l'époque, l'affaire australienne impliquant le Montayne avait déjà éveillé l'attention. »

Urbach eut un sourire poli.

« C'est *moi* qui suis censé poser les questions, docteur. »

Stavely lui rendit son sourire.

« Excusez-moi. Ce que je veux dire, c'est que Jordan n'avait même pas lu la transcription du procès australien. Elle me l'a avoué. Je l'ai vivement encouragée à combler cette lacune.

— Merci, docteur. Pendant cette conversation avec Mme Jordan, avez-vous eu l'impression qu'elle était venue vous voir mandatée par sa compagnie?

— Oui, très nettement.

— Pour en revenir à l'effort de l'A.C.M.S. visant à annuler l'autorisation de commercialisation du Montayne par la F.D.A., avez-vous eu l'impression que Felding-Roth s'inquiétait à ce sujet, et vous avait envoyé Mme Jordan dans l'espoir qu'elle vous convaincrait d'y renoncer?

— Eh bien, l'idée m'en est venue, mais je ne puis rien prouver. Quoi qu'il en soit, si telle était l'intention de cette dame, elle a dû voir aussitôt qu'elle n'avait aucune chance d'y parvenir. »

Contrairement à Vincent Lord, Stavely n'avait pas menti, songea Celia. Mais quelle différence un choix de citations, une intonation, une opinion discrètement renforcée pouvaient entraîner dans le récit de *n'importe* quelle conversation!

Tenant un papier à la main, le sénateur Donahue prit la parole :

« Docteur Stavely, j'ai là un document présenté comme la "Doctrine de Felding-Roth". Si vous ne l'avez pas lu, je vous communiquerai cet exemplaire.

– Je l'ai déjà vu, monsieur le sénateur, et une fois me suffit. »

Donahue sourit.

« Je crois comprendre que vous avez déjà votre opinion. Nous aimerions la connaître.

– Je considère cette prétendue doctrine comme une vulgaire manœuvre de récupération commerciale, profitant d'une effroyable tragédie, et c'est là une insulte aux enfants et aux familles qui ont été les victimes du Montayne. »

Furieuse et prête à bondir, Celia sentit la main de Quentin se poser sur son bras pour la retenir. Au prix d'un effort, elle resta à sa place, le visage enflammé et les poings serrés.

Un membre de la commission appartenant à l'opposition, le sénateur Jaffee, observa d'un ton modéré :

« Mais tout de même, docteur Stavely, si une compagnie reconnaît effectivement son erreur et s'engage pour l'avenir...

– On m'a demandé mon avis, riposta sèchement Stavely, et je l'ai donné. Si ce genre de supercherie parvient à vous tromper, monsieur, tant pis pour vous. »

Avec un demi-sourire, le sénateur Donahue posa le papier.

Le docteur Stavely répondit encore à quelques questions, puis fut remerciée et quitta la salle.

On annonça que le premier témoin du lendemain serait le docteur Gideon Mace, de la F.D.A.

Ce soir-là, dans sa suite du Madison Hotel, Celia reçut un coup de téléphone : Juliette Goodsmith lui annonça qu'elle se trouvait en bas, dans le hall. Celia l'invita à monter et, à son arrivée, la serra dans ses bras.

La fille de Sam et Lilian paraissait plus âgée que ses vingt-trois ans. Elle semblait également avoir perdu du poids. Celia voulut l'inviter à dîner, mais Juliette refusa.

« Je suis simplement venue, expliqua-t-elle, parce que je me trouve en ce moment chez une amie, et que j'ai lu le compte rendu de l'audience. Ils manquent totalement d'honnêteté à votre égard. Vous êtes la seule de la compagnie à avoir réagi décemment face à cet ignoble médicament. Tous les autres se sont montrés cupides et corrompus, et voilà que, maintenant, c'est vous qu'on punit. »

Elles étaient assises dans deux fauteuils qui se faisaient face et Celia protesta doucement :

« Ce n'était pas exactement cela. »

Elle expliqua à Juliette que, du fait de ses fonctions, elle constituait la cible immédiate du sénateur Donahue et de ses assistants; et aussi que ses actions personnelles n'avaient eu aucun effet sur la mise en vente du Montayne.

« Le fait est, conclut-elle, que Donahue tente de présenter Felding-Roth comme un ennemi public.

— Il a peut-être raison, répondit Juliette. Il se pourrait bien que la compagnie soit effectivement un ennemi public.

— Non, s'exclama Celia, ce n'est pas vrai! Felding-Roth a commis une terrible erreur avec le Montayne, mais elle a fait beaucoup de bonnes choses dans le passé, et elle en fera d'autres. (Maintenant encore, elle songeait avec optimisme au Peptide 7 et à l'Hexine W.) Je tiens également à dire, reprit Celia, que, quelles qu'aient été ses erreurs – qu'il a chèrement payées –, votre père n'avait aucun des défauts que vous avez cités : il n'était ni « cupide » ni « corrompu ». C'était un homme honnête, qui a fait ce qu'il croyait juste à ce moment-là.

– Comment pourrais-je le croire? riposta Juliette. Il m'a fait prendre ce médicament sans me dire qu'il n'était pas encore approuvé.

– Essayez de lui pardonner, insista Celia. Sinon, maintenant qu'il est mort, vous n'y gagnerez rien et cela vous fera du mal. (Comme Juliette secouait la tête, Celia reprit :) J'espère qu'avec le temps vous y parviendrez. »

Elle s'abstint prudemment de demander des nouvelles de l'enfant, maintenant âgé de deux ans, et qui se trouvait dans une institution réservée aux handicapés incurables, où il passerait le reste de sa vie.

« Comment va Dwight? s'enquit-elle.

– Nous divorçons.

– Oh! non! »

La surprise et l'affliction étaient sincères. Celia se souvint de sa conviction, au mariage de Juliette et de Dwight, que ce serait un couple solide.

« Tout allait très bien, expliqua Juliette d'une voix accablée, jusqu'au jour où nous avons appris ce qu'il en était de notre enfant, et pour quelles raisons. Dès lors, tout a basculé. Dwight était fou furieux contre mon père, encore plus que moi. Il voulait poursuivre Felding-Roth et papa personnellement, pour les écraser en justice, en prenant lui-même l'affaire en main. Je n'aurais jamais pu l'accepter.

– Non, admit Celia. Cela aurait tout détruit.

– Ensuite, nous avons tenté de recoller les morceaux pendant quelque temps, poursuivit Juliette d'une voix triste. Mais cela n'a pas marché. Nous n'étions plus les mêmes personnes. Et c'est là que nous avons résolu de divorcer. »

Il n'y avait plus grand-chose à dire, songea Celia, mais que de drames et de souffrances le Montayne avait dû causer, au-delà de ce qu'on pouvait percevoir!

CHAPITRE 50

Parmi tous les témoins qui comparurent devant la sous-commission sénatoriale, le docteur Gideon Mace fut celui qui souffrit le plus.

A un moment particulièrement théâtral du contre-interrogatoire de Mace, le sénateur Donahue pointa sur lui un doigt accusateur et tonna d'une voix de Jehovah : « C'est *vous* qui, au nom du gouvernement et de toutes les institutions officielles, avez déchaîné ce fléau sur les femmes américaines et leurs malheureux enfants à naître. N'espérez donc pas sortir d'ici indemne, en gardant pour vous les secrets de la conscience coupable qui vous tourmentera justement jusqu'à votre dernière heure. »

Quelques minutes auparavant, à la surprise de tous les assistants, Mace avait admis qu'avant d'autoriser le Montayne il avait éprouvé de graves doutes au sujet de ce médicament – des doutes qui se fondaient sur le premier rapport australien et qui ne l'avaient plus jamais quitté.

Urbach, qui procédait au contre-interrogatoire, avait presque hurlé :

« Alors *pourquoi* avez-vous donné l'autorisation? »

A quoi Mace répondit, bouleversé mais lamentable :

« Je... je n'en sais rien. »

Cette réponse – la plus maladroite qu'on pût imaginer – provoqua dans l'assistance et parmi les membres de la commission une surprise horrifiée et incrédule, puis Donahue lança peu après son avertissement solennel.

Jusqu'à ce moment, Mace – bien que fort nerveux – avait paru capable de tenir la situation en main et de rendre compte de ses actes. Il avait commencé par une brève déclaration, où il décrivait l'énorme quantité de données qui lui avaient été fournies – représentant 125 000 pages, 307 volumes – puis le détail de l'enquête qu'il avait menée pour vérifier ces données; ce qui avait entraîné un certain retard. Cette enquête, dit-il, avait finalement apporté des conclusions satisfaisantes. Il ne parla pas alors du rapport australien.

C'est au cours de l'interrogatoire, quand on en vint à l'affaire australienne, que Mace présenta des signes d'émotivité, puis parut s'effondrer. L'horrible aveu – « Je n'en sais rien » – avait suivi.

Bien qu'elle eût conscience de la faiblesse de la situation de Mace, Celia éprouvait pour lui une certaine compassion, estimant que le poids du blâme qu'on lui attribuait était excessif. Par la suite, elle en parla à Childers Quentin.

« C'est dans ces moments-là, répondit l'avocat, que le système britannique d'autorisation des médicaments révèle sa supériorité sur le nôtre. »

Comme Celia voulait savoir pourquoi, Quentin le lui expliqua.

« En Angleterre, une commission sur la sécurité des médicaments conseille le ministre de la Santé, et c'est ce dernier qui accorde la licence pour un produit nouveau. Il y a des fonctionnaires parmi les conseillers, bien sûr, mais c'est le ministre qui détient la responsabilité et, si un incident se produit, c'est lui et lui seul qui doit affronter le Parlement et subir le blâme.

« Jamais un ministre du gouvernement britannique n'agirait aussi lâchement que ce que nous tolérons ici – en laissant un fonctionnaire comme Mace comparaître devant une commission d'enquête et endosser seul toute la responsabilité. Si notre système était plus moral, le ministre de la Santé, de l'Education et de l'Assistance sociale serait ici même, pour affronter Donahue. Mais où est ce ministre ? Sans doute tapi dans son bureau ou, par un judicieux hasard, en déplacement à l'autre bout du pays. »

De l'avis de Quentin, le système américain présentait un autre point faible.

« Une conséquence de ce que vous voyez là, c'est que les employés de la F.D.A. deviennent trop prudents par peur d'être traînés un jour devant des commissions. Alors, au lieu d'approuver des produits qui devraient être disponibles sur le marché, ils les laissent moisir dans des tiroirs pendant beaucoup trop longtemps. Bien sûr, la prudence est indispensable – *absolument* indispensable – pour tout nouveau médicament, mais un excès de prudence peut nuire, en retardant l'avance de la médecine, et en privant les médecins, les hôpitaux et les patients de médicaments et de traitements dont ils devraient pouvoir bénéficier. »

Lorsque l'épreuve du docteur Mace s'acheva enfin et qu'il y eut une interruption de séance, Celia fut soulagée. A ce moment-là, mue par sa compassion, elle se leva et s'approcha de lui.

« Docteur Mace, je suis Celia Jordan, de Felding-Roth. Je voulais simplement vous dire... »

Elle s'interrompit, stupéfaite et consternée. A la

mention de Felding-Roth, les traits de Mace s'étaient tordus dans une expression de haine forcenée telle que Celia n'en avait jamais vue. Puis, le regard flamboyant, la mâchoire crispée, il cracha : « Laissez-moi tranquille! Vous m'entendez? Ne m'approchez plus jamais, *jamais*! »

Avant que Celia pût se ressaisir et répondre, Mace lui avait tourné le dos et s'en était allé.

Quentin s'était approché et demanda avec curiosité :

« Que s'est-il passé? »

Bouleversée, elle répondit :

« Je ne sais pas. C'est arrivé quand j'ai mentionné le nom de la compagnie. Il a eu l'air de devenir fou furieux.

— Bah! (L'avocat haussa les épaules.) Le docteur Mace n'aime guère le fabricant du Montayne. Cela se comprend.

— Non. Il s'agit d'autre chose. J'en suis certaine.

— A votre place, je ne m'en préoccuperais pas. »

Cependant Celia gardait à l'esprit cette expression de haine, et cela la troubla pendant tout le reste de la journée.

Vincent Lord était resté un jour de plus à Washington, et Celia eut avec lui une explication houleuse sur son témoignage de la veille. Cette scène se déroula dans la suite de Celia, au Madison Hotel. Elle l'accusa d'avoir menti et voulut savoir pourquoi.

Le directeur de recherches ne protesta pas, mais se contenta de répondre d'un air contrit :

« Oui, vous avez raison. Je suis navré. J'étais nerveux.

— Vous n'en aviez absolument pas l'air.

— Cela ne se voit pas nécessairement. Toutes ces

questions m'inquiétaient. Je me demandais ce que savait ce type, Urbach.

– Qu'aurait-il pu savoir de particulier? »

Lord hésita.

« Rien de plus que nous tous, je suppose. Mais je me disais que répondre ainsi c'était le meilleur moyen d'en finir le plus vite possible. »

Celia n'était pas convaincue.

« Pourquoi auriez-vous dû, plus qu'un autre, en finir le plus vite possible? Ce qui arrive est très désagréable pour tout le monde, y compris pour moi, et nous avons tous une conscience. Mais jamais rien d'illégal n'a été fait en ce qui concerne le Montayne. (Elle s'interrompit, soudain frappée par une idée.) Ou bien y a-t-il quelque chose?

– Non! Bien sûr que non. » Mais la réponse arriva une seconde trop tard, et un peu trop appuyée.

Quelques mots de Sam revinrent à la mémoire de Celia, une nouvelle fois. « *Il y a... autre chose que vous ignorez.* »

Elle fixa sur Lord un regard interrogateur.

« Vince, y a-t-il quelque chose, au sujet du Montayne et de Felding-Roth, qu'on ne m'a pas dit?

– Je vous jure que non... rien. Que pourrait-il y avoir? »

Il mentait encore. Elle le savait. Elle savait aussi que le secret de Sam, quel qu'il fût, n'était pas mort avec lui – Lord l'avait partagé.

Mais, pour le moment, elle ne pouvait pas aller plus loin.

Les auditions de la commission durèrent quatre jours. D'autres témoins furent cités, parmi lesquels deux médecins – deux neurologues, qui avaient examiné les bébés nés avec des malformations. L'un d'eux s'était rendu en Europe pour y étudier les autres cas, et il montra des diapositives d'enfants qu'il avait vus.

En apparence, rien ne laissait supposer que ces enfants puissent être anormaux. Mais sur ces photos, la plupart apparaissaient couchés, et comme l'expliqua le spécialiste : « Jamais ils ne pourront effectuer le moindre mouvement sans aide. De plus, tous ces enfants ont subi d'irréversibles dommages cérébraux pendant la période embryonnaire. »

Quelques-uns étaient très beaux. L'un d'eux – plus grand que les autres – était un garçonnet de deux ans. Soutenu par une main invisible, il offrait à la caméra un regard qui semblait implorant.

« Cet enfant, dit le neurologue, ne pourra jamais penser comme vous ou moi, et n'aura presque certainement jamais conscience de ce qui l'entoure. »

Ce jeune visage rappela à Celia celui de Bruce au même âge, seize ans plus tôt. Bruce qui venait d'écrire quelques jours auparavant, du Williams College, où il étudiait désormais :

Chers parents,

Le collège, c'est formidable! J'adore ça. Ce qui me plaît vraiment, c'est qu'ils veulent constamment vous faire penser, penser, penser.

Celia était bien contente qu'on eût baissé les lumières pour projeter les diapositives, mais elle s'aperçut ensuite qu'elle n'était pas la seule à s'essuyer les yeux avec un mouchoir.

Quand le médecin eut terminé, le sénateur Donahue lui-même semblait avoir des difficultés d'élocution. Oui, songea Celia, malgré tous ses grands airs et ses manœuvres politiques, il a aussi un cœur.

L'attendrissement momentané de Donahue avait fait place à l'agressivité, lorsque, l'après-midi du quatrième et dernier jour, Celia fut de nouveau appelée à comparaître. Même dans ses apartés avec son équipe, Donahue paraissait impatient et nerveux. Avant que Celia fût appelée, Quentin lui chuchota : « Prenez garde. Le grand homme m'a tout l'air de quelqu'un qui digère mal son déjeuner. »

L'expert-conseil Urbach interrogea Celia sur divers témoignages et lui demanda des précisions sur ce qu'elle avait déjà dit.

Lorsqu'il la questionna sur la déclaration de Lord, selon laquelle il aurait retardé le lancement du Montayne s'il avait eu à décider, elle répondit : « J'en ai depuis parlé avec le docteur Lord. Mes propres souvenirs diffèrent des siens, mais je ne vois pas l'intérêt d'en discuter ici. Passons à une autre question. »

Quant à sa venue au siège de l'Association des Citoyens pour une Médecine plus Sûre, Celia déclara :

« Il existe des différences d'interprétation. Je suis allée voir le docteur Stavely par impulsion, et avec des intentions amicales. Je pensais que nous pourrions avoir un échange d'idées fructueux. Cela n'a pas été le cas. »

Urbach lui demanda :

« Y êtes-vous allée dans l'intention de parler du Montayne ?

— Pas spécialement.

— Mais *avez-vous* parlé du Montayne !

— Oui.

— Espériez-vous convaincre le docteur Stavely et l'A.C.M.S. de cesser, ou de modérer, leur campagne visant à obtenir le retrait de l'approbation du Montayne par la F.D.A. ?

— Pas du tout. Jamais cette idée ne m'est venue à l'esprit.

– S'agissait-il d'une visite officielle au nom de votre compagnie ?

– Non. En fait, personne chez Felding-Roth ne connaissait mon intention de rendre visite au docteur Stavely. »

A côté d'Urbach, Donahue paraissait mal à l'aise. Il prit la parole.

« Est-ce bien la vérité que vous nous avez dite, madame Jordan ?

– Je n'ai jamais dit que la vérité dans toutes mes réponses. (La colère s'était emparée d'elle, et elle continua :) Voulez-vous m'injecter du sérum de vérité ?

– Ce n'est pas une audience de justice, ici! rugit Donahue.

– Excusez-moi, monsieur le sénateur, je n'avais pas remarqué la différence. »

Empourpré par la rage, Donahue fit signe à Urbach de poursuivre.

L'interrogatoire porta ensuite sur la Doctrine Felding-Roth.

« Vous avez entendu le docteur Stavely décrire ce document comme " une vulgaire manœuvre de récupération commerciale ", déclara Urbach. Etes-vous d'accord avec cette affirmation ?

– Bien sûr que non. Cette doctrine n'a pas d'autre but que celui qu'elle proclame, et qui consiste à réglementer la politique future de la compagnie.

– Ah! vraiment. Etes-vous convaincue, alors, qu'elle n'aura aucun impact publicitaire ? »

Celia sentit qu'il lui tendait un piège.

« Je n'ai pas dit cela. Mais si – en tant que déclaration honnête – elle a par la suite un impact de ce type, ce n'est en tout cas pas l'intention d'origine. »

Donahue s'agitait. Urbach tourna vers lui un regard interrogateur.

« Sénateur? »

Le président de la commission parut hésiter à intervenir. Puis il déclara, obstiné :

« On en revient toujours à l'interprétation, n'est-ce pas? Faut-il croire une personne désintéressée et dévouée comme le docteur Stavely, ou le porte-parole d'une industrie tellement obsédée par le profit qu'elle tue ou mutile constamment des gens, par l'emploi de médicaments dont elle sait à l'avance qu'ils sont dangereux? »

Il y eut des réactions outrées dans le public. Les assistants de Donahue eux-mêmes paraissaient gênés, conscients du fait qu'il était allé trop loin.

Oubliant toute prudence, Celia demanda d'une voix acerbe :

« Cette question s'adresse-t-elle à moi, monsieur le sénateur? Ou bien est-elle plutôt ce qu'elle paraît être : une affirmation totalement partiale et infondée, qui prouve que cette enquête n'est qu'une vaste mascarade, dont les conclusions ont été rédigées bien avant l'audition des témoins? »

Donahue pointa le doigt sur Celia, comme il l'avait fait pour Mace.

« Qu'on me permette d'avertir le témoin qu'il existe ici un délit nommé outrage au Congrès. »

Sans plus se retenir, elle répliqua d'un ton cinglant :

« Ne me tentez pas! »

Le sénateur tonna :

« Je vous somme d'expliquer le sens de votre propos. »

Sans écouter l'exhortation que lui murmurait Quentin, et se dégageant de l'étreinte apaisante de la main qu'il avait posée sur son bras, elle bondit sur ses pieds.

« Je vais vous l'expliquer en rappelant que *vous*, qui siégez ici tel un juge pour condamner le Montayne, Felding-Roth et la F.D.A., vous êtes bien celui qui, voici deux ans, protestait contre le retard de la F.D.A. à autoriser le Montayne en le qualifiant de ridicule.

– C'est un mensonge! Voici maintenant que l'outrage est commis, madame! Je n'ai jamais rien dit de tel. »

Celia éprouva une merveilleuse sensation de satisfaction. *Donahue avait oublié*. Cela n'avait rien de surprenant – il disait tant de choses sur tant de sujets! Et ses assistants, s'ils étaient au courant, avaient omis de l'en avertir. Sur ces deux points, Quentin s'était trompé.

Celia avait devant elle un dossier qu'elle avait apporté à tout hasard, mais qu'elle n'avait pas encore ouvert. Elle en tira plusieurs coupures de presse.

« Voici ce qu'on peut lire dans le *Washington Post* du 17 septembre 1976. (Elle resta debout, très droite.) « A propos du médicament Montayne, actuellement à l'étude dans les services de la F.D.A. et destiné aux femmes enceintes, le sénateur Dennis Donahue a déclaré aujourd'hui que l'absence de décision de la F.D.A. était " parfaitement ridicule en la circonstance ". » (Celia ajouta.) Cette information est parue dans d'autres journaux. (Elle s'interrompit, puis reprit d'une voix bien claire :) Il y a encore autre chose monsieur le sénateur. »

Elle saisit un autre papier dans son dossier. Donahue avait pris une teinte rouge brique, et il s'apprêtait à frapper un coup de marteau pour imposer le silence quand le sénateur Jaffee, du camp de l'opposition, protesta :

« Non, non! Laissez finir cette dame, je veux l'entendre.

– Vous avez accusé notre industrie de tuer des gens, déclara Celia, s'adressant à Donahue. J'ai ici le dossier de tous vos votes en faveur des subventions aux cultivateurs de tabac, depuis que vous êtes entré au Congrès, voici dix-huit ans, vous avez voté " oui " aux demandes de subventions. Et avec ces " oui ", monsieur le sénateur, vous avez contribué à tuer plus de gens par le cancer du poumon que n'en a tué l'industrie pharmaceutique dans toute son histoire. »

Ces derniers mots se perdirent dans un tumulte de cris, parmi lesquels ceux de Donahue qui, tout en frappant la table de son marteau, s'époumonait à hurler : « L'audition est ajournée. »

CHAPITRE 51

CE qui avait d'abord été une expérience démoralisante, s'acheva – tout au moins fut-ce l'impression du moment – en triomphe personnel.

Le soir même de sa querelle avec le sénateur Donahue, les chaînes de télévision – A.B.C., C.B.S. et N.B.C. – présentèrent la scène presque intégrale au cours des informations. Comme l'écrivit par la suite un journaliste : « Ce fut du grand théâtre, où la télévision donna le meilleur d'elle-même. »

Le lendemain, les journaux accordèrent la même priorité à l'affaire.

Le *New York Times* titra :

UN SÉNATEUR MOUCHÉ
PAR UNE DAME EN COLÈRE

Le *Chicago Tribune* annonça :

LE SÉNATEUR DONAHUE FÂCHE JORDAN
PUIS S'EN REPENT AMÈREMENT

Et bien d'autres s'en donnèrent à cœur joie.

Dans cette affaire, il apparut que les journalistes – qu'ils appartiennent à la télévision ou à la presse écrite – avaient bien fait leur travail et enquêté avec minutie. Comme l'expliqua l'un d'eux à Julian Hammond, qui transmit l'information à Celia : « Nous étions presque tous au courant de la démission de Mme Jordan au sujet du Montayne, et nous savions qu'elle avait exigé pour revenir le retrait immédiat du Montayne sans attendre la décision de la F.D.A. Ce qui nous manquait, c'était le moyen d'employer ces renseignements, alors nous les avons gardés au chaud. Finalement, cela est apparu le meilleur moyen. »

C'est ainsi qu'après l'empoignade la plupart des comptes rendus placèrent Celia sur un double piédestal. En premier lieu, son départ de chez Felding-Roth puis son retour – maintenant dévoilés publiquement – révélaient une personne aux solides principes moraux. Ensuite, le refus de se montrer sous un jour flatteur aux dépens de son employeur, lors des auditions, faisait la preuve d'une remarquable loyauté.

Un éditorial du *Wall Street Journal* commençait ainsi :

« Il y a souvent plus d'honneur dans les affaires qu'on ne veut en reconnaître. Comme il est agréable, dans ces conditions, de voir cet honneur non seulement montré, mais largement reconnu comme tel. »

Quelques jours après son retour de Washington, Celia discutait dans son bureau avec Julian Hammond. Le vice-président chargé des relations extérieures avait apporté une liasse de coupures de presse qu'il avait étalées sur la table de Celia. Quelques minutes plus tard, une secrétaire annonça l'arrivée de Childers Quentin.

Celia n'avait pas revu l'avocat depuis la fin des auditions de la commission sénatoriale. Il venait à présent mettre au point avec elle quelques nouvelles propositions de règlement amiable pour des cas liés à l'affaire du Montayne.

Celia pria la secrétaire de le faire entrer.

Il paraissait las et de mauvaise humeur, songeat-elle en lui disant bonjour et en lui offrant un siège.

« Je m'en allais à l'instant, déclara Hammond à Quentin. Nous savourions la victoire. »

Quentin ne parut guère apprécier.

« Vous voyez une victoire, vous?

– Bien sûr. (Le directeur des relations extérieures paraissait surpris.) Pas vous? »

La réponse fut maussade.

« Si vous y croyez vraiment, c'est que vous ne voyez pas plus loin que le bout de votre nez. »

Il y eut un silence, puis Celia suggéra :

« Bon, vous avez quelque chose sur le cœur. Dites-le-nous.

– Tout cela (Quentin désigna les coupures de presse) ainsi que le battage de la télévision, c'est enivrant. Mais d'ici quelques semaines ce sera oublié. Ce tapage ne comptera plus. »

Ce fut Hammond qui demanda :

« Qu'est-ce qui comptera, alors?

– Ce qui comptera, c'est que Felding-Roth – et vous personnellement, Celia – avez désormais un ennemi mortel. Je connais Donahue. Vous l'avez ridiculisé. Pis encore, vous l'avez fait sur son propre terrain, au Sénat, et devant des millions de téléspectateurs. Il ne vous le pardonnera jamais. Jamais. Si un jour il peut causer du tort à Felding-Roth ou à vous, Celia, il le fera avec joie. Il se peut même qu'il en cherche activement le moyen, et un sénateur américain – comme je vous l'ai déjà dit – dispose de toutes sortes de leviers pour agir. »

Celia eut soudain l'impression de recevoir une douche glacée. Et elle savait que Quentin avait raison.

Elle s'enquit :

« Alors, que suggérez-vous ? »

L'avocat haussa les épaules.

« Pour le moment, rien. A l'avenir, dans la mesure du possible, soyez prudente. Ne vous placez pas – vous ou Felding-Roth – dans une situation où le sénateur Donahue puisse vous atteindre. »

CHAPITRE 52

« COMMENT est Mme Jordan? » demanda Yvonne à Martin.

Il réfléchit avant de répondre.

« Séduisante. Forte. Intelligente. Extrêmement compétente dans son métier. Directe et honnête, de sorte que, quand on traite avec elle, on sait toujours où on en est.

– Je me sens déjà nerveuse à l'idée de la rencontrer. »

Il se mit à rire.

« Ce n'est vraiment pas la peine. Je peux te prédire que vous vous entendrez très bien. »

Cela se passait un vendredi soir de juillet, et ils se trouvaient chez Martin, à Harlow, où Yvonne avait complètement emménagé depuis près d'un an. Elle avait renoncé à son studio, car cela semblait désormais une dépense inutile.

En ce moment même dans leur salle de séjour, il y avait des livres et des papiers éparpillés – Yvonne préparait ses examens, qui auraient lieu dans six mois. Un an et demi s'était écoulé depuis que sur l'insistance de Martin, elle avait entrepris ces études épuisantes qui, espéraient-ils, lui permettraient un jour d'entrer à l'école vétérinaire.

Tout se passait bien. Yvonne était passionnée par

ce qu'elle faisait, et n'avait jamais été aussi heureuse. Sa joie inondait la maison, et Martin la partageait. Tout en poursuivant son travail au centre de recherches de Felding-Roth dans la journée, elle suivait des cours, plusieurs soirs par semaine et pendant les week-ends. Comme il l'avait promis, Martin aidait Yvonne en la faisant bénéficier de son expérience pratique.

Une autre source de joie était l'avance des recherches à l'institut. Depuis le saccage des installations par le gang des prétendus « Amis des animaux », la reconstitution des données s'était faite beaucoup plus vite que prévu. A présent, non seulement tout avait été refait, mais le développement du Peptide 7 avait avancé au point qu'on s'apprêtait à une présentation du produit à la direction.

Le mercredi suivant, Celia et plusieurs membres de la direction générale de Felding-Roth dans le New Jersey devaient se déplacer pour y assister.

Penser à Celia constituait cependant une digression pour l'instant. Martin continuait à lire, très concentré un manuel, *Les Principes de chimie organique*, de Murray.

« Ils ont tout réécrit depuis l'époque de mes études, dit-il. Je trouve là des choses bien peu réalistes. Tu vas les apprendre, mais par la suite n'en tiens aucun compte.

– Tu veux parler de ces dénominations communes internationales ?

– Bien sûr. »

Le système de Genève pour les produits chimiques avait été inventé par l'Union Internationale de la Chimie Pure et Appliquée, l'U.I.C.P.A. Il s'agissait d'inclure la structure d'un composé chimique dans sa dénomination. Ainsi, l'iso-octane devenait 2, 2, 4-triméthylpentane, l'acide acétique – ou vinaigre ordinaire – était l'acide éthanoïque, et la banale glycérine, propane-1, 2, 3-triol. Malheureusement, si les chimistes employaient rarement ces termes, les examinateurs, eux, le faisaient. Yvonne apprenait donc les nouveaux noms pour ses examens, et les anciens pour son futur travail au laboratoire.

Elle demanda :

« On n'emploie pas les termes de l'U.I.C.P.A., au labo ?

— Pas souvent. Personne ne s'en souvient jamais; et puis ils sont encombrants. Mais je vais te les faire réciter quand même.

— Vas-y. »

Martin cita à la suite vingt composés chimiques, employant tantôt l'ancien nom, tantôt le nouveau, et, chaque fois, sans hésitation, Yvonne répondit par l'autre dénomination.

Martin referma le livre en hochant la tête.

« Ta mémoire m'impressionne toujours. Je voudrais bien avoir la même.

— Est-ce à cause de ma mémoire que tu ne veux pas me laisser prendre du Peptide 7 ?

— En partie. Mais c'est surtout que je ne veux t'exposer à aucun risque. »

Un mois auparavant, Martin avait affiché une notice à l'institut :

APPEL À DES VOLONTAIRES

Cette note de service invitait les membres du personnel disposés à recevoir des injections de Peptide 7, pour la première série d'essais sur des humains, à inscrire leur nom. Les objectifs et les risques éventuels y étaient clairement exposés. Avant d'apposer la notice Martin y écrivit son nom.

Roa Sastri s'inscrivit aussitôt après. En quelques

jours, quatorze autres signatures apparurent, parmi lesquelles celle d'Yvonne.

Sur la liste définitive, Martin sélectionna en tout dix volontaires. Yvonne n'y figurait pas. Quand elle l'interrogea sur cette omission, il se contenta de répondre : « Peut-être plus tard. Pas encore. »

Le but de ces premiers essais humains n'était pas d'étudier les effets positifs du Peptide 7, mais de rechercher les éventuels effets indésirables. Comme Martin l'expliqua à Celia par téléphone : « En Angleterre, nous avons le droit d'entreprendre ce type d'expériences de notre propre initiative, tandis qu'en Amérique il vous faudrait l'accord préalable de la F.D.A. »

Jusqu'à présent, en vingt jours d'expérimentation sur des volontaires qui recevaient des doses quotidiennes de Peptide 7, aucun effet secondaire n'était apparu. Martin était ravi, tout en sachant qu'il faudrait évidemment procéder encore à de très nombreux essais.

Yvonne soupira.

« J'aimerais pouvoir bientôt prendre du Peptide 7. C'est sans doute mon seul espoir de perdre un jour du poids. A propos, j'ai acheté du hareng fumé pour demain. »

Le visage de Martin s'illumina.

« Tu es un ange. »

Le hareng fumé constituait son petit déjeuner favori du week-end, quand il avait le temps de le savourer.

Sa voix devint grave.

« Demain, je vais aller voir ma mère. J'ai eu mon père au téléphone, aujourd'hui, et les médecins l'ont prévenu qu'elle n'en aurait plus pour longtemps. »

L'état de sa mère s'était aggravé lentement mais la progression de la maladie avait été implacable.

Quelques mois plus tôt, Martin l'avait fait entrer dans une clinique de Cambridge, où elle oscillait désormais entre la vie et la mort. Quant au père, il continuait à vivre dans le petit appartement que Martin avait loué pour ses parents, peu après son entrée chez Felding-Roth.

« Je suis navrée. (Yvonne effleura la main de Martin d'un geste compatissant.) Oui, je viendrai aussi. Si cela ne t'ennuie pas que je travaille dans la voiture. »

Ils décidèrent de partir aussitôt après le petit déjeuner. Martin devait d'abord passer à son bureau.

Le lendemain matin à l'institut, pendant que Martin parcourait le courrier et examinait une liste de données informatiques, Yvonne alla faire un tour dans la salle des animaux. Il l'y trouva un peu plus tard.

Elle s'était arrêtée devant une cage contenant plusieurs rats, et Martin l'entendit s'exclamer :

« Espèce de vieux cochon!

– De qui s'agit-il? » demanda-t-il, amusé.

Yvonne se retourna et lui montra la cage.

« Voilà les pires obsédés que j'aie vus de ma vie! Ces derniers temps, ils ne peuvent plus s'arrêter. Ils aiment encore mieux forniquer que manger. »

Sous les yeux de Martin, le rat qui avait provoqué l'exclamation d'Yvonne continuait de copuler avec une femelle soumise, tandis que dans la cage voisine deux autres faisaient de même.

Il jeta un coup d'œil aux fiches de ces deux cages. Tous les rats y recevaient des injections de Peptide 7 récent, raffiné.

« Tu disais que "ces derniers temps" ils ne pouvaient plus s'arrêter. Comment cela? »

Yvonne hésita, puis posa sur lui un regard décidé.

« Eh bien... depuis qu'ils reçoivent des doses de Peptide 7, je crois.

– Et ce ne sont pas des jeunes?

– S'ils étaient humains, ils seraient à la retraite. »

Il se mit à rire, et dit :

« C'est sans doute une coïncidence. »

Puis il s'interrogea, *et si ce n'en était pas une?* Comme si elle avait lu ses pensées, Yvonne lui demanda :

« Que vas-tu faire?

– Lundi, je voudrais que tu vérifies le taux de reproduction des rats qui ont eu du Peptide 7. Tu me diras s'il est moyen ou supérieur à la moyenne.

– Ce n'est pas la peine d'attendre lundi. Je peux te dire qu'il est très au-dessus de la moyenne. Mais, jusqu'à maintenant, je n'avais pas fait le rapport... »

Martin l'interrompit sèchement.

« N'établis pas de rapport! Les suppositions peuvent mener à de fausses conclusions. Contente-toi de me donner les chiffres dont tu disposes.

– Bon, répondit-elle humblement.

– Ensuite, tu formeras deux nouveaux groupes séparés de vieux rats mâles et femelles. Un seul recevra du Peptide 7. Je veux une étude sur ordinateur des habitudes sexuelles des deux groupes. »

Yvonne retint un petit rire.

« Ce n'est pas l'ordinateur qui te dira combien de fois...

– Sans doute pas, en effet. Mais il enregistrera les naissances. Nous nous contenterons de cette indication-là. »

Elle acquiesça, et Martin sentit qu'elle avait autre chose en tête.

« Qu'y a-t-il?

– Je pensais à un drôle de truc qui s'est passé hier, pendant que je faisais la queue pour acheter les harengs. Mickey Yates est l'un des volontaires, n'est-ce pas? »

Yates était technicien de laboratoire, et le plus âgé des volontaires pour l'expérimentation du Peptide 7. Il avait fait l'impossible pour se rendre utile à Martin depuis l'incident, survenu des années auparavant, du rat guillotiné en présence de Celia. La dernière contribution de Yates consistait à figurer parmi les volontaires.

« Eh bien, j'ai rencontré sa femme au marché, et elle m'a dit que c'était formidable de voir que le travail de Mickey le faisait littéralement rajeunir.

– En quel sens?

– Je le lui ai demandé. Alors elle a rougi, et m'a dit que ces derniers temps Mickey se sentait « plein de ressort et d'énergie » – ce sont ses propres mots – et qu'il ne lui laissait plus de répit au lit.

– Elle voulait dire : ces tout derniers temps?

– Oui, j'en suis certaine.

– Et ce n'était pas le cas avant?

– D'après elle, jamais de leur vie.

– Je m'étonne qu'elle en parle aussi librement. »

Yvonne sourit.

« Tu ne connais pas très bien les femmes. »

Martin demeura songeur un moment, puis dit :

« Montons en voiture. Nous pourrons parler en route. »

Tout en roulant, ils commencèrent par écouter les informations à la radio. Il s'agissait essentiellement de politique. L'Angleterre vivait une période exaltante car, deux mois auparavant, les élections générales avaient porté une femme à la fonction de Premier ministre, pour la première fois dans l'histoire du pays. A présent, Margaret Thatcher et son gouvernement insufflaient un nouvel esprit d'entreprise à une nation qui en manquait tragiquement depuis la fin de la seconde guerre mondiale.

Martin éteignit la radio après les informations et revint à des préoccupations plus proches.

« Je suis inquiet, déclara-t-il, et je ne veux pas que le sujet de notre conversation de ce matin s'ébruite. Il ne faut surtout pas que tu répètes ce que tu m'as dit sur les habitudes de ces rats. Et ne parle à personne des nouvelles recherches. Il faut que nous les fassions, même si cela ne m'enthousiasme guère, mais garde les résultats bien secrets avant de me les donner. Et plus d'histoires sur Mickey Yates et sa femme.

— Je ferai tout ce que tu me dis, promit Yvonne, mais je ne comprends pas ce qui t'inquiète.

— Je vais te le dire. Nous avons mis au point un médicament très important. Je voudrais qu'on le prenne au sérieux et qu'on l'utilise dans le combat contre la maladie. Mais si la rumeur se répand que c'est une espèce d'aphrodisiaque – et qui *en plus* fait perdre du poids, sans qu'on sache si c'est un bien ou non –, rien de pire ne pourra arriver. Toutes nos recherches seront déconsidérées et nous aurons l'air d'avoir réinventé le baume du serpent.

— Je crois que je comprends, dit Yvonne. Maintenant que tu me l'as expliqué, je ne dirai rien. Mais il sera difficile d'arrêter les autres.

— C'est ce que je crains », répondit Martin d'une voix lugubre.

Ils atteignirent Cambridge vers le milieu de la matinée. Martin se rendit directement à la maison de repos où l'on soignait sa mère. Elle gisait dans son lit, où elle passait le plus clair de son temps. Elle ne se rappelait rien, pas même les choses les plus simples, et – comme c'était le cas depuis tant d'années – elle ne sembla pas le moins du monde reconnaître son fils.

Comme il se tenait près du lit avec Yvonne à son côté, Martin songea que sa mère s'éteignait de jour en jour. Elle avait le corps émacié, les joues hâves, les cheveux clairsemés. Dans les premières années de son déclin – vers l'époque où Celia était venue dans leur ancienne maison du Kite –, elle avait gardé des traces de sa beauté. Mais il n'en était désormais plus rien.

On eût dit que la maladie d'Alzheimer, non contente de détruire le cerveau de sa mère, avait entrepris de dévorer aussi son corps.

« C'était mon rêve, expliqua très doucement Martin à Yvonne, de concourir à la découverte de quelque chose, pour empêcher cela ou le freiner. Des années s'écouleront avant que nous puissions savoir si nous avons réussi. Mais c'est parce que nos recherches sur le vieillissement ont une telle importance que je ne veux pas voir le fruit de notre travail avili.

– Comme je te comprends, murmura Yvonne. Surtout maintenant. »

Quand Martin venait avec Yvonne rendre visite à sa mère, Yvonne prenait les mains de la malade entre les siennes et les gardait ainsi, longuement. Martin avait l'impression que sa mère en éprouvait quelque réconfort. Aujourd'hui, Yvonne fit de même mais cette fragile communication ne semblait même plus exister.

De la maison de repos, ils se rendirent chez le père de Martin. Son appartement était situé au nord-ouest de la ville, non loin de Girton College, et ils virent Peat-Smith père dans un petit atelier, à l'arrière de l'immeuble. Entouré de ses outils de tailleur de pierre, il s'essayait à travailler un petit morceau de marbre, avec un ciseau et un marteau.

« Tu sais sans doute, expliqua Martin à Yvonne, que mon père était tailleur de pierre.

— Oui, mais je ne savais pas que vous travailliez encore.

— Oh non! répondit le père. J'ai les doigts trop raidis. Mais je me suis dit que je ferais une pierre tombale pour ta mère, mon garçon. C'est la seule chose qu'on puisse pour elle. (Il posa un regard interrogateur sur Martin.) Ce n'est pas grave, dis, vu qu'elle n'est pas morte encore? »

Martin entoura de son bras les épaules de son père.

« C'est très bien, papa. As-tu besoin de quelque chose?

— Il va me falloir une dalle de marbre, mais ça coûte cher.

— Ne t'inquiète pas pour cela. Commande ce qu'il te faut, et dis-leur de m'envoyer la facture. »

Quand il regarda Yvonne, Martin vit qu'elle pleurait.

CHAPITRE 53

« JE partage tout à fait votre avis sur l'effet de stimulation sexuelle, déclara Celia à Martin. Si le Peptide 7 acquiert une réputation d'aphrodisiaque, il perdra toute crédibilité.

— Je pense que nous devrions pouvoir réussir à garder le secret, dit Martin.

— J'en suis moins sûre, mais j'espère que vous avez raison. »

C'était le second jour de sa visite à Harlow, et elle avait un entretien privé avec Martin dans son bureau. Un peu avant, il lui avait annoncé officiellement : « Je puis vous informer que nous avons mis au point ce qui apparaît comme un médicament susceptible de retarder le vieillissement mental et d'aviver l'activité cérébrale, ces deux choses étant liées. Tout semble montrer que nous avons réussi. »

Le temps paraissait loin où, sur les instructions de Sam, elle était venue à Harlow pour envisager de fermer le centre. Et sept ans avaient passé depuis cette première et mémorable rencontre à Cambridge, entre Martin, Sam et elle-même.

« Il ne semble guère faire de doute que vous avez accompli quelque chose de remarquable », dit-elle.

Ils étaient bien ensemble. Si l'un d'eux, parfois, se souvenait de leur nuit amoureuse, jamais il n'en parlait. Il était évident, pour tous deux, que cela n'avait été qu'un moment, un interlude appartenant au passé.

Tandis que Celia conversait avec Martin, les six ou sept cadres qui l'avaient accompagnée menaient des entretiens séparés, spécialisés sur l'avenir du Peptide 7. Divers sujets y étaient abordés – la fabrication, le contrôle de qualité, le matériel, les coûts, l'emballage, la gestion du produit – tous ces éléments devant être pris en compte pour le lancement mondial du produit. Rao Sastri, Nigel Bentley, et plusieurs autres membres du personnel du centre répondaient aux questions de l'équipe américaine.

Les essais cliniques dureraient encore pendant un an, après quoi il faudrait faire une demande d'autorisation, mais il était néanmoins temps de prendre certaines décisions. Ainsi, il était urgent d'accroître l'investissement de Felding-Roth en créant une nouvelle usine, qui se révélerait peut-être un pari coûteux et non rentable, ou bien au contraire un acte de foi audacieux et justifié.

Le mode d'administration de ce médicament revêtait aussi une grande importance.

Martin expliqua à Celia :

« Nous avons étudié la question sous tous les angles, et nous recommandons l'administration par pulvérisation nasale. Il s'agit là d'un système moderne, de plus en plus répandu.

– Oui, je sais. Il est question de l'utiliser pour l'Insuline. De toute façon, je vous suis reconnaissante de ne pas l'avoir produit sous forme injectable. »

Ils savaient l'un et l'autre qu'un produit présenté

sous forme injectable ne se vendait jamais aussi bien qu'un autre, facile à utiliser chez soi.

« Pour s'employer en pulvérisation nasale, reprit Martin, le Peptide 7 devra être dilué dans une solution saline inerte, mélangée à un détergent. Le détergent assure le meilleur taux d'absorption. »

Plusieurs détergents avaient été essayés, déclarat-il. Le meilleur, non toxique et ne créant aucune irritation des muqueuses, s'était révélé être un produit Felding-Roth, récemment lancé sur le marché américain.

Celia fut ravie.

« Vous voulez dire que nous pourrons tout faire chez nous ?

— Exactement. (Martin sourit.) Je pensais bien que cela vous ferait plaisir. »

La posologie normale, poursuivit-il, serait de deux pulvérisations par jour. Deux médecins récemment engagés par le centre allaient coordonner les essais cliniques en Angleterre.

« Nous allons faire porter nos études sur la tranche d'âge de 40 à 60 ans. Nous allons également expérimenter le produit sur des patients atteints de la maladie d'Alzheimer, au premier stade de son développement. Sans inverser pour autant les effets de la maladie – c'est malheureusement sans espoir – cela permettra peut-être de les retarder. »

A son tour, Celia fit part à Martin des projets d'expérimentation en Amérique du Nord.

« Nous voulons commencer le plus tôt possible. A cause des démarches préalables et de la nécessité d'obtenir d'abord le feu vert de la F.D.A., nous serons un peu en retard sur vous. »

Ils continuèrent ainsi à développer leur projet, pleins d'espoir et d'enthousiasme.

La conclusion des entretiens de Harlow fut que la meilleure présentation possible, pour le Peptide 7, serait un petit flacon en plastique avec un embout doseur fonctionnant sur simple pression d'un doigt.

Ce système de présentation offrait la possibilité de concevoir un emballage séduisant.

Il paraissait peu probable que Felding-Roth se lance dans la fabrication des emballages. Il serait sans doute fait appel à un sous-traitant. La décision serait prise à Boonton.

Pendant le séjour de Celia à Harlow, Martin l'invita à dîner avec Yvonne. Celia fut sensible à sa délicatesse : il les emmena non pas au Churchgate, mais dans la salle de restaurant d'un hôtel plus récent, le Saxon Inn.

Les deux femmes s'observèrent d'abord avec curiosité, mais très rapidement, et en dépit de la différence d'âge – Celia avait quarante-huit ans, et Yvonne vingt-sept –, elles parurent s'engager dans une amitié naturelle, peut-être due à leurs affinités avec Martin.

Celia admirait la décision d'Yvonne d'entrer à l'école vétérinaire. Quand Yvonne observa que, si elle était reçue, elle serait plus âgée que la plupart des élèves, Celia suggéra :

« Vous réussirez mieux pour cette raison-là. (Puis elle s'adressa à Martin :) Nous avons, chez Felding-Roth, un fonds spécial destiné à aider les employés qui souhaitent améliorer leur qualification. Je pense que nous pourrons trouver un moyen de forcer un peu le règlement pour fournir à Yvonne une aide financière. »

Martin haussa les sourcils.

« Yvonne, on dirait que tu viens de toucher une bourse. »

Comme Yvonne exprimait sa gratitude, Celia lui fit signe de ne pas poursuivre, et ajouta avec un sourire :

« D'après ce que j'ai entendu dire, vous avez beaucoup contribué à l'élaboration du Peptide 7. »

Un peu plus tard, Yvonne s'étant absentée un instant, Celia déclara :

« Elle est exquise, et unique. Cela ne me regarde pas, Martin, et vous pouvez ne pas me répondre si vous me trouvez indiscrète, mais allez-vous l'épouser ? »

La question le surprit.

« C'est tout à fait improbable. En fait, je suis bien certain qu'elle n'y songe pas plus que moi.

– Oh ! si. »

Il n'était pas d'accord.

« Pourquoi y songerait-elle ? Elle a toute une carrière prometteuse devant elle. Elle ira vivre ailleurs, et rencontrera d'autres hommes, plus proches d'elle. J'ai douze ans de plus qu'elle.

– Douze années ne sont rien. »

Martin s'obstina :

« De nos jours, si. Il existe un vrai fossé entre les générations. Yvonne a besoin de rester libre, et moi aussi. Pour le moment, cet arrangement nous convient. Mais cela peut changer.

– Les hommes ! soupira Celia. Certains d'entre vous tirent assurément le meilleur parti de ces " arrangements ", comme vous dites. Mais vous pouvez aussi être bien aveugles. »

La discussion prit fin avec le retour d'Yvonne, et ne reprit pas avant le départ de Celia et de ses collègues pour le New Jersey, quelques jours plus tard.

La mère de Martin mourut le jour du départ de

Celia. Elle quitta la vie tout doucement, sans faire de bruit. Comme un médecin de l'institution le dit à Martin : « Elle est partie comme un frêle esquif dans la nuit, sur une mer calme. »

Ce calme, songea Martin avec un mélange de tristesse et de soulagement, avait duré beaucoup trop longtemps dans la vie de sa mère. C'était la turbulence mentale, et non le calme plat, qui donnait à la vie toute sa saveur. La maladie d'Alzheimer avait privé sa mère de cette saveur, et cette pensée raviva, une fois de plus, ses espérances pour l'avenir du Peptide 7.

Seuls Martin, son père et Yvonne assistèrent aux obsèques, après quoi Peat-Smith père retourna tailler le bloc de marbre qu'il avait commandé, et qu'il n'avait reçu que depuis quelques jours. Martin et Yvonne regagnèrent Harlow en silence.

Dans les mois qui suivirent, d'importantes décisions furent prises au siège de Felding-Roth, ponctuées par de nombreux voyages transatlantiques des cadres de la maison.

Le principe actif du Peptide 7, qui allait se présenter sous la forme d'une poudre blanche cristallisée, serait fabriqué en Irlande, dans une nouvelle usine que l'on se hâtait de construire. Ce devait être la première usine de Felding-Roth spécialisée en chimie moléculaire. On avait réservé l'espace nécessaire pour la fabrication, qui ne viendrait que plus tard, de la base chimique de l'Hexine W.

La production finale du Peptide 7 sous sa forme liquide et prête à mettre en flacons se ferait dans une usine déjà existante, à Porto Rico. Fabriqués par une autre firme, les flacons y seraient expédiés. Ces implantations à l'étranger présentaient de substantiels avantages fiscaux en comparaison des coûts de production en territoire américain.

L'ensemble du projet impliquait un investissement considérable que le conseil d'administration n'approuva qu'après de longues discussions et bien des hésitations. Un soir, Celia fit part à Andrew de ses incertitudes : « C'est de l'argent qui ne nous appartient pas. Tout sera emprunté et, en cas d'échec, Felding-Roth coulera. Mais nous avons décidé de le faire. Nous avons mis la compagnie en jeu, et nous sommes dans l'état d'esprit du quitte ou double. »

D'autres décisions importantes mais moins spectaculaires se prenaient également. L'une, en particulier, concernait le nom commercial du Peptide 7.

L'agence de publicité de Felding-Roth – toujours Quadrille-Brown, de New York – entreprit une étude complète et fort coûteuse, au cours de laquelle des noms de produits existants furent littéralement disséqués et de nouveaux noms suggérés, pour être presque tous rejetés après examen. Finalement, après plusieurs mois de travail, une séance d'étude au plus haut niveau se déroula au siège de Felding-Roth, avec la participation de Celia, de Bill Ingram, et d'une demi-douzaine d'autres membres de la compagnie.

Quant au contingent de l'agence, il était dirigé par Howard Bladen, maintenant président de Quadrille-Brown, et qui, comme il l'expliqua, « venait surtout par vieille amitié ». Avant la réunion, Celia, Ingram et Bladen évoquèrent celle qui avait eu lieu seize ans auparavant, où s'ils s'étaient tous rencontrés pour la première fois, et d'où était issu le fameux projet de la « maman heureuse » pour le Nouveau Vitatherm, qui continuait à se vendre et à rapporter des bénéfices non négligeables.

On dressa dans la salle de réunions des chevalets

et des panneaux pour présenter huit noms, l'un après l'autre, dans des graphismes différents.

« Parmi ceux que nous avons retenus, annonça l'un des responsables de l'agence, figurent des noms évoquant le cerveau ou la faculté de compréhension humaine. » Ces noms étaient Appercep, Compré, Percip, et Braino. Les trois premiers dérivaient de « perception », de « compréhension » et le quatrième de « brain » – le cerveau. Ce dernier fut aussitôt écarté, quand Bill Ingram fit remarquer qu'il ressemblait beaucoup au nom d'un détartrant sanitaire, le « Drano ».

« Je suis confus, dit Bladen, et je ne comprends pas comment nous avons pu laisser passer cela. Mais c'est inadmissible, et je vous présente mes excuses. »

D'autres noms, reprit le responsable de produit, « suggèrent quelque chose de lumineux – une vive intelligence ». Il s'agissait de Nitid, et Silver. Il y avait également Genus et Compen. Ce dernier, précisa-t-on, signifiait que le produit « compenserait » d'éventuels manques.

La discussion dura une heure. Bill Ingram aimait assez Appercep, détestait Nitid, et trouvait tout le reste sans intérêt. Trois directeurs de Felding-Roth préféraient Silver. Bladen, pour sa part, avait un penchant pour Compen. Quant à Celia, elle restait en retrait, écoutant les divers arguments présentés, et songeant aux milliers de dollars que tout cela coûtait.

Ce fut Bladen qui finit par dire :

« Qu'en pensez-vous, madame Jordan ? Je me souviens que vous aviez déjà émis des idées formidables, naguère.

– Eh bien, répondit Celia, je me demandais pourquoi nous n'appellerions pas notre nouveau produit : Peptide 7. »

Seul Ingram avait suffisamment d'ancienneté et de familiarité avec Celia pour se permettre d'éclater de rire.

Bladen hésita, puis un sourire lui éclaira lentement le visage.

« Madame Jordan, je trouve votre suggestion merveilleuse. »

Celia répliqua d'un ton caustique :

« Ma qualité de cliente ne justifie en rien le qualificatif de merveilleux. Disons plus simplement que c'est raisonnable. »

Après une très brève discussion, il fut convenu que le nom commercial du Peptide 7 serait Peptide 7.

Une année s'écoula.

Les essais cliniques du Peptide 7, progressant beaucoup plus vite que prévu, marquaient d'emblée une réussite spectaculaire en Angleterre et aux Etats-Unis. Les patients âgés réagissaient positivement au produit. Aucun effet indésirable n'apparaissait. A présent, toutes les données avaient été fournies à la Commission sur la Sécurité des Médicaments de Londres, et à la F.D.A. de Washington.

Après mûre réflexion, tant à Harlow qu'à Boonton, il fut décidé de ne pas demander une « indication » officielle de l'effet anti-obésité du Peptide 7. Cela signifiait que les médecins seraient avertis de cette propriété, mais que le Peptide 7 ne serait *pas* recommandé pour les cures d'amaigrissement.

On pouvait supposer que certains médecins le prescriraient malgré tout dans ce but. Mais, s'ils le faisaient, ce serait sous leur propre responsabilité, et non celle de Felding-Roth.

Quant à l'effet de stimulation sexuelle, bien qu'il eût été prouvé par des essais répétés sur des animaux, il n'avait pas été recherché lors des expérimentations humaines, et n'était mentionné que le plus discrètement possible dans le dossier.

Dans les deux cas, on persistait à penser que le Peptide 7 était un produit sérieux, destiné à retarder le vieillissement mental, et que tout emploi « frivole » porterait atteinte à la réputation du produit.

Etant donné les résultats parfaits des essais cliniques, et le fait qu'aucune autre indication n'était recherchée, il paraissait peu probable que l'autorisation officielle de commercialisation du Peptide 7 prît du retard.

En attendant, la construction de l'usine d'Irlande et la reconversion de celle de Porto Rico s'achevaient.

A Harlow, et bien qu'il fût intéressé par les résultats, Martin avait laissé le détail des essais cliniques à l'équipe médicale. Pour sa part, il travaillait à modifier le Peptide 7, explorant les possibilités de produire d'autres peptides du cerveau, maintenant qu'un premier succès avait ouvert ce domaine.

Martin et Yvonne vivaient toujours ensemble. En janvier 1980, Yvonne avait passé tous ses examens préparatoires et avait été admise avec une mention. Elle s'était ensuite présentée à l'examen d'entrée à l'université de Cambridge, et avait été reçue. Le fascicule d'admission avait beaucoup plu à Yvonne, car il y était question d'une « société conçue pour les femmes, avec un intérêt tout particulier pour celles dont les études ont été retardées ou interrompues ».

Elle démissionna de chez Felding-Roth et entra en septembre au Lucy Cavendish College pour y étudier l'art vétérinaire.

C'était à présent le mois d'octobre, et elle avait

pris l'habitude de faire chaque jour en voiture le trajet d'une heure entre Harlow et Cambridge.

En dehors de ses études, Yvonne suivait avec plaisir les développements de l'idylle royale, entre le prince Charles et « Lady Di », comme toute l'Angleterre la surnommait désormais. Yvonne ne se lassait pas d'en parler à Martin. « J'avais toujours su que, si seulement il attendait, il finirait par trouver une vraie rose anglaise, disait-elle. Et c'est exactement ce qui s'est passé. »

Martin continuait à écouter le babillage d'Yvonne, qui incluait désormais l'université de Cambridge, avec un amusement affectueux.

Au mois de janvier de l'année suivante, tandis que le président Reagan entrait en fonction à des milliers de kilomètres de là, la licence de commercialisation du Peptide 7 en Angleterre fut accordée par le ministre de la Santé. Deux mois plus tard, la F.D.A. annonça qu'elle autorisait la diffusion du médicament en territoire américain. Comme souvent, le Canada suivit de près la décision de la F.D.A.

En Angleterre, le lancement du produit était prévu pour avril, et au Canada et aux Etats-Unis pour juin.

Mais en mars – avant toute mise en place – se produisit un événement qui confirma les premières craintes et parut mettre en danger l'avenir même du Peptide 7.

Tout commença par un coup de téléphone du journal londonien, le *Daily Mail*, au centre de recherches de Felding-Roth à Harlow. Le journaliste voulait parler au docteur Peat-Smith ou au docteur Sastri. En apprenant que ni l'un ni l'autre n'étaient là, il laissa un message à une secrétaire, qui le nota et le déposa sur le bureau de Martin.

« Le *Daily Mail* a appris que vous vous apprêtiez à lancer un médicament miracle qui stimulera l'activité sexuelle des gens, leur fera perdre du poids, et donnera une nouvelle jeunesse aux vieillards. Nous publierons un article dans le numéro de demain, et aimerions avoir une déclaration de votre compagnie le plus tôt possible aujourd'hui. »

Quand Martin lut ce message à onze heures et demie du matin, il éprouva de la colère et de la peur. *Ce foutu journal, uniquement préoccupé de publier une histoire à sensation,* allait-il ruiner d'un coup tout son travail et ses rêves ?

Sa première impulsion fut d'appeler Celia chez elle. Il était six heures et demie du matin à Morristown, et elle prenait sa douche. Martin attendit impatiemment qu'elle eût fini de se sécher et enfilé un peignoir.

Il lui raconta ce qui s'était passé, et lui lut le message du journaliste. Sa voix exprimait l'angoisse. Celia se montra préoccupée, mais également réaliste.

« Voilà donc l'aspect sexuel du Peptide 7 révélé. J'ai toujours pensé que cela finirait par arriver.

– Pouvons-nous faire quelque chose pour y mettre fin ?

– Je ne pense pas. Cette information a un fond de vérité, et nous ne pouvons donc pas la démentir. D'ailleurs, aucun journal ne renoncerait à publier une histoire de ce genre. »

Complètement découragé, Martin demanda :

« Alors que dois-je faire ?

– Rappelez le journaliste, dit Celia, et répondez honnêtement à ses questions, mais le plus brièvement possible. Faites en sorte d'insister sur le fait que les conséquences sexuelles n'ont été observées que sur les animaux, ce qui explique pourquoi nous ne recommandons pas le produit pour la stimulation sexuelle des humains. Cela vaut aussi pour la perte de poids. Peut-être se contenteront-ils ainsi de passer un entrefilet, qui n'attirera pas l'attention des autres, ajouta-t-elle.

— J'en doute fort, répondit sombrement Martin.

— Moi aussi. Mais essayez. »

Trois jours après l'appel de Martin, Julian Hammond transmit à Celia un rapport sur l'intérêt des média pour le Peptide 7. Le vice-président chargé des relations extérieures commença ainsi : « On dirait que l'article anglais a déclenché un véritable raz de marée. » Le *Daily Mail* avait titré :

GRANDE DÉCOUVERTE SCIENTIFIQUE.

BIENTÔT! UN NOUVEAU MÉDICAMENT MIRACLE. POUR VOUS RENDRE PLUS JEUNE, PLUS MINCE, ET PLUS ACTIF SEXUELLEMENT!

Suivait une description complaisante des effets sexuels du Peptide 7, dans laquelle était passé sous silence le fait qu'ils n'avaient été officiellement constatés que chez les animaux. Le mot « aphrodisiaque » que Martin et ses collègues de Felding-Roth avaient tant redouté, était employé à plusieurs reprises. Pis encore, du point de vue de la compagnie, le journaliste avait entendu parler du cas de Mickey Yates et l'avait interviewé. Une photographie portant la légende : « Merci, Peptide 7! » montrait le vieux Yates rayonnant après s'être vanté de ses capacités sexuelles ravivées. A côté de lui, sa femme souriait d'un air posé; elle avait confirmé les dires de son mari.

L'article affirmait aussi – ce que la direction de Felding-Roth ignorait jusqu'alors – que d'autres volontaires de l'institut avaient éprouvé une stimulation sexuelle inaccoutumée lors de l'expérimentation du Peptide 7. Ils étaient également nommés et cités par le journal.

Le faible espoir que l'histoire resterait confinée à un seul journal fut vain; non seulement l'article du *Daily Mail* fut repris par toute la presse et par la télévision, mais les télex crépitèrent par-delà l'Atlantique. Aux Etats-Unis, l'intérêt fut immédiat, et les effets amaigrissants et sexuels du Peptide 7 mentionnés et discutés dans tous les journaux et sur toutes les chaînes.

Dès l'instant où la nouvelle éclata aux Etats-Unis, le standard de Felding-Roth reçut d'innombrables appels de journalistes qui voulaient des détails sur la mise en vente du Peptide 7. Malgré la réticence qu'inspirait cette vague de dangereux sensationalisme, l'information fut donnée. Il n'y avait rien d'autre à faire.

Rares furent ceux qui s'intéressèrent au véritable objet du médicament.

Après la vague d'appels provenant des média, il y en eut une seconde : les questions du public. La plupart ne concernaient que les propriétés sexuelles ou amaigrissantes, et la réponse prenait la forme d'une brève déclaration lue, pour informer les gens que le Peptide 7 n'était pas recommandé pour cet usage. Les standardistes rapportèrent ensuite que cette réponse ne semblait pas satisfaire leurs interlocuteurs.

Certains appels provenaient visiblement de déséquilibrés, et il y en avait même certains qui étaient franchement obscènes. Comme l'observa Bill Ingram : « Soudain, tout ce que nous avons si soigneusement mis au point se transforme en spectacle de foire. »

C'était ce qui inquiétait le plus Celia. Ne voulant pas être associés à quelque chose qui semblait déjà peu recommandable, se disait-elle, les médecins allaient-ils décider de ne pas prescrire du tout le Peptide 7 ?

Elle consulta Andrew, qui confirma ses craintes.

« Je suis navré de devoir te le dire, mais un certain nombre de médecins réagissent ainsi. Tout ce tapage donne l'impression que le Peptide 7 s'apparente aux aphrodisiaques les plus folkloriques.

— Tu me fais regretter de t'avoir posé la question », soupira Celia.

C'est ainsi que, moins d'un mois avant le lancement du Peptide 7 qui aurait dû se dérouler dans la dignité, Celia vivait dans l'appréhension, le désarroi et l'angoisse.

Quant à Martin, il avait sombré dans un profond désespoir.

CHAPITRE 54

« CE qui s'est produit en fin de compte, se souvint Celia par la suite, c'est que nous avons eu de réels problèmes – et même fort graves – pendant les premiers mois qui suivirent le lancement du Peptide 7. A la direction de Felding-Roth, on connut beaucoup d'heures d'inquiétude et de nuits d'insomnie. Mais le plus curieux, c'est que les problèmes ne furent pas ceux auxquels nous nous étions attendus. (Puis elle se mit à rire, et ajouta :) Ce que l'affaire a démontré c'est qu'on ne peut jamais savoir à l'avance comment les gens réagiront. »

Les problèmes auxquels Celia faisait allusion concernaient l'approvisionnement.

Dès l'instant où le Peptide 7 fut disponible dans les pharmacies – on ne pouvait l'obtenir que muni d'une ordonnance – et pendant plusieurs mois, il n'y en eut jamais assez pour faire face à une demande sans précédent. De longues files se formaient aux comptoirs et, quand on annonçait aux clients la rupture de stock, ils allaient faire la queue ailleurs.

Plus tard, Bill Ingram donna cette explication du phénomène : « Les médecins et les pharmaciens se servaient en priorité, et gardaient le reste pour leurs amis. »

La pénurie, qui pendant quelque temps fut désespérée, sévit en Angleterre aussi bien qu'aux Etats-Unis. Les vétérans de la maison n'avaient même jamais rien vu de semblable. Cette situation se traduisit par de frénétiques appels téléphoniques entre le New Jersey, l'Irlande, Harlow, Porto Rico, Chicago et Manchester – où se fabriquaient et s'assemblaient les flacons et les doseurs.

Les usines d'Irlande et de Porto Rico tournaient à plein rendement avec des équipes supplémentaires. En même temps, des avions-cargos affrétés spécialement firent, à plusieurs reprises, des voyages entre l'Irlande et Porto Rico, pour transporter le précieux principe actif du Peptide 7.

Ce fut Ingram qui se démena le plus au cours de cette période difficile, supervisant toutes les opérations. « Nous survivions tant bien que mal, racontat-il par la suite, jonglant avec de maigres approvisionnements, et nous efforçant de satisfaire les hordes qui réclamaient du Peptide 7. »

Puis, avec le recul, il en riait et disait, au souvenir des angoisses passées : « Qu'ils soient tous bénis quand même! Toute la maison s'y est mise, chacun faisait ce qu'il pouvait. Et même ces médecins et ces pharmaciens : en faisant du favoritisme, ils ont aidé le Peptide 7 à devenir un grand succès. »

Grand succès n'était pas un vain mot. Comme l'annonça le titre d'un grand article du magazine *Fortune* un an après le raz de marée pharmaceutique de ce nouveau médicament :

FELDING-ROTH DÉCOUVRE
QUE LA RICHESSE A DU BON.

Fortune estimait que la première année de ventes du Peptide 7 rapporterait six cents millions de dollars. Cet article, ainsi qu'une évaluation antérieure, fit que les actions de Felding-Roth, à la Bourse de New York, atteignirent « des sommets inégalés », selon l'expression d'un agent de change. Aussitôt après le lancement du produit, la valeur des actions tripla, puis doubla encore dans l'année qui suivit, et redoubla au cours des huit mois suivants. Ensuite, le conseil d'administration décida de scinder les actions en cinq, afin de maintenir un prix d'échange raisonnable.

Même ainsi, lorsque les comptables eurent fini leurs calculs, l'estimation de *Fortune* se révéla inférieure de cent millions de dollars à la réalité.

Fortune faisait également valoir que, « depuis le lancement en 1976 de la remarquable Cimétidine de SmithKline, qui soigne les ulcères, aucun produit industriel n'a connu de succès comparable au phénomène Peptide 7 ».

Le succès ne se limitait pas seulement au profit.

Des milliers et des milliers de personnes prenaient le médicament, par pulvérisation nasale, et proclamaient qu'elles se sentaient mieux, que leur mémoire était ravivée, ainsi que leur vigueur. Quand on leur demandait si cette « vigueur » comprenait l'énergie sexuelle, les uns répondaient franchement « oui », tandis que d'autres, avec un sourire, rétorquaient que c'était une question indiscrète.

Le facteur de stimulation de la mémoire était considéré par les experts médicaux comme le plus important. Quand ils prenaient du Peptide 7, les gens qui s'étaient plaints de tout oublier recommençaient à se souvenir. Bien des personnes qui avaient naguère éprouvé de la difficulté à se rappeler les noms avaient résolu ce problème, les numéros de téléphone se retenaient à présent sans effort. Les maris négligents se rappelaient enfin la date de l'anniversaire de leur femme ou de leur mariage. Un vieux monsieur affirmait avoir spontanément retenu l'horaire complet d'une ligne d'autobus. Mis à l'épreuve par des amis, il avait prouvé ce qu'il affirmait. Des psychologues avaient mis au point des tests « avant et après », et confirmaient avec satisfaction que le Peptide 7 était efficace.

Bien que moins important, l'effet amaigrissant du produit fut vite reconnu comme indiscutable et précieux. Des personnes obèses de tout âge perdaient du poids, et constataient une nette amélioration de leur état général. La réalité de ce phénomène fut bientôt si unanimement admise que Felding-Roth déposa, aux Etats-Unis, en Angleterre, et au Canada, une demande d'« indication » officielle pour l'amaigrissement, venant s'ajouter à celle concernant la mémoire. Il semblait ne faire aucun doute que l'autorisation serait accordée.

Dans le monde entier, d'autres pays se hâtaient d'approuver la commercialisation du Peptide 7 et de s'approvisionner.

Il était encore trop tôt pour dire si le produit serait efficace dans la lutte contre la maladie d'Alzheimer. On ne pourrait le savoir que des années plus tard, mais nombreux étaient ceux qui l'espéraient.

Une question délicate se posait, néanmoins. Le Peptide 7 était sans doute trop généreusement prescrit, comme cela s'était déjà produit dans le passé pour d'autres médicaments. Cependant, ce qui différait dans le cas du Peptide 7, c'était son innocuité quand on le prenait sans nécessité. Il n'entraînait pas de dépendance et on ne recevait presque aucun rapport faisant état d'effets indésirables.

Une femme écrivit du Texas pour se plaindre que, chaque fois qu'elle prenait une dose puis qu'elle avait des rapports sexuels, elle souffrait ensuite de migraine. La lettre fut transmise normalement à la F.D.A., et une enquête de routine effectuée. L'affaire fut abandonnée quand on découvrit que cette femme était âgée de quatre-vingt-deux ans.

En Californie, un homme tenta d'obtenir en justice des dommages et intérêts parce qu'il avait dû s'acheter une nouvelle garde-robe, après avoir perdu quinze kilos en prenant du Peptide 7. Il fut débouté.

Rien de plus sérieux ne fut communiqué.

Quant aux médecins, leur enthousiasme semblait n'avoir pas de limites. Ils recommandaient le Peptide 7 à leurs patients comme un produit utile, sûr, constituant l'un des plus grands progrès de la médecine. Les hôpitaux s'en servaient. Les médecins mondains ne se hasardaient pas dans les dîners et les cocktails sans un bloc d'ordonnances dans leur poche, sachant qu'on leur demanderait du Peptide 7 et que cette courtoisie à l'égard d'une hôtesse ou d'amis leur vaudrait en retour d'autres invitations.

Celia fit remarquer à Andrew que, pour une fois, il s'était trompé.

« Les médecins n'ont pas été rebutés par tout ce tapage. En fait, on dirait même que cela a été bénéfique.

— Oui, je m'étais trompé, reconnut son mari, et tu vas sans doute me le rappeler pendant tout le reste de ma vie. Mais je suis heureux de m'être trompé, et surtout heureux pour toi. Tu as vraiment mérité – et Martin aussi, bien sûr – un tel succès. »

Le battage semblait ne jamais devoir s'arrêter. Peut-être cela était-il dû à l'effet euphorisant du

Peptide 7. Les journaux, la télévision parlaient fréquemment du médicament.

Bill Ingram rappela à Celia : « Vous m'avez dit une fois que la nature même de la télévision nous aiderait un jour. Vous aviez vu juste. »

Ingram, qui était devenu directeur général l'année précédente, assumait une part importante des responsabilités qui avaient naguère été celles de Celia. Quant à elle, ces derniers temps, sa préoccupation majeure consistait à déterminer ce qu'il fallait faire de tout cet argent qui entrait à flots, et qui allait sans doute continuer à s'accumuler pendant des années.

Maintenant à la retraite, Seth Feingold était resté conseiller et faisait parfois une apparition. Un an et demi après le lancement du Peptide 7, lors d'un entretien avec Celia, Seth la mit en garde : « Il faut prendre une décision en ce qui concerne l'emploi de ces bénéfices. Sinon, le fisc va en engloutir une part importante. »

Une façon de placer cet argent consistait à acheter des entreprises. A la requête de Celia, le conseil d'administration approuva l'acquisition de l'usine de Chicago qui fabriquait les flacons du Peptide 7. Felding-Roth acheta ensuite une entreprise de l'Arizona spécialisée dans les nouveaux systèmes d'administration des médicaments. Des millions de dollars allaient être consacrés à la création d'un centre de recherche génétique. Et puis il y aurait des implantations à l'étranger.

L'édification d'un nouveau siège social était prévue, car l'immeuble de Boonton était devenu trop petit, et plusieurs services se trouvaient logés dans des bâtiments loués, assez loin de là. La nouvelle construction serait située à Morristown, au centre de tout un ensemble immobilier comprenant un hôtel.

La compagnie fit également l'acquisition d'un avion – un Gulf-Stream III. Celia et Ingram s'en servaient pour leurs déplacements sur le continent nord-américain, qui devenaient beaucoup plus fréquents maintenant que Felding-Roth avait élargi son champ d'activité.

Lors de l'entretien avec Celia, Seth observa, d'une voix légèrement voilée :

« Tout cet argent nous permettra aussi de régler les cas des malheureux enfants victimes du Montayne.

– J'en suis également heureuse », dit Celia.

Elle s'était aperçue depuis quelque temps que le fonds spécial employé à cet effet par Childers Quentin était presque épuisé.

Seth reprit tristement :

« Je n'arriverai jamais à me libérer de mes remords pour le drame du Montayne. Jamais. »

Partageant cet instant de réflexion dégrisante, Celia songea qu'il était parfois salutaire, après un tel succès scientifique et financier, de s'entendre ainsi rappeler que les échecs retentissants faisaient aussi partie de l'histoire de l'industrie pharmaceutique.

Pendant toute cette période triomphale, Martin Peat-Smith fut, comme on dit, aux anges. Même dans ses rêves les plus fous, jamais il n'avait imaginé que ses recherches sur le vieillissement déboucheraient sur une telle réussite. Son nom était désormais célèbre, et sa personne admirée, respectée, et sollicitée. Les louanges et les félicitations abondaient. Il avait été élu membre de la Royal Society, la plus ancienne institution scientifique d'Angleterre. D'autres sociétés savantes cherchaient à l'attirer. On parlait d'un futur prix Nobel. Et la rumeur d'un anoblissement circulait.

Au milieu de toute cette attention, Martin parvenait à préserver un peu de sa vie privée. Il dut changer de numéro de téléphone et se faire inscrire sur la liste rouge. Au centre, Nigel Bentley fit en sorte de protéger Martin de tous les appels et visites, à l'exception des plus importants. Même dans ces conditions, il était évident que l'existence de Martin ne serait jamais plus discrète et anonyme comme avant.

Un autre changement intervint. Yvonne décida de ne plus vivre avec Martin, et de s'établir dans un appartement à Cambridge.

Il n'y avait eu ni querelle ni difficulté entre eux. Elle avait simplement choisi, calmement, sans précipitation, de partir de son côté. Martin avait beaucoup voyagé ces derniers temps, la laissant seule, et il avait dès lors paru inutile d'effectuer chaque jour l'aller-retour Harlow-Cambridge. Quand Yvonne lui fit part de sa décision, Martin se montra compréhensif et l'accepta sans protester. Elle avait pensé qu'il lui opposerait au moins un argument de principe mais, comme il n'en faisait rien, elle lui cacha sa déception. Ils convinrent de continuer à se voir parfois, et de rester bons amis.

Quand le moment vint de partir, seule Yvonne sut quelle tristesse et quel déchirement elle éprouvait. Elle se força à penser à ses études, qui la passionnaient : elle venait d'entamer sa troisième année.

Aussitôt après leur séparation, Martin s'absenta une semaine. A son retour, il entra dans une maison vide et sombre. Il y avait plus de cinq ans qu'il en avait perdu l'habitude, et cela ne lui plut guère. Cela lui plut de moins en moins, à mesure que la semaine s'écoulait. Il souffrait de la solitude, et la joyeuse présence d'Yvonne lui manquait. Il songea, un soir en se couchant, qu'une lumière venait brusquement de s'éteindre dans sa vie.

Le lendemain, Celia lui téléphona d'Amérique pour une question de travail et, vers la fin de l'entretien, elle remarqua : « Vous semblez triste, Martin ? Qu'est-ce qui ne va pas ? » Alors, dans un élan de confiance, il lui expliqua qu'Yvonne lui manquait.

« Mais je ne comprends pas, dit Celia. Pourquoi l'avez-vous laissée partir ?

— Il n'était pas question de la laisser partir ou non. Elle est libre, et elle a pris sa décision.

— Avez-vous essayé de l'en dissuader ?

— Non.

— Pourquoi ?

— Cela m'aurait paru injuste, dit Martin. Elle a sa propre vie.

— Oui, bien sûr. Il est évident qu'elle veut *autre chose* que ce que vous lui donniez. Avez-vous envisagé de lui offrir – de lui proposer le mariage ?

— En vérité, je l'ai envisagé. Le jour où Yvonne est partie. Mais je ne l'ai pas fait, parce que cela paraissait...

— Ah ! juste Ciel ! s'exclama Celia. Martin Peat-Smith, si je vous tenais à portée de main, je vous *secouerais*. Comment un homme assez intelligent pour découvrir le Peptide 7 peut-il être aussi borné ? Quel sot ! Mais elle vous aime ! »

Martin l'interrogea sans conviction.

« Qu'en savez-vous ?

— Je le sais parce que je suis une femme. Parce que je n'avais pas passé cinq minutes en sa compagnie que c'était clair comme de l'eau de roche – comme il est clair maintenant que vous êtes obtus ! »

Il y eut un silence. Celia insista :

« Qu'allez-vous faire ?

– S'il n'est pas trop tard... je vais lui demander de m'épouser.

– Comment allez-vous faire ? »

Il hésita.

« Eh bien, je suppose que je vais lui téléphoner.

– Martin, décréta Celia. Je suis votre supérieur hiérarchique dans cette compagnie, et je vous *ordonne* de quitter votre bureau, *tout de suite*, de monter en voiture, et d'aller chercher Yvonne là où elle se trouve. Ce que vous ferez après est votre affaire, mais je vous conseille vivement de vous mettre à genoux s'il le faut, et de lui dire que vous l'aimez. Si je vous parle ainsi, c'est parce que jamais, de votre vie entière, vous ne trouverez quelqu'un qui vous convienne mieux, ou qui vous aime plus. Et puis, oh! oui, vous pourriez envisager de vous arrêter en route pour acheter des fleurs. Au moins, vous vous y connaissez en fleurs : je me souviens que vous m'en avez envoyé, un jour. »

Quelques instants plus tard, plusieurs employés du centre de recherches de Harlow eurent la surprise de voir leur patron, le docteur Peat-Smith, courir dans le couloir, traverser le hall à toute vitesse, s'engouffrer dans sa voiture et démarrer sur les chapeaux de roue.

En cadeau de mariage, Celia et Andrew envoyèrent à Martin et à Yvonne un plateau d'argent, sur lequel Celia avait fait graver quelques vers du poème de Francis Quarles, un poète anglais du XVIIe siècle, *Pour une épousée*.

Que toutes tes joies ressemblent au mois de Mai
Et tous tes jours au jour de tes noces :
Que la peine, la souffrance et les tourments
de l'esprit
          Te soient à jamais étrangers.

Et puis il y eut l'Hexine W.
Le lancement devait avoir lieu dans un an.

CHAPITRE 55

LES essais cliniques de l'Hexine W révélaient quelques effets indésirables chez les patients qui avaient pris le produit en complément d'autres médicaments – ces associations représentant un traitement efficace, grâce à l'élimination des radicaux libres. On notait quelques cas de nausées et de vomissements, ainsi que de diarrhées, de vertiges, ou d'augmentation de la tension artérielle. Tout cela n'était ni anormal ni alarmant. Ces incidents ne concernaient qu'un très faible pourcentage de patients. Il était fort rare qu'un médicament n'eût absolument aucun effet indésirable, le Peptide 7 constituant une exception notable.

Les essais de l'Hexine W, qui durèrent deux ans et demi, se déroulèrent sous le contrôle du docteur Vincent Lord. Il s'était déchargé d'un certain nombre de responsabilités sur des employés de son service, pour se consacrer totalement à ces expériences. A ce stade décisif de ses recherches, il ne voulait pas risquer la moindre complication pour la naissance de son enfant tant attendu, et il souhaitait éviter que la négligence ou l'incompétence d'un subalterne puisse ternir sa gloire scientifique.

Lord avait accueilli le triomphe du Peptide 7 avec des sentiments contradictoires. D'un côté, il avait été jaloux de Martin Peat-Smith. Mais, de l'autre, il se disait que Felding-Roth était désormais une entreprise beaucoup plus solide, grâce au Peptide 7, et donc mieux armée pour lancer un autre produit susceptible de connaître un succès identique ou plus éclatant encore.

Les résultats des essais cliniques de l'Hexine W enchantaient Lord. Aucun effet indésirable majeur ne se manifestait. Les quelques effets secondaires qui étaient apparus demeuraient contrôlables, ou bien sans importance, en comparaison de l'utilité du produit.

Au cours de ce qu'on appelait la Phase III des essais, où l'on administrait le médicament à des patients dans des conditions similaires à celles que l'on envisageait pour l'emploi ultérieur du produit, les résultats avaient tous été aussi satisfaisants. L'Hexine W avait été absorbée pendant de longues périodes par plus de six mille personnes, dont une grande partie dans des hôpitaux, sous contrôle permanent – des conditions idéales pour l'expérimentation.

Ce nombre de six mille patients était plus important que d'habitude pour une Phase III, mais il avait été choisi afin de pouvoir étudier les effets de l'Hexine W associée à plusieurs médicaments jusqu'alors jugés dangereux.

Comme on l'avait espéré, les patients atteints d'arthrite réagissaient particulièrement bien. Ils pouvaient prendre de l'Hexine W seule, mais aussi avec d'autres traitements anti-inflammatoires très puissants qui leur avaient jusqu'alors été interdits.

La coordination de ces essais représentait une tâche colossale, pour laquelle il avait fallu engager du personnel supplémentaire. D'innombrables données étaient rassemblées au siège de Felding-Roth et, avant de les soumettre à la F.D.A. sous la forme d'un dossier de demande d'autorisation, Lord en relisait soigneusement chaque pièce.

Il y prenait un vif plaisir, qui se dissipa brusquement quand il découvrit une série de rapports contrariants.

La lecture de ces rapports lui causa d'abord de l'inquiétude, puis de la perplexité, et finalement une terrible colère.

Les rapports en question provenaient d'un certain docteur Yaminer, qui exerçait la médecine à Phoenix, dans l'Arizona. Lord ne connaissait pas personnellement ce Yaminer, mais le nom lui était familier.

Yaminer était spécialiste de médecine interne. Il avait une importante clientèle privée, et travaillait dans deux hôpitaux. Comme beaucoup d'autres médecins participant au programme d'essais de l'Hexine W, il avait été rémunéré par Felding-Roth pour étudier l'effet du médicament sur un groupe de patients – une centaine dans son cas. Avant de pouvoir commencer une étude, il fallait obtenir la permission du malade – ce n'était, le plus souvent, qu'une formalité.

Il s'agissait d'une pratique courante dans l'industrie pharmaceutique. En outre, Yaminer avait déjà travaillé pour Felding-Roth, ainsi que pour d'autres firmes.

Les médecins qui acceptaient de faire ce travail l'appréciaient pour deux raisons : certains s'intéressaient sincèrement à la recherche, mais tous étaient heureux de recevoir des sommes importantes.

Pour un peu de travail supplémentaire réparti sur plusieurs mois, un médecin recevait cinq cents à mille dollars par patient – selon la compagnie et l'importance du produit. Pour son étude de cas concernant l'Hexine W, Yaminer avait reçu quatre-vingt-cinq mille dollars. Les frais du médecin pour ce travail étaient minimes, il s'agissait là d'un bénéfice pur et simple.

Mais le système présentait un point faible.

Ce travail était si lucratif que certains médecins étaient parfois tentés d'en accepter plus qu'ils n'en pouvaient accomplir. Cela les incitait à prendre des raccourcis et – plus fréquemment qu'on aurait cru – à falsifier les données.

En un mot : à tricher.

Le docteur Yaminer, Lord en était certain, avait triché dans l'établissement de ses comptes rendus sur l'Hexine W. Ou bien il n'avait pas fait les examens qu'il était censé effectuer sur les patients qu'il nommait, ou bien ces patients – tous, ou seulement certains – n'existaient que dans l'imagination du médecin. Il les avait inventés, ainsi que les « résultats » des tests.

Guidé par son expérience, Lord était convaincu que la seconde éventualité était la plus plausible.

Comment pouvait-il en être sûr?

Yaminer avait rédigé ses faux comptes rendus à la hâte, et s'était montré négligent. Ce qui avait d'abord attiré l'attention de Lord, c'était la régularité de l'écriture sur les fiches, alors qu'elles portaient des dates très diverses. Normalement, même si un médecin employait toujours le même stylo, son écriture variait, l'épaisseur du trait n'était jamais exactement le même d'un jour à l'autre.

Certes, cela ne prouvait rien. Yaminer pouvait tout simplement avoir recopié des notes prises au fur et à mesure. Mais pour un médecin aussi occupé, c'était fort peu probable. Ce qui incita Lord à chercher autre chose.

Et il trouva.

Parmi les tests effectués, il en était un qui consistait à mesurer le pH de l'urine – acidité ou alcalinité. Pour un sujet normal, le taux se situait entre 5 et 8. Mais les tests n'étaient pas effectués le même jour; chacun constituait un « événement indépendant » et variait, c'est-à-dire que le 4 d'un mardi donné n'entraînait pas nécessairement l'apparition chez cette personne d'un nouveau 4 le mercredi. En d'autres termes : sur cinq jours successifs, on n'avait qu'une chance sur quatre de trouver un même pH.

Pourtant, les rapports du docteur Yaminer faisaient état de pH identiques, jour après jour, pour chacun de ses patients. C'était extrêmement improbable, même avec un seul individu. Mais tout à fait impossible dans le cas de quinze patients – le nombre que vérifia Lord dans l'étude de Yaminer.

Pour en être absolument certain, Lord prit au hasard les fiches de quinze autres patients et procéda à une vérification analogue pour les tensions artérielles. Là encore, des chiffres strictement identiques se répétaient avec une fréquence anormale.

Inutile d'aller plus loin. Tout spécialiste aurait vu en ces données la preuve d'une falsification – en l'occurrence, une fraude criminelle.

Envahi par la colère, Lord se mit à maudire le docteur Yaminer. Le rapport que celui-ci avait fourni donnait une très bonne image de l'Hexine W. *Mais c'était inutile*. Le médicament en aurait eu une très bonne de toute façon, comme le démontraient tous les autres rapports.

Lord savait ce qu'il devait faire.

Il devait sans tarder informer la F.D.A., et tout lui révéler. Après quoi le docteur Yaminer ferait l'objet d'une enquête officielle, et serait sans doute inculpé. D'autres médecins, avant lui, avaient falsifié des rapports, et certains avaient été condamnés à la prison ferme. Si Yaminer était jugé coupable, il risquait fort de subir la même peine et de perdre le droit d'exercer la médecine.

Mais Lord pensa à autre chose.

Si la F.D.A. était alertée, et le rapport de Yaminer refusé, il faudrait tout recommencer, ce qui prendrait environ un an, et retarderait d'autant le lancement de l'Hexine W.

De nouveau, Lord se mit à maudire Yaminer pour sa bêtise et pour le dilemme désormais posé.

Que faire?

Si cela s'était produit pour un médicament suscitant des doutes, il n'aurait pas hésité un seul instant. Il aurait dénoncé Yaminer, et se serait présenté pour témoigner contre lui. Mais, avec ou sans ce faux rapport, on ne pouvait douter que l'Hexine W soit un médicament bénéfique, une réussite.

Alors, pourquoi ne pas le laisser parmi tous les vrais rapports? Il y avait gros à parier que personne ne s'en apercevrait, l'importance du dossier le garantissait. Et si un inspecteur de la F.D.A. tombait sur les papiers de Yaminer, il n'y avait aucune raison de supposer qu'il s'apercevrait de la supercherie. Tout le monde n'avait pas l'œil aussi aiguisé que Vincent Lord pour remarquer ces détails.

Lord aurait préféré faire disparaître le dossier, mais il savait qu'il ne pouvait pas se le permettre. Le nom de Yaminer figurait sur d'autres documents déjà fournis à la F.D.A.

Il répugnait à laisser Yaminer s'en tirer à si bon compte, mais il ne voyait pas d'autre solution.

Advienne que pourra! Lord parapha l'étude de Yaminer, et la plaça avec celles qu'il avait déjà vérifiées.

Mais il se jura de faire en sorte que jamais plus ce médecin peu scrupuleux ne travaille pour Felding-Roth. Il existait un dossier de service sur Yaminer.

Lord le sortit, et y glissa les notes qu'il avait prises pour vérifier la fraude. Si jamais il en avait besoin, il saurait exactement où les retrouver.

Les prévisions de Lord se révélèrent justes.

Le dossier fut soumis et, dans un délai raisonnablement court, la F.D.A. donna son accord.

Un seul détail troubla Vincent Lord, et le rendit nerveux pendant quelque temps. Au centre national de la F.D.A. pour les produits pharmaceutiques et biologiques, à Washington, le docteur Gideon Mace était maintenant chef de service. Comparé à ce qu'il avait été, Mace s'était beaucoup amélioré; il ne buvait plus, son mariage était solide, et il était respecté dans son travail. Sa désastreuse comparution devant la sous-commission sénatoriale ne semblait lui avoir causé aucun tort. En fait, il avait même été promu peu de temps après.

Lord apprit que Mace, bien qu'il ne fût pas directement concerné par la demande d'autorisation de l'Hexine W, s'était intéressé au dossier comme il le faisait apparemment pour tous ceux qui émanaient de chez Felding-Roth. Mace gardait sans doute rancune à la compagnie et espérait se venger un jour.

Mais Mace ne se manifesta pas cette fois-ci, et quand la F.D.A. donna le feu vert à Felding-Roth, la nervosité de Lord s'évanouit.

De même que pour le Peptide 7, il avait été décidé que le nom public de l'Hexine W resterait le même.

« Cela se prononce aisément, et cela fera très bien sur l'emballage », déclara Celia.

Bill Ingram acquiesça, ajoutant : « Espérons que nous aurons autant de chance que la dernière fois. »

D'emblée, l'Hexine W remporta un grand succès. Des médecins, parmi lesquels d'éminentes sommités proclamèrent qu'il s'agissait d'un progrès médical considérable, ouvrant la voie à de nouvelles possibilités thérapeutiques pour les grands malades. Les revues médicales louaient le médicament et Vincent Lord.

De nombreux praticiens commencèrent à prescrire l'Hexine W, y compris Andrew, qui informa Celia : « On dirait que tu tiens là quelque chose de formidable. C'est une découverte aussi importante, à mon avis, que celle de la Lotromycine. »

Les médecins parlaient de ce nouveau produit autour d'eux, les malades exprimaient leur gratitude pour le soulagement qu'il leur apportait, et l'Hexine W était de plus en plus répandue et se vendait de mieux en mieux.

D'autres firmes pharmaceutiques, dont certaines s'étaient d'abord méfiées, commençaient à utiliser l'Hexine W sous licence, l'incorporant à leurs propres produits pour en améliorer la sécurité d'emploi. Des médicaments mis au point depuis des années, mais jamais commercialisés en raison de leur toxicité, étaient maintenant repris et soumis à des essais après adjonction d'Hexine W.

L'un de ces produits était un médicament contre l'arthrite, l'Arthrigo, conçu par les laboratoires Exeter & Stowe de Cleveland, dont Celia connaissait bien le président, Alexander W. Stowe. Ancien chercheur en chimie, Stowe avait constitué une société avec un associé dix ans auparavant. Depuis lors, et bien que de petite dimension, la firme avait acquis une juste réputation pour ses produits de haute qualité.

Après la négociation d'un accord sous licence, Stowe se rendit en personne au siège de Felding-Roth. C'était un quinquagénaire sympathique aux cheveux hirsutes et aux costumes fripés, qui donnait toujours l'impression d'être distrait mais ne l'était jamais. Lors d'un entretien avec Celia et Vincent Lord, il annonça : « Nous avons l'autorisation de la F.D.A. pour associer expérimentalement l'Arthrigo à l'Hexine W. Comme les deux produits ont des propriétés anti-arthritiques, nous fondons de grands espoirs sur le résultat. Bien entendu, nous vous tiendrons au courant de nos essais. »

Cela se passait six mois après le lancement de l'Hexine W.

Quelques semaines plus tard, Celia et Andrew organisèrent une réception chez eux, un samedi soir, en l'honneur de Vincent Lord. Lisa et Bruce revinrent pour l'occasion.

Il était grand temps, se disait Celia, de faire un geste personnel en direction de Lord, ne fût-ce que pour marquer qu'elle lui était reconnaissante de son importante contribution à la prospérité de la société, et pour indiquer que tout antagonisme entre eux était oublié, ou considéré comme tel.

La soirée fut un succès, et Lord se révéla plus joyeux et plus détendu que Celia n'eût jamais pu l'imaginer. Son visage maigre et austère se colorait de plaisir sous la profusion de compliments et de félicitations. Il était tout sourire, et se mêlait volontiers aux autres invités, parmi lesquels on comptait des cadres de Felding-Roth, des notables de Morristown, des scientifiques et des publicitaires de New York, et même Martin Peat-Smith, que Celia avait prié de venir tout exprès d'Angleterre.

Ce geste fit particulièrement plaisir à Lord, ainsi que le toast porté par Martin, à la requête de Celia.

« La vie de chercheur scientifique, déclara Martin tandis que les invités se taisaient pour l'écouter, est pleine de défis et de moments d'enthousiasme. Mais elle comprend aussi des années d'échec décourageantes, de longues heures de désespoir, et bien souvent la solitude. Il faut avoir connu ces moments pour comprendre ce qu'a enduré Vincent pendant ses recherches sur l'Hexine W. Cependant, son génie et son dévouement ont triomphé, permettant l'organisation de cette célébration à laquelle je suis heureux de participer humblement, en saluant avec vous une grande découverte scientifique. »

« Très élégant hommage, commenta Lisa plus tard dans la soirée, quand la famille Jordan se retrouva seule après le départ des invités. Et si l'éclat de cette soirée parvient aux journalistes, cela devrait faire encore monter les actions de Felding-Roth d'un point ou deux. »

Lisa approchait de son vingt-sixième anniversaire, et avait terminé depuis quatre ans ses études à Stanford. Elle travaillait actuellement comme analyste financière, dans une banque de Wall Street, mais allait quitter le milieu de la finance au début de l'automne pour entrer à la Wharton Business School et y préparer un doctorat.

« Ce que tu devrais faire, dit Bruce à sa sœur, c'est suggérer lundi à tes clients d'acheter du Felding-Roth, et puis mardi lancer le bruit que le docteur Peat-Smith, inventeur du Peptide 7, est enthousiasmé par l'Hexine W.

– Ce serait absolument immoral, rétorqua-t-elle. Mais les directeurs de journaux s'en moquent bien, je suppose ? »

Bruce avait achevé ses études au Williams College depuis deux ans et il travaillait maintenant à New York pour un éditeur scolaire, chez qui il supervisait la publication des manuels d'histoire. Il avait, lui aussi, des projets d'avenir : partir pour Paris et suivre des cours en Sorbonne.

« Nous ne pensons qu'aux questions morales, dit-il. Et cela explique pourquoi les éditeurs gagnent moins d'argent que les banquiers.

— Comme c'est bon, dit Celia, de vous avoir à la maison et de constater que rien n'a changé. »

Celia s'apercevait que la responsabilité d'une firme prospère et en pleine expansion n'éliminait nullement les problèmes de gestion. En comparaison de l'époque où la compagnie battait de l'aile, il en demeurait autant et peut-être même davantage. Cependant, leur nature avait changé. Et puis il régnait désormais un optimisme, une exaltation qui avaient manqué naguère, et qui réussissaient fort bien à Celia.

Aussitôt après cet hommage public à Vincent Lord, elle fut submergée de questions touchant les finances et la réorganisation de l'entreprise qui l'obligèrent à voyager beaucoup. Trois mois s'écoulèrent ainsi avant qu'elle pût reparler à Lord de l'accord sous licence avec Exeter & Stowe, pour l'Hexine W. Il était allé la voir dans son bureau pour autre chose, et elle lui demanda :

« Avez-vous des nouvelles d'Alex Stowe et de l'expérimentation d'Arthrigo associé à l'Hexine W?

— Les essais cliniques semblent se dérouler comme prévu. Tout paraît positif.

— Et où en sont les rapports d'effets indésirables, pour l'Hexine W? Je n'en ai pas vu passer un seul.

— Je ne vous en ai pas adressé, répondit Lord,

parce qu'il n'y a rien eu de significatif. En tout cas, rien qui concerne directement l'Hexine W. »

Désormais habitué aux bonnes nouvelles, le cerveau de Celia était déjà passé à autre chose; de sorte que la réticence embarrassée des derniers mots de Lord lui échappa. Elle allait s'en souvenir par la suite, et se le reprocher amèrement.

Car, suivant une habitude acquise depuis des années, bien avant sa première rencontre avec Celia, Lord n'avait pas dit toute la vérité.

CHAPITRE 56

La vérité se dévoila lentement. Ce fut d'abord une nouvelle qui semblait anodine, parce qu'incomplète. Par la suite, Celia eut l'impression que le destin s'était insinué sur la pointe des pieds, passant tout d'abord inaperçu, comme dissimulé sous quelque manteau, avant de jaillir soudain, tel un poignard.

Tout commença par un coup de téléphone, en l'absence de Celia. A son retour, elle trouva, parmi plusieurs autres, un message de M. Alexander Stowe, des laboratoires Exeter et Stowe, qui souhaitait qu'elle le rappelle. Rien n'indiquait que ce fût urgent, et elle régla d'abord d'autres affaires.

Une heure plus tard, elle pria sa secrétaire de rappeler Stowe, et fut aussitôt informée qu'il était en ligne.

« Bonjour, Alex. Je pensais justement à vous ce matin, et je me demandais comment vont vos essais cliniques d'Arthrigo-Hexine W. »

Il y eut un instant de silence, puis Alex répliqua, surpris :

« Nous avons annulé le contrat il y a quatre jours, Celia. Ne le saviez-vous pas ? »

Ce fut au tour de Celia d'être étonnée.

« Non, je n'en savais rien. Si vous avez chargé

quelqu'un d'annuler, êtes-vous certain que vos instructions aient été suivies?

— Je m'en suis occupé moi-même, dit Stowe. J'ai traité directement avec Vincent Lord. Et aujourd'hui, je me suis rendu compte que je ne vous en avais rien dit, et que la moindre des politesses eût été de le faire. C'est pourquoi je vous ai téléphoné. »

Contrariée d'apprendre ainsi ce qu'elle aurait dû savoir depuis longtemps, Celia répondit :

« J'aurai deux mots à dire à Vince. (Elle se reprit.) Quelle est la cause de l'annulation?

— Eh bien... franchement, ces décès par infection généralisée nous inquiètent. Nous en avons nous-mêmes eu deux cas, chez des patients que nous traitions, et, bien que ce ne soit apparemment pas causé directement par l'un des produits – Arthrigo ou Hexine W –, certaines questions restent sans réponses. Nous sommes embarrassés, pour tout dire, et nous avons donc décidé de ne pas poursuivre, surtout quand on considère les autres décès survenus ailleurs. »

Pour la première fois depuis le début de l'entretien, un frisson glacé parcourut Celia. Elle eut soudain la prémonition que tout cela n'était que le commencement de graves ennuis.

« Quels autres décès? »

Cette fois le silence se prolongea.

« Vous n'êtes donc pas au courant non plus?

— Si je l'étais, je ne vous poserais pas la question, répliqua-t-elle d'un ton impatient.

— Nous avons connaissance de quatre cas pour le moment, sans aucun détail si ce n'est que tous prenaient de l'Hexine W, et que tous sont morts de différents types d'infection. (Stowe s'interrompit, pour reprendre aussitôt d'une voix grave et mesurée :) Celia, je vais me permettre de vous faire une suggestion – et ne croyez surtout pas que je sois présomptueux ou que je veuille me mêler des affaires de votre compagnie. Mais il me semble que vous devriez avoir une sérieuse conversation avec le docteur Lord.

– Oui, je le pense également.

– Vincent Lord est informé de ces décès – des autres aussi bien que des nôtres – car nous en avons discuté. Et puis il a dû recevoir tous les détails, pour les communiquer à la F.D.A. (Nouvelle hésitation.) J'espère sincèrement, pour vous tous, que la F.D.A. *a été* informée.

– Alex, dit Celia, il me manque manifestement de nombreux éléments, et je vais me renseigner sans tarder. Je vous suis extrêmement obligée de m'avoir prévenue. Pour l'instant, je crois que nous nous sommes dit l'essentiel.

– En effet. Mais n'hésitez pas à m'appeler si vous avez besoin d'en savoir davantage, ou si je puis vous aider d'une manière ou d'une autre. Oh! Je voulais aussi vous dire combien je regrettais d'avoir dû annuler le contrat. J'espère qu'une prochaine fois nous pourrons travailler ensemble jusqu'au bout. »

Celia répondit machinalement, l'esprit déjà préoccupé par ce qu'elle allait faire ensuite :

« Merci, Alex. Je l'espère aussi. »

Elle effleura une touche pour mettre fin à la communication et allait en presser une autre pour entrer en contact avec Vincent Lord, quand elle changea d'idée. Elle allait le voir en personne. Et tout de suite.

Le premier cas de décès après absorption d'Hexine W avait été signalé à Felding-Roth deux mois après le lancement du produit. Comme toujours, ce rapport avait d'abord été communiqué au docteur Lord. Et, quelques minutes après l'avoir lu, il l'avait définitivement écarté.

Le compte rendu rédigé par un médecin de Tampa, en Floride, révélait que le malade avait pris de l'Hexine W associée à un autre médicament, mais que la cause du décès était une fièvre infectieuse. Lord se dit que cette mort n'avait aucun rapport avec l'Hexine W. Cependant, il rangea le rapport dans un dossier et, au lieu de l'envoyer aux archives, il le plaça dans un tiroir de son bureau qu'il ferma à clef.

Le deuxième rapport arriva quinze jours plus tard. Il provenait d'un visiteur médical de Felding-Roth, qui l'avait envoyé à la suite d'un entretien qu'il avait eu avec un praticien de Southfield, dans le Michigan. Très consciencieux, le délégué avait noté tous les renseignements qu'il avait pu trouver.

Diverses sources informaient les laboratoires pharmaceutiques des effets indésirables de leurs médicaments. Il arrivait que des médecins écrivent directement. D'autres fois, c'étaient les hôpitaux qui le faisaient, par routine. Les bons pharmaciens transmettaient ce qu'ils apprenaient. Parfois, les patients eux-mêmes s'en chargeaient. Par ailleurs, les visiteurs médicaux avaient pour instructions de rapporter tout ce qu'ils apprenaient sur les effets d'un produit, même si cela leur paraissait dénué d'intérêt.

Au siège de la société pharmaceutique, tous ces rapports étaient classés ensemble et, chaque trimestre, transmis à la F.D.A. Il s'agissait d'une obligation légale.

La loi exigeait aussi que toute réaction anormale à l'absorption d'un médicament, surtout s'il était nouveau, fût signalée à la F.D.A. avec la mention

« urgent » dans un délai de quinze jours après la découverte de cette réaction par la compagnie. Cette règle s'appliquait même si la firme ne pensait pas que son produit en fût responsable.

Le rapport du visiteur médical de Southfield révélait que le patient était mort d'une infection généralisée du foie, après avoir pris de l'Hexine W. L'autopsie l'avait confirmé.

Cette fois encore, Lord décida que l'Hexine W ne pouvait pas être en cause, et il classa le rapport dans son tiroir, avec le premier.

Un mois passa, puis deux rapports arrivèrent simultanément, de deux sources différentes. Ils faisaient état des décès d'un homme et d'une femme. Dans les deux cas, les malades avaient pris de l'Hexine W en association avec un autre médicament. La femme, assez âgée, avait eu une infection bactérienne du pied, après s'être blessée en faisant son ménage. Il avait fallu procéder à une amputation mais l'infection s'était répandue rapidement, entraînant la mort de la malade. Quant à l'homme, de santé précaire, il avait succombé à une infection foudroyante du cerveau.

En prenant connaissance de ces deux rapports, Lord fut irrité. *Pourquoi* fallait-il que ces maladies, qui de toute façon auraient fini par tuer ces gens, viennent ternir l'image de son Hexine W? Sa découverte n'avait évidemment rien à voir avec aucun de ces deux cas? Cependant, cette accumulation de rapports devenaient embarrassante. Et aussi inquiétante.

Lord avait conscience d'avoir transgressé la loi en ne signalant pas immédiatement à la F.D.A. les premiers incidents. Il se trouvait dans une situation très délicate.

S'il envoyait maintenant les nouveaux rapports à la F.D.A., il devrait y joindre les précédents. Mais ceux-ci auraient dû être transmis depuis longtemps et, s'il les faisait connaître à présent, Felding-Roth et lui-même seraient accusés d'avoir violé la loi. Tout pouvait arriver. Il savait bien que, à la F.D.A., le docteur Gideon Mace n'attendait sans doute que cette occasion pour se déchaîner.

Lord rangea les deux nouveaux rapports dans son dossier, avec les autres. Après tout, se disait-il, il était le seul à en connaître le nombre total. Chacun était arrivé séparément. Aucun des auteurs de ces rapports ne savait qu'il en existait d'autres.

Quand Alexander Stowe lui téléphona pour annuler le contrat, Lord avait déjà accumulé douze rapports dans son tiroir, et vivait dans la peur. Il apprit également – ce qui accrut son anxiété – que Stowe avait entendu parler de quatre de ces décès, liés à l'absorption d'Hexine W. Lord se garda bien de dire à Stowe que le vrai chiffre était douze, *plus* les deux que Stowe connaissait directement, et dont Lord entendait parler pour la première fois.

Comme, en plus, Lord était obligé de tenir compte de ce que lui avait dit Stowe, le total des décès connus était maintenant de quatorze.

Un quinzième cas lui fut signalé le jour même où Stowe avait appelé Celia. Désormais, et malgré ses réticences, Lord ne pouvait plus ignorer quelle était la cause de tous ces décès.

Plusieurs mois auparavant, au cours d'une réunion sur les prévisions de ventes qui avait lieu dans le bureau de Celia, Lord avait été applaudi en décrivant l'action de l'Hexine W.

« *Elle stoppe la production des radicaux libres, de sorte que les leucocytes cessent d'être attirés vers le site de la maladie... Résultat – l'inflammation disparaît et la douleur aussi.* »

Tout cela était vrai.

Ce qui devenait également très clair, par déduction et grâce à quelques expériences hâtives, c'était que l'exclusion des leucocytes ouvrait la voie à une faiblesse, à une vulnérabilité. Normalement, les leucocytes détruisaient les organismes étrangers – les bactéries – sur le site de la maladie. De sorte que, tout en provoquant la douleur, les leucocytes constituaient une protection. Mais en leur absence – causée par l'élimination des radicaux libres – les bactéries et divers organismes se multipliaient, créant des infections en diverses parties du corps.

Et entraînant la mort.

Cela restait à prouver, mais Lord était sûr à présent que l'Hexine W avait causé au moins une douzaine de décès, et sans doute davantage.

Il se rendait compte aussi, mais trop tard pour que cela pût être utile, qu'il y avait eu un point faible dans le programme d'essais cliniques de l'Hexine W. La plupart des patients étaient hospitalisés, dans des conditions de surveillance et d'hygiène où les infections n'avaient guère de risques de se développer. Tous les décès signalés dans son dossier étaient intervenus *hors du milieu hospitalier*, dans des environnements non contrôlés, où les bactéries pouvaient croître et se multiplier...

Lord ne parvint à cette conclusion – reconnaissant son échec, brisant ses rêves, et renforçant ses terreurs actuelles – que quelques minutes avant l'arrivée de Celia dans son bureau.

Il savait maintenant qu'il faudrait retirer l'Hexine W de la vente. Désespéré, il savait aussi qu'il s'était rendu coupable de dissimulation de preuves – devenant ainsi responsable de morts qui auraient pu être évitées. Il devait donc affronter le déshonneur, les poursuites judiciaires, et peut-être l'emprisonnement.

Curieusement, son esprit retourna vingt-sept ans en arrière... à l'université de l'Illinois, à Champaign-

Urbana, ce fameux jour où, dans le bureau du doyen, il avait demandé une promotion anticipée et se l'était vu refuser.

Il avait alors senti que le doyen le jugeait, lui, Vincent Lord, affligé d'un défaut de caractère. Pour la première fois de sa vie, tandis qu'il se livrait à son examen de conscience, Lord se demandait à présent si, peut-être, le doyen n'avait pas eu raison.

Celia ne perdit pas de temps. Elle entra dans le bureau de Lord sans se faire annoncer, et referma soigneusement la porte derrière elle.

« Pourquoi n'ai-je pas su que Exeter & Stowe avaient annulé leur contrat depuis déjà quatre jours? »

Surpris par cette irruption, Lord répondit maladroitement :

« J'allais vous le dire. Je n'arrivais pas à m'y résoudre.

— Combien de temps auriez-vous encore attendu, si je ne vous l'avais pas demandé? (Puis, sans le laisser répondre :) J'ai appris par une source extérieure qu'il y avait eu des rapports négatifs sur l'Hexine W. Pourquoi n'en avais-je pas entendu parler non plus? »

Lord balbutia :

« Je les étudiais... enfin, je les rassemblais.

— Montez-les-moi, ordonna-t-elle. Tous. Et tout de suite. »

Sachant que désormais plus rien ne pourrait être caché, Lord tira des clefs de sa poche et ouvrit un tiroir de son bureau.

En l'observant, Celia se souvint d'une autre circonstance, sept ans auparavant, où elle était venue chercher les premiers rapports, encore incertains, concernant le Montayne. Lord avait répugné à les lui montrer mais, comme elle insistait, il avait fait exactement le même geste : ouvrir ce tiroir fermé à clef. A l'époque, déjà, elle s'était étonnée de voir que les rapports n'étaient pas rangés dans les archives centrales, là où ils auraient été accessibles à tous.

Ce même procédé de dissimulation.

Celia se repentit amèrement de n'avoir pas tiré la leçon de cette première expérience car, par sa négligence, l'organisation de la compagnie avait gardé un point faible dont, en sa qualité de président-directeur général, elle devait assumer la responsabilité.

Et même *doublement* – car elle avait déjà eu connaissance du penchant de Lord pour la dissimulation, quand les nouvelles étaient mauvaises, quand quelque chose lui déplaisait, et elle n'avait rien fait pour y remédier.

Lord lui tendit un dossier énorme. La première impression de Celia fut l'effroi, en voyant tout ce qu'il contenait. La seconde, en tournant les pages et en lisant, sous le regard muet de Lord, fut l'horreur. Elle compta les liasses. *Quinze décès*. Et tous ceux qui étaient morts avaient pris de l'Hexine W.

A la fin, tout en connaissant d'avance la réponse, elle posa l'inévitable question.

« Avons-nous informé la F.D.A. de ces rapports ? »

Les muscles du visage de Lord se contractèrent, tandis qu'il répondait :

« Non.

– Vous connaissez la loi, bien sûr, et la règle du délai de quinze jours ? »

Lord acquiesça en silence.

« Je vous ai demandé récemment, reprit Celia, s'il y avait eu des rapports négatifs concernant l'Hexine W. Vous m'avez alors dit qu'il n'y en avait pas. »

Faisant des efforts désespérés pour se défendre, Lord répliqua :

« Je n'ai pas dit qu'il n'y en avait pas. Je vous ai dit que rien ne concernait directement l'Hexine W. »

Consternée, Celia se souvint. C'était *exactement* ce qu'il avait dit. Il avait formulé une réponse évasive, caractéristique des manières qu'elle lui connaissait pourtant depuis vingt-sept ans.

Forte de cette connaissance, elle aurait dû identifier cette réponse pour ce qu'elle était – une fuite – et persister dans ses interrogations. Si seulement elle l'avait fait, ces rapports négatifs auraient été communiqués à la F.D.A. depuis déjà des mois. Et il y en aurait eu moins – moins de décès, aussi – parce que la F.D.A. aurait pris des mesures, des avertissements auraient été lancés...

Mais non! Au lieu de cela, elle s'était laissé griser par le succès, aveuglée par la perspective d'un second triomphe... le Peptide 7, ensuite l'Hexine W... Elle avait cru que rien ne pourrait aller mal. Mais c'était arrivé quand même, et son univers s'effondrait, en même temps que celui de Vincent Lord.

Bien que n'attendant aucune réponse raisonnable, elle voulut savoir pourquoi il avait fait cela.

« Je croyais à l'Hexine W... commença Lord.

– Peu importe! » interrompit Celia.

Puis elle rangea les rapports dans le classeur et annonça :

« J'emporte tout cela. Des copies seront envoyées par porteur spécial à Washington – à la F.D.A. – aujourd'hui même, avec la mention « urgent ». Je vais téléphoner au directeur pour m'assurer que toute l'attention nécessaire leur sera accordée. (Elle ajouta gravement, surtout pour elle-même :) Je suppose que nous en aurons bientôt des nouvelles. »

CHAPITRE 57

La F.D.A. réagit très vite, sans doute parce que Celia avait directement informé le commissaire général. Un ordre de retrait provisoire de l'Hexine W fut lancé, le mot « provisoire » laissant l'espoir que le produit serait remis en vente sous une indication plus restrictive. Néanmoins, il était clair que les beaux jours de l'Hexine W s'achevaient.

« Ce qui est honteux, déclara Alex Stowe à Celia, peu de temps après. Ce produit reste un bon médicament, et une belle réussite scientifique, en dehors des malversations personnelles de Vincent. (Il ajouta avec gravité :) Le problème de notre société, c'est qu'elle veut des médicaments dépourvus de tout risque et, comme vous le savez aussi bien que moi, cela n'existe pas et n'existera jamais. »

Depuis quelque temps, Celia s'entretenait souvent avec Stowe, qui se révélait un ami avisé et digne de confiance.

« Vous verrez que l'Hexine W réapparaîtra, reprit-il, peut-être avec des restrictions plus importantes, ou après de plus amples travaux. Mais le besoin d'éliminer les radicaux libres existe, même au prix d'un risque, et c'est une technique qui se développe dans le domaine médical. Dans les années qui viennent, on en entendra parler de plus en plus. Quand cela se produira, Celia, vous pourrez vous enorgueillir du fait que Felding-Roth aura été pionnier en la matière.

– Merci, Alex, dit-elle. En ce moment, chez nous, toute pensée réconfortante est la bienvenue. »

En dépit de l'amertume qui accompagna le retrait de l'Hexine W la procédure se fit en douceur. Celia avait pris les devants et, quand l'ordre de la F.D.A. lui parvint, une circulaire était déjà prête. Elle fut adressée à tous les médecins pour les avertir qu'il ne fallait plus prescrire d'Hexine W. Dans les deux semaines qui suivirent, le médicament avait disparu de toutes les pharmacies. Celia avait essayé de faire en sorte que le retrait de l'Hexine W soit considéré comme volontaire, mais la F.D.A. s'y était opposée, choisissant d'exercer son autorité. Comme le problème du retard de la communication du dossier restait pendant, ses avocats conseillèrent à Celia de ne pas discuter.

Sur cette question, aucune nouvelle ne transpira sur le moment, mais quelques semaines plus tard la *feuille rose* – bulletin hebdomadaire de l'industrie pharmaceutique, qui paraissait à Washington – annonça :

« Dans l'affaire de Felding-Roth et de l'Hexine W, la F.D.A. a demandé l'ouverture d'une enquête sur la violation présumée de la législation sur les rapports négatifs, mais il semble qu'aucune recommandation n'ait été faite quant à la nécessité de constituer un grand jury. »

« D'après mes informations – et ceci doit rester entre nous – révéla Childers Quentin à Celia lors d'une conversation téléphonique à laquelle participaient également Bill Ingram et un avocat de la compagnie, deux factions s'opposent au sein de la F.D.A. autour de votre dossier. »

A la requête de Celia, Quentin avait fait jouer de nombreuses relations dans la capitale pour savoir ce qui se passait. Régulièrement, l'avocat communiquait à Celia ce qu'il avait appris, et c'était le commentaire de la *feuille rose* qui motivait ce nouvel appel.

Quentin poursuivit :

« L'une de ces factions comprend le commissaire général et quelques autres, qui ont tendance à avancer lentement, sachant que les grands jurys et les inculpations peuvent réserver des surprises et éclabousser les fonctionnaires de la F.D.A. s'ils ont eux-mêmes fait preuve de négligence. Le commissaire général a été favorablement impressionné par l'honnêteté que vous avez manifestée au sujet de ces rapports restés sous le boisseau. (Quentin s'interrompit un moment.) Cependant, il existe une seconde faction, menée par un sous-directeur; il dispose d'un certain pouvoir et il est inamovible. Il est dans le camp d'un certain docteur Gideon Mace qui réclame à cor et à cri des mesures exemplaires. Peut-être vous souvenez-vous de lui. Il avait témoigné devant la commission sénatoriale.

— Je m'en souviens fort bien, dit Celia. Le docteur Mace semble nourrir une forte rancœur contre Felding-Roth. J'ignore pourquoi. »

Bill Ingram intervint :

« Pouvons-nous faire quelque chose, en prévision de ce qui va se produire, ou risque de se produire au ministère de la Justice?

— Oui, dit Quentin. Attendre en silence, et espérer. Il est des choses dont on peut se mêler, à Washington, et dont on réussit parfois même à se tirer, mais un jugement par grand jury n'est pas de celles-là. »

Ils n'en dirent pas plus ce jour-là et attendirent la suite des événements avec nervosité.

Leur inquiétude fut avivée par l'apparition au siège de Felding-Roth de plusieurs policiers fédéraux munis d'un mandat de perquisition signé par la cour fédérale de Newark dont dépendait Boonton.

Le retrait de l'Hexine W avait eu lieu au début d'octobre. A la mi-novembre, le procureur du district du New Jersey, agissant sur l'instruction du ministère de la Justice, demanda à un magistrat fédéral l'autorisation de « rechercher et de saisir toutes notes, correspondances et autres documents relatifs au produit pharmaceutique Hexine W. »

S'agissant d'une procédure non contradictoire, dont Felding-Roth n'avait pas été informé à l'avance, la compagnie n'était donc pas représentée lorsque le mandat avait été sollicité, puis accordé.

Cette décision de perquisition et de saisie surprit et révolta Celia et bien d'autres, de même que la présence d'agents fédéraux, qui restèrent plusieurs jours avant d'emporter une douzaine de cartons dans un camion. Ces cartons étaient pleins de dossiers du département de recherches, y compris l'un de ceux du bureau de Vincent Lord.

Lord voulut protester contre cette intrusion, mais il se vit opposer le mandat de perquisition et dut s'incliner.

Depuis le jour où Celia avait découvert les rapports négatifs illégalement dissimulés, le directeur de recherches avait évité autant que possible les contacts avec les membres de la direction, et avec Celia en particulier. Tous les gens concernés savaient que les jours de Lord chez Felding-Roth étaient comptés. Mais ils savaient aussi que, jusqu'à la résolution de l'affaire des rapports négatifs sur l'Hexine W, la compagnie entière, y compris Lord, n'avait pas d'autre choix que d'offrir un front uni.

La saisie des dossiers rendit ce fait encore plus clair, et imposa une trêve embarrassée.

Tandis que Lord gardait ses distances, Celia échafaudait un plan de restructuration des services scientifiques : sous l'autorité d'un directeur général, des sous-directeurs seraient responsables de secteurs spécialisés, parmi lesquels le nouveau département de recherche génétique. Elle avait une idée très précise de la personne qui dirigerait le secteur génétique.

Après les bouleversements de la mi-novembre, on n'entendit plus parler de l'affaire jusqu'à la fin de l'année. Peu avant Noël, Childers Quentin expliqua :

« Officiellement, l'enquête continue, mais le ministère de la Justice a d'autres soucis et l'Hexine W ne figure pas parmi ses priorités. »

Bill Ingram, qui cette fois encore assistait à la conversation, intervint :

« Je suppose que, plus l'affaire traîne, et moins il y a de risques qu'elle tourne mal.

– Cela s'est déjà vu, reconnut Quentin. Mais n'y comptez pas trop. »

Le Premier de l'An apporta une bonne nouvelle. L'anoblissement dont on parlait au sujet de Martin Peat-Smith devint réalité : son nom figurait sur la Liste des Honneurs de la Reine. Le *Times* de Londres rapporta que cette dignité récompensait « des services exceptionnels rendus à l'humanité et à la science ».

L'investiture officielle de Sir Martin Peat-Smith par Sa Majesté se déroulerait au Palais de Buckingham, au début du mois de février. Celia téléphona à Martin pour le féliciter et lui annonça : « Andrew et moi passerons une semaine à Londres et donnerons une réception en votre honneur après la cérémonie. »

Celia et Andrew se rendirent donc à Londres dans les derniers jours de janvier, accompagnés de Lilian Hawthorne, qu'ils avaient convaincue de se joindre à eux. Depuis sept ans et demi que Sam était mort, Lilian s'était accoutumée à la solitude, et voyageait fort peu. Mais Celia lui fit remarquer que cette occasion constituait en quelque sorte un hommage posthume à Sam, puisque l'idée d'ouvrir le centre de Harlow venait de lui, ainsi que le choix de Martin comme directeur.

Celia, Andrew et Lilan séjournaient à l'endroit le plus à la mode pour les voyageurs fortunés – Fortyseven Park Street, à Mayfair, où les services d'un hôtel se conjuguaient avec la tranquillité d'appartements de luxe.

Lilian, qui aurait bientôt soixante ans, était encore d'une grande beauté et, lors d'une visite qu'ils firent tous les trois à Harlow, Rao Sastri fut visiblement séduit par son charme en dépit des vingt années qui les séparaient. Il lui fit visiter les laboratoires et, ensuite, ils s'en allèrent tous deux déjeuner ensemble. Celia apprit avec amusement qu'ils avaient prévu de passer une soirée à Londres – dîner et théâtre – la semaine suivante.

Le lundi, deux jours avant la cérémonie, Celia reçut un appel de Bill Ingram. « Je suis désolé d'avoir à vous apprendre de mauvaises nouvelles, dit-il, mais Childers Quentin vient de me téléphoner. On dirait qu'une tempête vient de se déchaîner à Washington. »

La nouvelle, expliqua-t-il, concernait la F.D.A., le docteur Gideon Mace, le ministère de la Justice, le sénateur Dennis Donahue et l'Hexine W.

« D'après ce que m'a dit Quentin, poursuivit-il, Mace s'est lassé de ce qu'il estimait être l'inaction de la justice. Alors, de son propre chef, il a porté tous les papiers concernant l'Hexine W aux assistants de Donahue, au Capitole. Ceux-ci les ont communiqués à Donahue, qui s'est jeté dessus comme sur un cadeau de Noël. D'après les informations de Quentin, le sénateur a déclaré : " Voilà exactement ce que j'attendais. "

— Oui, dit Celia. Je l'imagine sans peine.

— Ensuite, Donahue a appelé le procureur pour exiger qu'il prenne des mesures. Depuis – toujours d'après ce que m'a dit Quentin –, Donahue téléphone au procureur toutes les heures. »

Celia soupira.

« Ce sont beaucoup de mauvaises nouvelles d'un seul coup. Y a-t-il autre chose ?

— Malheureusement, c'est loin d'être tout. D'abord, il est décidé qu'un grand jury sera constitué pour étudier l'affaire des rapports non communiqués, ainsi que pour une autre histoire, qui vient d'être révélée. Et le procureur, qui s'en occupe personnellement à cause de Donahue, prononcera sans aucun doute une inculpation.

— Contre qui ?

— Vincent Lord, bien sûr. Mais aussi, je suis navré de vous l'annoncer, contre vous, Celia. Ils vont arguer du fait que vous étiez responsable et cela, à la demande de Donahue. D'après Quentin, Donahue veut votre peau. »

Celia savait pourquoi. Elle se souvenait de l'avertissement de l'avocat, après les auditions de la commission sénatoriale. « Vous l'avez ridiculisé... Si un jour il peut faire du mal à Felding-Roth ou à vous... il le fera avec joie. »

Puis elle se rappela les paroles prononcées quelques instants plus tôt par Ingram, et demanda :

« Bill, vous parliez d'une " autre histoire qui vient d'être révélée ". De quoi s'agit-il ? »

Ingram soupira.

« Là, ça devient compliqué. Mais je vais tenter d'être clair et concis.

Quand les données des essais cliniques sur l'Hexine W ont été soumises à la F.D.A., dans le dossier de demande d'autorisation, elles contenaient, comme d'habitude, tous les rapports médicaux : parmi lesquels celui d'un certain docteur Yaminer de Phoenix. Il apparaît maintenant que le rapport de ce docteur Yaminer était un faux. Il a fourni une liste de patients qui n'étaient pas les siens. L'essentiel de son dossier était frauduleux.

– Je suis navrée de l'apprendre, dit Celia, mais cela arrive parfois. D'autres compagnies ont eu les mêmes problèmes. Mais quand on s'aperçoit de la fraude – si l'on s'en aperçoit – on informe la F.D.A. et elle poursuit le médecin.

– C'est vrai, acquiesça Ingram. Mais ce qu'on n'est pas censé faire, c'est inclure le rapport dans le dossier de demande *après* avoir découvert qu'il s'agit d'un faux.

– Bien sûr que non.

– Vincent l'a fait. Il a paraphé le rapport de Yaminer et l'a laissé passer.

– Mais comment sait-on que Vincent s'en était aperçu ?

– J'y viens.

– Donnez-moi tous les détails, dit Celia d'une voix lasse.

– Quand ces policiers fédéraux sont venus perquisitionner, ils ont emporté les dossiers de Vincent. Ils ont ainsi trouvé celui du docteur Yaminer, qui contenait des notes de la main de Vince, prouvant qu'il avait découvert la supercherie *avant* de communiquer le dossier à la F.D.A. Le ministère de la Justice détient à présent le rapport original et les notes manuscrites de Vincent. »

Celia garda le silence. Qu'aurait-elle pu dire? Elle se demandait s'il y avait une limite à l'infamie.

« Je crois que c'est tout, reprit Ingram. Sauf que...

— Sauf que quoi?

— Eh bien... c'est au sujet du docteur Mace, et de son hostilité à notre égard. Je me souviens de vous avoir entendu dire que vous ne saviez absolument pas pourquoi.

— Cela reste vrai.

— Je pense que Vincent doit le savoir, dit Ingram, je le sens. Je l'ai observé : il blêmit chaque fois que je prononce le nom de Mace. »

Celia pesa ce qu'elle venait d'entendre. Puis soudain, dans son esprit, les paroles d'Ingram s'enchaînèrent avec une conversation qu'elle avait eue avec Lord, à l'époque des auditions de la commission. Elle l'avait accusé de mentir à la barre des témoins et...

Prenant une décision impulsive, elle déclara :

« Je veux le voir. Ici même.

— Vincent?

— Oui. Dites-lui que c'est un ordre. Qu'il prenne le premier avion et vienne me voir dès son arrivée. »

Ils se trouvaient maintenant face à face. Celia et Vincent Lord.

L'entretien se déroulait dans le salon de l'appartement des Jordan, à Mayfair.

Lord paraissait fatigué, plus âgé que ses soixante et un ans, et très tendu. Il avait maigri, et son visage semblait plus étroit que jamais. Les muscles de son visage, qui avaient toujours eu un léger tic, s'agitaient davantage, à présent.

Celia se souvint d'un incident remontant à ses

débuts de directrice adjointe de la formation à la vente, lorsqu'elle sollicitait souvent les conseils techniques de Lord. S'efforçant de placer leurs relations sur un pied un peu plus amical, elle avait suggéré qu'ils s'appellent par leur prénom, et Lord avait rétorqué : « Il vaudrait mieux pour nous deux, madame Jordan, que nous gardions à l'esprit notre différence de situation. »

Eh bien, décida-t-elle, en ces circonstances, elle allait suivre son avis.

Elle commença d'un ton glacial :

« Je n'aborderai pas cette déplorable affaire Yaminer, docteur Lord, si ce n'est pour vous informer qu'elle offre à notre compagnie l'occasion de se séparer de vous, et de vous laisser vous défendre vous-même – et à vos frais. »

Avec une lueur de triomphe dans les yeux, Lord riposta :

« Vous ne pouvez pas vous le permettre, car vous allez être inculpée aussi.

– Si je choisis de le faire, personne ne m'en empêchera. Et les mesures que je prendrai pour assurer ma défense sont mon affaire, et non la vôtre.

– Si vous *choisissez*... Il paraissait intrigué.

– Je ne prends aucun engagement, comprenez-le bien. Mais si la compagnie doit vous aider à vous défendre, j'exige de tout savoir.

– Tout ?

– Il y a *quelque chose* dans le passé que vous savez, et que j'ignore. Mais je sais que cela concerne le docteur Mace. »

Ils étaient debout. Lord désigna un siège.

« Puis-je ?

– Je vous en prie. Celia s'assit également.

– En effet, reprit Lord, il y a quelque chose. Mais

cela ne va pas vous plaire, et vous regretterez ensuite de l'avoir su.

– J'attends. Dites-le. »

Il lui révéla tout, depuis les premiers problèmes rencontrés à la F.D.A. avec Mace, la mesquinerie, les insolences, les retards absurdement prolongés pour l'autorisation de commercialiser le Staidpace – qui s'était en fin de compte révélé être parfaitement sûr et efficace... Ensuite, les tâtonnements pour découvrir quelque chose sur Mace, et l'aboutissement dans un bar pour homosexuels, à Georgetown, avec un employé de la F.D.A., Tony Redmond... l'achat de documents compromettants pour Mace. Le prix : deux mille dollars – *une dépense approuvée par Sam,* qui avait ensuite accepté de ne pas révéler l'information à la justice, mais de garder les papiers en réserve, faisant de Sam et de Lord les receleurs d'un délit criminel... Deux ans plus tard, quand Mace retardait l'approbation du Montayne par la F.D.A., la décision *prise en commun avec Sam* de faire chanter Mace... Le succès du chantage, en dépit des doutes sincères de Mace sur l'innocuité du produit...

Voilà, c'était fait. Celia savait tout et, comme l'avait prévu Lord, elle le regrettait. Il fallait cependant bien qu'elle le sache, car les décisions qu'elle allait devoir prendre, en sa qualité de président-directeur général, en dépendaient pour beaucoup.

En même temps, bien des choses devenaient plus claires : le désespoir de Sam et ses remords, la raison profonde de son suicide... l'effondrement du docteur Mace à l'audition de la commission sénatoriale et, quand on lui avait demandé pourquoi il avait recommandé le Montayne, sa réponse énigmatique : « Je ne sais pas. » La haine de Mace, enfin, pour Felding-Roth et tout ce qui s'y rapportait.

Celia songea : Si j'étais Mace, je nous haïrais aussi.

Et maintenant qu'elle connaissait toute cette histoire sordide, qu'allait-il se passer?

Sa conscience lui disait qu'elle ne pouvait envisager qu'une seule chose. Informer les autorités. Faire une déclaration publique. Dire la vérité. Laisser toutes les parties concernées assumer leurs responsabilités – Vincent Lord, Gideon Mace, Felding-Roth, elle-même.

Mais qu'adviendrait-il alors? Où cela les mènerait-il? Lord et Mace seraient anéantis, bien sûr – mais peu lui importait. Ce qui aurait pu la retenir, c'était la certitude que Felding-Roth serait couvert d'opprobre, et pas seulement le nom de la compagnie, mais aussi les employés, les directeurs, les actionnaires, et les chercheurs. Elle seule pourrait garder bonne contenance, mais c'était l'aspect le moins important.

Une autre question se posait : si elle faisait une déclaration publique et ouvrait le débat, à quoi cela servirait-il? Après aussi longtemps – probablement à rien.

Elle n'allait donc pas « agir selon sa conscience ». Elle ne dirait rien. Elle savait, sans avoir à réfléchir davantage, qu'elle garderait le silence comme les autres, qu'*elle les rejoindrait dans la corruption*. Elle n'avait pas le choix.

Lord le savait aussi. Un pâle sourire s'attardait sur ses lèvres.

Elle le méprisait. Le détestait plus que tout au monde.

Il s'était lui-même corrompu, avait corrompu Mace, et corrompu Sam aussi. Maintenant il corrompait Celia.

Elle se leva, furieuse et indignée :

« Disparaissez! *Sortez!* »

Andrew, qui était allé visiter un hôpital, revint une heure plus tard.

« Il y a du nouveau, dit-elle. Je vais devoir partir aussitôt après la fête en l'honneur de Martin et d'Yvonne, c'est-à-dire après-demain matin à la première heure. Si tu veux rester quelques jours...

– Nous rentrerons ensemble, répondit Andrew. (Il ajouta d'une voix douce :) Je m'occuperai des détails techniques. Je vois que tu as bien assez de soucis. »

Un peu plus tard, il lui fit son rapport : le Concorde de jeudi pour New York étant complet, il avait réservé deux places de première classe sur un 747 des British Airways. Ils arriveraient à New York, puis à Morristown, le jeudi après-midi.

CHAPITRE 58

YVONNE pouvait à peine y croire. Se trouvait-elle réellement au Palais de Buckingham? Etait-elle bien assise dans la Grande Salle de Bal, à côté d'autres personnes dont les parents allaient recevoir des distinctions, toutes plus ou moins impatientes et excitées à mesure qu'approchait le moment où entrerait la reine? Ou bien s'agissait-il d'un rêve?

Dans ce cas, le rêve était exquis. Et bercé par la musique du régiment des Coldstream Guards, qui occupait la tribune des ménestrels, surplombant la salle. Ils jouaient *Early One Morning*, un air vif et enjoué.

Mais non, ce n'était pas un rêve. Elle était bien venue au Palais avec Martin, qui attendait maintenant dans une antichambre le moment où il serait solennellement appelé quand commencerait la cérémonie. Il avait déjà assisté à une brève répétition, sous la supervision de l'Intendant de la Maison Royale.

Soudain une interruption, de l'agitation. La musique se tut. Puis, toute activité cessa. A la tribune, le chef d'orchestre attendait un signal, la baguette en suspens. Des valets en livrée ouvrirent les battants d'une double porte, et la reine apparut.

Les hommes en uniforme se mirent au gardeà-vous. Les invités se levèrent. La baguette du chef d'orchestre s'abattit et l'hymne national retentit dans toute sa majesté.

La reine, en robe de soie turquoise, souriait. Elle se dirigea vers le centre de la salle, suivie, à distance respectueuse, du Lord Chambellan et du Home Secretary, tous deux en jaquette. La remise des distinctions commença. L'orchestre jouait très doucement une valse de Strauss. Tout était empreint de dignité, bien que vivement mené. Aucun temps mort mais une succession d'événements qui s'enchaînaient si bien que jamais, sans doute, les personnes présentes ne les oublieraient.

Yvonne enregistrait précieusement chaque détail dans sa mémoire.

Ce fut bientôt le tour de Martin, après un Chevalier Commandeur de St. Michel et St. George qui, par ordre de préséance, venait avant lui. Suivant les instructions, Martin entra, avança de trois pas, s'inclina... s'approcha d'un agenouilloir et y posa le genou droit, son pied gauche demeurant par terre... Cependant, la reine reçut une épée des mains d'un écuyer et, du plat de la lame, effleura l'une après l'autre les épaules de Martin. Il se leva... un demi-pas à droite, un pas en avant... Il s'immobilisa, debout, la tête légèrement inclinée, et la reine lui passa au cou un ruban rouge et or retenant une médaille en or.

La reine avait échangé quelques mots avec chaque personne, mais il parut à Yvonne qu'elle passait davantage de temps avec Martin. Puis celui-ci fit trois pas en arrière, salua, et sortit.

Il rejoignit Yvonne quelques minutes plus tard, et s'assit discrètement à côté d'elle qui chuchota :

« Que t'a dit la reine? »

Il répondit tout bas, avec un sourire :

« La reine est une dame bien informée. »

Yvonne savait qu'elle apprendrait plus tard ce qu'avait *exactement* dit la reine.

Son seul regret était de n'avoir pas même aperçu le prince et la princesse de Galles. On lui avait bien dit que leur présence n'était pas annoncée, mais elle avait néanmoins gardé un peu d'espoir. Peut-être cette rencontre se produirait-elle un jour? Maintenant qu'elle était mariée avec Martin, tout pouvait arriver.

Depuis qu'ils savaient que Martin allait être anobli, les gens de Harlow et de Cambridge appelaient Yvonne « my lady ». Elle avait du mal à s'y habituer et, plusieurs fois déjà, elle avait demandé, en vain, au concierge de l'université Lucy Cavendish de ne pas se conformer à cet usage. Elle se disait qu'avec le temps elle s'y ferait, comme à tant d'autres choses. Après tout, songeait-elle, il y aurait bientôt des fermiers qui appelleraient Lady Peat-Smith, vétérinaire, pour soigner leurs vaches et leurs cochons.

La réception qu'offrirent Celia et Andrew en l'honneur de Sir Martin et Lady Peat-Smith fut un grand succès. De cinq heures de l'après-midi, jusqu'au début de la soirée, près de cent personnes, parmi lesquelles les principaux membres du centre de Harlow, se pressèrent dans les salons de l'hôtel Dorchester. Rao Sastri arriva en compagnie de Lilian, et ils parurent s'amuser beaucoup. Par deux fois, cependant, Celia les vit converser d'un air grave, en rapprochant leurs têtes. Rao était libre, elle le savait; d'après Martin, il n'avait jamais été marié.

Yvonne resplendissait. Elle avait perdu du poids, et elle confia à Celia que Martin lui avait enfin permis de prendre du Peptide 7. L'effet amaigrissant du médicament avait donc agi sur Yvonne comme sur les autres.

Au cours du cocktail, Celia annonça calmement à

Martin : « Andrew et moi devons partir demain matin très tôt. Tout à l'heure, j'aimerais que nous puissions passer quelques moments tranquilles, tous les quatre. »

La réception s'acheva enfin. Les invités prirent congé et se dispersèrent.

Il faisait déjà nuit quand Celia, Andrew, Martin et Yvonne parcoururent la brève distance séparant le Dorchester de Fortyseven Park. Cette journée de février avait été froide, mais ensoleillée. La clarté semblait se prolonger dans la nuit.

Ils se détendaient à présent dans le salon de l'appartement des Jordan.

« Martin, commença Celia, je vais aller droit au but, car, après cette journée, je pense que nous sommes tous un peu fatigués. Comme vous le savez, Felding-Roth construit de nouvelles installations destinées à des recherches génétiques. Les bâtiments se trouvent dans le New Jersey, à proximité de notre nouveau siège social, à Morristown, et nous prenons grand soin d'équiper le laboratoire avec tout le matériel dont peut rêver un généticien.

– J'en ai entendu parler, dit Martin.

– J'en viens à la question, reprit Celia. Accepteriez-vous, Yvonne et vous-même, de venir vivre aux Etats-Unis, et de diriger notre centre de recherches génétiques? Vous auriez le titre de vice-président. Je vous promets de vous laisser le champ libre pour orienter les recherches dans la direction qui vous semblera la meilleure. »

Il y eut un silence. Puis Martin répondit :

« C'est une proposition magnifique, Celia, et je vous en suis sincèrement reconnaissant. Mais je ne puis accepter. »

690

Elle insista :

« Vous n'êtes pas obligé de répondre maintenant. Pourquoi ne pas prendre le temps d'y réfléchir, et d'en parler avec Yvonne?

— Je crains que ma réponse ne soit définitive, dit Martin, car je dois vous annoncer quelque chose. J'aurais préféré le faire à un autre moment, mais voilà : je démissionne de Felding-Roth. »

La nouvelle surprit Celia.

« Oh! non. Ce n'est pas vrai! (Puis elle fixa sur lui un regard perçant.) Entrez-vous dans une autre société pharmaceutique? Quelqu'un vous a-t-il fait une meilleure offre? Parce que dans ce cas...

— Non, bien sûr. Je ne vous ferais pas une chose pareille. Tout au moins, pas sans en discuter d'abord avec vous. Mais là, il s'agit d'un retour à d'anciennes amours.

— Il parle de Cambridge, et non d'une autre femme, intervint Yvonne. Nous allons retourner vivre là-bas. Son cœur était resté à l'Université. »

C'est là que je l'ai trouvé bien avant que vous ne le connaissiez, songea Celia.

Elle ne s'était guère attendue à cette nouvelle, mais son instinct lui disait que Martin ne se laisserait pas dissuader, et que ce n'était même pas la peine d'essayer. Il ne pourrait résister à l'appel de Cambridge. Par un dimanche ensoleillé, treize ans auparavant, elle avait remporté une victoire contre l'Université. Une victoire qui avait entraîné d'autres victoires. Mais la roue avait tourné; c'était à présent au tour de Cambridge, tandis que Celia et Felding-Roth perdaient.

Andrew prit la parole, s'adressant à Martin.

« J'ai toujours pensé que l'Université vous rappellerait un jour. Serez-vous professeur dans un collège? J'ai lu qu'il y avait des chaires vacantes.

— Il y en a, confirma Martin. Mais, à quarante-six

ans, je suis encore trop jeune pour une chaire. Peut-être plus tard, quand j'aurai veilli, blanchi, et gagné du galon...

– Mon dieu! s'exclama Celia. Quel galon peut-il bien vous manquer encore? Vous avez fait une grande découverte, reçu des louanges du monde entier, vous avez été anobli. »

Martin sourit.

« Cambridge a déjà vu tout cela bien des fois. L'Université ne se laisse pas facilement impressionner. Non, j'y retourne dans le cadre d'un nouveau programme de recherches sur le sang. »

Il s'agissait d'un projet financé par l'Etat. Martin serait directeur adjoint de recherches. Comme bien souvent pour les postes universitaires, son salaire ne serait pas très élevé – moins de dix mille livres sterling par an au début. Cependant, les Peat-Smith vivraient à l'aise grâce au revenu substantiel que leur procurait le Peptide 7, et dont Martin pensait d'ailleurs consacrer une partie à ses nouvelles recherches.

Quelques mois plus tôt, les services financiers et juridiques de Felding-Roth avaient mis au point un arrangement particulier en faveur de Martin, que Celia, puis le conseil d'administration, avaient approuvé.

D'après la législation anglaise, Martin aurait pu réclamer en justice une compensation pour sa découverte du Peptide 7. Mais, pas plus que Felding-Roth, il n'avait voulu se perdre dans la procédure. Un accord amiable et privé avait donc été conclu, établissant un compte de deux millions de livres sterling aux Bahamas, d'où un revenu parviendrait régulièrement à Martin. Ce compte avait été entouré de toutes les protections légales possibles, afin que le fisc anglais, selon l'expression de

Celia, « ne prive pas Martin de sa juste récompense ».

Cette juste récompense, songeait-elle maintenant avec amertume, facilitait évidemment le retour à Cambridge. Mais elle se doutait que Martin aurait pris la même décision s'il n'avait reçu aucune compensation personnelle pour le Peptide 7.

Avant que Martin et Yvonne prennent congé pour rentrer chez eux, Celia déclara :

« Vous manquerez tous deux beaucoup à Felding-Roth, mais j'espère que nous resterons bons amis. »

Ils se le promirent.

Avant le départ de Celia et Andrew, une dernière affaire fut réglée.

Quelque temps après le départ de Martin et d'Yvonne, vers l'heure où les Jordan allaient se coucher, on frappa à la porte de l'appartement. C'était Lilian Hawthorne. Devinant que Lilian souhaitait parler seule à seule avec Celia, Andrew quitta discrètement la pièce.

« Je vous suis reconnaissante de m'avoir persuadée de venir en Angleterre, commença Lilian. Vous avez sans doute remarqué que je passais d'heureux moments.

— Oui, je l'ai remarqué. (Celia sourit.) Et j'étais ravie d'observer que Rao semblait tout aussi heureux.

— Nous avons découvert que nous éprouvions de la sympathie l'un pour l'autre – et peut-être même davantage. (Lilian hésita.) Sans doute vous direz-vous, en voyant cela surgir si vite, et à mon âge, que je suis sotte...

— Je ne pense rien de tel! Au contraire, Lilian, il est temps que vous retrouviez enfin la joie de vivre, et si cette joie peut vous être apportée par Rao...

— Je suis heureuse que vous le preniez ainsi, parce que c'est le but de ma visite, ce soir. Je veux vous demander une faveur.

— Si je le peux, je le ferai avec plaisir.

— Eh bien, Rao aimerait venir en Amérique. Il dit qu'il le désire depuis longtemps. Cela me ferait plaisir également, et s'il pouvait travailler chez Felding-Roth... »

La phrase demeura en suspens. Celia l'acheva :

« Ce serait pratique pour vous deux. »

Lilian sourit.

« En effet.

— Je suis certaine, reprit Celia, qu'on pourra lui trouver un poste dans les nouveaux laboratoires de génétique. En fait, vous pouvez lui dire que c'est une promesse ferme de ma part. »

Le visage de Lilian s'illumina.

« Merci, Celia. Il sera enchanté. Il l'espérait tellement. Il sait qu'il n'a pas les qualités exceptionnelles de quelqu'un comme Martin; il me l'a dit lui-même. Mais il est un vrai chercheur, consciencieux...

— Je sais tout cela, dit Celia. Mais, même s'il n'avait pas eu toutes ces qualités, je l'aurais fait. Il y a bien longtemps, ma chère Lilian, vous m'avez fait une grande faveur. Celle-ci est bien mince en échange. »

Lilian se mit à rire.

« Vous parlez de ce fameux matin où nous nous sommes vues pour la première fois? Quand vous êtes venue chez moi — si jeune, si présomptueuse — dans l'espoir que je vous aiderais à devenir visiteuse médicale, en intervenant auprès de Sam? »

Elle se tut, la gorge serrée car, pour toutes les deux, trop de souvenirs affluaient soudain.

Le lendemain matin de bonne heure, une limousine conduisit Celia et Andrew à l'aéroport.

ÉPILOGUE

Dans la section de première classe du 747, les plateaux du déjeuner avaient été débarrassés. Après s'être absenté quelques instants, Andrew regagna sa place.

« Là-dedans, dit-il en désignant les toilettes de l'appareil, je réfléchissais à cette manière que nous avons de croire que tout nous est dû. Quand Lindbergh a traversé l'Atlantique pour la première fois, il n'y a pas si longtemps, il était obligé de rester assis sur son siège et de se soulager dans un flacon. »

Celia se mit à rire.

« Je suis bien contente que cela ait changé. (Elle posa un regard interrogateur sur son mari.) Est-ce tout ? Je crois deviner une pointe de philosophie.

– En effet. Je pensais à tes soucis – à l'industrie pharmaceutique. Et j'ai eu une ou deux idées que tu trouveras peut-être réconfortantes.

– Elles seront les bienvenues.

– Les gens comme toi, reprit Andrew, qui vivent constamment dans l'agitation, sont tellement pris par ce qu'ils font qu'à certains moments – comme maintenant, me semble-t-il – ils ne voient plus que les gros nuages, et ils oublient les arcs-en-ciel.

– Parle-moi un peu des arcs-en-ciel.

– Rien de plus facile. Tu m'en as offert un quand nous nous sommes rencontrés. La Lotromycine. Elle est toujours là, aussi précieuse que le jour où tu me l'as fait utiliser pour la première fois – efficace, indispensable dans la trousse du médecin pour sauver des vies. Plus personne ne parle de la Lotromycine, bien sûr – elle ne fait plus sensation, on s'y est habitué. Mais ajoute-la à d'autres, et tu auras une telle profusion de médicaments, découverts depuis les années 50, que tu pourras *voir* que la médecine a connu une véritable révolution. Je l'ai vécue, je l'ai suivie de mes propres yeux. (Andrew se tut un instant, puis reprit :) Quand j'ai terminé mes études de médecine, sept ans après la guerre, tout ce que nous pouvions faire pour les malades, le plus souvent, c'était les aider à tenir le coup, et puis espérer, impuissants. Il existait tant de maladies contre lesquelles nous ne disposions d'aucune arme que c'en était décourageant. Désormais, ce n'est plus vrai. Nous avons tout un arsenal de médicaments pour lutter et guérir. Et c'est ton industrie qui nous les a fournis.

– Quelle douce musique à mes oreilles, dit Celia. Continue.

– Prenons le cas de l'hypertension. Il y a vingt ans, il existait de rares médicaments, qui n'avaient qu'une action limitée, et encore quand ils en avaient une. A présent, les traitements sont illimités et sûrs. Le nombre des infarctus causés par l'hypertension a baissé de moitié, et diminue encore. Des médicaments empêchent les crises cardiaques. On est venu à bout de la tuberculose et des ulcères, et on a amélioré les conditions de vie des diabétiques. Il en va de même dans tous les autres domaines de la médecine. Il existe tant de bons médicaments! Je les prescris tous les jours.

– Cite m'en quelques-uns. »

Il les nomma au hasard.

« Cela devrait nous suffire, convint Celia. Et où veux-tu en venir?

– Les bons médicaments utiles sont beaucoup plus nombreux que les ratés. Pour chaque raté – Thalidomide, Selacryne, Montayne, Oraflex, Benedictine, et quelques autres échecs dont on entend parler à la télévision –, il y en a cent qui réussissent. Et ce ne sont pas seulement les laboratoires pharmaceutiques qui y gagnent. Les grands gagnants sont *les gens* – ceux qui retrouvent la santé au lieu de la maladie, ceux qui vivent au lieu de mourir. Si je faisais un discours, et c'est sans doute ce que je fais, avec toi pour seul public, je dirais que ce qu'a fait ton industrie – avec tous ses défauts et malgré les critiques qu'on peut formuler à son encontre – c'est un bienfait pour l'humanité.

– Arrête! dit Celia. C'était si beau et si juste, qu'un seul mot de plus pourrait tout gâcher. Tu m'as *vraiment* réconfortée. Maintenant, je vais fermer les yeux et réfléchir un peu. »

Rouvrant les yeux dix minutes plus tard, Celia se tourna vers Andrew :

« J'ai des choses à te dire. (Elle marqua un temps d'arrêt.) Tu as été bien des choses, pour moi; maintenant, te voici promu confesseur. D'abord, je *suis* responsable de tous ces incidents déplorables autour de l'Hexine W. Dans mon esprit, cela ne fait aucun doute. Si j'avais agi plus vite, plusieurs vies auraient été sauvées. Je n'ai pas posé les vraies questions au moment opportun. J'ai cru à tout ce que mon expérience aurait dû me faire mettre en doute. Je me suis laissé enivrer par le pouvoir et par le succès – j'étais tellement grisée par le Peptide 7, puis par l'Hexine W, que j'ai négligé l'évidence. D'une certaine façon, c'était un peu la même chose que pour Sam, avec le Montayne. Je le comprends mieux, à présent.

— J'espère que tu n'as pas l'intention de dire tout cela au tribunal?

— Non. Je serais stupide de le faire. J'ai déjà annoncé que, si j'étais inculpée et traduite en justice, je me battrais. Mais il faut bien que j'avoue ma culpabilité à quelqu'un, et c'est pour cela que je t'en parle.

— Et Vincent Lord... s'il est inculpé?

— Nous lui fournirons une assistance juridique. Je l'ai décidé. Mais, à part cela, il devra assumer la responsabilité de ses actes. »

Andrew reprit très doucement :

« En dépit de tout ce que tu m'as dit – et je reconnais que c'est en partie vrai –, ne te laisse pas bourreler de remords. Tu es humaine, comme nous tous. Personne n'a un dossier immaculé. Le tien est plus propre que beaucoup d'autres.

— Il n'est pas aussi vierge que je l'aurais souhaité. Je sais que je peux mieux faire, et une expérience comme celle-ci doit m'y aider. (La voix de Celia avait retrouvé son intonation décidée.) Ce sont les raisons pour lesquelles je veux continuer, et je compte bien y parvenir. Je n'ai que cinquante-trois ans. Je peux encore faire beaucoup de choses, chez Felding-Roth.

— Et tu réussiras, fit-il. Comme tu l'as toujours fait. »

Il y eut un silence et quand Andrew la regarda, Celia avait fermé les yeux et s'était assoupie.

Elle dormit jusqu'au moment où l'avion amorça sa descente pour atterrir. S'éveillant, elle effleura le bras d'Andrew. Il se tourna vers elle.

« Merci, mon chéri. Merci pour tout. (Elle sourit.) J'ai encore réfléchi, et maintenant tout est clair. Quoi qu'il arrive, je sortirai victorieuse. »

Andrew ne répondit rien – il lui prit simplement la main. Il la tenait encore quand ils atterrirent à New York.

DU MÊME AUTEUR

AIRPORT, Albin Michel, 1969.
DETROIT, Albin Michel, 1972.
714 APPELLE VANCOUVER, Albin Michel, 1973.
HÔTEL SAINT-GREGORY, Presses Pocket, 1973.
BANK, Albin Michel, 1975.
BLACK OUT, Albin Michel, 1979.

IMPRIMÉ EN FRANCE PAR BRODARD ET TAUPIN
Usine de La Flèche (Sarthe).
LIBRAIRIE GÉNÉRALE FRANÇAISE - 6, rue Pierre-Sarrazin - 75006 Paris.
ISBN : 2 - 253 - 04516 - 0

30/6450/8